Het vonnis

2850

Van dezelfde auteur

Advocaat van de duivel
Achter gesloten deuren
De cliënt
De jury
De rainmaker
In het geding
De partner
De straatvechter
Het testament
De broederschap

John Grisham

Het vonnis

Zwarte Beertjes

Oorspronkelijke titel
The Chamber

Vertaling
Jan Smit

ISBN 90 449 2850 3
NUGI 331

Tweede druk, september 2000

Woord vooraf

Ik ben zelf advocaat geweest en heb mensen verdedigd die allerlei misdrijven hadden gepleegd. Maar geen van mijn cliënten is ooit van moord beschuldigd en ter dood veroordeeld. Ik ben nog nooit beroepsmatig in de dodengang geweest en heb nooit dezelfde dingen hoeven doen als de advocaat in dit verhaal.

Omdat ik een hekel heb aan research, heb ik gedaan wat ik meestal doe als ik een roman schrijf. Ik heb contact gezocht, en vriendschap gesloten, met advocaten die wel ervaring hadden op dit gebied. Ik heb hen op alle uren van de dag gebeld en om informatie gevraagd. Op deze plaats wil ik hen hartelijk danken.

Leonard Vincent is al jarenlang advocaat bij het gevangeniswezen van Mississippi en hij heeft de deuren van zijn kantoor voor me geopend. Hij heeft me geholpen bij de juridische aspecten, hij heeft me zijn dossiers laten zien, hij heeft me meegenomen naar de dodencellen en me een rondleiding gegeven door de uitgestrekte strafgevangenis van Mississippi, die kortweg bekendstaat als Parchman. Hij heeft me talloze verhalen verteld die op de een of andere manier hun neerslag hebben gevonden in dit boek. Leonard en ik worstelen nog steeds met het morele probleem van de doodstraf, en dat zal ook wel zo blijven. Mijn dank gaat ook uit naar zijn medewerkers en de bewaarders en het personeel van Parchman.

Jim Craig is een goede advocaat met een warm hart. Als directeur van het Mississippi Capital Defense Resource Center is hij de officiële raadsman van de meeste gedetineerden in de dodencellen. Hij heeft me wegwijs gemaakt in het ondoordringbare labyrint van de beroepsprocedures en de habeas corpus-wetgeving. De onvermijdelijke fouten zijn voor mijn rekening, niet voor de zijne.

Ik heb gestudeerd met Tom Freeland en Guy Gillespie, en ik dank hen voor hun bereidwillige hulp. Mijn vriend Marc Smirnoff is redacteur van *The Oxford American* en heeft zo-

als gewoonlijk mijn manuscript doorgewerkt voordat ik het naar New York stuurde.
Verder dank ik Robert Warren en William Ballard voor hun hulp. En zoals altijd gaat mijn bijzondere dank naar mijn beste vriendin, Renee, die nog altijd ieder hoofdstuk over mijn schouder meeleest.

1

Het besluit om een aanslag te plegen op het kantoor van de radicale jood werd vrij gemakkelijk genomen. Er waren maar drie mensen bij betrokken. De eerste was de man met het geld. De tweede was iemand uit de buurt die de omgeving kende. De derde was een jonge fanatiekeling die veel van explosieven wist en een ongelooflijk talent bezat om spoorloos te verdwijnen. Na de aanslag vluchtte hij naar Noord-Ierland, waar hij zich zes jaar verborgen hield.
De naam van het doelwit was Marvin Kramer. Hij kwam uit een familie die al vier generaties in de Mississippi-delta woonde en rijk was geworden met de handel. Kramer had een vooroorlogs huis in Greenville, een stad aan de rivier met een kleine maar invloedrijke joodse gemeenschap. Greenville was een aardig stadje waar zich weinig rassenconflicten voordeden. Kramer was advocaat geworden omdat hij de handel te saai vond. Zoals de meeste joden van Duitse afkomst was zijn familie uitstekend geïntegreerd in de cultuur van het Amerikaanse zuiden. De Kramers zagen zichzelf als gewone zuiderlingen die toevallig een ander geloof aanhingen. Ze hadden maar zelden te maken met antisemitisme. Ze pasten zich aan de maatschappij aan en bemoeiden zich met hun eigen zaken.
Maar Marvin was anders. Tegen het eind van de jaren vijftig had zijn vader hem naar Brandeis in het noorden gestuurd. Daar studeerde hij vier jaar, en daarna nog drie jaar rechten aan de universiteit van Columbia. Toen hij in 1964 in Greenville terugkwam, was de burgerrechtenbeweging inmiddels zeer actief in Mississippi. Marvin sloot zich erbij aan. Nog geen maand na de opening van zijn kleine advocatenkantoor werd hij met twee van zijn studiegenoten uit Brandeis gearresteerd omdat hij had geprobeerd zwarte kiezers in te schrijven. Zijn vader was woedend en zijn familie voelde zich opgelaten, maar Marvin trok zich er niets van aan. Toen hij vijfentwintig was, werd hij voor het eerst met de dood be-

dreigd en vanaf dat moment droeg hij een wapen bij zich. Hij kocht ook een pistool voor zijn vrouw, een meisje uit Memphis, en gaf hun zwarte dienstmeisje opdracht een pistool in haar tasje bij zich te dragen. De Kramers hadden twee zoontjes, een tweeling van vijf jaar.
Het eerste burgerrechtenproces dat in 1965 door het kantoor van Marvin B. Kramer & Associés (er waren nog geen associés) werd aangespannen, richtte zich tegen plaatselijke ambtenaren die zich schuldig maakten aan discriminatie van zwarte kiezers. De zaak trok de aandacht in de hele staat en Marvins foto verscheen in de krant. Zo kwam zijn naam ook op de lijst van de Ku-Klux-Klan terecht, als een van de mensen die ze het leven zuur wilden maken. Kramer was een radicale jood met een baard en linkse ideeën, opgeleid aan een joodse universiteit in het noorden – een jood die zich het lot aantrok van de protesterende negers in de Mississippi-delta. Dat ging te ver.
Later deed het gerucht de ronde dat advocaat Kramer zijn eigen geld gebruikte om de borgsom te betalen voor gearresteerde Freedom Riders en burgerrechtenactivisten. Hij spande processen aan tegen gelegenheden waar uitsluitend blanken werden toegelaten. Hij betaalde mee aan het herstel van een zwarte kerk die door de Klan was opgeblazen. Hij ontving zelfs negers bij zich thuis. Hij hield lezingen voor joodse groeperingen in het noorden en spoorde hen aan zich in de strijd te mengen. Hij schreef vurige brieven aan kranten, waarvan er enkele werden afgedrukt. Advocaat Kramer marcheerde dapper zijn ondergang tegemoet.
De aanwezigheid van een nachtwaker die rustig tussen de bloemperkjes patrouilleerde maakte een aanslag op Kramers huis onmogelijk. Marvin betaalde de nachtwaker al twee jaar. Het was een zwaargewapende ex-politieman, en de Kramers bazuinden overal rond dat ze door een scherpschutter werden beschermd. Natuurlijk was de Klan op de hoogte van de nachtwaker en ze lieten hem wijselijk met rust. Daarom werd besloten tot een aanslag op Kramers kantoor.
De planning van de operatie kostte niet veel tijd, omdat er maar zo weinig mensen bij betrokken waren. De man met het geld, een kleurrijke rechtse profeet genaamd Jeremiah Dogan, was op dat moment Imperial Wizard van de Klan in

Mississippi. Zijn voorganger zat in de gevangenis en Jerry Dogan amuseerde zich kostelijk met het organiseren van bomaanslagen. Hij was niet dom. De FBI gaf later zelfs toe dat Dogan een vrij effectieve terrorist was geweest, omdat hij het vuile werk verdeelde onder kleine, autonome groepen die volledig onafhankelijk van elkaar opereerden. De FBI had heel wat infiltranten binnen de Ku-Klux-Klan en Dogan vertrouwde niemand, buiten een handjevol medeplichtigen. Hij was de grootste handelaar in tweedehands auto's in Mississippi en had veel geld verdiend met allerlei duistere zaakjes. Soms preekte hij in doopsgezinde kerkjes op het platteland.

Het tweede lid van het team was een zekere Sam Cayhall, een Klan-lid uit Clanton in Ford County, drie uur rijden ten noorden van Meridian en een uur ten zuiden van Memphis. Cayhall was bij de politie bekend, maar de FBI wist niets over zijn connectie met Dogan. Hij werd als ongevaarlijk beschouwd omdat hij in een deel van Mississippi woonde waar de Klan nauwelijks actief was. Er waren de afgelopen tijd een paar kruisen verbrand in Ford County, maar van aanslagen was geen sprake. De FBI wist dat Cayhalls vader een Klan-lid was geweest, maar verder maakte de familie een passieve indruk. Het was een briljante zet van Dogan om Cayhall te rekruteren.

De aanslag op het kantoor van Kramer begon met een telefoontje op de avond van 17 april 1967. Jeremiah Dogan, die er terecht van uitging dat zijn telefoon werd afgeluisterd, wachtte tot middernacht en reed toen naar een telefooncel bij een benzinestation ten zuiden van Meridian. Hij vermoedde ook dat hij door de FBI werd geschaduwd, en daar had hij gelijk in. Ze hielden hem in de gaten, maar ze wisten niet met wie hij belde.

Sam Cayhall luisterde rustig, stelde een paar vragen en hing op. Hij ging weer naar bed, zonder zijn vrouw iets te vertellen. Ze was zo verstandig niets te vragen. De volgende morgen reed hij al vroeg naar het stadje Clanton. Zoals gewoonlijk ontbeet hij in The Coffee Shop en belde toen vanuit een telefooncel in het Ford County Courthouse.

Drie dagen later, op 20 april, vertrok Cayhall in de schemering uit Clanton en reed in twee uur naar Cleveland, een universiteitsstadje in de Mississippi-delta, een uur rijden van

Greenville. Hij wachtte veertig minuten op het parkeerterrein van een druk winkelcentrum, maar kon nergens een groene Pontiac ontdekken. Hij at een gebraden kip in een goedkope cafetaria en reed door naar Greenville om de omgeving van het advocatenkantoor van Marvin B. Kramer & Associés te verkennen. Twee weken eerder was hij al een dag in Greenville geweest en hij kende de stad vrij goed. Hij vond Kramers kantoor, reed toen naar zijn statige huis en daarna langs de synagoge.

Dogan had gezegd dat de synagoge later misschien aan de beurt zou komen, maar eerst wilden ze de joodse advocaat treffen. Om elf uur was Cayhall weer terug in Cleveland. De groene Pontiac stond niet bij het winkelcentrum geparkeerd, maar bij een wegrestaurant aan Highway 61, de tweede keuze. Hij vond het contactsleuteltje onder de voormat en reed een eind door de rijke akkers van de delta. Bij een landweggetje sloeg hij af, stopte en opende de kofferbak. In een kartonnen doos, onder een stapel kranten, vond hij vijftien staven dynamiet, drie slaghoedjes en een lont. Hij reed terug naar de stad en wachtte in het wegrestaurant, dat dag en nacht open was.

Om precies twee uur 's nachts liep het derde lid van het team het drukke restaurant binnen en ging tegenover Sam Cayhall zitten. Zijn naam was Rollie Wedge. Hij was hooguit tweeëntwintig, maar een veteraan in de strijd tegen de burgerrechten. Hij zei dat hij uit Louisiana kwam en nu ergens in de bergen woonde waar niemand hem kon vinden. Hoewel hij geen stoere verhalen ophing, zei hij wel een paar keer tegen Sam Cayhall dat hij verwachtte te zullen sterven in de strijd om de blanke overheersing. Zijn vader had een slopersbedrijf en van hem had Rollie geleerd hoe hij met explosieven moest omgaan. Zijn vader was ook lid van de Klan, vertelde Rollie, en had hem de leer van de haat bijgebracht.

Sam wist niet veel over Rollie Wedge en geloofde hem niet erg. Maar hij vroeg Dogan niet waar hij het joch had gevonden.

Ze dronken koffie en zaten een half uur te praten. Cayhalls kopje trilde soms in zijn hand, maar Rollie was onverstoorbaar. Hij knipperde nauwelijks met zijn ogen. Ze hadden samen al een paar klussen opgeknapt en Cayhall verbaasde

zich steeds weer over de koelbloedigheid van zo'n jong knulletje. Hij had Jeremiah Dogan gezegd dat Rollie Wedge nooit zenuwachtig werd, zelfs niet als ze vlak bij het doelwit waren en hij de explosieven moest aanbrengen.
Wedge had op het vliegveld van Memphis een auto gehuurd. Hij haalde een kleine tas van de achterbank, sloot de auto af en liet hem achter bij het wegrestaurant. De groene Pontiac, met Cayhall achter het stuur, vertrok uit Cleveland en reed over Highway 61 naar het zuiden. Het was bijna drie uur 's nachts en de weg was verlaten. Een paar kilometer ten zuiden van het dorp Shaw draaide Cayhall een donkere grindweg op en stopte. Rollie zei hem dat hij in de auto moest blijven terwijl hij de explosieven inspecteerde. Sam gehoorzaamde. Rollie liep met zijn tas naar de kofferbak en controleerde het dynamiet, de slaghoedjes en de lont. Hij legde zijn tas achterin, sloot de kofferbak en gaf Sam opdracht om naar Greenville te rijden.
Om een uur of vier reden ze voor het eerst langs Kramers kantoor. De straat was donker en verlaten, en Rollie mompelde dat dit de eenvoudigste klus zou worden die ze ooit hadden gedaan.
'Jammer dat we zijn huis niet kunnen opblazen,' zei hij zacht, toen ze langs het huis van de advocaat reden.
'Ja, heel jammer,' zei Sam nerveus. 'Maar hij heeft een nachtwaker.'
'Dat weet ik. Geen probleem.'
'Misschien niet. Maar hij heeft ook kinderen.'
'Je moet ze afmaken als ze nog jong zijn,' meende Rollie. 'Kleine joodse ettertjes groeien op tot grote joodse etters.'
Cayhall stopte in een steegje achter Kramers kantoor en zette de motor af. Zachtjes openden de twee mannen de kofferbak, haalden de doos en de tas eruit en slopen langs een heg naar de achterdeur.
Sam Cayhall forceerde de achterdeur van het kantoor en binnen enkele seconden waren ze binnen. Twee weken eerder had Sam zich bij de receptioniste gemeld, zogenaamd om de weg te vragen, en daarna gevraagd of hij het toilet mocht gebruiken. In de gang, tussen de toiletten en Kramers kantoor, was een smalle kast met stapels oude dossiers en andere juridische rommel.

'Blijf bij de deur en houd het steegje in de gaten,' fluisterde Wedge zakelijk, en Sam deed wat hem was gezegd. Hij stond liever op de uitkijk dan de explosieven te moeten aanbrengen.

Rollie zette de doos snel op de bodem van de kast en maakte het dynamiet gereed. Dat was niet zonder gevaar, en Sams hart bonsde in zijn keel terwijl hij wachtte. Hij stond altijd met zijn rug naar de explosieven toe, voor het geval er iets mis zou gaan.

Ze bleven nog geen vijf minuten in het kantoor. Toen waren ze weer buiten en slenterden nonchalant naar de groene Pontiac. Ze voelden zich onoverwinnelijk. Het ging allemaal zo gemakkelijk. Ze hadden een aanslag gepleegd op een makelaar – een joodse makelaar – in Jackson omdat hij een huis aan een zwart echtpaar had verkocht. Ze hadden een bom gelegd bij het kantoor van een kleine krant omdat de hoofdredacteur zich genuanceerd had opgesteld in de rassenkwestie. En ze hadden een synagoge in Jackson opgeblazen, de grootste in Mississippi.

In het donker reden ze het steegje uit. Cayhall ontstak de koplampen van de Pontiac pas weer toen ze een zijstraat hadden bereikt.

Bij de vorige aanslagen had Wedge altijd een lont van vijftien minuten gebruikt, die hij aanstak met een simpele lucifer, net als bij vuurwerk. De twee mannen schepten er plezier in om naar de rand van de stad te rijden, met de raampjes open, totdat ze de explosie hoorden en de schokgolven voelden. Elke keer hadden ze dat zo gedaan, voordat ze er op hun gemak vandoor gingen.

Maar deze keer liep het anders. Sam nam ergens een verkeerde afslag en opeens stonden ze voor een spoorwegovergang met knipperende lichten. Er reed een goederentrein voorbij. Een lange goederentrein. Sam keek voortdurend op zijn horloge. Rollie zei niets. Toen de trein eindelijk was gepasseerd, nam Sam opnieuw een verkeerde afslag. Ze waren nu vlak bij de rivier, in een straat met vervallen huizen. In de verte zagen ze een brug. Sam keek nog eens op zijn horloge. Over vijf minuten zou de grond gaan trillen en hij reed liever op een donkere, verlaten buitenweg als het zo ver was. Rollie schoof even heen en weer op zijn stoel alsof hij zich ergerde

aan zijn chauffeur, maar hij zei niets.
Weer een hoek en een volgende straat. Greenville was niet groot, en als hij een paar keer afsloeg, moest hij weer op bekend terrein komen. De volgende bocht was de laatste. Sam remde toen hij besefte dat hij vanaf de verkeerde kant een eenrichtingsstraat in was gereden. Doordat hij zo abrupt remde, sloeg de motor af. Hij zette de hendel in de parkeerstand en startte. De startmotor draaide keurig rond, maar de motor sloeg niet aan. Ze roken de stank van benzine.
'Verdomme!' zei Sam met opeengeklemde tanden. 'Verdomme.'
Rollie liet zich onderuit zakken en tuurde door het raampje.
'Ik heb 'm verzopen!' Sam draaide het sleuteltje nog eens om, maar met hetzelfde resultaat.
'Straks is de accu leeg,' zei Rollie kalm en onbewogen.
Sam was bijna in paniek. Hoewel hij verdwaald was, wist hij zeker dat ze nog niet ver van het centrum waren. Hij haalde diep adem en keek om zich heen. Toen wierp hij nog een blik op zijn horloge. Er waren geen andere auto's te zien. Alles was rustig. De ideale situatie voor een bomaanslag. In gedachten zag hij de brandende lont op de houten vloer. Hij voelde de trillingen van de explosie al en hoorde het gebulder van brekend hout, beton, steen en glas. Verdomme, dacht Sam, straks worden we nog geraakt door rondvliegend puin. Hij probeerde zich te beheersen.
'Je mag toch verwachten dat Dogan ons een behoorlijke auto geeft,' mompelde hij bij zichzelf. Rollie gaf geen antwoord en staarde naar iets buiten de auto.
Er was al minstens een kwartier verstreken sinds ze Kramers kantoor hadden verlaten en de bom kon nu elk moment exploderen. Sam veegde het zweet van zijn voorhoofd en probeerde nog eens te starten. Gelukkig sloeg de motor aan. Hij grijnsde naar Rollie, die volkomen onverschillig leek. Sam reed een paar meter achteruit en ging er toen snel vandoor. De eerstvolgende straat kwam hem bekend voor en twee hoeken verderop waren ze weer in Main Street. 'Wat heb je voor een lont gebruikt?' vroeg Sam ten slotte toen ze Highway 82 bereikten, nog geen tien straten van Kramers kantoor.
Rollie haalde zijn schouders op alsof dat zijn zaak was en Sam zich er niet mee moest bemoeien. Sam remde af omdat

ze een stilstaande politiewagen passeerden en gaf weer gas toen ze bij de rand van de stad waren gekomen. Even later hadden ze Greenville achter zich gelaten.
'Wat voor een lont heb je gebruikt?' vroeg Sam weer, wat scherper nu.
'Ik heb iets nieuws geprobeerd,' antwoordde Rollie zonder hem aan te kijken.
'Wat dan?'
'Dat zou je toch niet begrijpen,' zei Rollie.
Sam staarde nijdig voor zich uit. 'Een tijdmechaniek?' vroeg hij een paar kilometer verder.
'Zoiets ja.'

De rit naar Cleveland verliep in stilte. Het was een vlak gebied. Terwijl de lichten van Greenville achter hen vervaagden, verwachtte Sam ieder moment een vuurbol te zien of een luid gerommel in de verte te horen, maar er gebeurde niets. Rollie Wedge viel zelfs in slaap.
Het was druk bij het wegrestaurant toen ze terugkwamen. Zoals altijd liet Rollie zich het eerst van zijn stoel glijden en gooide het portier achter zich dicht. 'Tot de volgende keer,' zei hij met een grijns door het open raampje, voordat hij naar zijn huurauto liep. Sam zag hem met stoere passen weglopen en verbaasde zich opnieuw over de koelbloedigheid van Rollie Wedge.
Het was inmiddels een paar minuten over half zes, en boven de donkere horizon in het oosten was al een oranje schijnsel te zien. Sam draaide de groene Pontiac de weg weer op en reed over Highway 61 naar het zuiden. Terug naar Greenville.

Het drama van de aanslag begon feitelijk omstreeks de tijd dat Rollie Wedge en Sam Cayhall in Cleveland afscheid namen. Het begon met de wekker op het nachtkastje niet ver van Ruth Kramers hoofdkussen. Toen die wekker om half zes, de vaste tijd, afliep, wist Ruth meteen dat ze behoorlijk ziek was. Ze had verhoging, een bonzende pijn in haar slapen en ze voelde zich misselijk. Marvin hielp haar naar de badkamer, waar ze een half uur bleef. Een kwaadaardig griepvirus waarde al een maand door Greenville rond en had nu ook het

huis van de Kramers gevonden.
Om half zeven maakte het dienstmeisje de tweeling – Josh en John, vijf jaar oud – wakker, hielp hen snel met wassen en aankleden en maakte het ontbijt klaar. Marvin vond het beter de kinderen gewoon naar de kleuterschool te brengen. Dan waren ze uit het huis en hopelijk ook bij het virus vandaan. Hij belde een bevriende arts voor een recept en gaf het dienstmeisje twintig dollar om over een uurtje de medicijnen te gaan halen bij de apotheek. Toen nam hij afscheid van Ruth, die op de vloer van de badkamer lag met een kussen onder haar hoofd en een zak ijsblokjes over haar gezicht, en vertrok met de twee jongens.
Niet zijn hele praktijk was gericht op burgerrechtenkwesties. Daarmee had hij in het Mississippi van 1967 niet het hoofd boven water kunnen houden. Hij behandelde ook criminele zaken en andere civiele kwesties, zoals echtscheidingen, bestemmingsplannen, faillissementen en onroerend goed. En ondanks het feit dat zijn vader nauwelijks meer met hem sprak en de rest van de Kramers zijn naam niet op hun lippen wilde nemen, besteedde Marvin dertig procent van zijn tijd aan familiezaken. Deze ochtend moest hij om negen uur op de rechtbank zijn voor een geding om een stuk grond van zijn oom.
De tweeling vond het prachtig op zijn kantoor. Ze hoefden pas om acht uur op de kleuterschool te zijn, zodat Marvin nog even kon werken voordat hij de jongens moest wegbrengen, op weg naar de rechtbank. Dit gebeurde ongeveer eens per maand. Er ging nauwelijks een dag voorbij waarop een van de tweeling niet aan Marvin vroeg of ze mee naar kantoor mochten voordat hij hen naar school bracht.
Omstreeks half acht kwamen ze op kantoor aan. De tweeling liep meteen naar het bureau van Marvins secretaresse, waar een grote stapel getypte vellen lag, klaar om te worden gesneden, gekopieerd, geniet en in enveloppen gestoken. Het was een groot, rommelig gebouw. In de loop van de tijd waren er steeds kamertjes bij gebouwd. De voordeur kwam uit in een kleine hal met de balie van de receptioniste, bijna recht onder de trap. Tegen een wand stonden vier stoelen voor wachtende cliënten. Onder de stoelen lagen tijdschriften verspreid. Rechts en links waren kleine kantoren voor de advocaten –

Marvin had inmiddels associés – en vanuit de hal liep een vijfentwintig meter lange gang rechtstreeks naar achteren, zodat de achterkant van het gebouw vanaf de voordeur al te zien was. Marvin had het grootste kantoor beneden, de laatste deur links, naast het kleine toilet en de smalle bergkast. Tegenover de kast was het kantoor van Marvins secretaresse Helen, een goed geproportioneerde jongedame van wie Marvin al achttien maanden droomde.
Boven, op de eerste verdieping, waren de kleine kantoren van nog twee advocaten met hun secretaressen. De tweede verdieping, waar geen verwarming of airconditioning was, werd als opslagruimte gebruikt.
Normaal kwam Marvin tussen half acht en acht uur op kantoor omdat hij graag nog een uurtje rust had voordat zijn collega's arriveerden en de telefoon begon te rinkelen. Zoals gewoonlijk was hij die vrijdag de 21e april als eerste op kantoor. Hij opende de voordeur, deed het licht aan en stapte de hal binnen. Streng zei hij tegen de tweeling dat ze geen rommel mochten maken op Helens bureau, maar ze renden de gang door en hoorden hem niet. Josh had de schaar al in zijn hand en John de nietmachine tegen de tijd dat Marvin zijn hoofd om de hoek van de deur stak en hen nog eens waarschuwde. Glimlachend liep hij naar zijn kantoor, waar hij al snel in zijn onderzoek verdiept was.
Om ongeveer kwart voor acht, zou Marvin zich later in het ziekenhuis herinneren, nam hij de trap naar de tweede verdieping om een oud dossier te halen dat – zoals hij toen dacht – van belang was voor de zaak die hij voorbereidde. Mompelend in zichzelf liep hij snel de trap op. Dat oude dossier zou hem het leven redden. Hij hoorde zijn zoontjes lachen in de gang.
De schok van de explosie verbreidde zich horizontaal en verticaal met een snelheid van driehonderd meter per seconde. Vijftien staven dynamiet in het hart van een gebouw met houten balken maakten er binnen enkele seconden een ruïne van. Maar het duurde een volle minuut voordat het puin en de splinters weer naar de aarde waren teruggekeerd. De grond trilde als bij een lichte aardbeving en getuigen vertelden later dat de glasscherven nog een eeuwigheid op Greenville leken neer te regenen.

Josh en John Kramer bevonden zich nog geen vijf meter van het centrum van de explosie en waren gelukkig op slag dood. Ze hoefden niet te lijden. Hun verminkte lichamen werden door de brandweer onder een tweeënhalve meter hoge puinhoop teruggevonden. Marvin Kramer werd eerst tegen het plafond van de tweede verdieping gesmeten en stortte toen bewusteloos in de rokende krater beneden, samen met de restanten van het dak. Twintig minuten later werd hij gevonden en met spoed naar het ziekenhuis gebracht. Binnen drie uur waren zijn beide benen vanaf de knie geamputeerd.

Het tijdstip van de explosie was exact veertien minuten voor acht, en dat was eigenlijk nog een geluk. Een half uur later zouden alle kantoren bezet zijn geweest. Helen, Marvins secretaresse, kwam juist uit het postkantoor, vier straten verderop, en voelde de kracht van de explosie. Tien minuten later zou ze op kantoor zijn geweest om koffie te zetten. David Lukland, een jonge medewerker, woonde drie straten van zijn werk en had juist de voordeur achter zich dichtgetrokken toen hij de klap hoorde en voelde. Tien minuten later zou hij achter zijn bureau op de eerste verdieping hebben gezeten om zijn post door te nemen.

In het aangrenzende gebouw brak een kleine brand uit, die snel werd bedwongen maar tot nog grotere consternatie leidde. De dichte rook joeg de voorbijgangers alle kanten op. Twee voetgangers raakten gewond. Een balk van een meter lang kwam honderd meter verder op de stoep neer, stuiterde één keer en raakte mevrouw Mildred Talton recht in het gezicht toen ze uit haar auto stapte en in de richting van de explosie keek. Ze hield er een gebroken neus en een pijnlijke schaafwond aan over, maar daar kwam ze wel overheen.

De tweede verwonding was kleiner, maar veel belangrijker. Een zekere Sam Cayhall liep langzaam naar het advocatenkantoor van Marvin Kramer toen de grond zo hevig begon te trillen dat hij zijn evenwicht verloor en over de stoeprand struikelde. Toen hij overeind krabbelde, werd hij in zijn nek en zijn linkerwang geraakt door rondvliegend glas. Hij dook weg achter een boom toen de scherven en brokstukken op hem neerdaalden. Met open mond staarde hij naar de verwoesting die zich voor zijn ogen voltrok en sloeg toen op de vlucht.

Het bloed droop van zijn wang en maakte vlekken op zijn overhemd. Maar hij verkeerde in een shocktoestand en kon zich er later niet veel van herinneren. In dezelfde groene Pontiac reed hij uit het centrum weg. Waarschijnlijk zou hij voor de tweede keer uit Greenville zijn ontsnapt als hij goed had nagedacht en beter had opgelet. Twee politiemannen in een patrouillewagen waren op weg naar de explosie in de zakenwijk toen ze een Pontiac tegenkwamen die om de een of andere reden niet uitweek naar de berm. De politiewagen stormde met knipperend zwaailicht en loeiende sirene op hem af. De agenten claxonneerden en vloekten, maar de groene Pontiac bleef midden op de weg staan en gaf geen krimp. De agenten stopten, renden naar de wagen toe, rukten het portier open en zagen een man die onder het bloed zat. Ze legden Sam de handboeien om, duwden hem hardhandig achter in de politiewagen en brachten hem naar het bureau. De Pontiac werd in beslag genomen.

De bom die de Kramer-tweeling doodde, was uiterst primitief: vijftien staven dynamiet, stevig bijeengebonden met zwart isolatieband. Maar er was geen lont. In plaats daarvan had Rollie Wedge een tijdmechaniek gebruikt: een simpele opwindwekker. Hij had de grote wijzer eraf gehaald en een klein gaatje in de wijzerplaat geboord, tussen de cijfers zeven en acht. In dat gaatje had hij een metalen pen gestoken. Zodra de kleine wijzer die pen zou raken, zou de stroomkring worden gesloten en de bom exploderen. Rollie had meer tijd gewild dan de vijftien minuten die een lont hem kon geven. Bovendien beschouwde hij zichzelf als een expert en had hij met nieuwe methoden willen experimenteren.

Misschien was de grote wijzer krom, of de wijzerplaat niet helemaal vlak. Misschien had Rollie in zijn enthousiasme de wekker te strak opgewonden of niet strak genoeg. Misschien zat het metalen pennetje scheef. Het was immers Rollies eerste poging met een tijdmechaniek. Of misschien werkte het precies zoals zijn bedoeling was geweest.

Maar wat de reden of het excuus ook was, bij de aanslagen van Jeremiah Dogan en de Ku-Klux-Klan in Mississippi was het eerste joodse bloed gevloeid. En dat betekende meteen het einde van de campagne.

2

Toen de lichamen waren weggehaald, grendelde de politie van Greenville de directe omgeving af en hield de menigte op afstand. Enkele uren later werd het onderzoek overgedragen aan een FBI-team uit Jackson, en nog voordat het donker was begon een slopersploeg de puinhopen te doorzoeken. Tientallen FBI-agenten hadden de vermoeiende taak om ieder klein dingetje op te rapen, te bekijken, aan iemand anders te laten zien en op te bergen om het ooit als onderdeel van de puzzel te kunnen gebruiken. Een leeg katoenpakhuis aan de rand van de stad werd gehuurd om al het gevonden materiaal in op te slaan.

Na verloop van tijd zou de FBI bevestigen wat aanvankelijk al werd gedacht: dynamiet, een tijdmechaniek en een paar draden. Een simpele bom, gefabriceerd door een amateur die zich gelukkig mocht prijzen dat hij zichzelf niet opgeblazen had.

Marvin Kramer werd snel overgebracht naar een duurdere kliniek in Memphis. Zijn toestand bleef drie dagen kritiek maar stabiel. Ruth Kramer werd met een shock in het ziekenhuis opgenomen, eerst in Greenville, later werd ze per ambulance naar dezelfde kliniek in Memphis vervoerd. Daar deelde het echtpaar Kramer dezelfde kamer en dezelfde hoeveelheid kalmeringsmiddelen. Artsen en familieleden hielden de wacht. Ruth was in Memphis geboren en getogen, dus had ze genoeg vrienden in die stad.

Twee dagen verstreken voordat Ruths zuster de moed bijeenraapte om het onderwerp van de begrafenis ter sprake te brengen.

Toen het stof rond Marvins kantoor was opgetrokken, veegden de buren – winkeliers en kantoorpersoneel – de scherven bijeen. Fluisterend keken ze toe terwijl de politie en andere hulpdiensten met het graafwerk begonnen. Al snel deed in Greenville het gerucht de ronde dat er al een verdachte was aangehouden. Tegen de middag van de eerste dag was algemeen bekend dat de man Sam Cayhall heette, dat hij uit Clanton in Mississippi kwam, dat hij lid was van de Klan en dat hij op de een of andere manier zelf gewond was geraakt bij de aanslag. Hij zou verantwoordelijk zijn voor nog meer aanslagen, waarbij mensen waren gedood en afschuwelijk verminkt. Maar tot nu toe waren alleen arme negers het slachtoffer geworden. Een ander verhaal prees de briljante, heldhaftige politie van Greenville, die al binnen enkele seconden na de explosie de krankzinnige moordenaar te pakken had gekregen. Om twaalf uur 's middags bevestigde het plaatselijke tv-station wat iedereen al wist: dat de twee jongetjes waren omgekomen, dat hun vader ernstig gewond was geraakt en dat een zekere Sam Cayhall was gearresteerd.

Het scheelde niet veel of Sam Cayhall had voor een borgsom van dertig dollar weer kunnen vertrekken. Tegen de tijd dat hij op het politiebureau aankwam, had hij zich voldoende hersteld om zijn excuses te maken tegenover de agenten dat hij niet snel genoeg opzij was gegaan. Hij werd vastgehouden op een onnozele aanklacht en in een politiecel gezet totdat zijn zaak was afgehandeld en hij weer naar huis kon gaan. De twee agenten vertrokken haastig naar de plek van de explosie.

Een bewaarder die ook als EHBO'er dienst deed, kwam met een gedeukte eerstehulpkist en waste het geronnen bloed van Sams gezicht. Hij bloedde niet meer. Sam herhaalde nog eens dat hij bij een vechtpartij in een bar gewond was geraakt. Het was een ruige nacht geweest. De EHBO'er vertrok en een uur later verscheen een assistent-bewaarder voor het schuifraampje van de cel met nog meer papieren. Weigering om doorgang te verlenen aan een politiewagen, luidde de aanklacht. Daarop stond een borgsom van dertig dollar. Als Sam het geld contant wilde betalen, kon hij vertrekken zodra de papieren waren ingevuld en de auto was vrijgegeven. Sam ijsbeerde zenuwachtig door de cel, keek op zijn horloge en wreef zachtjes over de wond op zijn wang.

Hij zou moeten vluchten. Zijn arrestatie was genoteerd, en het zou niet lang duren voordat die klojo's zijn naam in verband zouden brengen met de aanslag. Hij moest hier dus vandaan. Hij zou uit Mississippi verdwijnen, zich misschien bij Rollie Wedge aansluiten en naar Brazilië of zo'n soort land vertrekken. Dogan zou hun het geld wel geven. Hij zou Dogan bellen zodra hij uit Greenville vandaan was. Zijn auto stond nog bij het motel in Cleveland. Daar zou hij de Pontiac achterlaten, naar Memphis rijden en op een Greyhound stappen.

Ja, dat was de beste oplossing. Het was heel stom van hem geweest om naar de plaats van de aanslag terug te gaan, maar als hij zijn hoofd koel hield, zouden die eikels hem wel vrijlaten.

Een half uur verstreek voordat de assistent-bewaarder terugkwam met nog een formulier. Sam betaalde hem dertig dollar contant en kreeg een kwitantie. Hij volgde de man door een smalle gang naar de balie van het bureau, waar hij een dagvaarding kreeg om over twee weken voor de politierechter van Greenville te verschijnen. 'Waar is mijn auto?' vroeg hij terwijl hij de dagvaarding opvouwde.

'Die komt eraan. Wacht hier maar even.'

Sam keek op zijn horloge en wachtte nog een kwartier. Door een raampje in een metalen deur zag hij auto's komen en gaan op het parkeerterrein voor het bureau. Twee zuiplappen werden door een forse agent naar de balie gesleurd. Sam hipte van zijn ene voet op de andere en wachtte.

Ergens achter hem zei een onbekende stem rustig: 'Meneer Cayhall?'

Sam draaide zich om en stond oog in oog met een kleine man in een verschoten pak. De man hield hem een penning onder de neus.

'Ik ben rechercheur Ivy van de politie van Greenville. Ik wil u een paar vragen stellen.' Ivy wees naar een rij houten deuren in een gang en Sam liep gehoorzaam met hem mee.

Sam zei niet veel toen hij aan het vuile bureau tegenover rechercheur Ivy zat. Ivy was voor in de veertig, maar zijn haar was al grijs en hij had diepe rimpels rond zijn ogen. Hij stak een Camel zonder filter op, bood er Sam een aan en vroeg hoe hij aan die snijwonden in zijn gezicht kwam. Sam speelde met de sigaret maar stak hem niet op. Hij was al jaren geleden met roken gestopt en hoewel hij op dit belangrijke moment wel trek had in een saffie, tikte hij zachtjes met de siga-

ret op het bureau. Zonder Ivy aan te kijken antwoordde hij dat hij gevochten had.
Ivy bromde wat, met een kort lachje, alsof hij dat antwoord wel had verwacht. Sam wist meteen dat de man geen groentje was. Hij werd bang en zijn handen begonnen te trillen. Dat ontging Ivy natuurlijk niet. Waar was die vechtpartij? Met wie? En wanneer? Wat had u in Greenville te zoeken terwijl u hier drie uur rijden vandaan woont? Hoe komt u aan die auto?
Sam zei niets. Ivy bestookte hem met vragen, waarop Sam niet reageerde omdat leugens tot nog meer leugens zouden leiden en Ivy hem binnen de kortste keren in de val zou hebben gelokt.
'Ik wil een advocaat spreken,' zei Sam ten slotte.
'Geweldig, Sam. Dat lijkt me een heel goed idee.' Ivy stak nog een Camel op en blies een dichte rookwolk naar het plafond. 'Vanochtend hadden we hier een bomaanslag, Sam. Wist je dat?' vroeg Ivy op spottende toon.
'Nee.'
'Heel tragisch. Het kantoor van een advocaat, Kramer, is opgeblazen. Een uur of twee geleden. Waarschijnlijk het werk van Kluckers. We hebben hier geen Kluckers, maar meneer Kramer is joods. Laat me eens raden... je weet nergens van.'
'Nee.'
'Heel, heel triest, Sam. Weet je, meneer Kramer had twee kleine jongetjes, Josh en John, die toevallig bij hem op kantoor waren toen de bom explodeerde.'
Sam haalde diep adem en keek Ivy aan. Ga door, zeiden zijn ogen.
'En die twee jochies, vijf jaar oud... schattige kereltjes... zijn opgeblazen, Sam. Morsdood.'
Sam boog langzaam zijn hoofd tot zijn kin bijna op zijn borst rustte. Hij was verslagen. Een dubbele moord. Advocaten, processen, rechters, jury's, de gevangenis – alles kwam in één keer op hem af en hij sloot zijn ogen.
'Misschien heeft hun vader nog geluk. Hij is naar het ziekenhuis gebracht en wordt nu geopereerd. Die kleine jochies liggen in het rouwcentrum. Heel tragisch, Sam. Maar jij weet zeker niets van die bom?'
'Nee. Ik wil een advocaat spreken.'

'Natuurlijk.' Ivy stond langzaam op en verliet de kamer.

Het stukje glas in Sams gezicht werd door een arts met een pincet verwijderd en naar een FBI-laboratorium gestuurd. De analyse was geen verrassing: hetzelfde glas als in de ramen van Kramers kantoor. De groene Pontiac leidde al snel naar Jeremiah Dogan uit Meridian. In de kofferbak werd een lont met een lengte van vijftien minuten aangetroffen. Een besteller meldde zich en verklaarde tegenover de politie dat hij de auto omstreeks vier uur 's nachts bij Kramers kantoor had gezien.
De FBI liet de pers meteen weten dat Sam Cayhall al heel lang lid was van de Ku-Klux-Klan en dat hij nog van enkele andere bomaanslagen werd verdacht. De zaak was opgelost, dachten ze, en ze maakten de politie van Greenville hun complimenten. J. Edgar Hoover gaf persoonlijk een verklaring uit.

Vijf dagen na de aanslag werd de Kramer-tweeling begraven op een kleine begraafplaats. Op dat moment woonden er 146 joden in Greenville, en met uitzondering van Marvin Kramer en zes anderen, waren ze allemaal aanwezig – evenals het dubbele aantal verslaggevers en fotografen die uit het hele land waren toegestroomd.
Sam zag de foto's van de begrafenis en las de verslagen de volgende morgen in zijn kleine cel. De assistent-bewaarder, Larry Jack Polk, was een onnozele figuur die vriendschap met hem had gesloten omdat hij – zoals hij Sam al snel had toegefluisterd – neven had die ook bij de Klan zaten. Zelf had hij ook lid willen worden, maar zijn vrouw vond het niet goed. Iedere ochtend bracht hij Sam kranten en verse koffie. Larry Jack bewonderde Sam om de aanslag die hij had gepleegd.
Behalve de paar woorden die nodig waren om Larry Jack te vriend te houden, zei Sam bijna niets. De dag na de aanslag was hij officieel beschuldigd van een dubbele moord, en dus doemde het beeld van de gaskamer voor hem op. Hij weigerde nog iets tegen Ivy of de FBI te zeggen. Ook de verslaggevers probeerden met hem te praten, maar ze kwamen niet langs Larry Jack. Sam belde zijn vrouw en zei dat ze in Clan-

ton moest blijven met de deuren dicht. Hij zat alleen tussen de cementblokken van zijn cel en begon een dagboek.
Voordat Rollie Wedge in verband kon worden gebracht met de aanslag, moest hij eerst door de politie worden opgespoord. Sam Cayhall had een eed afgelegd als Klan-lid en die eed was hem heilig. Hij zou nooit, nooit een ander lid verlinken. En hij hoopte vurig dat Jeremiah Dogan er net zo over dacht.
Twee dagen na de aanslag werd T. Louis Brazelton, een dubieuze strafpleiter met een opvallend kapsel, voor het eerst in Greenville gesignaleerd. Hij was in het geheim lid van de Klan en had in Jackson en omstreken een beruchte reputatie opgebouwd met de verdediging van allerlei tuig. Hij wilde zich kandidaat stellen als gouverneur, beweerde dat zijn programma de overleving van het blanke ras zou veiligstellen, dat de FBI een duivelse organisatie was, dat zwarten bescherming verdienden maar van blanken gescheiden moesten blijven, enzovoort. Hij was door Jeremiah Dogan ingehuurd om Sam Cayhall te verdedigen en – nog belangrijker – ervoor te zorgen dat Cayhall zijn mond hield. De FBI zat Dogan op zijn huid vanwege de groene Pontiac en hij was bang dat hij als medeplichtige zou worden aangeklaagd.
Medeplichtigen, zei T. Louis meteen tegen zijn nieuwe cliënt, zijn net zo schuldig als de werkelijke daders. Sam luisterde maar zei niet veel. Hij had van Brazelton gehoord en vertrouwde hem nog niet erg.
'Luister, Sam,' zei T. Louis alsof hij het tegen een domme leerling had, 'ik weet wie die bom heeft geplaatst. Dat heeft Dogan me verteld. Als ik goed tel, zijn er nu vier mensen... ik, jij, Dogan en Wedge... die dat weten. Dogan is er bijna zeker van dat ze Wedge nooit zullen vinden. Ze hebben geen contact gehad, maar dat joch is sluw genoeg en zit waarschijnlijk al in het buitenland. Dus blijven alleen jij en Dogan over. Eerlijk gezegd verwacht ik dat Dogan ieder moment kan worden aangeklaagd. Maar de politie zal grote moeite hebben hem vast te houden zolang ze niet kunnen bewijzen dat hij betrokken was bij de samenzwering om het kantoor van die jood op te blazen. En dat zal ze niet lukken als jij het hun niet vertelt.'
'Dus ik kan ervoor opdraaien?' vroeg Sam.

'Nee. Als je je mond maar houdt over Dogan. Je moet alles ontkennen. We verzinnen wel een verklaring voor die auto. Laat dat maar aan mij over. Ik zal het proces laten verplaatsen naar een ander district, misschien ergens in de heuvels of een andere plaats waar geen joden wonen. Een volledig blanke jury kan ik zo om mijn vinger winden. Die maakt nog helden van ons, let op mijn woorden. Ik regel het wel.'
'Dus je denkt niet dat ze me zullen veroordelen?'
'Natuurlijk niet. Geloof me nou maar, Sam. We moeten een jury krijgen van echte Amerikanen, mensen zoals jij, Sam. Allemaal blanken, die het ook niet leuk vinden dat hun kinderen straks naar scholen moeten waar nikkertjes op zitten. Brave burgers, Sam. Daar zoeken we er twaalf van uit, die zetten we achter de jurytafel en dan vertellen we hun hoe die vervloekte joden dat burgerrechtengedoe hebben aangemoedigd. Geloof me, Sam, het is een fluitje van een cent.' Met die woorden boog T. Louis zich over de wiebelende tafel, klopte Sam op zijn arm en zei: 'Vertrouw maar op mij. Ik heb dit al eerder bij de hand gehad.'
Later die dag kreeg Sam handboeien om en werd hij tussen een groep agenten naar een wachtende politiewagen gebracht. Op weg naar de auto werd hij gefotografeerd door een legertje fotografen. Een andere groep van deze opdringerige lieden stond bij de rechtbank te wachten toen Sam daar aankwam met zijn gevolg.
Hij verscheen voor de plaatselijke rechter met zijn nieuwe advocaat, de weledelgeleerde T. Louis Brazelton, die de eerste zitting meteen liet verdagen en geroutineerd nog een paar andere technische punten afhandelde. Twintig minuten nadat hij uit het huis van bewaring was vertrokken, was Sam weer terug. T. Louis beloofde dat hij over een paar dagen zou terugkomen om de strategie te bepalen, liep toen naar buiten en voerde een fraaie show op voor de verslaggevers.

Het duurde een maand voordat de belangstelling van de media voor Greenville begon af te nemen. Op 5 mei 1967 werden Sam Cayhall en Jeremiah Dogan officieel beschuldigd van moord met voorbedachten rade. De plaatselijke officier van justitie verklaarde luidkeels dat hij de doodstraf zou eisen. De naam van Rollie Wedge werd nooit genoemd. De

plaatselijke politie en de FBI wisten niet eens dat hij bestond.
T. Louis, die nu beide verdachten verdedigde, verzocht met succes om een andere plaats voor de rechtszaak en op 4 september 1967 begon het proces in Nettles County, driehonderd kilometer van Greenville. Het werd een circus. De Ku-Klux-Klan sloeg zijn tenten op op het grasveld voor het gerechtshof en hield bijna ieder uur een luidruchtige demonstratie. Er werden leden uit andere staten aangevoerd en er was zelfs een lijst met gastsprekers. Sam Cayhall en Jeremiah Dogan werden voorgesteld als symbolen van de blanke suprematie en hun namen werden voortdurend gescandeerd van onder de witte puntmutsen van hun bewonderaars.
De pers wachtte en keek toe. De rechtszaal zat vol met radio- en tv-verslaggevers en schrijvende journalisten, en de minder gelukkigen moesten genoegen nemen met een plaatsje onder de bomen op het grasveld. Ze keken naar de Klan-leden, luisterden naar hun toespraken, en hoe meer ze keken en fotografeerden, des te langer werden de speeches.
In de rechtszaal verliep alles zeer voorspoedig voor Cayhall en Dogan. Brazelton trok zijn trukendoos open, liet twaalf 'blanke patriotten' – zoals hij hen noemde – in de jury plaatsnemen en schoot toen de aanklacht van de officier vol gaten. Het belangrijkste was dat de officier slechts over omstandige bewijzen beschikte. Niemand had Sam Cayhall de bom zien plaatsen. T. Louis benadrukte dat met klem in zijn openingsbetoog en zijn woorden troffen doel. Cayhall werkte gewoon voor Dogan, die hem met een boodschap naar Greenville had gestuurd, en toevallig was hij op het ongelukkige moment in de buurt van Kramers kantoor geweest. T. Louis had tranen in zijn ogen toen hij aan die twee kleine jochies dacht. De lont in de kofferbak van de Pontiac was daar waarschijnlijk achtergelaten door de vorige eigenaar, een zekere Carson Jenkins, een wegenbouwer uit Meridian. Carson Jenkins bevestigde dat hij bij zijn werk vaak dynamiet gebruikte en dat hij vermoedelijk een lont in de Pontiac had laten liggen toen hij de auto aan Dogan had verkocht. Carson Jenkins, een rustige, hardwerkende kleine man, gaf les aan een zondagsschool en maakte een volstrekt betrouwbare indruk. Hij was ook lid van de Ku-Klux-Klan, maar dat wist de FBI weer niet. T. Louis had zijn getuigenverklaring goed geregeld.

Het feit dat Cayhall zijn eigen auto bij een wegrestaurant in Cleveland had achtergelaten, was nooit ontdekt door de politie of de FBI. Bij zijn eerste telefoontje vanuit de gevangenis had Sam zijn vrouw gezegd dat ze hun zoon Eddie moest vragen om de auto meteen uit Cleveland op te halen. Dat was een meevaller voor de verdediging.
Maar het sterkste argument van T. Louis Brazelton was toch dat niemand kon bewijzen dat zijn cliënten ooit een samenzwering hadden beraamd. Daarom vraag ik u, juryleden van Nettles County, hoe u deze mannen naar de gaskamer zou kunnen sturen?
Na vier dagen trok de jury zich terug om te beraadslagen. T. Louis wist zeker dat zijn cliënten zouden worden vrijgesproken. De officier wist het bijna zeker. De Kluckers op het grasveld roken de overwinning en deden er nog een schepje bovenop.
Uiteindelijk werd het geen vrijspraak of veroordeling. Tot ieders verbazing wilden twee van de juryleden de verdachten schuldig verklaren. Ze lieten zich niet ompraten en na anderhalve dag moest de jury de rechter berichten dat zij er niet uitkwam. Het proces werd nietig verklaard en voor het eerst in vijf maanden mocht Sam Cayhall weer naar huis.

Maar de officier tekende onmiddellijk beroep aan. Het tweede proces werd een half jaar later gehouden in Wilson County, opnieuw een landelijk district, vier uur rijden van Greenville en een uur vanaf de plaats van de eerste rechtszaak. Omdat potentiële juryleden bij het eerste proces door de Ku-Klux-Klan zouden zijn bedreigd, besloot de rechter – om redenen die nooit duidelijk werden – de zaak te verplaatsen naar een gebied waar het wemelde van Kluckers en hun sympathisanten. De jury was weer uitsluitend blank en zeker niet joods. T. Louis vertelde dezelfde verhalen met dezelfde conclusies. Carson Jenkins hing dezelfde leugens op.
De officier paste zijn strategie wat aan, maar het mocht niet baten. Hij veranderde de aanklacht van moord in doodslag, zodat de jury de verdachten bij een veroordeling niet naar de gaskamer hoefde te sturen.
Eén ding was anders bij het tweede proces. Marvin Kramer zat in een rolstoel op de voorste rij en staarde de juryleden

drie dagen lang strak aan. Ruth had het eerste proces willen bijwonen, maar was teruggegaan naar Greenville, waar ze met emotionele problemen weer in het ziekenhuis was opgenomen. Marvin was sinds de aanslag verscheidene malen geopereerd en zijn artsen hadden hem niet toegestaan de voorstelling in Nettles County mee te maken.
De meeste juryleden meden zijn blik. Ze zaten van het publiek afgekeerd en toonden voor een jury opmerkelijk veel belangstelling voor de getuigen. Maar één jonge vrouw, Sharon Culpepper, zelf moeder van een tweeling, keek Marvin regelmatig aan. Zijn ogen smeekten haar om gerechtigheid.
Sharon Culpepper was dan ook de enige van de twaalf juryleden die in eerste instantie voor een veroordeling stemde. Twee dagen lang werd ze door haar collega's verbaal onder vuur genomen en beledigd. Ze scholden haar uit en brachten haar aan het huilen, maar Sharon hield koppig vol.
Zo eindigde het tweede proces met een onbesliste jury van elf stemmen tegen één. De rechter verklaarde het proces ongeldig en stuurde iedereen naar huis. Marvin Kramer keerde terug naar Greenville en vandaar naar Memphis voor nog een operatie. T. Louis Brazelton paradeerde in het licht van de schijnwerpers. De officier deed geen beloften over een nieuw proces. Sam Cayhall reisde stilletjes naar Clanton terug, met het vaste voornemen zich nooit meer met Jeremiah Dogan in te laten. En de Imperial Wizard zelf kwam triomfantelijk in Meridian aan, waar hij tegen zijn mensen pochte dat de strijd om de blanke suprematie nog maar pas begonnen was, dat het goed het kwaad had verslagen, enzovoort.
De naam van Rollie Wedge was maar één keer ter sprake gekomen. Tijdens een lunchpauze bij het tweede proces had Dogan tegen Cayhall gefluisterd dat hij bericht had gekregen van het joch. De boodschapper was een onbekende, die Dogans vrouw had aangesproken in een gang buiten de rechtszaal. De boodschap was duidelijk. Wedge was in de buurt. Hij hield zich ergens in de bossen schuil. Als Dogan of Cayhall zijn naam zou noemen, zou hun huis of hun gezin worden opgeblazen.

3

Ruth en Marvin Kramer scheidden in 1970. Hij werd een jaar later in een psychiatrische inrichting opgenomen en pleegde in 1971 zelfmoord. Ruth keerde naar Memphis terug en ging bij haar ouders wonen. Ondanks hun problemen bleven ze op een derde proces aandringen. Trouwens, de hele joodse gemeenschap van Greenville protesteerde heftig toen bleek dat de officier geen zin had in een derde nederlaag en er weinig voor voelde om Cayhall en Dogan opnieuw te vervolgen.

Marvin werd begraven naast zijn zoontjes. Ter nagedachtenis aan Josh en John Kramer werd een nieuw park aangelegd en werden studiebeurzen toegekend. Naarmate de tijd verstreek, verloor de tragedie haar scherpe kantjes. De jaren vergleden en in Greenville werd steeds minder over de aanslag gesproken.

Ondanks druk van de FBI kwam het derde proces er niet. Er waren immers geen nieuwe bewijzen. En de rechter zou ongetwijfeld weer een andere plaats aanwijzen voor de rechtszaak. De officier had weinig kans, maar de FBI gaf de moed niet op.

Nu Cayhall niet meer meedeed en Wedge onvindbaar was, kwam er een einde aan Dogans reeks van aanslagen. Hij droeg nog steeds zijn mantel, hij hield zijn speeches en hij begon zichzelf als een politieke machtsfactor te beschouwen. Zijn onverbloemde racistische uitspraken intrigeerden journalisten uit het noorden en Dogan was altijd bereid zijn puntmuts op te zetten en een schandalig interview te geven. Korte tijd was hij redelijk beroemd en hij genoot er met volle teugen van.

Maar tegen het einde van de jaren zeventig was Jeremiah Dogan niets anders meer dan een schurk met een rare mantel, lid van een sterk teruglopende organisatie. Zwarten hadden stemrecht, openbare scholen waren voor alle rassen toegankelijk en raciale obstakels werden overal in het zuiden door federale rechters afgebroken. Mississippi kende nu bur-

gerrechten en de Ku-Klux-Klan was niet in staat gebleken 'de negers op hun plaats te houden'. Als Dogan weer eens een kruis verbrandde, kwam er geen hond meer kijken.
In 1979 voltrokken zich twee belangrijke gebeurtenissen in de zaak Kramer, die nog steeds niet officieel was afgesloten. De eerste was de verkiezing van David McAllister tot officier van justitie in Greenville. Met zijn zevenentwintig jaar was hij de jongste officier uit de geschiedenis van de staat. Als tiener had hij tussen de menigte gestaan en gezien hoe de FBI de puinhopen van Marvin Kramers kantoor doorzocht. Kort na zijn verkiezing nam hij zich voor de terroristen opnieuw te vervolgen.
De tweede gebeurtenis was de veroordeling van Jeremiah Dogan wegens belastingontduiking. Nadat hij jarenlang met succes de FBI had ontlopen, was Dogan slordig geworden en had hij zich door de belastingdienst laten betrappen. Het onderzoek duurde acht maanden en leidde tot een veroordeling van dertig pagina's lang. Tussen 1974 en 1978 had Dogan in totaal ruim honderdduizend dollar voor de belasting achtergehouden. De aanklacht telde zesentachtig punten. Als hij de maximale straf kreeg, zou Dogan achtentwintig jaar achter de tralies verdwijnen.
Dogan was schuldig. Dat stond vast. Daarom onderzocht zijn advocaat (niet T. Louis Brazelton) meteen of hij het met de officier op een akkoordje kon gooien. En toen verscheen de FBI op het toneel.
In een aantal verhitte, nijdige discussies met Dogan en zijn advocaat bood de officier hem een regeling aan waarbij Dogan tegen Sam Cayhall zou getuigen in de zaak Kramer. In ruil daarvoor hoefde hij geen gevangenisstraf uit te zitten wegens belastingontduiking. Hij zou een hoge boete en een lange proeftijd krijgen, maar geen celstraf. Dogan had Cayhall al tien jaar niet gesproken. Dogan was niet meer actief in de Klan. Er waren heel wat argumenten om het voorstel serieus te overwegen – niet in de laatste plaats het sombere vooruitzicht om een jaar of tien in de gevangenis te moeten doorbrengen.
Om hem een extra zetje te geven legde de belastingdienst beslag op al zijn bezittingen voor een executieverkoop. Bovendien wist David McAllister een onderzoeksjury in Greenville

te bewegen om Dogan en zijn makker Cayhall weer voor de zaak Kramer aan te klagen.
Dogan haalde bakzeil en ging akkoord met het voorstel.

Nadat hij twaalf jaar rustig in Ford County had geleefd, werd Sam Cayhall opnieuw in staat van beschuldiging gesteld en gearresteerd, in afwachting van een derde proces en mogelijk de gaskamer. Hij moest een hypotheek op zijn huis en zijn kleine boerderij nemen om een advocaat te kunnen betalen. T. Louis Brazelton hield zich tegenwoordig met grotere zaken bezig en Dogan was zijn bondgenoot niet meer.
Er was in Mississippi veel veranderd sinds de eerste twee processen. Zwarten hadden zich massaal als kiezers laten inschrijven en hun eigen zwarte vertegenwoordigers gekozen. Volledig blanke jury's kwamen nog maar zelden voor. Er waren twee zwarte rechters, twee zwarte sheriffs, en zwarte advocaten bevolkten samen met hun blanke collega's de gangen van de gerechtsgebouwen. Officieel bestond er geen rassenscheiding meer. En veel blanke burgers van Mississippi keken verwonderd terug en vroegen zich af waar iedereen zich zo druk over had gemaakt. Waarom was er zoveel verzet geweest tegen gelijke rechten voor iedereen? Hoewel de weg nog lang was, heerste er in het Mississippi van 1980 een ander klimaat dan in dat van 1967. En dat besefte Sam Cayhall heel goed.
Hij nam een goede strafpleiter uit Memphis in de arm, een zekere Benjamin Keyes. Keyes tekende meteen bezwaar aan tegen de aanklacht omdat het onredelijk was om Cayhall na zo'n lange tijd opnieuw te berechten. Dat was een sterk argument en het Hooggerechtshof van Mississippi moest eraan te pas komen om het bezwaar ongegrond te verklaren. Met een meerderheid van zes tegen drie stemmen besloot het hof dat het proces doorgang kon vinden.
En zo gebeurde het. De derde en laatste strafzaak tegen Sam Cayhall begon in februari 1981, in een koude, kleine rechtszaal in Lakehead County, een heuveldistrict in het noordoosten van de staat. Het proces deed veel stof opwaaien. Er was een jonge officier, David McAllister, die briljant werk deed maar de irritante gewoonte had al zijn vrije tijd aan de media te besteden. Hij was knap, welbespraakt en betrokken, en het

werd al snel duidelijk dat dit proces een bepaald doel diende. David McAllister had grote politieke plannen.
De jury bestond uit acht blanken en vier zwarten. De glasscherf, de lont, de FBI-rapporten en alle andere bewijsstukken en foto's van de vorige twee processen passeerden weer de revue.
En dan was er de getuigenverklaring van Jeremiah Dogan. In een simpel katoenen overhemd nam hij in de getuigenbank plaats. Met een nederige houding en op plechtige toon verklaarde hij aan de jury hoe hij met Sam Cayhall, die daar zat, had samengespannen om een bomaanslag te plegen op het kantoor van Marvin Kramer. Sam keek hem woedend aan en volgde ieder woord, maar Dogan meed zijn blik. Sams advocaat onderwierp Dogan een halve dag aan een kruisverhoor en dwong hem toe te geven dat hij het met de officier op een akkoordje had gegooid, maar het kwaad was al geschied.
Het had voor Sam Cayhalls verdediging geen zin om Rollie Wedge ter sprake te brengen, omdat dat een feitelijke bekentenis zou zijn dat Sam in Greenville was geweest met de bom. Sam zou moeten toegeven dat hij medeplichtig was geweest en volgens de wet was hij dan net zo schuldig als de man die de bom had geplaatst. Bovendien zou Sam dan zelf in het getuigenbankje moeten plaatsnemen, en dat vonden hij en zijn advocaat geen goed idee. Sam zou een scherp kruisverhoor nooit overleven omdat hij veel te snel in zijn eigen leugens verstrikt zou raken.
Trouwens, op dit punt zou niemand meer geloof hechten aan een verhaal over een geheimzinnige terrorist die nooit eerder was genoemd en die niemand ooit had gezien. Nee, Sam wist dat hij met Rollie Wedge niet verder zou komen en daarom zei hij er zelfs niets over tegen zijn eigen advocaat.
Tegen het eind van het proces hield David McAllister zijn requisitoir in een afgeladen rechtszaal. Hij vertelde dat hij zelf in Greenville was opgegroeid en joodse vrienden had. Het was hem nooit opgevallen dat zij anders waren. Hij kende een paar Kramers, prima mensen die hard werkten en veel voor de stad hadden gedaan. Hij had ook met zwarte kameraadjes gespeeld, met wie hij goed bevriend was geraakt. Hij had nooit begrepen waarom zij naar een andere school moesten dan hij. Hij gaf een aangrijpende beschrijving van de och-

tend van de 21e april 1967, toen hij de grond voelde trillen. Hij was meteen naar het centrum gerend, waar hij een rookwolk had zien opstijgen. Drie uur lang had hij achter de politieafzetting staan wachten. Hij zag hoe Marvin Kramer door de brandweermannen werd gevonden – en hoe de reddingswerkers wanhopig in het puin neerhurkten toen ze de jongetjes ontdekten. De tranen stroomden over zijn wangen toen de kleine lichamen, in witte lakens gewikkeld, langzaam naar een ambulance werden gebracht.
Het was een subliem optreden en toen McAllister uitgesproken was, heerste er een diepe stilte in de rechtszaal. Enkele juryleden wisten de tranen uit hun ogen.

Op 12 februari 1981 werd Sam Cayhall schuldig bevonden aan een dubbele moord en een poging tot moord. Twee dagen later keerde dezelfde jury in dezelfde rechtszaal terug en sprak het doodvonnis uit.
Sam Cayhall werd overgebracht naar de staatsgevangenis van Parchman, in afwachting van zijn afspraak met de gaskamer. Op 19 februari 1981 zette hij voor het eerst voet in de dodengang.

4

Het advocatenkantoor van Kravitz & Bane in Chicago telde bijna driehonderd advocaten die vreedzaam samenleefden onder hetzelfde dak. Het waren er tweehonderdzesentachtig, om precies te zijn, hoewel het moeilijk was de tel bij te houden omdat op ieder willekeurig moment een stuk of twaalf mensen om allerlei redenen op het punt van vertrek stonden, terwijl er altijd wel vijfentwintig frisse, nieuwe rekruten in opleiding waren, popelend om het strijdperk te betreden. En hoewel het een groot kantoor was, had Kravitz & Bane zich niet zo snel uitgebreid als andere kantoren. Het had geen zwakkere firma's in andere steden opgekocht en niet op grote schaal cliënten bij de concurrentie weggesnoept, en daarom was het slechts het op twee na grootste kantoor van Chicago. Het had vestigingen in zes verschillende steden, maar tot grote verlegenheid van de jongere vennoten stond er geen adres in Londen op het briefpapier.

Hoewel de scherpe kantjes eraf waren, had Kravitz & Bane nog altijd een agressieve reputatie in de rechtszaal. Er waren 'tammere' afdelingen voor onroerend goed, belastingen en anti-trustwetgeving, maar het meeste geld werd met strafzaken verdiend. Bij de personeelswerving werd altijd gezocht naar de beste derdejaarsstudenten met de hoogste cijfers voor oefenprocessen en discussietechniek. Het kantoor zocht jonge mannen (en voor de vorm ook enkele vrouwen) die meteen konden worden getraind in de agressieve aanpak die al lang geleden door Kravitz & Bane was geperfectioneerd.

Er was een aardige, kleine afdeling voor persoonlijke schadeclaims – een leuke verdienste, waarvan het kantoor vijftig procent kreeg en de cliënten de rest mochten houden. De afdeling voor de verdediging van witte-boordencriminaliteit was groter, maar Kravitz & Bane nam alleen welgestelde cliënten aan. De twee grootste afdelingen hielden zich bezig met commerciële processen en verzekeringszaken. Met uitzondering van de afdeling persoonlijke schadeclaims (en die zaken vormden maar een gering percentage van de bruto omzet) werd overal op basis van een uurtarief gewerkt. Tweehonderd dollar per uur voor verzekeringskwesties – of meer, als de markt het kon dragen. Driehonderd dollar voor criminele zaken. Vierhonderd voor een grote bank. En zelfs vijfhonderd dollar per uur voor rijke bedrijven met eigen advocaten die hadden zitten slapen in plaats van hun werk te doen.

Kravitz & Bane drukte bijna zijn eigen geld en had een dynastie opgebouwd in Chicago. De kantoren waren comfortabel, maar niet overdreven. De firma huurde de bovenste verdiepingen van – heel passend – het op twee na hoogste gebouw in de stad.

Zoals de meeste grote kantoren verdiende Kravitz & Bane zoveel geld dat de vennoten zich verplicht voelden een kleine pro-deo-afdeling in stand te houden om hun sociale gezicht te tonen. Ze waren heel trots dat ze een fulltime pro-deo-advocaat hadden, een excentrieke weldoener genaamd E. Garner Goodman, die met twee secretaressen een ruim kantoor op de eenenzestigste verdieping bezette. Met een van de strafpleiters deelde Goodman een juridisch assistent. De met bladgoud gebiesde brochure van het kantoor legde grote nadruk op het feit dat de advocaten werden gestimuleerd om veel pro-deowerk te doen. Het afgelopen jaar, 1989, hadden de advocaten van Kravitz & Bane bijna zestigduizend uur van hun kostbare tijd besteed aan cliënten die geen geld hadden: probleemkinderen, ter dood veroordeelden, illegale buitenlanders en drugverslaafden. En natuurlijk was het kantoor ook diep begaan met het lot van de daklozen. In de brochure stond zelfs een foto van twee jonge advocaten die met opgestroopte mouwen, hun stropdas los, het zweet onder hun oksels en met mededogen in hun blik een of ander klusje deden tussen een groep immigrantenkinderen in een afbraakbuurt. Advocaten als redders van de maatschappij.

Adam Hall had een van die brochures in zijn dunne map toen hij langzaam door de gang op de eenenzestigste verdieping liep, op weg naar het kantoor van E. Garner Goodman. Hij knikte en groette een andere jonge advocaat die hij nog nooit eerder had gezien. Op het kerstfeestje van het kantoor werden bij de deur naamkaartjes uitgedeeld. Sommigen van de

vennoten kenden elkaar nauwelijks. Sommige medewerkers zagen elkaar maar één of twee keer per jaar.
Hij opende een deur en stapte een kleine kamer binnen waar een secretaresse ophield met typen en bijna glimlachte. Hij vroeg naar meneer Goodman en ze knikte naar een rij stoelen waar hij kon wachten. Hij was vijf minuten te vroeg voor een afspraak om tien uur, alsof dat er iets toe deed. Dit was pro Deo. Tijd was niet belangrijk. Hier golden geen uurtarieven. Prestatietoeslag bestond hier niet. Als een soort provocatie stond Goodman geen klokken aan de muren toe en weigerde hij een horloge te dragen.
Adam bladerde zijn dossier door. Hij grinnikte om de brochure. Hij las zijn eigen curriculum vitae nog eens door: een rechtenstudie aan Pepperdine en de universiteit van Michigan, redacteur van het studieblad, een scriptie over wrede en ongebruikelijke straffen, commentaren op recente gevallen van de doodstraf. Een vrij korte lijst, maar hij was pas zesentwintig. Hij werkte nu negen maanden bij Kravitz & Bane.
Hij verdiepte zich in twee uitvoerige besluiten van het Amerikaanse Hooggerechtshof over terechtstellingen in Californië en maakte wat aantekeningen. Hij keek op zijn horloge en las verder. Na een tijdje bood de secretaresse hem een kop koffie aan, die hij beleefd afsloeg.

Het kantoor van E. Garner Goodman was een verbijsterende studie in wanordelijkheid. Het was groot maar propvol. Tegen alle wanden stonden overvolle boekenkasten en de vloer lag bezaaid met stapels stoffige dossiers. Op het bureau in het midden van het kantoor lagen stapels briefjes in alle vormen en maten. Op het tapijt onder het bureau lagen rommel, afval en zoekgeraakte brieven. Als de houten zonwering niet gesloten was geweest, zou het kantoor een prachtig uitzicht hebben geboden op het Michiganmeer, maar E. Garner Goodman had duidelijk geen tijd om van het uitzicht te genieten.
Hij was een oude man met een nette grijze baard en warrig grijs haar. Zijn witte overhemd was pijnlijk netjes gesteven en hij droeg een zorgvuldig gestrikte groene paisley vlinderdas – zijn handelsmerk. Adam stapte naar binnen en liep voorzichtig om de stapels papieren heen. Goodman stond niet op maar stak wel zijn hand uit in een koele begroeting.

Adam gaf hem het dossier en ging op de enige lege stoel in de kamer zitten. Hij wachtte nerveus terwijl Goodman het dossier doorlas. De advocaat streek zachtjes over zijn baard en plukte aan zijn vlinderdas.
'Waarom wil je pro-deowerk doen?' mompelde Goodman na een lange stilte, zonder op te kijken van het dossier. Klassieke gitaarmuziek klonk zachtjes uit de verborgen luidsprekers in het plafond.
Adam schoof heen en weer op zijn stoel. 'Om verschillende redenen.'
'Laat me eens raden. Je wilt de mensheid dienen, iets terugdoen voor de maatschappij, of misschien voel je je schuldig omdat je hier de hele dag uren zit te schrijven. Je wilt je ziel reinigen, je handen vuilmaken, eindelijk eens eerlijk werk doen om andere mensen te helpen.' Goodmans blauwe kraaloogjes keken Adam snel aan van boven de zwartomrande leesbril die op het puntje van zijn scherpe neus balanceerde. 'Zoiets?'
'Niet echt.'
Goodman las weer verder. 'Dus je bent toegewezen aan Emmitt Wycoff?' Hij las een brief van Wycoff, Adams directe chef.
'Ja, meneer.'
'Een goede advocaat. Ik mag hem niet erg, maar hij is een goede strafpleiter. Een van onze beste drie mensen op het gebied van de witte-boordencriminaliteit. Maar hij kan behoorlijk onaangenaam zijn, vind je niet?'
'Ach, dat gaat wel.'
'Hoe lang werk je al voor hem?'
'Sinds ik hier begon, negen maanden geleden.'
'Dus je bent negen maanden advocaat?'
'Ja, meneer.'
'En hoe bevalt het?' Goodman sloeg het dossier dicht en keek Adam doordringend aan. Langzaam zette hij zijn leesbril af en stak een van de poten in zijn mond.
'Wel goed, tot nu toe. Het is een uitdaging.'
'Natuurlijk. Waarom heb je Kravitz & Bane gekozen? Ik bedoel, met jouw papieren had je ook ergens anders terecht gekund. Waarom ons?'
'Dit kantoor heeft een reputatie op het gebied van strafza-

ken, en dat is wat ik wil.'
'Hoeveel aanbiedingen heb je gekregen? Je kunt het me rustig vertellen, ik ben gewoon nieuwsgierig.'
'Een paar.'
'Waar?'
'Voornamelijk in Washington. Eén in Denver. Ik heb niet met kantoren in New York gesproken.'
'Hoeveel geld hebben wij je geboden?'
Adam schoof weer onrustig heen en weer. Goodman was tenslotte een vennoot. Hij zou toch wel weten wat het kantoor zijn jonge medewerkers betaalde? 'Zestig of zoiets. En hoeveel betalen we u?'
Dat vond de oude man wel leuk. Voor het eerst glimlachte hij. 'Ze betalen me vierhonderdduizend dollar per jaar om hun tijd gratis weg te geven, zodat zij zichzelf op de borst kunnen slaan en mooie verhalen kunnen ophangen over het sociale verantwoordelijkheidsbesef van advocaten. Vierhonderdduizend dollar, stel je voor!'
Adam had de geruchten gehoord. 'Maar u klaagt toch niet?'
'Nee. Ik ben de gelukkigste advocaat in de stad, meneer Hall. Ik krijg een dik salaris voor werk waar ik van houd, ik hoef me niets van een prikklok aan te trekken en ik schrijf geen uren. Dat is de droom van iedere advocaat. Daarom werk ik nog steeds zestig uur per week. Ik ben bijna zeventig, moet je rekenen.'
Het verhaal ging dat Goodman in zijn jonge jaren aan de druk bezweken was en zich bijna de vernieling in had geholpen met drank en pillen. Zijn vrouw was met de kinderen bij hem weggegaan. Daarna had hij een jaar een ontwenningskuur gevolgd en de vennoten ervan overtuigd dat hij het wel zou redden. Het enige dat hij nodig had was een kantoor waar niet alles om de klok draaide.
'Wat voor werk doe je voor Emmitt Wycoff?' vroeg Goodman.
'Veel onderzoek. Hij verdedigt nu een groep fabrikanten die voor Defensie werken en daar besteed ik de meeste tijd aan. Vorige week heb ik voor de rechtbank nog een bezwaarschrift verdedigd,' zei Adam met een zekere trots. Beginnende advocaten mochten de eerste twaalf maanden meestal niet achter hun bureau vandaan.

'Een echt bezwaarschrift?' vroeg Goodman met ontzag.
'Ja, meneer.'
'In een echte rechtszaal?'
'Ja, meneer.'
'Voor een echte rechter?'
'Precies.'
'En wie heeft gewonnen?'
'De rechter gaf de officier gelijk, maar het scheelde niet veel. Ik had hem behoorlijk in de tang.' Goodman glimlachte, maar werd toen weer serieus. Hij sloeg het dossier nog eens open.
'Wycoff heeft er een krachtige aanbeveling bij gedaan. Dat is niets voor hem.'
'Hij heeft oog voor talent,' zei Adam grijnzend.
'Ik neem aan dat dit een belangrijk verzoek is, meneer Hall. Waar gaat het eigenlijk om?'
Adam grijnsde niet langer en schraapte zijn keel. Opeens werd hij nerveus en kruiste zijn benen andersom. 'Het eh... het gaat om een doodvonnis.'
'Een doodvonnis?' herhaalde Goodman.
'Ja, meneer.'
'Waarom?'
'Ik ben tegen de doodstraf.'
'Wie niet, meneer Hall? Ik heb er zelfs boeken over geschreven. Ik heb vijfentwintig van dat soort zaken behandeld. Vanwaar die belangstelling?'
'Ik heb uw boeken gelezen. Ik wil graag helpen.'
Goodman sloeg het dossier weer dicht en leunde op zijn bureau. Twee vellen papier gleden eraf en dwarrelden op de grond. 'Je bent te jong en te onervaren.'
'Dat zou u nog verbazen.'
'Luister, meneer Hall, dit is iets heel anders dan dronken zwervers adviseren bij de gaarkeuken. Dit gaat om leven en dood. Dit zijn zware zaken. En bepaald niet prettig.'
Adam knikte maar hij zei niets. Hij keek Goodman strak aan en knipperde niet met zijn ogen. Ergens in de verte ging een telefoon, maar ze letten er niet op.
'Had je een bepaalde zaak in gedachten of heb je een nieuwe cliënt voor Kravitz & Bane?' vroeg Goodman.
'De zaak Cayhall,' zei Adam langzaam.

Goodman schudde zijn hoofd en plukte aan de randen van zijn vlinderdas. 'Sam Cayhall heeft ons net ontslagen. Het Vijfde Circuit heeft vorige week bepaald dat hij inderdaad het recht heeft ons de laan uit te sturen.'
'Ik heb het gelezen en ik weet wat het Vijfde Circuit heeft bepaald. Maar de man heeft een advocaat nodig.'
'Nee. Over drie maanden is hij dood, met of zonder advocaat. Eerlijk gezegd ben ik blij dat ik van hem af ben.'
'Hij heeft een advocaat nodig,' herhaalde Adam.
'Hij verdedigt zichzelf en dat doet hij verdomd goed, moet ik zeggen. Hij typt zijn eigen verzoeken en instructies en doet zijn eigen research. Hij schijnt zelfs zijn makkers in de dodengang juridisch advies te geven. Alleen de blanken, natuurlijk.'
'Ik heb zijn hele dossier bestudeerd.'
E. Garner Goodman draaide langzaam zijn bril rond terwijl hij dat verwerkte. 'Maar dat is vijfhonderd kilo papier. Waarom heb je dat gedaan?'
'De zaak intrigeert me. Ik volg hem al jaren. Ik heb alles gelezen over de man. U vroeg me eerder waarom ik voor Kravitz & Bane gekozen had. De werkelijke reden is dat ik aan de zaak Cayhall wilde werken, en dit kantoor vertegenwoordigt hem pro Deo. Hoe lang al? Een jaar of acht?'
'Zeven. Maar het lijken er wel twintig. Sam Cayhall is niet de prettigste man om mee te werken.'
'Dat is toch begrijpelijk? Ik bedoel, na bijna tien jaar eenzame opsluiting?'
'Je hoeft mij niets te vertellen over het gevangenisleven, jongeman. Ben je ooit in een gevangenis geweest?'
'Nee.'
'Ik wel. Ik heb de dodengang in zes verschillende staten gezien. Ik ben uitgescholden door Sam Cayhall terwijl hij aan zijn stoel vastgeketend zat. Hij is geen aangenaam mens. Hij is een onverbeterlijke racist die de pest heeft aan bijna iedereen. Hij zou jou ook uitvloeken als je hem zou ontmoeten.'
'Dat denk ik niet.'
'Je bent advocaat, Adam Hall. Aan advocaten heeft hij een nog grotere hekel dan aan zwarten of joden. Hij leeft al tien jaar met het vooruitzicht van de doodstraf en hij is ervan overtuigd dat hij het slachtoffer is geworden van een samenzwering tussen advocaten. Verdomme, hij heeft drie jaar lang

geprobeerd ons te ontslaan. Dit kantoor heeft meer dan twee miljoen dollar in uurtarieven besteed om te proberen hem te redden, maar hij wilde ons ontslaan! Ik weet niet eens meer hoe vaak hij heeft geweigerd met ons te spreken als we die lange reis naar Parchman hadden gemaakt. Hij is gestoord. Zoek maar een ander project. Mishandelde kinderen of zoiets.'

'Nee, dank u. Ik ben geïnteresseerd in ter dood veroordeelden. En vooral in de zaak van Sam Cayhall.'

Goodman zette zijn bril weer zorgvuldig op zijn neus en legde toen langzaam zijn voeten op de hoek van zijn bureau. Hij vouwde zijn handen over zijn gesteven overhemd. 'En waarom heb je zoveel belangstelling voor Sam Cayhall, als ik vragen mag?'

'Het is toch een fascinerende zaak? De Klan, de burgerrechtenbeweging, de aanslagen, de verscheurde gemeenschap. Het speelde zich af in een interessante periode van de Amerikaanse geschiedenis. Het lijkt al heel lang geleden, maar het is maar vijfentwintig jaar. Een intrigerend verhaal.'

Boven zijn hoofd draaide langzaam een ventilator. Een minuut verstreek.

Goodman liet zijn voeten weer op de grond zakken en steunde zijn hoofd op zijn ellebogen. 'Ik kan het waarderen dat je pro-deowerk wilt doen. Maar je zult een ander project moeten zoeken. Dit is geen oefenproces.'

'En ik ben geen rechtenstudent.'

'Sam Cayhall heeft het contact met ons verbroken. Dat schijnt niet tot je door te dringen.'

'Ik wil een kans om hem te ontmoeten.'

'Waarvoor?'

'Ik denk dat ik hem kan overreden om mij als verdediger te nemen.'

'O ja?'

Adam haalde diep adem, stond toen op en liep behendig tussen de stapels dossiers naar het raam toe. Weer haalde hij diep adem. Goodman keek naar hem en wachtte.

'Ik moet u een geheim vertellen, meneer Goodman. Niemand weet het nog, behalve Emmitt Wycoff. Ik was min of meer gedwongen het hem te vertellen. Blijft het onder ons?'

'Ik luister.'

'Heb ik uw woord?'
'Ja, je hebt mijn woord,' zei Goodman langzaam, kauwend op de poot van zijn bril.
Adam tuurde door een spleet in de zonwering en zag een zeilboot op het Michiganmeer. Zachtjes zei hij: 'Ik ben familie van Sam Cayhall.'
Goodman vertrok geen spier. 'Juist. In welke graad?'
'Hij had een zoon, Eddie Cayhall. Eddie kon de schande niet verdragen en is uit Mississippi vertrokken toen zijn vader was gearresteerd. Hij vluchtte naar Californië, nam een andere naam aan en probeerde het verleden te vergeten. Maar de familiegeschiedenis bleef hem achtervolgen. Hij pleegde zelfmoord kort nadat zijn vader in 1981 was veroordeeld.'
Goodman zat nu op het puntje van zijn stoel.
'Eddie Cayhall was mijn vader.'
Goodman aarzelde heel even. 'Dus Sam Cayhall is je grootvader?'
'Ja. Dat hoorde ik pas toen ik zeventien was. Mijn tante vertelde het me na de begrafenis van mijn vader.'
'Allemachtig.'
'U hebt beloofd dat u er met niemand over zou praten.'
'Natuurlijk.' Goodman schoof zijn achterste naar de rand van het bureau en zette zijn voeten op de stoel. In gedachten tuurde hij naar de zonwering. 'En weet Sam...'
'Nee. Ik ben geboren in Ford County, Mississippi, in het stadje Clanton, niet in Memphis. Ik heb altijd gedacht dat ik in Memphis was geboren. Mijn echte naam is Alan Cayhall, maar dat hoorde ik pas veel later. Ik was drie jaar toen we uit Mississippi vertrokken en mijn ouders praatten er nooit over. Mijn moeder gelooft dat Eddie nooit meer contact met Sam heeft gehad sinds de dag dat we zijn weggegaan. Ze heeft hem wel een brief in de gevangenis geschreven om hem te zeggen dat zijn zoon dood was. Maar hij schreef niet terug.'
'Verdomme, verdomme, verdomme,' mompelde Goodman bij zichzelf.
'Het is een lang verhaal, meneer Goodman. Ik kom uit een behoorlijk zieke familie.'
'Dat is jouw schuld niet.'
'Volgens mijn moeder was Sam een actief lid van de Ku-Klux-Klan. Hij nam deel aan lynchpartijen en dat soort din-

gen. Ik heb dus geen beste achtergrond.'
'Maar je vader was anders.'
'Mijn vader heeft zelfmoord gepleegd. Ik zal u de details besparen, maar ik heb zijn lichaam gevonden en de troep opgeruimd voordat mijn moeder en mijn zus thuiskwamen.'
'En toen was je zeventien?'
'Bijna. Dat was in 1981, negen jaar geleden. Toen mijn tante, Eddies zuster, me de waarheid had verteld, raakte ik gefascineerd door de smerige geschiedenis van Sam Cayhall. Urenlang heb ik in bibliotheken gezeten om oude kranten en tijdschriften door te werken. Er is heel wat materiaal. Ik heb de verslagen van alle drie de processen gelezen en de uitspraken in hoger beroep bestudeerd. Aan de universiteit heb ik me verdiept in de manier waarop dit kantoor Sam Cayhall heeft vertegenwoordigd. U en Wallace Tyner hebben uitstekend werk gedaan.'
'Ik ben blij dat je het waardeert.'
'Ik heb honderden boeken en duizenden artikelen over het achtste amendement en de doodstraf gelezen. U hebt er zelf vier geschreven, als ik me niet vergis. En een aantal artikelen. Ik weet dat ik pas kom kijken, maar mijn research is goed.'
'En jij denkt dat Sam je als advocaat zal accepteren?'
'Ik weet het niet. Maar hij is mijn grootvader, of ik dat nu leuk vind of niet, en ik moet met hem praten.'
'Jullie hebben nooit enig contact...'
'Nee. Ik was drie jaar toen we verhuisden en ik kan me hem niet herinneren. Duizend keer heb ik hem een brief willen schrijven, maar het is er nooit van gekomen. Ik weet niet waarom.'
'Dat is heel begrijpelijk.'
'Niets is begrijpelijk, meneer Goodman. Ik begrijp niet hoe of waarom ik hier nu in dit kantoor met u sta te praten. Ik heb altijd piloot willen worden, maar ik ben rechten gaan studeren omdat ik de vage behoefte had de maatschappij van dienst te zijn. Iemand had me nodig, en vermoedelijk was dat mijn gestoorde grootvader. Ik heb vier andere aanbiedingen gekregen, maar ik heb dit kantoor gekozen omdat het genoeg lef had om Sam pro Deo te verdedigen.'
'Dat had je van tevoren moeten zeggen, voordat we je in dienst namen.'

'Dat weet ik, maar niemand heeft me gevraagd of mijn grootvader cliënt was van dit kantoor.'
'Toch had je het moeten zeggen.'
'Ze zullen me toch niet ontslaan?'
'Dat denk ik niet. Waar heb je de laatste negen maanden gezeten?'
'Hier, achter mijn bureau. Ik heb negentig uur per week gewerkt. Ik sliep op kantoor en ik at in de bibliotheek. Ik zat te blokken voor mijn rechtbankexamen – de gebruikelijke harde training die iedere nieuwkomer moet ondergaan.'
'Ja. Onnozel, hè?'
'Ik kan er wel tegen.' Adam maakte een spleet in de zonwering om het meer wat beter te kunnen zien. Goodman keek naar hem.
'Waarom haalt u die zonwering niet op?' vroeg Adam. 'Het is een prachtig uitzicht.'
'Ik ken het al.'
'Ik zou een moord doen voor zo'n uitzicht. Mijn kleine hokje heeft niet eens een raam.'
'Hard werken en gepeperde rekeningen schrijven, dan krijg je ooit een kantoor als dit.'
'Ik niet.'
'Ga je ons verlaten, meneer Hall?'
'Dat denk ik wel. Op termijn. Maar dat blijft ook geheim, oké? Ik wil een paar jaar keihard werken en dan wat anders zoeken. Misschien een eigen kantoor openen, waar het leven niet om de klok draait. Ik wil me met maatschappelijke problemen bezighouden. Net als u, eigenlijk.'
'Dus na negen maanden heb je al genoeg van Kravitz & Bane?'
'Nee. Maar dat zal ooit gebeuren. Ik heb geen zin om mijn leven lang allerlei rijke criminelen en dubieuze bedrijven te vertegenwoordigen.'
'Dan zit je hier inderdaad verkeerd.'
Adam draaide zich bij het raam vandaan, liep naar de rand van het bureau en keek op Goodman neer. 'Ja, ik zit hier verkeerd en daarom wil ik ander werk. Wycoff is bereid me een paar maanden naar ons kantoortje in Memphis te sturen zodat ik aan de zaak Cayhall kan werken. Een soort betaald verlof.'

'En verder?'
'Dat is het zo ongeveer. Het is een goed idee. Hier ben ik maar een loopjongen. Niemand zal me missen. Verdomme, er staan genoeg jonge strebers te trappelen om achttien uur per dag te werken en twintig uur in rekening te brengen.'
Goodman ontspande zich wat en er gleed een warme glimlach over zijn gezicht. Hij schudde zijn hoofd alsof hij onder de indruk was. 'Je hebt dit heel goed voorbereid, nietwaar? Ik bedoel, je hebt dit kantoor gekozen omdat het Sam Cayhall vertegenwoordigde en een filiaal in Memphis had.'
Adam knikte ernstig. 'En het is gelukt. Ik wist niet hoe of wanneer dit moment ooit zou komen. Niemand wist dat Cayhall dit kantoor zou ontslaan, maar inderdaad... ik heb het goed voorbereid. Vraag me niet hoe het nu verder moet.'
'Over drie maanden is hij dood. Misschien nog eerder.'
'Maar toch moet ik iets doen, meneer Goodman. Als het kantoor me de kans niet geeft, neem ik waarschijnlijk ontslag en probeer ik het op eigen houtje.'
Goodman sprong op en schudde zijn hoofd. 'Doe dat maar niet, meneer Hall. We regelen wel iets. Ik zal het voorleggen aan Dan Rosen, de zakelijk manager. Hij gaat er wel mee akkoord, denk ik.'
'Hij heeft een verschrikkelijke reputatie.'
'En terecht. Maar ik kan goed met hem praten.'
'Als u en Wycoff mij steunen, zal hij het toch wel goedvinden?'
'Natuurlijk. Heb je honger?' Goodman pakte zijn jasje.
'Een beetje.'
'Kom, dan gaan we een broodje eten.'

De drukte van de lunch moest nog beginnen. De vennoot en de beginneling vonden een tafeltje bij het raam van de broodjeszaak, aan de straat. Het verkeer kroop langzaam voort en honderden voetgangers liepen op een meter afstand van hun tafeltje voorbij. De ober bracht een vette hamburger voor Goodman en een kop kippesoep voor Adam.
'Hoeveel mensen zitten er in Mississippi op de doodstraf te wachten?' vroeg Goodman.
'Achtenveertig. Dat is de telling van de vorige maand. Vijfentwintig zwarten, drieëntwintig blanken. De laatste terecht-

stelling was twee jaar geleden. Willie Parris. Sam Cayhall is waarschijnlijk de volgende, als er geen klein wonder gebeurt.'
Goodman nam een grote hap en kauwde snel. Hij pakte het papieren servetje en veegde zijn mond af. 'Een groot wonder, kun je beter zeggen. Juridisch zijn alle mogelijkheden al uitgeput.'
'Behalve de gebruikelijke verzoeken om uitstel, op het laatste moment.'
'Over de strategie hebben we het later nog wel. Ik neem aan dat je nog nooit in Parchman bent geweest?'
'Nee. Sinds ik de waarheid hoorde, heb ik er vaak over gedacht om naar Mississippi terug te gaan, maar het is er nooit van gekomen.'
'Parchman is een grote boerderij midden in de Mississippidelta – niet ver van Greenville, ironisch genoeg. Het terrein heeft een oppervlakte van zo'n zevenduizend hectare. Het is waarschijnlijk de heetste plek op aarde. Het ligt aan de westkant van Highway 49, als een klein dorpje. Er staat geen hek omheen. Overal zie je huizen en gebouwen. Aan de voorkant zit de administratie. In totaal zijn er zo'n dertig verschillende afdelingen over het terrein verspreid, die afzonderlijk zijn afgescheiden en beveiligd. Sommige afdelingen liggen kilometers uit elkaar. Je rijdt langs al die afdelingen met hun stalen omheiningen en prikkeldraad, waarachter honderden gevangenen rondslenteren en zich vervelen. Ze dragen kleren in verschillende kleuren, afhankelijk van hun classificatie. Het lijkt wel of er alleen maar zwarte jongeren zitten. Ze doen niet veel. Sommigen spelen basketball, de rest zit op de trappen van de gebouwen. Heel sporadisch zie je een blank gezicht. Je rijdt in je auto voorbij, heel langzaam, in je eentje, over een grindweg langs de afdelingen en de hekken, tot je bij een onopvallend gebouwtje met een plat dak komt. Er staat een hoge afrastering omheen met torens, bemand door wachtposten. Het is een vrij modern complex. Het heeft zelfs een officiële naam, maar iedereen noemt het gewoon de dodengang.'
'Het klinkt geweldig, allemaal.'
'Ik dacht dat het een kerker zou zijn, weet je, donker en koud, met water dat langs de muren droop. Maar het is gewoon een klein laag gebouw midden in een katoenveld. Het is niet zo

beroerd als de dodengang in andere staten.'
'Ik zou het graag zien.'
'Daar ben je nog niet aan toe. Het is een afschuwelijke ervaring, met deprimerende mensen die allemaal op hun dood wachten. Ik was zestig toen ik er voor het eerst kwam en ik heb er een week niet van kunnen slapen.' Hij nam een slok koffie. 'Ik heb geen idee hoe je je zult voelen als je er komt. Het is al erg genoeg als je een totale onbekende moet verdedigen.'
'Hij ìs een totale onbekende.'
'Hoe wil je hem vertellen...'
'Ik weet het niet. Ik verzin wel wat. Het zal wel gewoon gebeuren.'
Goodman schudde zijn hoofd. 'Dit is absurd.'
'De hele familie is absurd.'
'Ik herinner me nu weer dat Sam twee kinderen had. Eén dochter, als ik me niet vergis. Het is al zo lang geleden. Tyner deed het meeste werk, weet je.'
'Zijn dochter is mijn tante, Lee Cayhall Booth. Maar ze probeert haar meisjesnaam te vergeten. Ze is getrouwd met iemand uit een rijke, oude familie in Memphis. Haar man bezit een paar banken en ze vertellen niemand iets over haar vader.'
'Waar woont je moeder nu?'
'In Portland. Ze is een paar jaar geleden hertrouwd en we spreken elkaar twee keer in het jaar. Een disfunctionele relatie, heet dat niet zo?'
'Hoe kon je Pepperdine betalen?'
'Uit een levensverzekering. Mijn vader had moeite een baantje te houden, maar hij was wel zo verstandig een levensverzekering af te sluiten. De wachttijd was al jaren verstreken voordat hij zelfmoord pleegde.'
'Sam sprak nooit over zijn familie.'
'En zijn familie spreekt nooit over hem. Zijn vrouw, mijn grootmoeder, stierf een paar jaar voordat hij werd veroordeeld. Dat wist ik toen nog niet, natuurlijk. De meeste dingen weet ik van mijn moeder, maar die wil het verleden het liefst vergeten. Ik heb geen idee hoe het in normale families toegaat, meneer Goodman, maar mijn familie ziet elkaar zelden, en als dat toevallig toch gebeurt, laten we het verleden liever

rusten. Er zijn te veel duistere geheimen.'
Goodman knabbelde op een patatje en luisterde aandachtig. 'Je had het over je zuster.'
'Ja, Carmen. Ze is nu drieëntwintig, een mooie, intelligente meid. Ze studeert aan Berkeley. Ze is in Los Angeles geboren, daarom heeft ze haar naam niet hoeven veranderen, zoals wij. We houden contact.'
'Weet zij het ook?'
'Ja. Mijn tante Lee heeft het mij het eerst verteld, vlak na de begrafenis van mijn vader. En daarna vroeg mijn moeder of ik het aan Carmen wilde vertellen. Heel typerend. Carmen was toen pas veertien. Ze heeft nooit enige belangstelling getoond voor Sam Cayhall. Eerlijk gezegd zou de rest van de familie het liefst zien dat hij stilletjes van de aardbodem verdween.'
'Dan wordt hun wens nu vervuld.'
'Ja. Maar niet bepaald stilletjes. Nietwaar, meneer Goodman?'
'Nee, zo gaat het nu eenmaal nooit. Eén kort, afschuwelijk moment zal Sam Cayhall de meest besproken man in het land zijn. Dan krijgen we weer die oude opnamen van de aanslag te zien, en van de processen met die protesterende Klan-leden voor het gerechtsgebouw. Dan laaien de oude discussies over de doodstraf weer op. De pers zal massaal naar Parchman trekken. Dan wordt hij vergast, en twee dagen later is iedereen hem weer vergeten. Zo gaat het elke keer.'
Adam roerde in zijn soep en schepte zorgvuldig een stukje kip op zijn lepel. Hij bekeek het even en liet het weer in de soep vallen. Hij had geen honger. Goodman nam nog een patatje en veegde met zijn servet zijn mondhoeken schoon.
'Je denkt toch niet dat je dit geheim kunt houden?' merkte Goodman op.
'Ik heb het wel overwogen.'
'Vergeet het maar.'
'Mijn moeder smeekte me om het niet te doen. Mijn zuster wilde er niet over praten. En mijn tante in Memphis is doodsbang dat wij allemaal als Cayhalls zullen worden herkend – hoe klein die kans ook is – en in de goot zullen belanden.'
'Die kans is niet zo klein. Als de pers met jullie klaar is, heb-

ben ze zelfs dat oude zwart-witfotootje van jou en je zusje op de knie van je opa teruggevonden. Het is toch een prachtig verhaal? Denk eens na! De vergeten kleinzoon die op het laatste moment te hulp schiet in een heldhaftige poging om zijn verdorven oude grootvader nog te redden terwijl het aftellen al begonnen is.'

'Ja, het heeft wel wat.'

'Precies. En het zal ons geliefde kantoor ook de nodige publiciteit opleveren.'

'En daarmee komen we op een ander vervelend punt.'

'Dat geloof ik niet. We zijn geen lafaards bij Kravitz & Bane, Adam. We hebben de harde competitie tussen de kantoren in Chicago overleefd. We staan bekend als de gemeenste klootzakken van de stad. We hebben de dikste huid. Nee, maak je geen zorgen over het kantoor.'

'Dus u wilt het doen?'

Goodman legde zijn servetje op tafel en nam nog een slok koffie. 'O, het is een geweldig idee, aangenomen dat je grootvader akkoord zal gaan. Als je hem kunt ompraten, kunnen we weer zaken doen. Dan ben jij onze eerste man. Wij zullen je steunen. Ik blijf in de buurt. Maar uiteindelijk zullen ze hem toch executeren, en daar kom je nooit meer overheen. Ik heb drie van mijn cliënten zien sterven, Adam, van wie één in Mississippi. Daarna zul je nooit meer de oude zijn.'

Adam knikte en keek naar de voorbijgangers op de stoep.

'We zullen je opvangen als ze hem executeren. Je zult er niet alleen voor staan.'

'Maar het is toch niet hopeloos?'

'Bijna. De strategie komt later wel. Eerst zal ik met Daniel Rosen praten. Die wil waarschijnlijk een lang gesprek met jou. Daarna moet je bij Sam op bezoek voor een kleine familiereünie, om het zo maar eens te zeggen. Dat is het moeilijkste gedeelte. Maar als hij akkoord gaat, kunnen we aan de slag.'

'Bedankt.'

'Geen dank, Adam. Ik betwijfel of we na afloop van deze zaak nog met elkaar praten.'

'Toch bedankt.'

5

De bespreking werd snel georganiseerd. E. Garner Goodman pakte de telefoon en binnen een uur waren de deelnemers op de hoogte. Vier uur later zaten ze allemaal in een kleine, zelden gebruikte vergaderkamer naast het kantoor van Daniel Rosen. Ze waren dus op Rosens terrein, en dat beviel Adam niet erg.

Volgens de verhalen was Rosen een regelrecht monster, maar twee hartaanvallen hadden de scherpe kantjes weggenomen en hem wat milder gemaakt. Al dertig jaar lang was hij een meedogenloos strafpleiter – de gemeenste, onaangenaamste en zonder twijfel een van de meest succesvolle juridische straatvechters in Chicago. Vóór de hartaanvallen werkte hij negentig uur per week, vaak tot diep in de nacht, terwijl medewerkers en assistenten af en aan liepen om allerlei klusjes voor hem uit te voeren. Hij was een paar keer gescheiden en hij had vier secretaressen versleten. Ooit was Daniel Rosen het hart en de ziel van Kravitz & Bane geweest, maar die tijd was voorbij. Zijn dokter had hem een dieet voorgeschreven van vijftig uur werk per week, uitsluitend achter zijn bureau en niet meer in de rechtszaal.

Rosen, die nu vijfenzestig was en steeds zwaarder werd, was door zijn geliefde collega's unaniem gedwongen om zich tot het rustiger terrein van het management te beperken. Hij was nu verantwoordelijk voor de nogal logge bureaucratie van Kravitz & Bane. Het was een eer, hadden de andere vennoten hem weinig overtuigend voorgehouden toen ze hem het baantje in de maag splitsten.

Maar die eer dreigde op een ramp uit te lopen. Nu Rosen zich niet langer kon uitleven op het slagveld waar zijn echte liefde lag, leidde hij het kantoor op dezelfde manier als hij een dure rechtszaak voorbereidde. Secretaressen en medewerkers werden over de meest onnozele zaken aan een kruisverhoor onderworpen. Hij confronteerde andere vennoten en kon hen urenlang dwarszitten over vage details van de bedrijfsvoe-

ring. Geketend aan zijn bureau ontbood hij jonge advocaten met wie hij bewust ruzie zocht om te zien hoe ze zich onder spanning wisten te handhaven.
Hij ging opzettelijk recht tegenover Adam aan de kleine vergadertafel zitten, met het dunne dossier in zijn handen alsof het een dodelijk geheim bevatte. E. Garner Goodman liet zich onderuitzakken in de stoel naast Adam, plukte aan zijn vlinderdas en krabde onder zijn baard. Toen hij Rosen had opgebeld met Adams verzoek en hem over de familieband had ingelicht, had Rosen nogal buitensporig gereageerd, zoals verwacht.
Emmitt Wycoff stond aan de andere kant van de kamer met een piepkleine draagbare telefoon tegen zijn oor gedrukt. Hij was bijna vijftig, leek veel ouder en sleet zijn dagen in een voortdurende staat van paniek, omringd door telefoons.
Rosen sloeg voorzichtig het dossier open en pakte een geel notitieblok. 'Waarom hebt u ons vorig jaar bij uw sollicitatiegesprek niets over uw grootvader verteld?' begon hij op afgemeten toon. Hij keek Adam scherp aan.
'Omdat u het me niet hebt gevraagd,' antwoordde Adam. Goodman had hem gewaarschuwd dat het een pittig gesprek kon worden, maar dat hij en Wycoff de zaak wel in de hand zouden houden.
'Geen smoesjes,' gromde Rosen.
'Toe nou, Daniel,' zei Goodman en hij rolde met zijn ogen tegen Wycoff, die zijn hoofd schudde en naar het plafond keek.
'Dus u vindt niet, meneer Hall, dat u ons had moeten vertellen dat u familie was van een van onze cliënten? We hebben toch het recht dat te weten, neem ik aan? Nietwaar, meneer Hall?' vroeg hij op de spottende toon die hij vroeger bestemde voor getuigen die zaten te liegen en in de val moesten worden gelokt.
'Jullie hebben me het hemd van het lijf gevraagd,' antwoordde Adam heel beheerst. 'Mijn hele doopceel is gelicht. Mijn vingerafdrukken zijn genomen. Er was zelfs sprake van een leugendetector, weet u nog?'
'Jawel, meneer Hall, maar u wist iets wat wij niet wisten. Uw grootvader was al cliënt bij dit kantoor toen u hier solliciteerde, maar u hield uw mond.' Rosen sprak met de intonatie van een goede acteur en bleef Adam strak aankijken.

'Hij is geen alledaagse grootvader,' zei Adam kalm.
'Maar toch is hij úw grootvader en u wist dat hij onze cliënt was toen u bij ons kwam werken.'
'Dan bied ik u hierbij mijn verontschuldigingen aan,' zei Adam. 'Dit kantoor heeft duizenden rijke cliënten, die allemaal duur moeten betalen voor onze diensten. Ik had niet kunnen dromen dat een onbelangrijke pro-deozaak zoveel deining zou geven.'
'U hebt ons bedrogen, meneer Hall. U hebt dit kantoor bewust gekozen omdat wij op dat moment uw grootvader vertegenwoordigden. En nu wilt u de zaak zelfs overnemen. Dat brengt ons in een heel moeilijke positie.'
'Hoezo?' vroeg Emmitt Wycoff, terwijl hij de telefoon dichtklapte en in zijn zak stak. 'Luister, Daniel, we hebben het over een man in de dodengang. Hij heeft een advocaat nodig, verdomme!'
'Zijn eigen kleinzoon?' vroeg Rosen.
'Wat maakt het uit? Die man staat met één voet in het graf en hij heeft recht op een advocaat.'
'Hij heeft ons zelf de laan uit gestuurd,' gaf Rosen terug.
'Ja, maar hij kan ons zo weer in dienst nemen. Het is het proberen waard. Doe niet zo moeilijk, man.'
'Hoor eens, Emmitt, ik moet aan het imago van het kantoor denken, en de gedachte om een van onze jonge advocaten naar Mississippi te sturen om zich belachelijk te maken en zijn cliënt te laten executeren staat me helemaal niet aan. Eerlijk gezegd vind ik dat er voor meneer Hall geen plaats meer is bij Kravitz & Bane.'
'Geweldig, Daniel,' zei Wycoff. 'Dit is een delicate zaak en jij walst er met grof geweld overheen. Wie moet Cayhall dan vertegenwoordigen? Denk eens aan hèm! De man heeft een advocaat nodig. Adam is misschien zijn enige kans.'
'God sta hem bij,' mompelde Rosen.
E. Garner Goodman mengde zich eindelijk in de discussie. Hij sloeg zijn handen in elkaar, legde ze op tafel en keek Rosen nijdig aan. 'Het imago van dit kantoor? Dacht je echt dat wij worden gezien als een stel onderbetaalde welzijnswerkers die niets anders doen dan mensen helpen?'
'Of een stelletje nonnen die in de achterbuurten werken?' sneerde Wycoff behulpzaam.

'Hoe zou dit ons imago in vredesnaam kunnen schaden?' vroeg Goodman.
Rosen wist niet van opgeven. Zo zat hij niet in elkaar. 'Het ligt heel simpel, Garner. We sturen onze nieuwelingen niet naar de dodengang. We mogen ze misbruiken en ze als slaven laten werken, twintig uur per dag, maar we sturen ze niet de oorlog in voordat ze er klaar voor zijn. Je weet hoe ondoorzichtig de wetgeving rondom de doodstraf is. Verdomme, je hebt er zelf boeken over geschreven. Hoe kun je dan verwachten dat meneer Hall hier iets kan uitrichten?'
'Ik zal hem zo goed mogelijk begeleiden,' antwoordde Goodman.
'Hij weet wel wat hij doet,' kwam Wycoff er weer tussen. 'Hij kent het hele dossier uit zijn hoofd, Daniel.'
'Het lukt wel,' zei Goodman. 'Geloof me maar, Daniel. Ik heb genoeg ervaring met dit soort zaken. Ik houd wel contact.'
'En ik zal ook een paar uurtjes vrijmaken om te helpen,' zei Wycoff. 'Ik wil er zelfs naartoe vliegen als het nodig is.'
Goodman ging rechtop zitten en staarde Wycoff aan. 'Jij? Pro Deo?'
'Natuurlijk. Ik heb ook een geweten.'
Adam negeerde het gehakketak en keek nog steeds naar Rosen. Ontsla me maar, wilde hij zeggen. Toe dan, meneer Rosen, ontsla me maar. Dan kan ik mijn grootvader begraven en met mijn leven verdergaan.
'En als hij wordt terechtgesteld?' vroeg Rosen aan Goodman.
'We hebben wel vaker verloren, Daniel, dat weet je. Drie keer, sinds ik de pro-deozaken doe.'
'Hoeveel kans heeft hij?'
'Weinig. Hij leeft nog omdat het Vijfde Circuit uitstel heeft verleend. Maar ieder moment kan een nieuwe executiedatum worden vastgesteld. Waarschijnlijk tegen het einde van de zomer.'
'Dus niet lang meer.'
'Nee. Zeven jaar lang hebben we verzoeken om uitstel ingediend, maar we zijn nu aan het eind van de weg gekomen.'
'Er zitten zoveel lui in die dodengang, waarom zijn wij uitgerekend met Cayhall opgescheept?' wilde Rosen weten.
'Dat is een lang verhaal en op dit moment van geen enkel belang.'

Rosen deed of hij belangrijke aantekeningen maakte. 'U denkt toch niet dat u dit geheim kunt houden?'
'Misschien.'
'Vergeet het maar. Vlak voordat ze hem executeren, maken ze een beroemdheid van hem. De pers zal als aasgieren op hem af komen. En natuurlijk ontdekken ze wie u bent, meneer Hall.'
'En?'
'Dat wordt een sensationeel verhaal. Ik zie de koppen al voor me: verloren kleinzoon keert terug om opa te redden.'
'Hou op, Daniel,' zei Goodman.
Maar Rosen ging door. 'De media zullen er een spektakel van maken, dat begrijpt u toch wel, meneer Hall? Ellenlange verhalen over uw gestoorde, verziekte familie.'
'Maar wij zijn dol op de pers, nietwaar, meneer Rosen?' vroeg Adam koeltjes. 'Wij zijn strafpleiters. Wij horen voor de camera's op te treden. U hebt nog nooit...'
'Een heel goed punt,' onderbrak Goodman hem. 'Daniel, jij bent niet bepaald de man om iemand te adviseren de pers te ontwijken. Ik herinner me nog een paar van jouw eigen stunts.'
'Ja, Daniel, je kunt tegen die jongen zeggen wat je wilt, maar begin alsjeblieft niet over de media,' beaamde Wycoff met een gemene grijns. 'Jij hebt een reputatie op dat gebied.'
Heel even leek Rosen in verlegenheid gebracht. Adam hield hem scherp in de gaten.
'Het hele scenario bevalt me eigenlijk wel,' zei Goodman. Hij plukte aan zijn vlinderdas en tuurde naar de boekenkast achter Rosen. 'Er is veel voor te zeggen. Het zou heel nuttig kunnen zijn voor ons, arme pro-deo-advocaten. Denk eens na. Een jonge advocaat die zich doodvecht om een beruchte moordenaar van de gaskamer te redden. En hij werkt voor òns, voor Kravitz & Bane. Natuurlijk zal de pers er een hele toestand van maken, maar is dat zo slecht voor ons?'
'Het lijkt me juist een uitstekend idee,' beaamde Wycoff. Zijn mini-telefoon begon weer te zoemen in zijn zak. Hij drukte hem tegen zijn oor en draaide de anderen zijn rug toe.
'En als hij toch wordt terechtgesteld? Slaan we dan geen figuur?' vroeg Rosen aan Goodman.
'Hij hoort te worden terechtgesteld. Daarom zit hij in de do-

dengang,' vond Goodman.
Wycoff hield op met mompelen en stak de telefoon weer in zijn zak. 'Ik moet weg,' zei hij. Haastig en nerveus liep hij naar de deur. 'Waar staan we nu?'
'Het bevalt me nog steeds niet,' zei Rosen.
'Daniel, Daniel, doe toch niet zo moeilijk,' zei Wycoff. Hij bleef bij de tafel staan en leunde op zijn handen. 'Je weet dat het een goed idee is. Je bent alleen kwaad omdat hij het ons niet van tevoren heeft verteld.'
'Dat is waar. Hij heeft ons bedrogen en nu gebruikt hij ons.'
Adam haalde diep adem en schudde zijn hoofd.
'Zeur niet, Daniel. Dat sollicitatiegesprek was een jaar geleden. Verleden tijd. Vergeet dat nou maar. We hebben dringender zaken aan ons hoofd. Hij is slim, hij werkt hard, hij gedraagt zich goed en hij bereidt zijn zaakjes uitstekend voor. We kunnen tevreden over hem zijn. Zijn familie deugt niet, nou en? We kunnen moeilijk iedere advocaat met familieproblemen ontslaan.' Wycoff grijnsde tegen Adam. 'En de secretaressen lopen met hem weg. Laten we hem nou maar een paar maanden naar het zuiden sturen, dan is hij zo gauw mogelijk weer terug. Ik kan hem goed gebruiken. En nu moet ik weg.' Hij vertrok en deed de deur achter zich dicht.
Het bleef een tijdje stil. Rosen maakte aantekeningen, legde toen zijn pen neer en sloeg het dossier dicht. Adam had bijna medelijden met hem. Daar zat hij dan, de grote strafpleiter, de held van juridisch Chicago, de man die dertig jaar lang jury's voor zich had weten te winnen en zijn benauwde tegenstanders alle hoeken van de rechtszaal had laten zien. Daar zat hij dan, achter een bureau, ruziënd over de vraag of hij een jonge advocaat aan een pro-deozaak kon zetten. Adam besefte de humor, de ironie en de dramatiek van de situatie.
'Goed. Ik ga akkoord, meneer Hall,' fluisterde Rosen zacht, bijna theatraal, alsof de kwestie hem heel erg hoog zat. 'Maar ik zal u één ding zeggen. Als de zaak Cayhall achter de rug is en u naar Chicago terugkomt, zal ik het management voorstellen uw contract met Kravitz & Bane te beëindigen.'
'Dat zal waarschijnlijk niet nodig zijn,' reageerde Adam snel.
'U hebt zich onder valse voorwendsels bij ons aangediend,' vervolgde Rosen.

'Ik heb me al geëxcuseerd. Het zal niet meer gebeuren.'
'En u bent een brutale vlerk.'
'U ook, meneer Rosen. Noem mij eens een strafpleiter die geen brutale vlerk is.'
'Heel leuk. Ik wens u veel plezier met de zaak Cayhall, meneer Hall, want het zal uw laatste zijn voor dit kantoor.'
'Wenst u me plezier met een terechtstelling?'
'Rustig aan, Daniel,' zei Goodman zacht. 'Kalm aan. Niemand wordt hier ontslagen.'
Rosen richtte een nijdige vinger op Goodman. 'Ik zweer je dat ik hem voor ontslag zal voordragen.'
'Goed. Stel het maar voor, Daniel. Meer kun je niet doen. Ik zal het aan het comité voorleggen, dan kunnen we er gezellig over bekvechten. Oké?'
'Ik kan nauwelijks wachten,' snauwde Rosen. Hij sprong overeind. 'Ik begin meteen met lobbyen. Tegen het eind van de week heb ik genoeg stemmen. Goedendag!' Hij stormde de kamer uit en sloeg de deur achter zich dicht.
Ze bleven zwijgend naast elkaar zitten, staarden over de ruggen van de lege stoelen naar de keurige rijen dikke wetboeken in de kast en luisterden naar de echo van de dichtgesmeten deur.
'Bedankt,' zei Adam ten slotte.
'Het is geen kwaaie vent,' zei Goodman.
'Nee, heel charmant. Een echte schat.'
'Ik ken hem al een hele tijd. Hij heeft het nu moeilijk. Hij is gefrustreerd en gedeprimeerd. We weten niet goed wat we met hem moeten beginnen.'
'Hij kan toch met pensioen?'
'Dat hebben we overwogen, maar er is nog nooit een vennoot onvrijwillig met pensioen gestuurd. En dat is een precedent dat we liever willen vermijden – om voor de hand liggende redenen.'
'Meent hij het serieus, dat hij me wil ontslaan?'
'Maak je geen zorgen, Adam. Dat zal niet gebeuren. Dat beloof ik je. Je had het natuurlijk moeten vertellen, maar het is een kleine misstap. En heel begrijpelijk. Je bent jong, bang, naïef en je wilt helpen. Maak je over Rosen maar niet druk. Ik betwijfel of hij over drie maanden nog op deze plaats zit.'
'Diep in zijn hart is hij dol op me.'

'Dat is wel duidelijk.'
Adam haalde diep adem en liep om de tafel heen. Goodman schroefde de dop van zijn pen en begon te schrijven. 'We hebben niet veel tijd meer, Adam,' zei hij.
'Dat weet ik.'
'Wanneer kun je vertrekken?'
'Morgen. Ik zal vanavond mijn koffers pakken. Het is tien uur rijden.'
'Het dossier weegt ruim veertig kilo. Het wordt nu uitgeprint. Ik zal het morgen versturen.'
'Hoe zit het met dat kantoor in Memphis?'
'Ik heb ze een uur geleden gebeld. De manager heet Baker Cooley, en hij verwacht je. Ze hebben een kamertje en een secretaresse voor je en ze zullen je zoveel mogelijk helpen. Maar ze zijn dit soort zaken niet gewend.'
'Hoeveel advocaten werken er?'
'Twaalf. Het is een klein kantoor dat we tien jaar geleden hebben opgekocht. Niemand weet meer waarom. Maar het zijn beste jongens. Goede juristen. Het is een overblijfsel van een oude firma die was meegegroeid met de katoen- en graanhandel daar. Dat is de connectie met Chicago, denk ik. Maar het staat wel aardig op het briefpapier. Ben je wel eens in Memphis geweest?'
'Ik ben er geboren, weet u nog?'
'O ja.'
'Eén keer ben ik er geweest. Op bezoek bij mijn tante, een paar jaar geleden.'
'Het is een oude rivierstad. Heel rustig. Je zult het wel naar je zin hebben.'
Adam ging tegenover Goodman aan tafel zitten. 'Hoe kan ik het de komende maanden in godsnaam naar mijn zin hebben?'
'Nee, dat is zo. Je moet zo snel mogelijk naar de dodengang.'
'Overmorgen.'
'Goed. Ik zal de directeur bellen. Zijn naam is Phillip Naifeh. Een Libanees, vreemd genoeg. Er wonen veel Libanezen in de Mississippi-delta. Hij is een oude vriend van me. Ik zal zeggen dat je komt.'
'Is de directeur uw vriend?'
'Ja. We kennen elkaar al jaren, sinds de tijd van Maynard

Tole, een akelig knulletje dat het eerste slachtoffer was van deze oorlog. Hij is in 1986 terechtgesteld, meen ik. Toen ben ik met Naifeh bevriend geraakt. Hij is tegen de doodstraf, ik zweer het je.'
'Dat geloof ik dus niet.'
'Hij heeft de pest aan executies. Je zult verbaasd staan, Adam. De doodstraf is misschien heel populair in ons land, maar niet bij de mensen die hem moeten uitvoeren. En die mensen zul je leren kennen: de bewaarders die dagelijks met de gevangenen omgaan, de directie die een efficiënte terechtstelling moet organiseren, de rest van het personeel dat een maand van tevoren al moet oefenen. Het is een vreemde uithoek van de wereld, en niet bepaald opwekkend.'
'Ik kan haast niet wachten.'
'Ik zal de directeur bellen en toestemming vragen voor een bezoek. Meestal krijg je twee uur. Maar misschien ben je in vijf minuten klaar als Sam geen advocaat meer wil.'
'Maar hij zal toch wel met me willen praten?'
'Ik denk het wel. Ik heb geen idee hoe hij zal reageren, maar hij zal wel met je praten. Je hebt misschien een paar bezoeken nodig om hem over te halen, maar dat lukt je wel.'
'Wanneer hebt u hem voor het laatst gezien?'
'Een paar jaar geleden, samen met Wallace Tyner. Je moet maar contact opnemen met Tyner. Hij heeft zich zes jaar met de zaak beziggehouden.'
Adam knikte afwezig. De afgelopen negen maanden had hij al vaak genoeg met Tyner gesproken.
'Wat wordt onze eerste zet?'
'Daar praten we nog wel over. Tyner en ik hebben morgenochtend een afspraak om de zaak nog eens door te nemen. Maar we doen niets totdat we wat van je horen. We staan machteloos als we hem niet officieel mogen vertegenwoordigen.'
Adam dacht aan de krantefoto's, de zwart-witopnamen uit 1967 toen Sam was gearresteerd, de kleurenfoto's in de tijdschriften toen hij in 1980 voor de derde keer werd berecht en de videobeelden van Sam Cayhall die hij tot een film van dertig minuten had gemonteerd. 'Hoe ziet hij eruit?'
Goodman legde zijn pen neer en plukte aan zijn vlinderdas. 'Gemiddeld postuur. Mager... Je ziet zelden dikke gevange-

nen in de dodengang – de zenuwen en het vetarme eten. Hij is een kettingroker, maar dat is ook algemeen. Er is niet veel anders te doen en ze gaan toch dood. Hij rookt een vreemd merk, Montclair, geloof ik, in een blauw pakje. Zijn haar is grijs en vettig, als ik het me goed herinner. Die jongens douchen niet iedere dag. Een beetje lang in de nek, maar ik praat over twee jaar geleden. Hij is nog niet kaal. Een grijze baard. Rimpels in zijn gezicht, maar hij loopt ook tegen de zeventig. En hij rookt natuurlijk zwaar. Het zal je opvallen dat de blanke kerels in de dodengang er slechter uitzien dan de zwarten. Ze zitten drieëntwintig uur per dag binnen, dus ze verbleken als het ware. Hij is heel wit, bijna ziekelijk. Blauwe ogen en een mooie kop. Sam Cayhall moet ooit een knappe vent zijn geweest.'
'Toen mijn vader stierf en ik de waarheid over Sam hoorde, heb ik mijn moeder van alles gevraagd. Ze antwoordde niet veel, maar ze zei wel dat mijn vader niet erg op Sam leek.'
'En jij ook niet, als je dat bedoelt.'
'Ja, dat wilde ik weten.'
'Hij heeft je niet meer gezien sinds je een kleuter was, Adam. Hij zal je niet herkennen. Zo gemakkelijk zal het niet gaan. Je zult het hem zelf moeten vertellen.'
Adam staarde uitdrukkingsloos naar de tafel. 'U hebt gelijk. Hoe zal hij reageren?'
'Geen idee. Ik denk dat hij met zijn mond vol tanden staat. Maar hij is een heel intelligente man. Hij heeft niet gestudeerd, maar wel veel gelezen en hij kan goed zijn woordje doen. Hij zal wel iets zeggen... na een paar minuten.'
'Het klinkt of u hem wel mag.'
'Nee. Hij is een smerige racist en een hypocriet en hij heeft absoluut geen spijt van wat hij heeft gedaan.'
'Dus u bent ervan overtuigd dat hij schuldig is.'
Goodman bromde wat en glimlachte. Hij dacht even over zijn antwoord na. Er waren drie processen gevoerd om de schuld of onschuld van Sam Cayhall vast te stellen. De zaak speelde al negen jaar bij de verschillende hoven van appèl en was door talloze rechters beoordeeld. Kranten en tijdschriften hadden onderzoek gedaan naar de aanslag en de mogelijke daders. 'De jury dacht van wel. Dat moet voldoende zijn.'

'Maar wat denkt u zelf?'
'Je hebt het dossier gelezen, Adam. Je hebt je lang genoeg in de zaak verdiept. Het staat wel vast dat Sam bij de aanslag betrokken was.'
'Maar?'
'Maar er blijven veel twijfels. Dat is altijd zo.'
'Hij was nooit eerder betrapt met explosieven.'
'Nee. Maar hij was een Klan-terrorist en de Klan gebruikte bommen. Toen Sam was gearresteerd, hielden de aanslagen op.'
'Maar bij een van die aanslagen vóór Kramer beweerde een getuige dat hij twee mensen had gezien in die groene Pontiac.'
'Ja. Maar de man mocht tijdens het proces niet getuigen en hij had de auto gezien toen hij 's nachts om drie uur uit een bar kwam.'
'Maar een andere getuige, een vrachtwagenchauffeur, beweerde dat hij Sam met een andere man heeft zien praten in een wegrestaurant in Cleveland, een paar uur voor de aanslag op Kramer.'
'Dat is zo. Maar die chauffeur heeft drie jaar zijn mond gehouden en mocht bij het laatste proces niet meer getuigen. Er was te veel tijd verstreken.'
'Dus wie was Sams medeplichtige?'
'Ik denk niet dat we dat ooit te weten zullen komen. Vergeet niet, Adam, dat we praten over een man die drie keer is berecht maar zelf nooit een verklaring heeft afgelegd. Hij heeft bijna niets tegen de politie gezegd, heel weinig tegen zijn advocaten en geen woord tegen de jury's. Wij hebben de afgelopen zeven jaar ook niets nieuws van hem gehoord.'
'Denkt u dat hij het in zijn eentje heeft gedaan?'
'Nee. Hij had hulp. Sam verbergt duistere geheimen, Adam. Die zal hij nooit prijsgeven. Hij heeft een eed als Klan-lid afgelegd en hij heeft het verwrongen romantische idee dat je een heilige eed niet mag breken. Zijn vader was ook lid van de Klan, dat weet je toch?'
'Ja. Hou daar maar over op.'
'Sorry. In elk geval is het nu te laat om nog naar nieuwe bewijzen te gaan zoeken. Als er inderdaad een medeplichtige was, had hij dat al jaren geleden moeten zeggen. Hij had met de FBI kunnen praten. Misschien had hij een deal kunnen

sluiten met de officier. Ik weet het niet. Maar als je van een dubbele moord wordt beschuldigd en de gaskamer voor ogen hebt, dan begin je wel te praten, Adam. Dan vertel je alles wat je weet. Dan probeer je je eigen huid te redden en laat je je makkers vallen.'

'En als hij geen medeplichtige had?'

'Die had hij wel.' Goodman pakte zijn pen en schreef een naam op een velletje papier. Hij schoof het over de tafel naar Adam toe. Adam las het. 'Wyn Lettner. Die naam klinkt bekend.'

'Lettner was de FBI-agent die het onderzoek leidde in de zaak Kramer. Hij is nu met pensioen en hij woont aan een forellenrivier in de Ozarks. Hij vertelt nog graag over de Klan en de burgerrechtenstrijd in Mississippi.'

'Zou hij met me willen praten?'

'O, jawel. Hij lust graag een biertje en als hij flink bezopen is, vertelt hij de ongelooflijkste verhalen. Geen vertrouwelijke dingen, natuurlijk, maar hij weet meer over de aanslag op Marvin Kramer dan wie ook. Ik heb nog steeds het vermoeden dat hij meer weet dan hij heeft verteld.'

Adam vouwde het velletje papier op en stak het in zijn zak. Toen keek hij op zijn horloge. Het was bijna zes uur. 'Ik ga ervandoor. Ik moet mijn koffers nog pakken en zo.'

'Morgen zal ik het dossier versturen. Bel me zodra je met Sam hebt gesproken.'

'Dat zal ik doen. Mag ik iets zeggen?'

'Natuurlijk.'

'Uit naam van mijn familie, wat die ook voorstelt... mijn moeder die niet over Sam wil praten, mijn zuster die zijn naam alleen maar fluistert, mijn tante in Memphis die de naam Cayhall niet wil horen... en uit naam van mijn overleden vader wil ik u en het kantoor bedanken voor wat jullie hebben gedaan. Daar heb ik grote bewondering voor.'

'Geen dank. Ik heb ook grote bewondering voor jou. En ga nou maar snel naar Mississippi.'

6

Het appartement was een zolder met één slaapkamer, ergens boven de tweede verdieping van een oud pakhuis vlak bij de Loop, in een deel van de stad dat bekendstond om zijn criminaliteit maar overdag redelijk veilig hoorde te zijn. Het pakhuis was halverwege de jaren tachtig gekocht door een projectontwikkelaar die heel wat geld in de verbouwing en de modernisering had gestoken. Hij had het in zestig eenheden verdeeld, die via een handige makelaar als appartementen voor aankomende yuppies aan de man werden gebracht. Hij verdiende er goed aan toen het gebouw binnen de kortste keren volstroomde met gretige jonge bankiers en effectenmakelaars.

Adam had de pest aan het appartement. Over drie weken liep zijn half jaarlijkse huurcontract af, maar hij had geen andere keus. Hij zou weer zes maanden moeten bijtekenen omdat Kravitz & Bane van hem verwachtte dat hij achttien uur per dag werkte, zodat hij geen tijd had om naar iets anders op zoek te gaan.

Voor het kopen van meubels was ook niet veel tijd geweest. Een mooie leren sofa zonder armleuningen stond eenzaam op de parketvloer tegenover een oude gemetselde muur. Verder stonden er nog twee zitzakken, een gele en een blauwe, voor het onwaarschijnlijke geval dat er veel bezoek zou komen. Links van de sofa bevond zich een kleine open keuken met een eetbar en drie rieten krukken, rechts was de slaapkamer met een onopgemaakt bed en wasgoed op de grond. Alles bij elkaar nog geen zeventig vierkante meter, voor dertienhonderd dollar per maand. Als veelbelovend advocaat was Adam begonnen met een salaris van zestigduizend per jaar. Inmiddels zat hij op tweeënzestigduizend. Van zijn bruto inkomen van ruim vijfduizend per maand werd vijftienhonderd dollar belasting ingehouden. Nog eens zeshonderd dollar kreeg hij nooit te zien; die werd direct in het pensioenfonds van Kravitz & Bane gestort, zodat hij op zijn vijfenvijftigste zou kunnen stoppen, als hij niet eerder aan de stress zou zijn bezweken. Na aftrek van de huur, gas, water en licht, vierhonderd dollar per maand voor een geleaste Saab, en vaste lasten als diepvriesmaaltijden en mooie kleren, hield Adam per maand nog zo'n zevenhonderd dollar over. Die werden voor een deel besteed aan vrouwen, hoewel zijn vriendinnen meestal net van de universiteit kwamen, een baan en een creditcard hadden en daarom voor hun eigen eten wilden betalen. Adam vond het best. Dank zij de levensverzekering van zijn vader hoefde hij nu geen studielening af te betalen. En hoewel er best dingen waren die hij wilde kopen, stortte hij trouw iedere maand vijfhonderd dollar in een beleggingsfonds. Zonder het directe vooruitzicht van een vrouw en een gezin, wilde hij voorlopig zo hard mogelijk werken en zijn geld beleggen om op zijn veertigste te kunnen stoppen.

Tegen de gemetselde muur stond een aluminium tafel met een televisie. Adam ging op de sofa zitten, halfnaakt in zijn boxershort, en pakte de afstandsbediening. Afgezien van de kleurloze straling van het scherm was de hele zolder donker. Het was al na middernacht. 'De avonturen van een Klan-terrorist', zo had hij de videoband gedoopt die hij in de loop van de jaren had samengesteld. De band begon met een korte reportage van een cameraploeg uit Jackson, Mississippi, gemaakt op 3 maart 1967, de ochtend nadat een synagoge door een bomaanslag was verwoest. Het was de vierde aanslag op joodse eigendommen in de afgelopen twee maanden, meldde de verslaggeefster, terwijl op de achtergrond een laadschop een bak vol puin weghaalde. De FBI wist nog niet veel en had de pers niets te melden. De terreurcampagne van de Klan gaat door, verklaarde ze somber en sloot de reportage af.

Daarna volgde de aanslag op het kantoor van Marvin Kramer, met gillende sirenes en politiemensen die de toeschouwers op afstand hielden. Een plaatselijke reporter en zijn cameraman waren snel genoeg gearriveerd om de eerste paniek te kunnen vastleggen. Mensen renden naar de puinhopen van Marvins kantoor. Een dichte bruine rookwolk hing boven de kleine eiken op het grasveld aan de voorkant. De bladeren waren van de takken gerukt en de bomen waren geschroeid, maar ze stonden nog overeind. De rookwolk bleef bewegingloos boven de puinhopen hangen. Buiten beeld riepen stemmen dat er brand was uitgebroken en de camera zwenkte naar een aangrenzend gebouw waar dichte rook door een gat in een beschadigde muur naar buiten kwam. Het was een schokkend tafereel. De reporter deed verslag, onsamenhangend en half buiten adem. Hij wees om zich heen en de camera volgde haastig zijn wijzende arm. De politie duwde hem weg, maar hij was te opgewonden om erop te letten. Er was een sensationele aanslag gepleegd in het slaperige Greenville, en de verslaggever liet zich deze grote kans niet ontnemen.

Een half uur later, vanuit een andere hoek, klonk zijn stem wat rustiger toen hij meldde dat Marvin Kramer tussen het puin was gevonden. De politie had versperringen opgeworpen en de menigte nog verder teruggedrongen toen de reddingswerkers en brandweermensen de advocaat op een brancard tilden en door de puinhopen naar een ambulance brachten. De camera volgde de ziekenwagen toen hij met spoed vertrok. Een uur later, weer vanaf een andere plek, was de verslaggever de kalmte zelf toen de twee brancards met de bedekte lichamen van de kleine jongens voorzichtig door brandweermannen werden afgevoerd.

Het beeld verplaatste zich nu naar de voorkant van het politiebureau en voor het eerst was er een glimp van Sam Cayhall te zien, die geboeid in een gereedstaande auto werd geduwd.

Zoals altijd spoelde Adam de band even terug om nog eens naar Sam te kijken. Het was 1967, drieëntwintig jaar geleden. Sam was toen zesenveertig. Zijn haar was donker en kortgeknipt, naar de mode van die tijd. Er zat een verbandje onder zijn linkeroog, half verborgen voor de camera. Hij liep snel, tussen de hulpsheriffs in, omdat er mensen foto's maakten en vragen riepen. Maar één keer draaide hij zich naar hen toe en zoals altijd zette Adam het beeld stil en staarde voor de duizendste keer in het gezicht van zijn grootvader. De opname was zwart-wit en niet erg scherp, maar ze keken elkaar recht aan.

1967... Als Sam toen zesenveertig was, was Eddie vierentwintig geweest en Adam bijna drie. Hij heette toen nog Alan. Alan Cayhall. Maar spoedig zou hij naar een andere staat verhuizen waar een rechter een besluit zou ondertekenen om hem een andere naam te geven. Hij had vaak naar deze video gekeken en zich afgevraagd waar hij was op het moment dat de Kramer-tweeling werd gedood – 21 april 1967, om acht uur 's ochtends. De Cayhalls woonden toen in een klein huis in Clanton, en Adam lag waarschijnlijk te slapen, niet ver van zijn moeder. Hij was bijna drie, de Kramer-tweeling pas vijf.

De video vervolgde met een paar haastige opnamen van Sam, die heen en weer werd gereden tussen rechtbanken en huizen van bewaring. Hij droeg altijd handboeien en meestal staarde hij voor zich uit naar de grond. Zijn gezicht stond volkomen uitdrukkingsloos. Hij keek nooit naar de verslaggevers, reageerde niet op hun vragen en zei geen woord. Hij liep zo snel mogelijk van de auto's naar de gebouwen en weer terug.

De televisie had uitvoerig verslag gedaan over de eerste twee processen. In de loop der jaren had Adam het meeste materiaal te pakken weten te krijgen en de beelden zorgvuldig geredigeerd. Hij keek naar T. Louis Brazelton, Sams advocaat, die bij iedere gelegenheid de pers te woord stond met zijn stoere gebral. Maar Adam had flink gesneden in de opnamen van de advocaat. Hij had de pest aan de man. Er waren duidelijke, overzichtelijke beelden van de grasvelden voor de gerechtsgebouwen, met de zwijgende toeschouwers, de zwaar bewapende politie en de in witte pijen gehulde Klan-leden met hun puntmutsen en sinistere maskers. Zo nu en dan kwam Sam even in beeld, altijd gehaast, zich altijd verbergend voor de camera door weg te duiken achter een forse hulpsheriff. Na het tweede onbesliste proces reed Marvin Kramer in zijn rolstoel de stoep van het gerechtsgebouw van Wilson County op. Met tranen in zijn ogen klaagde hij Sam Cayhall, de Ku-Klux-Klan en het gebrekkige rechtsstelsel van Mississippi aan. Daarbij deed zich een aangrijpend incident voor. Opeens zag Marvin twee Klan-leden in hun witte pijen, niet ver bij hem vandaan. Hij begon tegen hen te schreeuwen. Een van de Klan-leden schreeuwde terug, maar zijn antwoord ging verloren in het rumoer van het moment. Adam had van alles geprobeerd om het antwoord van het Klan-lid op te vangen, maar tevergeefs. Zijn woorden zouden voor altijd onverstaanbaar blijven. Een paar jaar geleden, toen hij nog rechten studeerde in Michigan, had Adam een van de plaatselijke verslaggevers opgespoord die op dat moment een microfoon onder Marvins neus had gehouden. Volgens de journalist had het Klan-lid geschreeuwd dat ze Marvins armen ook nog van zijn romp wilden rukken – of zoiets. Het moest wel zo'n grof en wreed antwoord zijn geweest, want Marvin raakte buiten zinnen. Hij begon te schelden tegen de Kluckers, en ze deinsden terug. Marvin probeerde hen in zijn rolstoel achterna te rijden, huilend en vloekend. Zijn vrouw en een paar vrienden wilden hem tegenhouden, maar hij rukte zich los en bewoog zijn handen woest langs de wielen van zijn rolstoel. De camera volgde de hele scène. Marvin kwam niet verder dan een meter of zes, achtervolgd door zijn vrouw. Op het punt waar de stoep in het grasveld overging sloeg de rolstoel om en tuimelde Marvin in het gras. De plaid om zijn geamputeerde benen raakte los toen hij met een klap tegen een boom terechtkwam. Zijn vrouw en zijn vrienden wierpen zich op hem en heel even verdween hij onder een wirwar van armen en benen. Maar zijn stem was nog te horen. Toen de camera zich haastig op de twee Klan-leden richtte, van wie er één stond te gieren van het lachen en de ander doodstil was blijven staan, steeg er een vreemd geluid op vanuit het kleine groepje op de grond. Het was Marvin die lag te huilen, maar met het schrille, hoge geluid van een gewonde krankzinnige. Het was een luguber gehoor en na een paar akelige seconden vervolgde de video met het volgende tafereel.

De eerste keer dat hij Marvin over de grond had zien rollen, huilend en kreunend, had Adam tranen in zijn ogen gekregen. Nog altijd kreeg hij een brok in zijn keel, hoewel hij allang niet meer huilde. Hij had de video zelf samengesteld. Niemand anders had hem ooit gezien. En hij had er al zo vaak naar gekeken dat zijn tranen waren opgedroogd.

De technologie was tussen 1968 en 1981 sterk verbeterd en de opnamen van Sams derde en laatste proces waren veel beter en scherper. Het was februari 1981, in een mooi stadje met een druk plein en een merkwaardig gerechtsgebouw van rode baksteen. Het was bitter koud en daarom waren er misschien minder toeschouwers en demonstranten op de been. Een reportage over de eerste dag van het proces bevatte een korte opname van drie Klan-leden met puntmutsen die rond een

draagbaar kacheltje zaten en in hun handen wreven van de kou. Ze leken meer op carnavalsgangers dan op criminelen. Ze werden in de gaten gehouden door een stuk of twaalf politiemensen in blauwe jacks met een bontkraag.
Omdat de burgerrechtenbeweging inmiddels als een historische gebeurtenis en niet als een voortdurende strijd werd gezien, trok Sams derde proces meer aandacht van de media dan de eerste twee. Een echt Klan-lid, een heuse terrorist uit het verre verleden van de Freedom Riders en de aanslagen op kerken en synagogen – een overblijfsel uit die beruchte tijd, die nu opnieuw voor de rechter werd gesleept. Meer dan eens werd een vergelijking getrokken met de nazi-oorlogsmisdadigers.
Tijdens zijn laatste proces zat Sam niet gevangen. Hij was een vrij man en daardoor nog moeilijker te vangen met de camera. De beelden bleven beperkt tot haastige opnamen van Sam die via verschillende deuren het gerechtsgebouw binnenging. Uiterlijk leek hij niet veel ouder geworden in de dertien jaar sinds het tweede proces. Zijn haar was nog kortgeknipt en keurig, alleen veel grijzer. Hij leek wat zwaarder, maar was nog steeds in goede conditie. Hij rende kwiek naar de auto's en gebouwen als hij door de camera's werd achtervolgd. Eén keer werd hij verrast toen hij uit een zijdeur van het gerechtsgebouw stapte. Adam zette de band stil op het moment dat Sam recht in de camera keek.
Een groot deel van de berichtgeving over het derde en laatste proces ging over een zelfverzekerde jonge officier van justitie, David McAllister, een knappe vent die donkere pakken droeg en voortdurend glimlachte met een perfect gebit. Het stond wel vast dat McAllister politieke ambities had. Hij had alles mee: zijn kapsel, zijn kin, zijn warme stem, zijn gladde woorden en zijn talent om de aandacht van de camera's te trekken. In 1989, maar acht jaar na het proces, werd McAllister als gouverneur van de staat Mississippi gekozen. Het verbaasde niemand dat hij in zijn verkiezingsprogramma vooral had aangedrongen op meer cellen, langere straffen en handhaving van de doodstraf. Adam mocht hem al evenmin als Brazelton, maar hij wist dat hij binnen enkele weken, misschien zelfs dagen, op het kantoor van de gouverneur in Jackson zou zitten om op gratie aan te dringen.

De video eindigde ermee dat Sam, opnieuw met handboeien om, uit het gerechtsgebouw werd weggeleid nadat de jury hem ter dood had veroordeeld. Zijn gezicht stond uitdrukkingsloos. Zijn advocaat leek diep geschokt en mompelde een paar nietszeggende dingen. De verslaggever besloot met het bericht dat Sam over enkele dagen naar de dodengang zou worden overgebracht.

Adam spoelde de band terug en staarde naar het lege scherm. Achter de sofa stonden drie kartonnen dozen die de rest van het verhaal bevatten: de dikke transcripties van de drie processen, die Adam had gekocht toen hij nog aan Pepperdine studeerde; kopieën van de verzoeken en instructies en andere stukken uit de beroepsprocedures die sinds Sams veroordeling waren gevolgd; een dikke, zorgvuldig geïndexeerde map met keurige kopieën van de honderden krante- en tijdschriftartikelen over Sams activiteiten als lid van de Ku-Klux-Klan; allerlei materiaal over de doodstraf; aantekeningen uit zijn rechtenstudie. Hij wist meer over zijn grootvader dan wie ook.

En toch was het nog maar een tipje van de sluier. Hij drukte op de play-knop en bekeek de video opnieuw.

7

Nog geen maand nadat Sam ter dood was veroordeeld, vond de begrafenis van Eddie Cayhall plaats. De rouwdienst werd gehouden in een kerkje in Santa Monica. Er waren maar weinig vrienden en nog minder familieleden. Adam zat op de voorste bank tussen zijn moeder en zijn zusje. Ze hielden elkaars hand vast en staarden naar de gesloten kist, die vlak voor hen stond. Zijn moeder gedroeg zich stijf en stoïcijns, zoals altijd. Soms werden haar ogen vochtig en moest ze ze met een papieren zakdoekje drogen. Ze was al zo vaak bij Eddie weggegaan en weer bij hem teruggekomen dat de kinderen de tel waren kwijtgeraakt. Hoewel ze niet vochten als kat en hond, werd hun huwelijk beheerst door de mogelijkheid van een scheiding: dreigementen om te scheiden, plannen om te scheiden, plechtige gesprekken met de kinderen over een scheiding, beloften om niet te scheiden. Tijdens het proces tegen Sam Cayhall had Adams moeder haar spullen stilletjes weer teruggebracht naar hun kleine huis en was ze zoveel mogelijk bij Eddie gebleven. Eddie ging niet meer naar zijn werk en trok zich terug in zijn duistere wereldje. Adam vroeg zijn moeder wat er aan de hand was, maar ze antwoordde kort dat vader een 'moeilijke tijd' doormaakte. De gordijnen bleven dicht, de zonweringen gesloten, de lichten gedoofd. Ze spraken met gedempte stem en de televisie mocht niet aan. Het hele gezin had weer eens te lijden onder een van Eddies 'moeilijke tijden'.

Drie weken later was hij dood. Hij schoot zich in Adams kamer door zijn hoofd, op een dag dat hij wist dat Adam als eerste thuis zou komen. Op de grond lag een briefje met de instructie aan Adam om de troep op te ruimen voordat de meisjes thuiskwamen. In de keuken lag nog een briefje.

Carmen was toen veertien, drie jaar jonger dan Adam. Ze was verwekt in Mississippi maar geboren in Californië, na de haastige vlucht van haar ouders naar het westen. Tegen de tijd dat ze werd geboren had Eddie de familienaam al wette-

lijk veranderd van Cayhall in Hall. Alan was Adam geworden. Ze woonden toen in het oosten van Los Angeles, in een driekamerappartement met vuile lakens voor de ramen. Het was het eerste van vele tijdelijke woningen.
Naast Carmen op de voorste rij zat een mysterieuze vrouw die zojuist aan Adam en Carmen was voorgesteld als tante Lee, Eddies enige zuster. Broers had hij niet. Als kinderen hadden ze geleerd niet te veel vragen te stellen over de familie, maar zo nu en dan was de naam van tante Lee ter sprake gekomen. Ze woonde in Memphis, was getrouwd met een man uit een rijke familie, had een kind en wilde niets met Eddie te maken hebben vanwege een oude familievete. De kinderen, vooral Adam, hadden graag hun familie leren kennen, en omdat er alleen over tante Lee gesproken werd, fantaseerden ze over haar. Ze wilden bij haar op bezoek, maar Eddie weigerde altijd – omdat ze helemaal niet aardig was, zei hij. Hun moeder fluisterde dat Lee best aardig was en dat ze hen wel eens zou meenemen naar Memphis om haar te ontmoeten.
In plaats daarvan was Lee nu naar Californië gekomen en samen hadden ze Eddie Hall begraven. Ze bleef nog twee weken na de begrafenis om haar nichtje en haar neef te leren kennen. Ze vonden haar aardig omdat ze mooi was en *cool*, spijkerbroeken en T-shirts droeg en op blote voeten over het strand liep. Ze ging met hen winkelen en ze maakten lange wandelingen langs de oceaan. Ze excuseerde zich steeds dat ze niet eerder was gekomen. Dat had ze wel gewild, zei ze, maar Eddie vond het nooit goed. Hij wilde haar niet zien omdat ze in het verleden ruzie hadden gemaakt.
Het was tante Lee die ten slotte met Adam op de pier ging zitten, terwijl de zon in de Grote Oceaan onderging, en hem vertelde over haar vader, Sam Cayhall. Bij het geluid van de kabbelende golven onder hun voeten onthulde Lee de jonge Adam dat hij als kleuter in een kleine stad in Mississippi had gewoond. Ze hield zijn hand vast en klopte hem soms op zijn knie terwijl ze hun verborgen geschiedenis vertelde. Ze schetste Sams activiteiten voor de Ku-Klux-Klan, ze beschreef de aanslag op het kantoor van Marvin Kramer en besloot met de processen waarin Sam uiteindelijk tot de dodengang in Mississippi was veroordeeld. De gaten in haar verhaal waren groot genoeg om een hele bibliotheek te vullen, maar over de

belangrijkste punten was ze zeer gedetailleerd.
Voor een onzekere jongen van zestien jaar die net zijn vader had verloren, reageerde Adam nog vrij goed. Vanuit zee was een koele bries opgestoken en ze kropen dicht tegen elkaar aan om warm te blijven. Zo nu en dan stelde Adam een vraag, maar verder luisterde hij zwijgend – niet geschokt of kwaad, maar met een intense belangstelling. Dit verschrikkelijke verhaal deed hem wel iets. Ze hadden dus toch familie! Misschien was hij toch niet zo abnormaal als hij dacht. Misschien had hij nog wel meer ooms en tantes en neven en nichten met wie hij in contact kon komen en verhalen kon uitwisselen. Misschien stonden ergens nog oude huizen, gebouwd door zijn voorouders, of boerderijen met grond waar ze hadden gewoond. In elk geval had hij toch een geschiedenis.
Lee was verstandig en alert genoeg om die belangstelling op te merken. Ze legde uit dat de Cayhalls vreemde, teruggetrokken mensen waren die niet van buitenstaanders hielden. Het was geen hartelijke familie die met Kerstmis en andere feestdagen gezellig bijeenkwam. Zelf woonde ze maar een uurtje rijden van Clanton en ze kwam er nooit.
De wandelingen naar de pier in de schemering werden de rest van die week een vast ritueel. Onderweg kochten ze op de markt een zak druiven, en ze bleven tot laat in de avond aan de waterkant zitten terwijl ze de pitjes in de oceaan spuwden. Lee vertelde verhalen over haar jeugd in Mississippi met haar broertje Eddie. Ze woonden op een boerderijtje, vijftien minuten van Clanton, met vijvers om in te vissen en pony's om op te rijden. Sam was geen slechte vader, niet te autoritair en zeker niet te aanhankelijk. Haar moeder was een zwakke vrouw die een hekel had aan Sam maar dol was op haar kinderen. Toen Lee zes was en Eddie bijna vier, kreeg hun moeder een baby die vlak na de geboorte stierf. Bijna een jaar lang kwam ze haar slaapkamer niet meer uit. Sam nam een zwarte vrouw in dienst om voor Eddie en Lee te zorgen. In 1977 stierf hun moeder aan kanker. Dat was de laatste keer dat de Cayhalls bijeenkwamen. Eddie sloop de stad binnen voor de begrafenis, maar probeerde iedereen te ontlopen. Drie jaar later werd Sam opnieuw gearresteerd en deze keer ook veroordeeld.
Lee vertelde weinig over haar eigen leven. Toen ze achttien

was, ging ze meteen het huis uit, een week na haar eindexamen, en reisde naar Nashville om beroemd te worden als country-zangeres. Op de een of andere manier ontmoette ze Phelps Booth, een student aan de Vanderbilt-universiteit, een zoon uit een rijke bankiersfamilie. Uiteindelijk trouwden ze en gingen in Memphis wonen. Erg gelukkig waren ze niet, zo te horen. Ze hadden één zoon, Walt, een opstandige jongen die nu in Amsterdam woonde. Meer wilde Lee niet kwijt.

Adam wist niet of Lee afstand had genomen van de Cayhalls, maar hij vermoedde van wel. En wie kon haar dat kwalijk nemen?

Lee vertrok even stilletjes als ze was gekomen. Zonder afscheid te nemen sloop ze op een ochtend het huis uit, nog voordat het licht was. Twee dagen later belde ze op en sprak met Adam en Carmen. Ze vroeg of ze haar wilden schrijven, wat ze enthousiast deden, maar haar eigen telefoontjes en brieven werden steeds schaarser. De belofte van een nieuwe familieband vervaagde. Hun moeder bedacht excuses. Lee was een fijne vrouw, zei ze, maar toch een Cayhall, en daarom erg gevoelig voor vreemde, sombere buien. Adam was diep teleurgesteld.

De zomer nadat hij zijn studie aan Pepperdine had voltooid, reed Adam met een vriend het land door naar Key West. Ze kwamen ook door Memphis en logeerden twee dagen bij tante Lee. Ze woonde alleen in een ruim, modern appartement op een heuvel boven de rivier, en ze zaten uren op de patio om eigengemaakte pizza's te eten, bier te drinken en naar de boten te kijken. Ze praatten over van alles en nog wat, maar niet over de familie. Adam was enthousiast over zijn rechtenstudie en Lee was benieuwd wat hij nu ging doen. Ze was levendig, spraakzaam en vrolijk – de ideale gastvrouw en tante. Toen ze elkaar bij het afscheid omhelsden, had ze tranen in haar ogen en vroeg ze hem dringend om nog eens langs te komen.

Adam en zijn vriend meden Mississippi. In plaats daarvan reden ze via Tennessee en de Smokey Mountains naar het westen. Op een gegeven moment waren ze volgens Adams berekeningen nog geen honderdvijftig kilometer van Parchman en de dodengang waar Sam Cayhall nu zat. Dat was vier jaar geleden geweest, in de zomer van 1986, en toen had hij al een doos vol materiaal over zijn grootvader verzameld. De videoband was bijna compleet.

Hun telefoongesprek van de vorige avond was maar kort geweest. Adam zei dat hij een paar maanden in Memphis zou blijven en haar graag wilde zien. Lee nodigde hem uit. Ze woonde nog steeds in hetzelfde appartement op de heuvel, met vier slaapkamers en een parttime dienstmeisje. Ze stond erop dat hij bij haar zou logeren. Adam vertelde haar dat hij op het filiaal van hun kantoor in Memphis zou werken – aan Sams verdediging. Het bleef even stil aan de andere kant van de lijn. Toen zei Lee dat hij toch maar moest komen, dan konden ze erover praten.
Een paar minuten over negen belde Adam bij haar aan, met een blik op zijn zwarte Saab cabrio. Het complex bestond uit een enkele rij van twintig appartementen, dicht naast elkaar, met rode pannendaken. Een brede gemetselde muur met een puntig ijzeren hek erop moest de bewoners beschermen tegen de gevaren van hartje Memphis. Een gewapende bewaker bediende de enige poort. Als ze niet op de rivier hadden uitgekeken, zouden de appartementen niet veel waard zijn geweest.
Lee deed open en ze kusten elkaar op de wang. 'Welkom,' zei ze, met een blik op het parkeerterrein. Toen deed ze de deur achter hem dicht. 'Ben je moe?'
'Niet echt. Het is tien uur rijden, maar ik heb er twaalf uur over gedaan. Ik had geen haast.'
'Heb je honger?'
'Nee. Ik heb onderweg gegeten, een paar uur geleden.' Hij liep met haar mee naar de huiskamer, waar ze tegenover elkaar bleven staan en naar de juiste woorden zochten. Zij was bijna vijftig en was de laatste vier jaar duidelijk ouder geworden. Haar lichtbruine haar was al voor de helft grijs en ze droeg het veel langer, in een strakke paardestaart. Haar zachte, blauwe ogen waren roodomrand en zorgelijk, omgeven door rimpels. Ze droeg een oversized katoenen overhemd en een verbleekte spijkerbroek. Ze was nog steeds *cool.*
'Blij je weer te zien,' zei ze met een lief lachje.
'Weet je het zeker?'
'Ja, natuurlijk. Laten we op de patio gaan zitten.' Ze pakte

zijn hand en nam hem mee door de glazen deuren naar het houten balkon, waar manden met varens en bougainvillea aan de balken hingen. Beneden hen stroomde de rivier. Ze gingen in witte rieten stoelen zitten. 'Hoe gaat het met Carmen?' vroeg ze, terwijl ze ijsthee inschonk uit een stenen kan.
'Goed. Ze studeert nog steeds aan Berkeley. We bellen elkaar eens per week. Ze heeft een vaste vriend.'
'Wat studeert ze ook alweer? Dat vergeet ik steeds.'
'Psychologie. Ze wil haar doctoraal halen en daarna misschien gaan lesgeven.' Er zat veel citroen en weinig suiker in de thee. Adam dronk er langzaam van. Het was nog warm en benauwd buiten. 'Het is bijna tien uur 's avonds,' zei hij. 'Waarom is het zo heet?'
'Welkom in Memphis, schat. Wij zitten hier te bakken tot aan september.'
'Ik zou het niet volhouden.'
'Je went eraan. Min of meer. Veel thee drinken en binnen blijven. Hoe is het met je moeder?'
'Ze woont nog steeds in Portland. Ze is getrouwd met een man die rijk is geworden in de houthandel. Ik heb hem één keer ontmoet. Hij is waarschijnlijk vijfenzestig, maar hij lijkt wel zeventig. Zij is zevenenveertig en ze ziet eruit als veertig. Een fraai stel. Ze reizen overal naartoe: St. Barts, Zuid-Frankrijk, Milaan, alle plaatsen waar je gezien moet worden als je geld hebt. Ze is heel gelukkig. Haar kinderen zijn volwassen. Eddie is dood. Haar verleden is keurig begraven. En ze is rijk. Alles naar wens.'
'Niet zo bitter.'
'Nog niet bitter genoeg. Ze wil me gewoon niet zien omdat ik een pijnlijke herinnering ben aan mijn vader en zijn zielige familie.'
'Je moeder houdt van je, Adam.'
'Nou, dat is prettig om te horen. Hoe weet jij dat?'
'Dat weet ik gewoon.'
'Ik wist niet dat jij en ma zulke goede vriendinnen waren.'
'Dat zijn we ook niet. Kalm nou maar, Adam. Wind je niet op.'
'Sorry, ik ben een beetje gespannen, dat is alles. Ik zou wel wat sterkers lusten.'
'Rustig aan. Laten we ervan genieten nu je hier bent.'

'Ik ben hier niet voor de gezelligheid, tante Lee.'
'Noem me maar Lee, oké?'
'Goed. Morgen ga ik naar Sam.'
Ze zette voorzichtig haar glas op het tafeltje, stond op en verdween. Even later kwam ze terug met een fles Jack Daniels en schonk twee flinke glazen in. Ze nam een grote slok en tuurde naar de rivier in de verte. 'Waarom?' vroeg ze ten slotte.
'Waarom niet? Omdat hij mijn grootvader is. Omdat hij op het punt staat te sterven. Omdat ik advocaat ben en hij hulp nodig heeft.'
'Hij kent je niet eens.'
'Na morgen wel.'
'Dus je wilt het hem vertellen?'
'Ja, natuurlijk vertel ik het hem. Kun je het geloven? Ik ga werkelijk een diep, duister, akelig Cayhall-geheim vertellen. Hoe vind je dat?'
Lee hield haar glas in twee handen en schudde langzaam haar hoofd. 'Hij zal sterven,' mompelde ze, zonder Adam aan te kijken.
'Nog niet. Maar ik ben blij dat het je zo ter harte gaat.'
'Natuurlijk.'
'O ja? Wanneer heb je hem voor het laatst gezien?'
'Begin nou niet zo, Adam. Je begrijpt het niet.'
'Goed. Oké. Leg het me dan maar uit. Ik luister. Ik wìl het begrijpen.'
'Kunnen we niet ergens anders over praten, schat? Ik ben hier nog niet aan toe.'
'Nee.'
'Later. Dat beloof ik je. Ik ben er nog niet klaar voor. Ik dacht dat we eerst wat konden roddelen en lachen.'
'Het spijt me, Lee. Ik heb genoeg van roddels en geheimen. Ik heb geen verleden omdat mijn vader dat vakkundig heeft uitgewist. Ik wil er meer over weten, Lee. Ik wil weten hoe beroerd het werkelijk was.'
'Het was afschuwelijk,' fluisterde ze, bijna in zichzelf.
'Goed. Ik ben nu een grote jongen, ik kan er wel tegen. Mijn vader is ertussenuit geknepen voordat hij het onder ogen moest zien, dus ik vrees dat er niemand meer over is dan jij.'
'Gun me wat tijd.'
'Er is geen tijd. Morgen zit ik tegenover hem.' Adam nam een

flinke slok en veegde zijn mond af met zijn mouw. 'Drieëntwintig jaar geleden beweerde *Newsweek* dat Sams vader ook lid was van de Klan. Is dat zo?'
'Ja. Mijn grootvader.'
'En een paar ooms en neven ook.'
'Het hele vervloekte stel.'
'*Newsweek* schreef ook dat het in Ford County algemeen bekend was dat Sam Cayhall in het begin van de jaren vijftig een zwarte man had doodgeschoten maar nooit was gearresteerd. Hij had zelfs geen dag gevangengezeten. Is dat waar?'
'Wat doet het er nog toe, Adam? Dat was jaren voordat jij werd geboren.'
'Dus het is waar?'
'Ja, het is waar.'
'En jij wist het?'
'Ik heb het gezien.'
'Je hebt het gezien!' Adam sloot ongelovig zijn ogen. Zwaar ademend liet hij zich nog dieper in zijn schommelstoel zakken. De scheepshoorn van een sleepboot trok zijn aandacht en hij bleef de boot nakijken totdat hij onder een brug verdween. De whisky had een kalmerende uitwerking.
'Laten we ergens anders over praten,' zei Lee zacht.
'Toen ik nog maar een kleine jongen was, hield ik van geschiedenis,' zei hij, nog steeds starend over de rivier. 'Ik werd geboeid door het leven van de mensen vroeger: de pioniers, de karavanen, de goudkoorts, cowboys en Indianen, de kolonisatie van het Wilde Westen. Er zat een jongen bij me in de vierde klas die beweerde dat zijn betovergrootvader treinen had beroofd en het geld in Mexico had begraven. Hij wilde een bende vormen om weg te lopen en het geld te gaan zoeken. We wisten wel dat hij loog, maar het was leuk om te doen alsòf. Ik was altijd nieuwsgierig naar mijn eigen voorouders, maar ik scheen ze niet te hebben. Dat vond ik zo vreemd.'
'Wat zei Eddie als je ernaar vroeg?'
'Dat ze allemaal dood waren. Dat er meer tijd werd verspild aan familiegeschiedenis dan aan wat ook. Steeds als ik naar mijn familie vroeg, nam moeder me apart en zei dat ik mijn mond moest houden omdat hij anders van streek raakte en weer een maand op zijn slaapkamer zou blijven, in een van

zijn sombere buien. Het grootste deel van mijn jeugd heb ik op mijn tenen om mijn vader heen gelopen. Toen ik ouder werd, begon ik te begrijpen dat hij een heel vreemde man was, erg ongelukkig. Maar ik heb geen moment gedacht dat hij zelfmoord zou plegen.'

De ijsblokjes rinkelden in haar glas toen ze het leegdronk. 'Er is nog veel meer, Adam.'

'Wanneer vertel je het me dan?'

Voorzichtig pakte Lee de kan en schonk thee in hun glazen. Adam deed een scheut whisky in allebei. Een paar minuten verstreken terwijl ze zaten te drinken en naar het verkeer op Riverside Drive keken.

'Ben je wel eens in de dodengang geweest?' vroeg hij ten slotte, nog steeds starend naar de lichten langs de rivier.

'Nee,' zei ze, nauwelijks verstaanbaar.

'Hij zit er al bijna tien jaar en jij hebt hem nog nooit opgezocht?'

'Ik heb hem eens een brief geschreven, kort na zijn laatste proces. Zes maanden later schreef hij terug dat ik niet moest komen. Hij wilde niet dat ik hem in de dodengang zou zien. Ik heb hem nog twee brieven geschreven maar nooit meer iets gehoord.'

'Dat spijt me.'

'Dat hoeft niet. Ik ben zelf ook schuldig, Adam, en het is niet gemakkelijk om daarover te praten. Gun me de tijd.'

'Ik blijf nog wel even in Memphis.'

'Ik zou het prettig vinden als je hier bleef logeren. We zullen elkaar nodig hebben.' Ze aarzelde en roerde met haar wijsvinger in de thee. 'Ik bedoel, hij gaat toch sterven?'

'Die kans is groot.'

'Wanneer?'

'Over twee of drie maanden. De mogelijkheden tot beroep zijn bijna uitgeput. We kunnen niet veel meer doen.'

'Waarom bemoei je je er dan mee?'

'Dat weet ik niet. Misschien omdat we toch nog een kleine kans hebben. Ik zal me de komende maanden kapot werken en bidden om een wonder.'

'Ja, bidden zal ik ook,' zei ze en nam nog een slok.

Opeens keek hij haar aan. 'Mag ik je wat vragen?' vroeg hij.

'Natuurlijk.'

'Woon je hier alleen? Ik bedoel, dat is toch een eerlijke vraag als ik hier kom logeren.'
'Ik woon alleen. Mijn man woont in ons buitenhuis.'
'Ook alleen? Ik ben gewoon nieuwsgierig.'
'Soms. Hij houdt van jonge meisjes, zo rond de twintig. Meestal werken ze bij hem op de bank. Ik moet eerst opbellen voordat ik naar hem toe ga. En hij belt voordat hij hierheen komt.'
'Prettig geregeld. Wie heeft dat bedacht?'
'Wij allebei, in de loop van de tijd. We wonen al vijftien jaar niet meer samen.'
'Leuk huwelijk.'
'Het werkt eigenlijk wel goed. Ik krijg geld en ik stel geen vragen over zijn privé-leven. Samen doen we de verplichte sociale nummers en hij is gelukkig.'
'En jij?'
'Meestal wel.'
'Als hij je bedriegt, waarom vraag je dan geen scheiding aan, met een vette alimentatie? Neem mij maar als je advocaat.'
'Een scheiding wordt niets. Phelps komt uit een heel keurige, stijve, oude familie van verschrikkelijk rijke mensen. De oude rijkdom van Memphis. Sommige van die families trouwen al tientallen jaren met elkaar. Phelps had ook een nichtje in de vijfde graad moeten trouwen, maar hij viel op mij. Zijn familie was er fel op tegen en als we nu zouden scheiden, zouden we moeten toegeven dat ze gelijk hebben gehad. Veel te pijnlijk. Bovendien zijn het trotse mensen, en een onaangename scheidingszaak zou heel vernederend voor hen zijn. Ik blijf liever onafhankelijk door te leven zoals ik wil – van zijn geld.'
'Heb je ooit van hem gehouden?'
'Natuurlijk. We waren hevig verliefd toen we trouwden. We zijn zelfs in het geheim getrouwd, in 1963. We voelden weinig voor een grootse bruiloft met zijn aristocratische familie en die zuidelijke boeren van mijn kant. Zijn moeder sprak niet tegen me en mijn vader was bezig kruisen te verbranden en bommen te leggen. In die tijd wist Phelps nog niet dat mijn vader lid van de Klan was en natuurlijk wilde ik het stilhouden.'
'Is hij erachter gekomen?'
'Zodra mijn vader voor de bomaanslag werd gearresteerd,

heb ik het hem verteld. Hij zei het tegen zijn vader, en het verhaal deed selectief de ronde door de familie Booth. Ze kunnen goed een geheim bewaren, die mensen. Dat is het enige wat ze met de Cayhalls gemeen hebben.'

'Dus er zijn maar een paar mensen die weten dat jij Sams dochter bent?'

'Heel weinig. En zo wil ik het houden.'

'Schaam je je voor...'

'Ja, verdomme! Ik schaam me voor mijn vader! Wie zou dat niet doen?' Opeens klonken haar woorden scherp en bitter. 'Ik hoop niet dat je een romantisch beeld van hem hebt als een arme oude man die zwaar moet lijden in de dodengang, omdat hij onterecht voor zijn zonden zal worden gekruisigd.'

'Ik vind niet dat hij moet sterven.'

'Ik ook niet. Maar hij heeft genoeg mensen gedood: de Kramer-tweeling, hun vader, jouw vader en God mag weten wie nog meer. Hij hoort de rest van zijn leven in de gevangenis te blijven.'

'Voel je geen enkele sympathie voor hem?'

'Soms. Als ik een goede dag heb en de zon schijnt, dan denk ik aan hem en herinner me de leuke dingen uit mijn jeugd. Maar die momenten zijn heel zeldzaam, Adam. Hij heeft veel ellende in mijn leven en in dat van de mensen om hem heen veroorzaakt. Hij heeft ons geleerd iedereen te haten. Hij was gemeen tegen onze moeder. Zijn hele vervloekte familie is gemeen.'

'Laten ze hem dus maar doden.'

'Dat heb ik niet gezegd, Adam. Dat is niet eerlijk. Ik denk voortdurend aan hem. Ik bid iedere dag voor hem. Ik heb die muren hier al duizend keer gevraagd waarom en hoe mijn vader zo'n afschuwelijke man heeft kunnen worden. Waarom hij geen aardige oude kerel kan zijn, die op een veranda zit met een pijp en een wandelstok, en misschien een glaasje whisky – voor zijn maag, natuurlijk? Waarom moest mijn vader een Klan-lid zijn dat onschuldige kinderen heeft vermoord en zijn eigen familie heeft geruïneerd?'

'Misschien wilde hij hen niet doden.'

'Maar toch zijn ze dood. En de jury zei dat hij de dader was. Die kinderen zijn aan stukken gereten en naast elkaar in hetzelfde keurige grafje begraven. Wie kan het iets schelen of hij

hen wilde doden? Hij was erbij, Adam.'
'Het zou heel belangrijk kunnen zijn.'
Lee sprong overeind en greep zijn hand. 'Kom mee,' zei ze dringend. Ze liepen naar de rand van de patio. Lee wees naar het silhouet van Memphis, aan de overkant. 'Zie je die hoge flat, daar aan de rivier? Die het dichtst bij ons staat, drie of vier straten hiervandaan.'
'Ja,' antwoordde hij langzaam.
'De bovenverdieping is de veertiende, oké? Tel nu aan de rechterkant zes verdiepingen omlaag. Ben je daar?'
Adam telde gehoorzaam en knikte. Het was een dure flat aan de oever van de rivier.
'En nu vier ramen naar links. Er brandt licht. Zie je het?'
'Ja.'
'Raad eens wie daar woont.'
'Hoe moet ik dat weten?'
'Ruth Kramer.'
'Ruth Kramer! De moeder?'
'Precies.'
'Ken je haar?'
'We hebben elkaar één keer ontmoet, bij toeval. Ze wist dat ik Lee Booth was, de vrouw van de beruchte Phelps Booth, maar meer ook niet. Het was bij een duur liefdadigheidsfeest voor het ballet of zoiets. Ik heb altijd geprobeerd haar te ontlopen.'
'Dit is maar een kleine stad.'
'Heel klein, soms. Als jij haar iets over Sam zou kunnen vragen, wat zou dat dan zijn?'
Adam staarde naar de lichten in de verte. 'Ik weet het niet. Ik heb gelezen dat ze nog steeds verbitterd is.'
'Verbitterd? Ze is haar hele familie kwijt. Ze is nooit hertrouwd. Denk je dat het haar iets kan schelen of mijn vader haar kinderen bewust heeft gedood? Natuurlijk niet. Ze weet alleen dat ze dood zijn. Gedood door een bom die door mijn vader is gelegd. Als hij die nacht gewoon thuis was gebleven, bij zijn gezin, in plaats van rond te rijden met zijn geschifte kameraden, zouden kleine Josh en John nu achtentwintig jaar zijn. Dan hadden ze gestudeerd en waren ze nu getrouwd, met misschien een paar baby's voor Ruth en Marvin om mee te spelen. Het kan haar niet schelen voor wie die

bom bedoeld was, Adam, alleen dat het kantoor is opgeblazen en dat haar kinderen zijn gedood. Dat is het enige wat telt.'

Lee deed een stap terug en ging weer in haar schommelstoel zitten. De ijsblokjes rinkelden in haar glas toen ze nog een slok nam. 'Begrijp me niet verkeerd, Adam. Ik ben tegen de doodstraf. Ik ben waarschijnlijk de enige blanke vrouw van vijftig jaar met een vader in de dodengang. Het is barbaars, immoreel, discriminerend, wreed, onbeschaafd... daar ben ik het helemaal mee eens. Maar je mag ook de slachtoffers niet vergeten. Zij hebben het recht om vergelding te eisen. Dat hebben ze verdiend.'

'Wil Ruth Kramer vergelding?'

'Ja. Voor zover ik weet wel. Ze geeft niet veel interviews meer, maar ze is actief binnen groepen voor slachtofferhulp. Jaren geleden zou ze hebben gezegd dat ze persoonlijk in de getuigenkamer wilde zijn als Sam Cayhall werd terechtgesteld.'

'Niet bepaald vergevensgezind.'

'Ik kan me niet herinneren dat mijn vader ooit om vergeving heeft gevraagd.'

Adam draaide zich om en ging op de rand van het balkon zitten met zijn rug naar de rivier. Hij keek naar de gebouwen in het centrum en staarde toen naar zijn voeten. Lee nam nog een flinke slok.

'Tante Lee, wat doen we nu?'

'Geen tante, alsjeblieft.'

'Goed, Lee. Hier ben ik dan. En ik ga niet weg. Morgen ga ik op bezoek bij Sam en ik ben vast van plan hem te vertegenwoordigen.'

'Wil je het stilhouden?'

'Het feit dat ik een Cayhall ben? Ik zal het zelf niet rondbazuinen, maar het zou me verbazen als het lang geheim blijft. Sam is een beroemde gevangene. De pers zal meteen op onderzoek uitgaan.'

Lee kruiste haar voeten onder zich en keek naar de rivier. 'Zal dat je schade doen?' vroeg ze zacht.

'Natuurlijk niet. Ik ben advocaat. Advocaten verdedigen aanranders, kinderverkrachters, moordenaars, drugdealers en terroristen. We zijn niet populair. Hoe zou het me kunnen schaden dat hij mijn grootvader is?'

'Weet je kantoor het ook?'
'Ik heb het gisteren verteld. Ze waren niet enthousiast, maar ze draaiden wel bij. Ik had het voor hen verborgen gehouden bij mijn sollicitatiegesprek. Dat was natuurlijk fout. Maar dat komt wel goed.'
'En als hij nee zegt?'
'Dan kan ons niets gebeuren, is het wel? Dan zal niemand het ooit weten en hoef jij niet bang te zijn. Dan ga ik terug naar Chicago en wacht tot CNN verslag doet van de kermis rond de executie. En ooit, op een koele dag in de herfst, zal ik hiernaartoe rijden om bloemen op zijn graf te leggen, zijn grafsteen te zien en me voor de zoveelste keer af te vragen waarom hij het heeft gedaan, hoe hij zo'n schoft heeft kunnen worden en waarom ik in zo'n verziekte familie ben geboren. Dezelfde dingen die we ons al jaren afvragen. Ik zal je wel vragen om mee te gaan. Als een soort familiereünie. Dan kunnen we als echte Cayhalls over de begraafplaats sluipen, met een goedkoop bosje bloemen en grote zonnebrillen, zodat niemand ons kan herkennen.'
'Hou op,' zei ze, en Adam zag haar tranen. Ze liepen al langs haar kin toen ze ze met haar vingers wegveegde.
'Het spijt me,' zei hij. Hij draaide zich om en keek weer naar een aak die langzaam over de donkere rivier naar het noorden voer. 'Het spijt me, Lee.'

8

En zo, na drieëntwintig jaar, was hij eindelijk in zijn geboortestaat terug. Hij voelde zich er niet echt welkom en hoewel hij nergens bang voor was, hield hij zich toch keurig aan de maximumsnelheid en haalde hij niemand in. De weg werd smaller en daalde af naar het vlakke laagland van de Mississippi-delta. Een lagune slingerde zich zo'n anderhalve kilometer langs de rechterkant van de weg en verdween toen weer. Adam reed rustig door het stadje Walls, het eerste gehucht van enige omvang langs Highway 61, en volgde de verkeersstroom naar het zuiden.

Dankzij zijn uitgebreide research wist hij dat deze weg tientallen jaren de belangrijkste route was geweest voor honderdduizenden arme zwarten die naar het noorden waren getrokken – naar Memphis, St. Louis, Chicago en Detroit – op zoek naar werk en een fatsoenlijk onderkomen. In deze stadjes, op deze farms, in deze bouwvallige hutjes, stoffige plattelandswinkels en kleurrijke kroegen aan Highway 61 was de blues geboren en had zich van daaruit naar het noorden verbreid. De muziek had onderdak gevonden in Memphis, waar zij zich vermengde met gospel en country, en ten slotte de rock-'n-roll had voortgebracht. Adam luisterde naar een oude cassette van Muddy Waters toen hij het beruchte district van Tunica binnenreed, misschien wel de armoedigste streek van het hele land.

De muziek maakte hem niet rustiger. Hij had niet ontbeten bij Lee. Hij had gezegd dat hij geen honger had, maar hij was gewoon te nerveus geweest om een hap door zijn keel te krijgen. En de zenuwen namen met iedere kilometer toe.

Ten noorden van Tunica strekten de velden zich naar alle kanten uit. De katoen en de sojabonen stonden kniehoog. Een legertje van roodgroene trekkers met ploegen trok baantjes tussen de eindeloze groene gewassen door. Het was nog geen negen uur, maar toch was het al warm en benauwd. De grond was droog en de ploegen wierpen hete stofwolken op.

Zo nu en dan dook er uit het niets een vliegtuigje neer dat laag over de velden zijn bestrijdingsmiddelen afwierp en dan weer opsteeg. Het verkeer was druk en traag en liep soms bijna vast achter een reusachtige John Deere, die voortkroop alsof de weg verlaten was.
Adam had geduld. Hij werd pas om tien uur verwacht en het gaf niet als hij te laat zou komen.
Bij Clarksdale verliet hij Highway 61 en reed naar het zuidoosten over Highway 49, door de dorpen Mattson, Dublin en Tutwiler, langs nog meer sojavelden. Hij passeerde de ontkorrelmachines voor de katoen, wachtend op de oogst. Hij zag armoedige huisjes en vuile stacaravans, die om de een of andere reden allemaal vlak langs de hoofdweg stonden. Zo nu en dan stond er een mooi huis tussen, altijd op enige afstand, omringd door zware eiken en iepen, en meestal met een omheind zwembad ernaast. Het was wel duidelijk waar de grootgrondbezitters woonden.
Een wegwijzer gaf aan dat het nog acht kilometer was naar de staatsgevangenis, en onwillekeurig remde Adam af. Even later stuitte hij op een grote trekker die rustig voortsukkelde. In plaats van in te halen bleef Adam achter de tractor hangen. De bestuurder, een oude blanke man met een vuile pet, gebaarde dat hij kon passeren. Adam wuifde terug en bleef achter de trekker, met een gangetje van dertig kilometer per uur. Er was geen ander verkeer. Een achterwiel van de tractor wierp een kluit aarde op die vlak voor de Saab terechtkwam. Adam remde nog meer af. De bestuurder draaide zich op zijn stoel om en gebaarde weer dat Adam hem kon passeren. Hij riep iets en zijn gezicht stond nijdig, alsof dit zíjn weg was en hij er niet van hield dat idioten zijn trekker volgden. Adam grijnsde en wuifde nog eens, maar hij haalde niet in.
Een paar minuten later zag hij de gevangenis. Er stond geen zwaar hek langs de weg, geen glinsterend prikkeldraad om de gevangenen tegen te houden. Nergens waren wachttorens met gewapende bewakers te zien, geen groepen gevangenen die tegen de voorbijgangers schreeuwden. Het enige dat Adam kon ontdekken was een poort met daarboven een boog en het opschrift STAATSGEVANGENIS MISSISSIPPI. Naast de poort stonden een paar gebouwen, met de voorkant naar de weg gekeerd en kennelijk onbewaakt.

Adam wuifde nog eens naar de man op de tractor en sloeg toen af. Hij haalde diep adem en tuurde naar de poort. Een vrouw in uniform stapte uit het wachthuisje onder de boog en keek naar hem. Adam reed langzaam naar haar toe en draaide zijn raampje omlaag.
'Morgen,' zei ze. Ze had een pistool op haar heup en een klembord in haar hand. Een andere bewaker keek vanuit het wachthuisje toe. 'Wat kunnen we voor u doen?'
'Ik ben advocaat. Ik ben hier om een cliënt te spreken in de dodengang,' zei Adam aarzelend, zich bewust van zijn schrille, nerveuze toon. Rustig blijven, vermaande hij zichzelf.
'We hebben niemand in de dodengang, meneer.'
'Sorry?'
'Er bestaat hier helemaal geen dodengang. We hebben wel een groep gevangenen in de MSU, de Maximaal Beveiligde Afdeling, maar een dodengang zult u hier niet vinden.'
'Goed.'
'Naam?' vroeg ze, met een blik op het klembord.
'Adam Hall.'
'En uw cliënt?'
'Sam Cayhall.' Hij verwachtte half en half een reactie, maar ze bleef onbewogen. Ze sloeg een vel om en zei: 'Wacht u hier maar even.'
De poort gaf toegang tot een weg met groene bomen en kleine gebouwen aan weerskanten. Dit was geen gevangenis, dit was een gezellige kleine straat in een stadje waar ieder moment een groep kinderen op fietsen en rolschaatsen de hoek om kon komen. Rechts zag hij een vreemd gebouw met een veranda en bloemperkjes ervoor. Volgens een bord was dit het Bezoekerscentrum, alsof ze er souvenirs en limonade verkochten voor belangstellende toeristen. Een witte pick-up truck met drie jonge zwarten erin en het logo van het gevangeniswezen van Mississippi op de portieren reed voorbij zonder af te remmen.
Adam ving een glimp op van de wachtpost die nu achter zijn auto stond. Ze schreef iets op haar klembord en liep weer naar zijn raampje. 'Waar in Illinois?' vroeg ze.
'Chicago.'
'Hebt u camera's, wapens of bandrecorders bij u?'

'Nee.'
Ze stak haar hand naar binnen en legde een kaartje op zijn dashboard. Toen keek ze weer op haar klembord en zei: 'Er staat hier dat Lucas Mann u wil spreken.'
'Wie is dat?'
'De advocaat van de gevangenis.'
'Ik wist niet dat hij me wilde zien.'
Ze hield een memo omhoog. 'Daar staat het. De derde weg links, en dan naar de achterkant van dat bakstenen gebouw.' Ze wees. 'Kijkt u maar.'
'Wat wil hij van me?'
Ze snoof, haalde haar schouders op en liep hoofdschuddend naar het wachthuisje terug. Stomme advocaten.
Adam gaf voorzichtig gas en reed langs het Bezoekerscentrum de schaduwrijke weg af. Aan weerszijden stonden nette houten huizen waar, zoals hij later hoorde, de bewaarders en ander personeel met hun gezinnen woonden. Hij volgde haar instructies en parkeerde bij een oud bakstenen gebouw. Twee corveeërs in blauwe gevangenisbroeken met witte strepen waren de treden aan het vegen. Adam ontweek hun blik en stapte naar binnen.
Zonder moeite vond hij het kantoor van Lucas Mann. Er hing geen bordje op de deur. Een secretaresse glimlachte tegen hem en opende een deur naar een groot kantoor waar Lucas Mann achter zijn bureau stond te telefoneren.
'Gaat u maar zitten,' fluisterde de secretaresse en deed de deur achter hem dicht. Mann glimlachte en wuifde onhandig terwijl hij naar de telefoon luisterde. Adam zette zijn koffertje op een stoel en bleef erachter staan. Het kantoor was groot en schoon. Twee hoge ramen keken op de weg uit en lieten een zee van licht binnen. Aan de linkermuur hing een grote ingelijste foto van een bekend gezicht, een knappe jonge vent met een serieuze glimlach en een krachtige kin: David McAllister, de gouverneur van Mississippi. Adam vermoedde dat op alle overheidskantoren dezelfde foto hing – en in alle gangen, kasten en toiletten die onder het gezag van de staat Mississippi vielen.
Lucas Mann trok het snoer van de telefoon wat verder uit en liep naar een raam, met zijn rug naar het bureau en Adam toe. Hij leek niet erg op een advocaat. Hij was halverwege de

vijftig, met donkergrijs haar dat golvend in zijn nek viel. Zijn kleren waren hip en toch chic: een zwaar gesteven werkoverhemd met twee borstzakjes en een groene das, losjes gestrikt. Zijn boord stond open, boven een grijs katoenen T-shirt. Hij droeg een bruine katoenen broek, keurig geperst en met een omslag van tweeënhalve centimeter, waaronder zijn witte sokken nog juist zichtbaar waren. Zijn instappers waren onberispelijk gepoetst. Lucas wist hoe hij zich moest kleden, en hij hield zich bezig met een heel andere tak van het juridisch bedrijf dan waar Adam aan gewend was. Als hij een oorringetje in zijn linkeroor had gedragen, zou hij de perfecte oudere hippie zijn geweest die zich schoorvoetend aan de maatschappij had aangepast.

Het kantoor was netjes gemeubileerd met afdankertjes van de overheid: een versleten houten bureau dat een keurig opgeruimde indruk maakte, drie metalen stoelen met versleten vinylzittingen, en tegen een muur een rij dossierkasten die niet bij elkaar pasten. Adam bleef achter de stoel staan en probeerde rustig te worden. Moesten alle advocaten zich de eerste keer hier melden? Vast niet. Er zaten vijfduizend gevangenen in Parchman. Garner Goodman had niets over Lucas Mann gezegd.

De naam kwam hem vaag bekend voor. Ergens diep in zijn dozen met dossiers en kranteknipsels was hij de naam Lucas Mann ooit tegengekomen, en Adam probeerde zich koortsachtig te herinneren of de man een vriend of een vijand was. Welke rol speelde hij precies in de processen rondom de doodstraf? De echte vijand was de officier van justitie, dat wist Adam zeker, maar Lucas kon hij voorlopig niet plaatsen.

Mann hing abrupt op en stak Adam zijn hand toe. 'Blij u te ontmoeten. Ga zitten,' zei hij zacht, met een prettig zuidelijk accent. Hij gebaarde naar een stoel. 'Bedankt dat u even wilde komen.'

Adam ging zitten. 'Natuurlijk. Leuk kennis te maken,' antwoordde hij nerveus. 'Waar gaat het om?'

'Een paar dingen. Om te beginnen wilde ik gewoon met u kennismaken. Ik ben hier al twaalf jaar advocaat. Ik behandel de meeste civiele zaken die hier spelen. De rechten van de gevangenen en dat soort kwesties. Onze gasten dienen soms de vreemdste klachten in – schadeclaims en zo. Het lijkt wel

of we iedere dag een proces aan de broek krijgen. De wet vereist dat ik ook een kleine rol speel bij de procedure rondom het doodvonnis, en ik heb begrepen dat u hier bent om met Sam te spreken.'
'Dat klopt.'
'Heeft hij u ingehuurd?'
'Niet precies.'
'Ik dacht al van niet. Dan zitten we met een klein probleem. Je mag een gevangene namelijk niet bezoeken als je hem niet vertegenwoordigt, en ik weet dat Sam het contact met Kravitz & Bane heeft verbroken.'
'Dus ik kan hem niet spreken?' vroeg Adam, bijna opgelucht.
'Eigenlijk niet. Ik heb gisteren een lang gesprek gehad met Garner Goodman. Hij en ik kennen elkaar al uit de tijd dat Maynard Tole werd geëxecuteerd. Kent u die zaak?'
'Vaag.'
'Dat was in 1986. Mijn tweede terechtstelling,' zei Mann, alsof hij persoonlijk de hefboom had overgehaald. Hij ging op de rand van het bureau zitten en keek Adam aan. Het stijfsel kraakte zachtjes in zijn broek. Zijn rechterbeen bungelde heen en weer. 'Ik heb er nu vier meegemaakt. Sam kan de vijfde worden. Garner vertegenwoordigde Maynard Tole en zo leerden we elkaar kennen. Hij is een goede vent en een geduchte advocaat.'
'Dank u,' zei Adam omdat hij niets anders wist te zeggen.
'Ik vind het verschrikkelijk.'
'U bent tegen de doodstraf?'
'Meestal wel. Het gaat in fasen, eigenlijk. Iedere keer dat we hier iemand moeten doden, heb ik het gevoel of de hele wereld gek geworden is. Dan laat ik de zaak nog eens de revue passeren en herinner me hoe wreed en afschuwelijk sommige van die misdaden waren. Mijn eerste executie was Teddy Doyle Meeks, een zwerver die een kleine jongen had verkracht en verminkt. Niemand hier was erg verdrietig toen hij werd vergast. Maar als ik daarover begin, ben ik voorlopig nog niet uitgepraat. Misschien later nog eens, oké?'
'Natuurlijk,' zei Adam zonder veel enthousiasme. Hij had weinig behoefte aan verhalen over gewelddadige moordenaars en hun executies.
'Ik zei gisteren tegen Garner dat u eigenlijk niet met Sam

mocht spreken. Hij luisterde en antwoordde nogal vaag dat u een bijzonder geval was en dat u minstens één bezoek verdiende. Maar hij wilde niet zeggen waaròm u zo bijzonder was, begrijpt u?' Lucas Mann wreef over zijn kin toen hij dat zei, alsof hij het raadsel bijna had opgelost. 'Onze politiek is vrij streng, zeker voor de Maximaal Beveiligde Afdeling. Maar de directeur volgt mijn adviezen meestal op.' Hij zei het heel langzaam en de woorden bleven in de lucht hangen.

'Ik eh... ik moet hem echt spreken,' zei Adam. Zijn stem sloeg bijna over.

'Nou, hij heeft een advocaat nodig. Eerlijk gezegd ben ik blij dat u er bent. We hebben nog nooit iemand terechtgesteld zonder dat zijn advocaat erbij was. Tot aan het laatste moment spelen er nog allerlei juridische kwesties en ik zou me geruster voelen als Sam weer een advocaat had.' Hij liep om het bureau heen en ging aan de andere kant zitten. Toen sloeg hij een dossier open en las een vel papier door. Adam wachtte en probeerde rustig adem te halen.

'We verdiepen ons altijd uitvoerig in de achtergrond van onze gevangenen,' zei Lucas zonder op te kijken. Het klonk als een plechtige waarschuwing. 'Zeker als de beroepsprocedures zijn afgewerkt en de terechtstelling nadert. Weet u iets over Sams familie?'

Adam voelde zijn maag draaien. Met moeite haalde hij zijn schouders op en schudde zijn hoofd.

'Wilt u nog met zijn familie praten?'

Weer beperkte Adam zich tot een schouderophalen. Hij had het gevoel of er een loden last op zijn schouders drukte.

'Ik bedoel, meestal is er veel contact met de familie van de veroordeelde als de terechtstelling naderbij komt. Ik neem aan dat u met die mensen wilt praten. Sam heeft een dochter in Memphis, een mevrouw Lee Booth. Ik heb haar adres, als u wilt.' Lucas Mann keek hem achterdochtig aan. Adam zat als versteend. 'U kent haar nog niet?'

Adam schudde zijn hoofd maar zei niets.

'Sam had een zoon, Eddie Cayhall, maar die arme kerel heeft in 1981 zelfmoord gepleegd. Hij woonde in Californië. Eddie had twee kinderen, een zoon die in Clanton werd geboren op 12 mei 1964... vreemd genoeg op dezelfde datum als u, zoals ik in mijn juridische almanak las. Eddie had ook een dochter, die in Californië is geboren. Dat zijn Sams kleinkinderen. Ik kan proberen contact met hen op te nemen als u...'

'Eddie Cayhall was mijn vader,' gooide Adam eruit. Hij haalde diep adem, liet zich wat dieper in zijn stoel zakken en staarde naar het blad van het bureau. Zijn hart bonsde in zijn keel, maar in elk geval kon hij weer adem krijgen. Zijn schouders voelden opeens veel lichter. Hij wist zelfs een klein lachje op zijn gezicht te toveren.

Mann keek hem uitdrukkingsloos aan. Hij dacht een hele tijd na en zei toen met enige voldoening: 'Dat vermoedde ik al.' Meteen begon hij het dossier door te bladeren, alsof het nog andere verrassingen bevatte. 'Sam is een eenzaam mens in de dodengang en ik heb me vaak afgevraagd hoe het met zijn familie zat. Hij krijgt wel post, maar bijna nooit van familie. En maar zelden bezoek. Dat wil hij trouwens ook niet. Maar het is heel ongebruikelijk dat zo'n bekende gevangene door zijn familie volledig wordt genegeerd. Zeker een blanke man. Ik wil niet nieuwsgierig zijn, begrijp me goed.'

'Natuurlijk.'

Lucas lette er niet op. 'We moeten voorbereidingen treffen voor de terechtstelling, meneer Hall. We willen bijvoorbeeld weten wat we met het lichaam moeten doen. De begrafenis en zo. Daarom is de familie van belang. Nadat ik gisteren met Garner heb gesproken, heb ik onze mensen in Jackson gevraagd de familie op te sporen. Dat was niet zo moeilijk. Ze hebben ook uw papieren bekeken en onmiddellijk gezien dat er op 12 mei 1964 in Tennessee geen Adam Hall geboren was. Het één leidde tot het ander. Vrij eenvoudig.'

'Ik probeer het niet meer te verbergen.'

'Wanneer hebt u gehoord dat Sam uw grootvader was?'

'Negen jaar geleden, na de begrafenis van mijn vader. Mijn tante, Lee Booth, heeft het me verteld.'

'Hebt u ooit contact gehad met Sam?'

'Nee.'

Lucas sloeg het dossier dicht en leunde achterover in zijn krakende stoel. 'Dus Sam heeft geen idee wie u bent of waarom u bent gekomen?'

'Precies.'

'Verdomme.' Hij floot naar het plafond.

Adam ontspande zich wat en ging rechtop zitten. Het hoge

woord was eruit. Als hij zich geen zorgen had gemaakt over Lee en haar angst voor ontdekking, zou hij zich volledig op zijn gemak hebben gevoeld. 'Hoe lang kan ik vandaag met hem spreken?' vroeg hij.
'Nou, meneer Hall...'
'Zeg maar Adam.'
'Goed, Adam. We hebben twee soorten regels voor de dodengang.'
'Neem me niet kwalijk, maar een wachtpost bij de poort zei me dat de dodengang niet bestaat.'
'Officieel niet. De bewaarders en het andere personeel spreken consequent over de Maximaal Beveiligde Afdeling, de MSU of Afdeling 17. Als de executie naderbij komt, passen we de regels meestal wat soepeler toe. Normaal gesproken mag een advocaat maar één uur per dag met zijn cliënt spreken, maar in Sams geval kun je alle tijd gebruiken die je nodig hebt. Ik neem aan dat jullie heel wat te bespreken hebben.'
'Dus de tijd is niet belangrijk?'
'Nee. Je mag de hele dag blijven als je wilt. We proberen het de gevangenen zo prettig mogelijk te maken als het einde nadert. Je mag komen en gaan wanneer je wilt, zolang er maar geen veiligheidsrisico's zijn. Ik heb de dodengang in vijf andere staten gezien en geloof me, wij behandelen ze hier het best. Verdomme, in Louisiana halen ze zo'n arme vent van zijn afdeling en zetten hem in het 'dodenhuis', drie dagen voordat ze hem executeren. Over wreed gesproken. Dat doen wij niet. Sam krijgt een speciale behandeling tot aan de grote dag.'
'De grote dag?'
'Ja. Vandaag over vier weken, wist je dat niet? De 8e augustus.' Lucas pakte een paar papieren van de hoek van zijn bureau en gaf ze aan Adam. 'Dit kwam vanochtend. Het Vijfde Circuit heeft gistermiddag het uitstel opgeheven en het Hooggerechtshof van Mississippi heeft de datum voor de terechtstelling bepaald op 8 augustus.'
Adam pakte de papieren aan zonder ernaar te kijken. 'Over vier weken...' zei hij verbijsterd.
'Ik vrees van wel. Een uur geleden heb ik Sam een kopie gebracht, dus hij is in een pesthumeur.'
'Vier weken...' herhaalde Adam, bijna in zichzelf. Hij wierp

een blik op de uitspraak. De zaak stond genoemd als *Sam Cayhall versus de staat Mississippi*. 'Dan ga ik maar eens naar hem toe, vind je niet?' zei hij zonder na te denken.
'Ja. Hoor eens, Adam, ik behoor niet tot het verkeerde kamp, oké?' Lucas kwam langzaam overeind, liep naar de rand van het bureau en ging voorzichtig zitten. Hij sloeg zijn armen over elkaar en keek op Adam neer. 'Ik doe gewoon mijn werk. Ik ben erbij betrokken omdat ik ervoor moet zorgen dat alles wettig verloopt, volgens de regels. Ik vind het niet leuk, want het wordt een gekkenhuis, de spanningen lopen op en iedereen hangt voortdurend aan de telefoon: de directeur, zijn assistenten, het kantoor van de officier, de gouverneur, jij en nog honderd anderen. Ik zit ermiddenin, hoewel ik daar helemaal geen trek in heb. Dat is het vervelendste van deze baan. Ik wil alleen maar zeggen dat ik beschikbaar ben als je me nodig hebt, oké? Ik zal altijd eerlijk tegen je zijn.'
'Dus je gaat ervan uit dat Sam me zal accepteren?'
'Ja, ik denk het wel.'
'Hoe groot is de kans dat die terechtstelling over vier weken inderdaad doorgaat?'
'Vijftig procent. Je weet nooit wat de rechters op het laatste moment zullen beslissen. Over een week beginnen we met de voorbereidingen. We hebben een lange lijst van dingen die nog gecontroleerd moeten worden.'
'Een soort blauwdruk voor de dood.'
'Ja, zoiets. Maar we zijn er niet blij mee.'
'Iedereen hier doet gewoon zijn werk, dat bedoel je toch?'
'Het is de wet van deze staat. Als onze maatschappij criminelen wil doden, dan zal íemand dat moeten doen.'
Adam borg de rechterlijke uitspraak in zijn koffertje en bleef voor Lucas staan. 'Nou, bedankt voor de gastvrijheid.'
'Geen punt. Na je gesprek met Sam hoor ik graag hoe het is afgelopen.'
'Ik zal je een kopie van onze overeenkomst sturen als hij die wil tekenen.'
'Meer heb ik niet nodig.'
Ze gaven elkaar een hand en Adam liep naar de deur.
'Nog één ding,' zei Lucas. 'Als ze Sam naar de spreekkamer brengen, vraag de bewaarders dan zijn handboeien af te doen. Op mijn gezag. Dat betekent veel voor Sam.'

‘Bedankt.’
‘Veel succes.’

9

Buiten was het nog minstens tien graden warmer geworden toen Adam het gebouw verliet en langs dezelfde twee corveeërs liep die met dezelfde trage bewegingen hetzelfde vuil stonden weg te bezemen. Voor de deur bleef hij staan en keek naar een groep gevangenen die het terrein langs de autoweg schoonmaakten, nog geen honderd meter verderop. Een gewapende bewaarder op een paard in een greppel hield hen in het oog. Auto's reden voorbij zonder af te remmen. Adam vroeg zich af wat voor gevangenen buiten het hek mochten werken, zo dicht bij de autoweg. Niemand scheen zich daar druk over te maken, behalve hij.

Hij liep naar zijn auto, die vlakbij stond. Toen hij instapte en de motor startte, droop het zweet al van zijn rug. Hij reed over het parkeerterrein achter Manns kantoor en sloeg linksaf naar de hoofdweg door het complex. Weer kwam hij langs keurige witte huisjes met bloemen en bomen in de voortuin. Een beschaafde kleine gemeenschap. Een pijl op een wegwijzer wees naar links voor Afdeling 17. Hij nam langzaam de bocht en reed even later over een zandpad dat al snel bij een paar indrukwekkende hekken met prikkeldraad kwam.

De dodengang van Parchman was in 1954 gebouwd en werd officieel MSU – 'Maximum Security Unit' of Maximaal Beveiligde Afdeling – genoemd. De verplichte plaquette op een binnenmuur vermeldde de datum, de naam van de toenmalige gouverneur, de namen van enkele belangrijke maar allang vergeten functionarissen die bij de bouw betrokken waren geweest en natuurlijk de namen van de architect en de aannemer. Het was een modern gebouw voor die tijd, twee lange rechthoeken van rode baksteen, één verdieping hoog en met een plat dak.

Adam parkeerde op een veldje tussen twee andere auto's en tuurde naar het gebouw. Van buitenaf waren geen tralies te zien. Er liepen geen wachtposten omheen. Afgezien van de hekken en het prikkeldraad had het een basisschool in een buitenwijk kunnen zijn. In een grote kooi aan het eind van de ene vleugel dribbelde een eenzame gevangene met een basketbal over een veldje zonder gras en wierp de bal tegen een kromgetrokken bord.

Het hek voor de ingang was minstens vier meter hoog en aan de bovenkant voorzien van stevig prikkeldraad met glinsterende mesjes. Het zag er dreigend uit. De muur liep recht naar de hoek, waar een wachttoren stond met bewakers die naar beneden keken. Het hek liep symmetrisch om het hele gebouw heen en op alle hoeken stonden identieke, hoge wachttorens met een glazen wachthokje bovenin. Meteen achter het hek begonnen de akkers, die zich tot aan de horizon uitstrekten. De dodengang stond midden in een katoenveld.

Adam stapte uit zijn auto, kreeg opeens last van claustrofobie en greep het handvat van zijn dunne koffertje stevig beet toen hij door het hek naar het hete, platte gebouwtje keek waar mensen werden omgebracht. Langzaam trok hij zijn jasje uit en zag dat zijn overhemd al tegen zijn lijf plakte. De zenuwen waren weer terug. Moeizaam, met knikkende knieën, deed hij een paar stappen in de richting van het gebouw. Zijn benen trilden. Zijn dure instappers zaten onder het stof tegen de tijd dat hij onder de wachttoren stond en omhoogkeek. Een vrouw in uniform keek ernstig terug. Ze liet een touw zakken met een gewone rode emmer eraan, zoals je die ook gebruikt om je auto te wassen. 'Leg uw sleuteltjes in de emmer,' zei ze zakelijk, over de reling geleund, anderhalve meter boven het prikkeldraad van het hek.

Adam deed haastig wat hem werd gezegd. Voorzichtig legde hij zijn sleuteltjes in de emmer, waarin al een stuk of twaalf andere sleutelringen lagen. De vrouw haalde de emmer weer op. Adam keek hem na. De vrouw bond het touw vast en de kleine rode emmer bleef onschuldig in de lucht hangen. Als er een briesje was geweest, zou hij zachtjes heen en weer hebben gewiegd, maar het was zo heet dat er nauwelijks genoeg lucht was om te ademen. Het waaide hier al jaren niet meer.

De bewaakster was met hem klaar. Iemand drukte blijkbaar op een knop – Adam had geen idee wie of waar – en met een zoemend geluid schoof het eerste van de twee zware ijzeren hekken opzij, zodat hij naar binnen kon stappen. Hij liep vijf meter over het zandpad en bleef staan toen het eerste hek achter hem dichtschoof. Het was zijn eerste les in beveiliging: iedere beschermde ingang heeft twee gesloten deuren of hekken.

Toen het eerste hek zich achter hem sloot, ging het tweede open en schoof opzij. Op hetzelfde moment verscheen een stevig gebouwde bewaarder met armen zo dik als Adams benen bij de ingang van Afdeling 17 en slenterde over het stenen pad naar hem toe. Hij had een platte buik en een dikke nek. Hij wachtte tot de hekken weer gesloten waren.

Toen stak hij een reusachtige zwarte hand uit en zei: 'Brigadier Packer.' Adam drukte de uitgestoken hand en keek naar Packers glimmende zwarte cowboylaarzen.

'Adam Hall,' zei hij, terwijl zijn hand bijna werd verbrijzeld.

'U komt voor Sam.' Het was geen vraag.

'Klopt,' zei Adam. Hij vroeg zich af of iedereen hem gewoon Sam noemde.

'Uw eerste bezoek?' vroeg Packer. Ze liepen langzaam naar de voorkant van het gebouw.

'Ja,' zei Adam met een blik op de open ramen in de dichtstbijzijnde muur. 'Allemaal gevangenen van de dodengang?' vroeg hij.

'Ja. Zevenenveertig, op dit moment. We zijn er vorige week een kwijtgeraakt.'

Ze waren bijna bij de ingang. 'Kwijtgeraakt?'

'Ja. Zijn straf is in hoger beroep herzien. Ik heb hem naar de gewone gevangenis overgeplaatst. Ik moet u fouilleren.' Ze stonden bij de deur en Adam keek zenuwachtig om zich heen om te zien waar Packer dat wilde doen.

'Spreid uw benen maar een beetje,' zei Packer, terwijl hij Adams koffertje overnam en op de grond zette. Adams dure schoenen leken aan het beton gelijmd. Hoewel het hem duizelde en hij nauwelijks meer helder kon denken, wist Adam op dit afschuwelijke moment heel zeker dat niemand hem ooit had gevraagd zijn benen te spreiden, zelfs niet een beetje. Maar Packer verstond zijn vak. Hij beklopte behendig Adams sokken, liet zijn handen voorzichtig naar Adams knikkende knieën glijden en even later langs zijn heupen. Het

was binnen een paar seconden gebeurd. Voor de vorm tastte Packer nog even onder Adams oksels, alsof hij daar een schouderholster kon hebben verborgen met een klein pistool. Ten slotte stak de bewaarder zijn grote rechterknuist in het koffertje en gaf het daarna aan Adam terug. 'Geen goede dag om met Sam te praten,' zei hij.
'Dat heb ik gehoord,' antwoordde Adam toen hij zijn jasje weer over zijn schouder slingerde. Hij draaide zich om naar de ijzeren deur alsof het tijd werd om de dodengang te betreden.
'Deze kant op,' mompelde Packer. Hij stapte weer het gras op en liep om het gebouw heen. Adam volgde hem gehoorzaam over een bakstenen pad, tot ze bij een kleine, onopvallende deur kwamen met onkruid ervoor. Er zat geen bordje op de deur.
'Wat is dit?' vroeg Adam. Vaag herinnerde hij zich Goodmans beschrijving van het gebouw, maar de details waren hem even ontschoten.
'De spreekkamer.' Packer haalde een sleutel tevoorschijn en opende de deur. Adam keek om voordat hij naar binnen stapte en probeerde zich te oriënteren. De deur bevond zich naast het middengedeelte van het complex. Misschien wilden de bewaarders en de directie de advocaten niet in hun buurt hebben, dacht Adam. Daarom gebruikten ze deze andere ingang.
Hij haalde diep adem en ging naar binnen. Er waren op dit moment geen andere advocaten die met hun cliënten wilden spreken. Adam slaakte een zucht van verlichting. Dit gesprek zou wel eens heftig en emotioneel kunnen worden, en daar had hij geen pottekijkers bij nodig. Voorlopig was hij de enige. De ruimte was zo'n tien meter lang en vier meter breed – groot genoeg voor een aantal advocaten en hun cliënten. De vloer was van beton en het licht kwam van tl-buizen. De achtermuur was uit rode baksteen opgetrokken, met drie hoge raampjes, net als aan de buitenkant van het complex. Het was meteen duidelijk dat de spreekkamer pas later was bijgebouwd.
De airco, een kleine installatie die tegen het raam was gemonteerd, ratelde luid en produceerde veel te weinig frisse lucht. Halverwege de ruimte was een stevige scheidingswand. De

advocaten zaten aan de ene kant, de cliënten aan de andere. Het onderste deel van de wand was van steen. Op ongeveer een meter hoogte bevond zich een kleine balie waarop de advocaten hun schrijfblokken konden neerleggen om aantekeningen te maken. Boven de balie zat een stevig traliewerk van groen metaal, dat tot aan het plafond doorliep.
Adam liep langzaam naar het eind van de kamer, langs een bonte verzameling stoelen: groene en grijze afdankertjes van de overheid, klapstoelen en smalle kantinestoelen.
'Ik doe deze deur op slot,' zei Packer voordat hij naar buiten stapte. 'Ik zal Sam voor u halen.' De deur sloeg dicht en Adam was alleen. Snel zocht hij een plaats in de verste hoek van de ruimte, voor het geval er nog een advocaat zou binnenkomen – die ongetwijfeld de andere kant van de ruimte zou kiezen. Dan hadden ze tenminste voldoende privacy om hun strategie te bespreken. Hij schoof een stoel naar de houten balie, hing zijn jasje over een andere stoel, pakte zijn schrijfblok, schroefde de dop van zijn pen en begon op zijn nagels te bijten. Daar kon hij niets aan doen. Hij had kramp in zijn maag en zijn benen trilden. Hij tuurde door het traliewerk naar de andere helft van de ruimte: dezelfde houten balie, dezelfde oude stoelen. Midden in het traliehek, recht voor hem, zat een sleuf van tien bij vijfentwintig centimeter. Door die opening zou hij straks oog in oog zitten met Sam Cayhall. Hij wachtte nerveus en probeerde rustig te blijven. Kalm aan, geen paniek, vermaande hij zichzelf. Hij was hier wel tegen opgewassen. Hij noteerde iets op zijn schrijfblok maar kon zijn eigen handschrift niet eens lezen. Hij stroopte zijn mouwen op en keek om zich heen of hij ergens verborgen microfoons of camera's kon ontdekken, maar daarvoor was de kamer te kaal. Hij kon zich ook niet voorstellen dat iemand de gesprekken zou willen afluisteren. Als hij op de houding van brigadier Packer mocht afgaan, was het personeel hier heel afstandelijk, bijna onverschillig.
Hij bestudeerde de lege stoelen aan beide kanten van het traliewerk en vroeg zich af hoeveel wanhopige mensen hier de laatste uren van hun leven met hun advocaat hadden zitten praten, hopend op goed nieuws. Hoeveel smeekbeden hadden door dit hek geklonken terwijl de klok de uren aftelde? Hoeveel advocaten hadden gezeten waar hij nu zat en hun

cliënt gezegd dat alle mogelijkheden waren uitgeput, dat de terechtstelling onvermijdelijk was? Het was een sombere gedachte, die Adam enigszins kalmeerde. Hij was hier niet de eerste en hij zou niet de laatste zijn. Hij was een goed opgeleide advocaat, met een helder verstand, en hij kon rekenen op de steun van een groot advocatenkantoor. Hij zou gewoon zijn werk doen. Eindelijk werd hij wat rustiger en beet niet langer op zijn nagels.

Een grendel werd teruggeschoven en Adam schoot overeind. De deur ging langzaam open en een jonge blanke bewaarder stapte naar binnen aan de andere kant van het traliewerk. Achter hem, in een helderrood trainingspak, met zijn handen geboeid voor zijn buik, liep Sam Cayhall. Hij keek nijdig om zich heen en tuurde door het hek tot hij Adam ontdekte. Een bewaarder die achter hem liep, pakte hem bij zijn elleboog en bracht hem naar een plek tegenover zijn nieuwe advocaat. Sam was mager, bleek en een kop kleiner dan de twee bewaarders, maar ze bleven op veilige afstand.

'Wie ben jij?' siste hij tegen Adam, die weer op een nagel zat te bijten.

Een van de bewaarders trok een stoel bij voor Sam, de ander zette hem erop. Sam legde zijn geboeide handen op de balie en keek Adam doordringend aan. De bewaarders stapten achteruit en wilden al vertrekken toen Adam vroeg: 'Wilt u hem de handboeien afdoen?'

'Nee, meneer, dat mag niet.'

Adam slikte. 'Doe ze maar af, oké? We zitten hier nog wel even,' zei hij, met een poging tot gezag in zijn stem. De bewaarders keken elkaar aan alsof ze zoiets nog nooit hadden gehoord. Maar toen haalden ze een sleutel tevoorschijn en ontdeden Sam van zijn handboeien.

Sam was niet onder de indruk. Hij staarde Adam nog steeds door het traliewerk aan toen de bewaarders luidruchtig vertrokken. De deur sloeg dicht en de grendel werd ervoor geschoven.

Ze waren alleen – de Cayhall-versie van een familiereünie. Een minuut lang was er niets anders te horen dan het gerammel en gesis van de airco voor het raam. Hoewel hij het dapper probeerde, lukte het Adam niet om Sam langer dan twee seconden aan te kijken. Hij nummerde de lijnen van zijn

schrijfblok, alsof dat heel belangrijk was. Hij voelde Sams brandende blik op zich gericht.
Ten slotte stak hij een visitekaartje door de gleuf. 'Mijn naam is Adam Hall. Ik ben advocaat bij Kravitz & Bane in Chicago en Memphis.'
Sam nam het kaartje geduldig aan en bekeek het van alle kanten. Adam hield hem scherp in de gaten. Zijn vingers waren gerimpeld en bruin van de nicotine. Zijn gezicht was bleek, met een peper-en-zoutkleurige stoppelbaard van vijf dagen. Zijn haar was lang, grijs en vettig, en strak achterover gekamd. Hij leek totaal niet op de videobeelden die Adam in gedachten had, en ook niet op de laatste foto's die tijdens het proces van 1981 van hem waren genomen. Hij was een oude man met een slappe, tere huid en een netwerk van kleine rimpeltjes rond zijn ogen. Zijn voorhoofd was gegroefd van ouderdom en zorgen. Alleen zijn doordringende, helderblauwe ogen hadden nog iets aantrekkelijks.
Sam keek op van het kaartje. 'Jullie joden geven het ook nooit op, is het wel?' vroeg hij op vriendelijke, rustige toon, zonder een spoor van woede.
'Ik ben niet joods,' zei Adam, zonder zijn ogen neer te slaan.
'Waarom werk je dan voor Kravitz & Bane?' vroeg Sam en schoof het kaartje opzij. Hij sprak zacht en langzaam, met het geduld van een man die negen jaar alleen heeft gezeten in een cel van nog geen twee bij drie meter.
'Wij nemen mensen uit alle bevolkingsgroepen aan.'
'Fijn zo. Dus jullie houden je keurig aan al die brave wetten over burgerrechten en zo.'
'Natuurlijk.'
'Hoeveel vennoten heeft Kravitz & Bane nu?'
Adam haalde zijn schouders op. Dat aantal wisselde ieder jaar. 'Ongeveer honderdvijftig.'
'Honderdvijftig vennoten. En hoeveel vrouwen zijn daarbij?'
Adam aarzelde en probeerde te tellen. 'Ik zou het echt niet weten. Een stuk of twaalf, denk ik.'
'Een stuk of twaalf,' herhaalde Sam, bijna zonder zijn lippen te bewegen. Zijn handen lagen stil en gevouwen op de balie, zijn ogen knipperden geen moment. 'Dus minder dan tien procent van de vennoten zijn vrouwen. En hoeveel nikkers zijn erbij?'

‘Zouden we ze zwarten kunnen noemen?’
‘Best, maar dat is ook al een verouderde term. Ze willen nu Afro-Amerikanen worden genoemd. Je bent toch wel voldoende politiek ‘geëngageerd’ om dat te weten?’
Adam knikte maar zei niets.
‘Hoeveel Afro-Amerikaanse vennoten hebben jullie?’
‘Vier, geloof ik.’
‘Nog geen drie procent. Tut tut. Bij Kravitz & Bane, dat bastion van progressiviteit en sociale rechtvaardigheid, worden vrouwen en Afro-Amerikanen dus gediscrimineerd. Ik weet gewoon niet wat ik moet zeggen.’
Adam schreef iets onleesbaars op zijn notitieblok. Hij kon natuurlijk antwoorden dat bijna een derde van de advocaten vrouwen waren en dat het kantoor zijn best deed om de beste zwarte rechtenstudenten in dienst te nemen. Kravitz & Bane was zelfs door twee blanke studenten aangeklaagd omdat hun baan op het laatste moment naar zwarten was gegaan.
‘Hoeveel joodse vennoten hebben jullie? Tachtig procent?’
‘Geen idee. Het kan me ook niet schelen.’
‘Nou, mij wel. Ik vond het altijd knap vervelend om door zo’n stelletje hypocrieten te worden verdedigd.’
‘Een heleboel mensen zullen er anders over denken.’
Sam tastte zorgvuldig in de enige zichtbare zak van zijn trainingspak en haalde een blauw pakje Montclairs en een wegwerpaansteker tevoorschijn. Het trainingspak was losgeknoopt tot halverwege zijn borst; een dikke laag grijs haar kwam eronderuit. Het pak was van heel dun katoen. Adam kon zich niet voorstellen dat mensen het hier konden uithouden zonder airconditioning.
Sam stak een sigaret op en blies de rook naar het plafond. ‘Ik dacht dat ik van jullie verlost was.’
‘Ze hebben me hier niet naartoe gestuurd. Ik ben uit mezelf gekomen.’
‘Waarom?’
‘Dat weet ik niet. U hebt een advocaat nodig en...’
‘Waarom ben je zo nerveus?’
Adam stopte met nagelbijten en hield zijn voet stil. ‘Ik ben niet nerveus.’
‘O, jawel. Ik heb hier al heel wat advocaten gezien, maar nog nooit een die zo zenuwachtig was als jij. Wat is er, joh? Ben je

bang dat ik je door het hek naar je strot zal vliegen?'
Adam bromde wat en probeerde te grijnzen. 'Doe niet zo belachelijk. Ik ben niet zenuwachtig.'
'Hoe oud ben je?'
'Zesentwintig.'
'Je lijkt tweeëntwintig. Wanneer ben je afgestudeerd?'
'Vorig jaar.'
'Geweldig. Dat joodse schorem heeft een groentje gestuurd om me te redden. Ik wist allang dat ze me eigenlijk dood wilden hebben, en dit bewijst het. Ik heb een paar joden vermoord en nu willen ze wraak. Ik had dus toch gelijk.'
'U geeft toe dat u de Kramer-tweeling hebt gedood?'
'Wat is dat in godsnaam voor een vraag? De jury zei van wel. Negen jaar lang hebben alle andere rechters de jury gelijk gegeven. Daar gaat het om. Wie ben jij om me dat soort vragen te stellen?'
'U hebt een advocaat nodig, meneer Cayhall. Ik ben hier om te helpen.'
'Ik heb heel wat dingen nodig, jochie, maar geen ijverige wijsneus zoals jij om me advies te geven. Je vormt een gevaar, maar je bent te onnozel om het zelf te beseffen.' Weer sprak hij nadrukkelijk, maar zonder enige emotie. Hij hield de sigaret tussen de wijs- en middelvinger van zijn rechterhand en tikte de as nonchalant op een keurig hoopje in een plastic schaaltje. Zo nu en dan knipperde hij met zijn ogen. Op zijn gezicht stond geen enkele uitdrukking te lezen.
Adam maakte zinloze aantekeningen en probeerde Sam toen weer recht aan te kijken. 'Hoor eens, meneer Cayhall, ik ben advocaat en ik heb grote morele bezwaren tegen de doodstraf. Ik ben goed opgeleid, ik ken de problemen rond het achtste amendement en ik kan u helpen. Daarom ben ik hier. Gratis en voor niets.'
'Gratis en voor niets,' herhaalde Sam. 'Wat sympathiek. Weet je wel, jochie, dat ik minstens drie aanbiedingen per week krijg van advocaten die me gratis willen verdedigen? Grote namen. Beroemde strafpleiters. Bulkend van het geld. Er zitten echt slijmerige types bij. En allemaal zijn ze bereid om te gaan zitten waar jij nu zit, alle verzoekschriften in te dienen, alle gesprekken te voeren, de pers te woord te staan, mijn hand vast te houden als het uur geslagen heeft, toe te kijken

hoe ze me vergassen, een laatste persconferentie te geven en dan een contract te tekenen voor een boek, een film of misschien wel een tv-serie over het leven van Sam Cayhall, een echte Klan-terrorist. Weet je, jochie, ik ben beroemd. Wat ik heb gedaan is nu al legendarisch. En omdat ze me gaan doden, zal ik nog veel beroemder worden. Daarom zijn al die advocaten in me geïnteresseerd. Ik ben veel geld waard. Dit is een behoorlijk ziek land, vergis je niet.'

Adam schudde zijn hoofd. 'Dat wil ik allemaal niet. Ik beloof het u. Ik zal het op schrift zetten. Ik zal een overeenkomst ondertekenen.'

Sam grinnikte. 'Ja hoor. En wie moet die overeenkomst afdwingen als ik dood ben?'

'Uw familie,' zei Adam.

'Vergeet mijn familie maar,' zei Sam stellig.

'Mijn motieven zijn zuiver, meneer Cayhall. Mijn kantoor heeft u zeven jaar vertegenwoordigd, dus ik ken bijna uw hele dossier. En ik heb me uitvoerig in uw achtergrond verdiept.'

'Je bent de enige niet. Die mallotige journalisten hebben zich zelfs in mijn vuile ondergoed verdiept. Er schijnen heel wat mensen te zijn die alles van me weten, maar wat schiet ik ermee op? Ik heb nog vier weken. Wist je dat al?'

'Ik heb een kopie van de uitspraak.'

'Over vier weken word ik vergast.'

'Laten we dan aan het werk gaan. U hebt mijn woord dat ik niet met de pers zal spreken tenzij u er toestemming voor geeft, dat ik nooit iets zal herhalen wat u me vertelt en dat ik geen contracten voor boeken of films zal tekenen. Dat zweer ik.'

Sam stak nog een sigaret op en staarde naar iets op de balie. Zachtjes masseerde hij zijn rechterslaap met zijn rechterduim, met de sigaret vlak bij zijn haar. Een tijdlang was er niets anders te horen dan het gepruttel van de overbelaste airco voor het raam. Sam rookte en dacht na. Adam tekende poppetjes op zijn notitieblok en was al heel trots dat hij zijn voeten kon stilhouden en dat de kramp in zijn maag verdwenen was. De stilte begon pijnlijk te worden, maar Adam veronderstelde terecht dat Sam dagenlang zwijgend kon zitten roken en nadenken.

'Ken je de zaak Barroni?' vroeg Sam zacht.
'Barroni?'
'Ja, Barroni. In Californië. Het Negende Circuit heeft vorige week uitspraak gedaan.'
Adam pijnigde zijn hersenen. 'Ja, ik heb zoiets gelezen.'
'Je hebt zoiets gelezen? Je was toch een goed opgeleide advocaat, zei je? En je weet niets over Barroni? Wat ben je voor een amateur?'
'Ik ben geen amateur.'
'Goed, goed. En Texas versus Eekes? Die ken je toch wel?'
'Wanneer was de uitspraak?'
'Over zes weken.'
'Welk hof?'
'Vijfde Circuit.'
'Achtste amendement?'
'Ja, wat anders?' bromde Sam oprecht verontwaardigd. 'Dacht je dat ik mijn tijd zou verspillen aan zaken over vrije meningsuiting? Dit is mijn lijf dat tegenover je zit, jochie – mijn polsen en enkels die straks met riemen worden vastgebonden, mijn neus waar het gif zal binnendringen.'
'Nee, ik weet niets over Eekes.'
'Wat weet je dan wel?'
'Alle belangrijke zaken.'
'Barefoot?'
'Natuurlijk.'
'Vertel me eens over Barefoot.'
'Wat is dit, een tv-quiz?'
'Doe maar gewoon wat ik zeg. Waar kwam Barefoot vandaan?' vroeg Sam.
'Dat weet ik niet meer. Maar de zaak stond bekend als Barefoot versus Estelle. Het was een belangrijke zaak uit 1983 waarin het Hooggerechtshof bepaalde dat veroordeelden in de dodengang geen geldige gronden voor een beroep mogen achterhouden om ze pas later te kunnen gebruiken. Daar kwam het op neer.'
'Toe maar, je weet het dus echt. Heb je het nooit vreemd gevonden dat één en hetzelfde hof gewoon van mening kan veranderen als het daar zin in heeft? Moet je nagaan. Twee eeuwen lang heeft het Amerikaanse Hooggerechtshof wettige executies toegestaan, op basis van de grondwet en het

achtste amendement. Maar in 1972 leest het Hooggerechtshof dezelfde grondwet nog eens door en verbiedt de doodstraf. Daarna, in 1976, komen ze weer op hun mening terug en besluiten dat de doodstraf toch wettig is. Dezelfde idioten in dezelfde zwarte toga's in hetzelfde gebouw in Washington! En nu wil het Hooggerechtshof de regels opnieuw veranderen, nog steeds op grond van dezelfde constitutie. Die Reagan-jongens hebben geen zin om al die beroepsprocedures door te lezen, dus schaffen ze bepaalde mogelijkheden gewoon af. Ik vind het nogal vreemd.'
'U bent de enige niet.'
'En Dulaney?' vroeg Sam. Hij nam een stevige haal van zijn sigaret. De ruimte werd nauwelijks geventileerd en er hing al een dichte rookwolk boven hun hoofd.
'Waar?'
'Louisiana. Die zaak ken je toch wel?'
'Ja, vast wel. Ik ken waarschijnlijk meer zaken dan u, maar ik onthoud ze niet allemaal, tenzij ik ze kan gebruiken.'
'Gebruiken? Waarvoor?'
'Voor een beroepsprocedure.'
'Dus je hebt al meer mensen verdedigd die de doodstraf hadden gekregen. Hoeveel?'
'Dit is mijn eerste zaak.'
'Gek hè, maar dat stelt me niet echt gerust. Hebben die joden van Kravitz & Bane je hierheen gestuurd om te oefenen? Is het dat? Een nuttige ervaring die je in je c.v. kunt zetten?'
'Ik zei u al dat zij me niet hebben gestuurd.'
'En Garner Goodman? Leeft die nog?'
'Ja. Hij is van uw leeftijd.'
'Dan heeft hij niet lang meer, is het wel? En Tyner?'
'Met Tyner gaat het uitstekend. Ik zal hem zeggen dat u naar hem hebt gevraagd.'
'Moet je doen. En zeg erbij dat ik ze allebei vreselijk mis. Verdomme, het heeft me bijna twee jaar gekost om van ze af te komen!'
'Ze hebben zich uit de naad gewerkt voor u.'
'Laat ze de rekening maar sturen.' Sam grinnikte bij zichzelf, de eerste keer dat hij lachte. Methodisch drukte hij zijn sigaret uit in het schaaltje en stak er nog een op. 'Het punt is,

meneer Hall, dat ik de pest heb aan advocaten.'
'Net als heel Amerika.'
'Advocaten hebben me onder druk gezet, aangeklaagd, vervolgd, belazerd en me ten slotte hierheen gestuurd. En toen ik hier zat, bleven ze me lastigvallen. Leugenaars en bedriegers, dat zijn het. En nu zijn ze weer terug, in de persoon van een idealistische snotneus die nog niet eens de weg naar het gerechtshof zou kunnen vinden.'
'Vergis u niet.'
'Het zou me verbazen, jochie, als je het verschil zou weten tussen je eigen reet en een gat in de grond. Dan zou je de eerste clown bij Kravitz & Bane zijn die zo snugger was.'
'Toch hebben ze u zeven jaar uit de gaskamer gehouden.'
'Moet ik daar dankbaar voor zijn? Ik ken vijftien gevangenen in de dodengang die er al langer zitten dan ik. Waarom zou ik nu aan de beurt zijn? Ik zit hier pas negenenhalf jaar, Treemont al veertien. Maar hij is een Afro-Amerikaan en dat helpt. Die hebben meer rechten. Het is veel moeilijker om die mensen te executeren, want wat zij hebben gedaan was de schuld van iemand anders.'
'Dat is niet waar.'
'Hoe weet jij wat waar is, verdomme? Een jaar geleden zat je nog op de universiteit, liep je de hele dag in een verschoten spijkerbroek en zat je 's avonds bier te hijsen met je idealistische vriendjes. Je weet nog niets van het leven, jochie. Dus vertel mij niet wat de waarheid is.'
'Dus u bent voor een snelle executie van Afro-Amerikanen?'
'Dat is geen slecht idee. De meesten van die klootzakken verdienen de gaskamer.'
'Dat lijkt me geen populair standpunt hier.'
'Nee, zeg dat wel.'
'Maar u bent anders. U hoort hier niet.'
'Nee, ik hoor hier niet. Ik ben een politieke gevangene. Ik ben hierheen gestuurd door een egocentrische maniak die me voor zijn eigen politieke spelletjes heeft gebruikt.'
'Kunnen we het over uw schuld of onschuld hebben?'
'Nee. Maar ik heb niet gedaan wat de jury beweert dat ik heb gedaan.'
'Dus u had een medeplichtige? Iemand anders heeft die bom geplaatst?'

Sam wreef met zijn middelvinger over de diepe rimpels in zijn voorhoofd alsof hij gebaarde dat Adam kon doodvallen. Maar dat was niet zo. Opeens leek hij in een diepe trance verzonken. De spreekkamer was veel koeler dan zijn cel. Het gesprek was zinloos, maar in elk geval kon hij even met iemand anders praten dan met de bewaarders of zijn onzichtbare medegevangenen in de cellen naast hem. Hij had geen haast.

Adam bestudeerde zijn aantekeningen en vroeg zich af wat hij nu moest zeggen. Ze hadden twintig minuten zitten praten – bekvechten, eigenlijk – zonder duidelijk doel. Hij was vastbesloten hun familiegeschiedenis aan te snijden voordat hij hier vertrok. Hij wist alleen niet hoe.

Minuten verstreken. Ze keken elkaar niet aan. Sam stak nog een Montclair op.

'Waarom rookt u zoveel?' vroeg Adam ten slotte.

'Ik sterf liever aan longkanker. Dat is een algemeen verlangen in de dodengang.'

'Hoeveel pakjes per dag?'

'Ik zit nu op drie. Het hangt van de centen af.'

Nog een minuut verstreek. Sam rookte langzaam zijn sigaret op en vroeg vriendelijk: 'Waar heb je gestudeerd?'

'Eerst aan Pepperdine, toen aan Michigan.'

'Waar is Pepperdine?'

'In Californië.'

'Ben je daar opgegroeid?'

'Ja.'

'Hoeveel staten kennen de doodstraf?'

'Achtendertig, maar de meeste passen hem niet meer toe. Hij is alleen nog populair in het diepe zuiden: Texas, Florida en Californië.'

'Je weet dat onze geachte wetgevers de regels hier hebben veranderd? We kunnen nu worden gedood met een injectie. Dat is humaner. Sympathiek, hè? Maar het geldt niet voor mij, omdat ik al jaren geleden veroordeeld ben. Ik moet nog aan het gas.'

'Misschien niet.'

'Je bent toch zesentwintig?'

'Ja.'

'Geboren in 1964.'

'Dat klopt.'
Sam haalde nog een sigaret uit het pakje en tikte met de filter op de balie. 'Waar?'
'In Memphis,' antwoordde Adam zonder hem aan te kijken.
'Je begrijpt het niet, jochie. Deze staat heeft een executie nodig en ik kom toevallig in aanmerking. In Louisiana, Texas en Florida worden ze bij bosjes terechtgesteld en de gezagsgetrouwe burgers van deze staat begrijpen niet waarom onze kleine gaskamer niet wordt gebruikt. Hoe gewelddadiger de misdaad, des te luider de roep om executies. Dan voelt iedereen zich veiliger, alsof het systeem zijn best doet om moordenaars te elimineren. De politici voeren campagne met openlijke beloften van meer cellen, zwaardere straffen en meer executies. Daarom hebben die jokers in Jackson voor die dodelijke injectie gestemd. Die is menselijker, minder verwerpelijk en dus gemakkelijker uitvoerbaar. Begrijp je?'
Adam knikte kort.
'Het is tijd voor een terechtstelling, en ik ben aan de beurt. Daarom hebben ze zo'n haast. Je kunt het niet tegenhouden.'
'We kunnen het in elk geval proberen. Ik wil een kans.'
Sam stak eindelijk zijn sigaret op. Hij inhaleerde diep en blies de rook fluitend door een kleine opening tussen zijn lippen. Hij leunde wat naar voren op zijn ellebogen en tuurde door de gleuf in het traliewerk. 'Waar kom je precies vandaan in Californië?'
'Het zuiden. L.A.' Adam keek in de doordringende ogen en wendde zijn blik af.
'Woont je familie daar nog?'
Adam voelde een scherpe pijn in zijn borst. Zijn hart leek even stil te staan. Sam trok aan zijn sigaret en knipperde niet eens met zijn ogen.
'Mijn vader is dood,' zei Adam met trillende stem en zakte wat onderuit in zijn stoel.
Een hele minuut verstreek. Sam zat op het puntje van zijn stoel. Ten slotte zei hij: 'En je moeder?'
'Die woont in Portland. Ze is hertrouwd.'
'Waar is je zuster?' vroeg hij.
Adam sloot zijn ogen en liet zijn hoofd zakken. 'Ze studeert,' mompelde hij.
'Ik denk dat ze Carmen heet. Is dat zo?' vroeg Sam zacht.

Adam knikte. 'Hoe wist u het?' vroeg hij met opeengeklemde tanden.
Sam schoof naar achteren op zijn metalen klapstoel. Hij liet zijn sigaret op de grond vallen zonder ernaar te kijken. 'Waarom ben je hier gekomen?' vroeg hij. Zijn stem klonk weer krachtig en ferm.
'Hoe wist u dat ik het was?'
'Je stem. Je klinkt net als je vader. Waarom ben je hier gekomen?'
'Eddie heeft me gestuurd.'
Ze keken elkaar heel even aan, toen sloeg Sam zijn ogen neer. Langzaam leunde hij naar voren en hij steunde met zijn ellebogen op zijn knieën. Doodstil bleef hij zitten, starend naar iets op de vloer.
Toen legde hij zijn rechterhand over zijn ogen.

10

Phillip Naifeh was drieënzestig en nog negentien maanden van zijn pensioen verwijderd. Negentien maanden en vier dagen. Al zevenentwintig jaar was hij opzichter van het gevangeniswezen van Mississippi en in die functie had hij zes gouverneurs overleefd, plus een heel leger staatsadvocaten, duizenden processen van gevangenen, talloze beslissingen van federale gerechtshoven en meer executies dan hem lief was.

De directeur, zoals hij graag werd genoemd (hoewel die titel in het wetboek van Mississippi officieel niet bestond), was van Libanese afkomst. Zijn ouders waren in de jaren twintig naar Amerika geëmigreerd en hadden zich in de Mississippidelta gevestigd. In Clarksdale waren ze een kruidenierszaak begonnen, die uitstekend liep. Zijn moeder was al snel beroemd om haar eigengemaakte Libanese desserts. Phillip was naar de openbare school gegaan en daarna naar de universiteit. Toen hij terugkwam was hij bij het strafrecht betrokken geraakt – hoe, dat wist hij zelf niet meer.

Hij haatte de doodstraf. Hij begreep de motieven van de samenleving wel, en jaren geleden had hij alle steriele redenen voor de noodzaak ervan in zijn hoofd gestampt. Het werkte afschrikwekkend. Het verloste de maatschappij van moordenaars. Het was de zwaarste straf. Het was bijbels. Het bevredigde het verlangen naar vergelding bij het publiek. Het verlichtte het verdriet van de familie van het slachtoffer. Als het nodig was, kon hij al die argumenten even overtuigend brengen als een openbare aanklager. Eén of twee van die redenen vond hij ook wel zinvol.

Maar de uitvoering van het vonnis kwam op zijn schouders neer en hij verafschuwde dat gruwelijke aspect van zijn werk. Het was Phillip Naifeh die met de veroordeelde van zijn cel naar de zogenaamde Isoleerkamer liep, een uur voordat het vonnis zou worden voltrokken. Het was Phillip Naifeh die de gevangene ten slotte naar de gaskamer bracht en toezicht

hield op het vastbinden van zijn benen, zijn armen en zijn hoofd. 'Heb je nog iets te zeggen?' had hij tweeëntwintig keer in zevenentwintig jaar gevraagd. Daarna gaf hij de bewaarders opdracht de deur van de gaskamer te sluiten en knikte hij naar de beul om de hefbomen over te halen voor het mengen van het dodelijke gas. De eerste twee keer had hij de veroordeelden in het gezicht gekeken toen ze stierven, maar daarna keek hij alleen nog naar de gezichten van de getuigen in de kleine ruimte achter de gaskamer. Hij moest die getuigen zelf kiezen. Hij moest honderden dingen doen die in het handboek voor de voltrekking van het vonnis stonden opgesomd, zoals het bevestigen van de dood, het verwijderen van het lichaam uit de gaskamer, het schoonspuiten van de kleren om het gas te verwijderen, enzovoort.
Ooit had hij voor een wetgevende commissie in Jackson zijn mening gegeven over de doodstraf. Hij had een beter idee. Hij wilde de ter dood veroordeelden levenslang in de Maximaal Beveiligde Afdeling opsluiten, afgezonderd in hun cel, waar ze nooit meer iemand kwaad konden doen, onmogelijk konden ontsnappen en nooit gratie zouden krijgen. Ten slotte zouden ze in de dodengang overlijden, maar niet door toedoen van de staat. Het was aan dovemansoren gezegd.
Maar zijn getuigenis had de kranten gehaald en hem bijna zijn baan gekost.
Nog negentien maanden en vier dagen, dacht hij bij zichzelf terwijl hij zachtjes met zijn vingers door zijn dikke grijze haar streek en langzaam de laatste uitspraak van het Vijfde Circuit doorlas. Lucas Mann zat tegenover zijn bureau en wachtte.
'Nog vier weken,' zei Naifeh en schoof de uitspraak opzij. 'Hoeveel mogelijkheden zijn er nog?' vroeg hij met een licht zuidelijk accent.
'De gebruikelijke wanhoopspogingen,' antwoordde Mann.
'Wanneer kwam deze uitspraak?'
'Vanochtend vroeg. Sam tekent natuurlijk beroep aan bij het Hooggerechtshof, maar dat zal niet reageren. Daar gaat nog een week overheen, denk ik.'
'Wat denk je officieel, als advocaat?'
'Alle zinvolle mogelijkheden zijn nu wel uitgeput. Ik schat de kans op vijftig procent dat het over vier weken inderdaad gebeurt.'

'Dat is niet gering.'
'Ik heb het gevoel dat het nu echt misgaat.'
In die vreemde roulette van de doodstraf was vijftig procent bijna een zekerheid. Dat betekende dat het hele proces op gang moest worden gebracht en het handboek geraadpleegd. Na jaren van uitstel en eindeloze beroepsprocedures zouden de laatste vier weken in een oogwenk voorbij zijn.
'Heb je al met Sam gesproken?' vroeg de directeur.
'Heel even. Ik heb hem vanochtend een kopie van de uitspraak gebracht.'
'Garner Goodman belde me gisteren dat ze een van hun jonge advocaten zouden sturen om met Sam te praten. Heb je dat geregeld?'
'Ik heb ook met Garner gesproken, en met de jonge advocaat. Hij heet Adam Hall en hij zit nu met Sam te praten. Dat kan interessant worden. Sam is zijn grootvader.'
'Wàt?'
'Je hoorde me wel. Sam Cayhall is Adam Halls grootvader van vaders kant. Gisteren hebben we een onderzoek naar zijn achtergrond gedaan – gewoon routine – en daarbij ontdekten we een paar vreemde zaken. Ik heb de FBI in Jackson gebeld en binnen twee uur hadden we voldoende aanwijzingen. Vanochtend confronteerde ik hem ermee, en hij gaf het toe. Ik geloof ook niet dat hij het geheim wil houden.'
'Maar hij heeft een andere naam.'
'Dat is een lang verhaal. Ze hebben elkaar niet meer gezien sinds Adam een kleuter was. Zijn vader is verhuisd toen Sam voor die bomaanslag werd gearresteerd. Hij is naar het westen getrokken, heeft allerlei baantjes gehad en overal rondgezworven. Een zielige figuur, zo te horen. In 1981 heeft hij zelfmoord gepleegd. Maar Adam is gaan studeren en haalde goede cijfers. Hij heeft rechten gestudeerd aan Michigan, een uitstekende universiteit, waar hij redacteur was van het juridische blad. Na zijn studie heeft hij een baan aangenomen bij onze vrienden van Kravitz & Bane en vanochtend stond hij op de stoep, voor de reünie met zijn grootvader.'
Naifeh streek nu met beide handen door zijn haar en schudde zijn hoofd. 'Geweldig. Alsof we nog meer publiciteit nodig hebben, nog meer verslaggevers die stompzinnige vragen stellen!'

'Ze zitten nu te praten. Ik neem aan dat Sam die jongen wel als zijn raadsman accepteert. Ik hoop het maar. We hebben nog nooit een veroordeelde geëxecuteerd zonder zijn advocaat erbij.'

'We zouden beter een paar advocaten kunnen executeren zonder hun cliënt erbij,' zei Naifeh met een geforceerd lachje. Zijn afkeer van advocaten was algemeen bekend, maar Lucas vond het niet erg. Hij begreep het wel. Hij had eens uitgerekend dat Phillip Naifeh in meer processen als gedaagde was genoemd dan ooit iemand anders in de geschiedenis van Mississippi. Hij had met recht de pest aan advocaten.

'Over negentien maanden ga ik met pensioen,' zei hij alsof Lucas dat nog niet wist. 'Wie volgt er na Sam?'

Lucas dacht een tijdje na en probeerde de omvangrijke beroepsprocedures van de zevenenveertig veroordeelden te overzien. 'Eigenlijk niemand. De Pizza Man is er vier maanden geleden dichtbij geweest, maar hij heeft toch uitstel gekregen. Dat loopt over een jaar weer af, maar er zijn nog andere problemen met zijn zaak. De eerstkomende twee jaar zie ik geen executie meer in het verschiet.'

'De Pizza Man... sorry?'

'Malcolm Friar. Heeft in één week drie jonge pizzabestellers gedood. Tijdens het proces beweerde hij dat roof niet het motief was. Hij had gewoon honger, zei hij.'

Naifeh hief twee handen op en knikte. 'O ja, ik weet het weer. En hij is de volgende, na Sam?'

'Waarschijnlijk. Het is moeilijk te zeggen.'

'Dat weet ik.' Naifeh stond langzaam op en liep naar een raam. Zijn schoenen stonden ergens onder zijn bureau. Hij stak zijn handen in zijn zakken, drukte zijn tenen in het tapijt en dacht diep na. Na de vorige terechtstelling was hij in het ziekenhuis opgenomen wegens een 'lichte onregelmatigheid' in het hart, zoals zijn dokter het had genoemd. Hij had een week op bed gelegen, naar de hartmonitor gestaard en zijn vrouw beloofd dat hij nooit meer een terechtstelling zou meemaken. Als hij Sams executie op de een of andere manier kon ontlopen, zou hij het wel redden tot aan zijn pensioen.

Hij draaide zich om en keek zijn vriend aan. 'Ik doe het niet meer, Lucas. Ik geeft het stokje door aan een andere man, een van mijn medewerkers, een jongere vent die ik kan vertrou-

wen, die nog nooit een van deze shows heeft meegemaakt en die staat te trappelen om zijn handen vuil te maken.'
'Toch niet Nugent?'
'Precies. Kolonel buiten dienst George Nugent, mijn gewaardeerde assistent.'
'De man is een malloot.'
'Ja, maar ònze malloot, Lucas. Discipline, organisatie, details... daar is hij goed in. Hij is de ideale keuze. Ik zal hem het handboek geven en hem vertellen hoe ik het wil hebben. Dan mag hij Sam Cayhall executeren. En dat zal hij perfect doen, geloof me maar.'
George Nugent was adjunct-opzichter van Parchman. Hij had naam gemaakt met de organisatie van een zeer succesvol strafkamp voor mensen die wegens een eerste delict waren veroordeeld. Het was een ware hel, die zes weken duurde. Nugent stampte heen en weer in zwarte laarzen, vloekte iedereen stijf als een sergeant-majoor en dreigde met groepsverkrachting voor de geringste overtreding. Gevangenen die het strafkamp hadden meegemaakt kwamen zelden naar Parchman terug.
'Nugent is geschift, Phillip. Het is een kwestie van tijd voordat hij iemand vermoordt.'
'Juist! Nou begrijp je het. Hij màg iemand vermoorden: Sam Cayhall. Helemaal volgens het boekje. Nugent is zielsgelukkig als hij de dingen volgens het boekje mag doen. Hij is onze man, Lucas. Het wordt een onberispelijke executie.'
Het kon Lucas Mann niet zoveel schelen. Hij haalde zijn schouders op en zei: 'Jij bent de baas.'
'Dank je,' zei Naifeh. 'Maar hou Nugent in de gaten, oké? Ik houd hem wel onder de duim als jij de juridische kant voor je rekening neemt. We redden het wel.'
'Dit wordt de grootste zaak tot nu toe,' zei Lucas.
'Dat weet ik. Ik zal het rustig aan moeten doen. Ik ben een oude man.'
Lucas pakte zijn dossier van het bureau en liep naar de deur. 'Ik bel je als die jongen is vertrokken. Hij zou zich nog bij me melden.'
'Ik wil hem graag ontmoeten,' zei Naifeh.
'Hij is een aardige knul.'
'Wat een familie...'

De aardige knul en zijn veroordeelde grootvader hadden een kwartier zwijgend tegenover elkaar gezeten. Het enige geluid was afkomstig van de ratelende ventilator. Op een gegeven moment was Adam opgestaan en naar de muur gelopen om zijn handen voor de stoffige luchtgaten te houden. Er kwam inderdaad wat frisse lucht binnen. Hij sloeg zijn armen over elkaar, leunde tegen de balie en staarde naar de deur, zo ver mogelijk bij Sam vandaan. Zo stond hij nog steeds toen de deur openging en het hoofd van brigadier Packer verscheen. Hij wilde alleen maar kijken of alles in orde was, zei hij, met een blik op Adam en op Sam, aan de andere kant van de kamer achter het traliewerk. De oude man zat voorovergebogen in zijn stoel met een hand over zijn gezicht.
'Geen probleem,' zei Adam zonder overtuiging.
'Mooi zo,' zei Packer en trok zich haastig terug. Toen de deur in het slot viel, liep Adam langzaam terug naar zijn stoel, trok die naar het traliewerk toe en ging zitten. Hij steunde met zijn ellebogen op de balie. Sam negeerde hem een paar minuten, veegde toen met zijn mouw over zijn ogen en richtte zich op. Ze keken elkaar aan.
'We moeten praten,' zei Adam rustig.
Sam knikte maar zei niets. Hij veegde weer over zijn ogen, nu met zijn andere mouw. Toen pakte hij nog een sigaret en stak die tussen zijn lippen. Zijn hand trilde toen hij zichzelf vuur gaf. Haastig nam hij een paar trekken.
'Dus eigenlijk ben jij Alan,' zei hij zacht en hees.
'Ooit wel, ja. Dat wist ik niet eens totdat mijn vader stierf.'
'Je bent geboren in 1964.'
'Klopt.'
'Mijn eerste kleinzoon.'
Adam knikte en sloeg zijn ogen neer.
'Jullie zijn vertrokken in 1967.'
'Ja, zo ongeveer. Dat weet ik niet meer. Mijn eerste herinneringen dateren uit Californië.'
'Ik had gehoord dat Eddie naar Californië was verhuisd en dat hij nog een kind had gekregen. Iemand vertelde me dat ze Carmen heette. In de loop der jaren hoorde ik soms wat, dat jullie in het zuiden van Californië woonden en zo, maar hij wist altijd weer te verdwijnen.'
'We zijn vaak verhuisd toen ik nog jong was. Ik denk dat hij

moeite had een baantje te houden.'
'En je wist niets van mij?'
'Nee. Er werd nooit over de familie gesproken. Ik hoorde het pas na zijn begrafenis.'
'Van wie?'
'Lee.'
Sam kneep zijn ogen stijf dicht en nam toen weer een trek.
'Hoe gaat het met haar?'
'Goed, geloof ik.'
'Waarom ben je voor Kravitz & Bane gaan werken?'
'Het is een goed kantoor.'
'Wist je dat ze mij verdedigden?'
'Ja.'
'Dus je hebt dit allemaal voorbereid?'
'Ja. Ongeveer vijf jaar al.'
'Waarom?'
'Dat weet ik niet.'
'Je moet toch een reden hebben?'
'Die ligt voor de hand. Je bent mijn grootvader. Of we het nu leuk vinden of niet, jij bent wie je bent, net als ik. En nu zit ik hier, dus wat gaan we doen?'
'Je kunt maar beter weggaan.'
'Ik ga niet weg, Sam. Ik ben hier al veel te lang mee bezig.'
'Waarmee?'
'Met de voorbereidingen voor je verdediging. Je hebt hulp nodig. Daarom ben ik hier.'
'Ik ben niet meer te helpen. Ze zijn vastbesloten me te vergassen. Om allerlei redenen. Daar moet jij je niet mee bemoeien.'
'Waarom niet?'
'Om te beginnen is het een hopeloze zaak. Het zal een grote klap voor je zijn als je je best doet voor mij en het mislukt. In de tweede plaats weet iedereen dan wie je bent. Dat wordt heel pijnlijk. Je leven zal een stuk gemakkelijker zijn als je gewoon Adam Hall blijft.'
'Ik ben Adam Hall en dat wil ik niet veranderen. Maar ik ben ook je kleinzoon, dat is een feit. Dus wat klets je nou?'
'Het wordt heel vervelend voor je familie. Eddie heeft jullie willen beschermen en dat heeft hij goed gedaan. Maak dat nou niet kapot.'
'Ze weten toch al wie ik ben. Mijn kantoor, Lucas Mann...'

'Die zwetser? Die vertelt het aan iedereen door. Hij is niet te vertrouwen.'
'Luister, Sam, je begrijpt het niet. Het kan me niet schelen of hij het doorvertelt. De hele wereld mag weten dat ik je kleinzoon ben. Ik heb genoeg van al die smerige kleine familiegeheimen. Ik ben een grote jongen nu. Ik neem mijn eigen beslissingen. Bovendien ben ik advocaat en heb ik al een aardig dikke huid. Ik kan er wel tegen.'
Sam ontspande zich wat, keek naar de grond en grijnsde spottend, zoals volwassenen doen als kleine kinderen zich ouder gedragen dan ze zijn. Hij bromde iets en knikte toen langzaam. 'Je hebt geen idee, jongen,' zei hij, opeens weer rustig en afgemeten. De heesheid was uit zijn stem verdwenen.
'Leg het me dan maar uit,' zei Adam.
'Dat duurt te lang.'
'We hebben vier weken de tijd. In vier weken kun je heel wat vertellen.'
'Wat wil je precies horen?'
Adam boog zich nog dichter naar het traliewerk toe, met zijn pen en zijn notitieblok gereed. Zijn ogen waren vlak bij de opening in het hek. 'Eerst wil ik over de zaak zelf praten: de strategie, de processen, de beroepsprocedures, de aanslag, wie er die nacht bij je was...'
'Er was die nacht niemand bij me.'
'Daar hebben we het later nog wel over.'
'We hebben het er nú over. Ik zeg je toch dat ik alleen was?'
'Goed. En in de tweede plaats wil ik meer weten over mijn familie.'
'Waarom?'
'Waarom niet? Waarom moet het verborgen blijven? Ik wil alles weten over jouw vader en zijn vader, over je broer en je neven. Misschien krijg ik de pest aan al die mensen, maar ik heb het recht iets over ze te weten. Mijn hele leven is mijn familie voor me verborgen gehouden en dat moet nu veranderen.'
'Er is niets bijzonders te vertellen.'
'O nee? Nou, Sam, ik vind het vrij bijzonder dat jij nu hier in de dodengang zit. Dit is een zeer exclusieve omgeving. Plus het feit dat je een blanke bent uit de middenklasse, een man

van bijna zeventig jaar... dat is allemaal heel bijzonder. Ik wil weten hoe en waarom je hier terecht bent gekomen. Waarom je die dingen hebt gedaan. Hoeveel van mijn familieleden lid van de Klan waren. En waarom. En hoeveel andere mensen jullie in de loop van de jaren hebben gedood.'
'En jij denkt dat ik je dat allemaal ga vertellen?'
'Ja, dat denk ik. Je trekt wel bij. Ik ben je kleinzoon, Sam, de enige in je familie die nog iets om je geeft. Ja, je zult het me wel vertellen. Reken maar.'
'Als ik dan toch zo spraakzaam ben, waar wil je het dan verder over hebben?'
'Over Eddie.'
Sam haalde diep adem en sloot zijn ogen. 'Je vraagt niet weinig, is het wel?' zei hij zacht. Adam krabbelde een zinloze notitie op zijn schrijfblok.
Het was tijd voor het ritueel van een nieuwe sigaret en Sam deed er nog langer over. Ten slotte steeg er een nieuwe rookwolk naar de nevel boven hun hoofd. Zijn handen trilden niet meer. 'Als we over Eddie hebben gepraat, wat komt er dan?'
'Dat weet ik nog niet. We hebben vier weken de tijd.'
'En wanneer praten we over jou?'
'Wanneer je maar wilt.' Adam haalde een dun dossier uit zijn koffertje en schoof een vel papier en een pen onder het traliewerk door. 'Dit is een overeenkomst voor juridische vertegenwoordiging. Je kunt onderaan tekenen.'
Sam las het van een afstand, zonder de overeenkomst aan te raken. 'Dus ik moet weer een contract tekenen met Kravitz & Bane?'
'Zoiets.'
'Wat bedoel je met "zoiets"? Hier staat dat ik die joden weer toestemming geef mij te vertegenwoordigen. Het heeft me een eeuwigheid gekost om van ze af te komen. En ik betaalde ze niet eens!'
'Het is een overeenkomst met míj, Sam. Je hoeft die mensen nooit meer te zien als je dat niet wilt.'
'Dat wil ik zeker niet.'
'Mooi zo. Maar ik werk toevallig voor dat kantoor, dus moet je een contract met de firma tekenen. Dat is toch simpel?'
'Aha, het optimisme van de jeugd. Alles is simpel. Ik zit hier op nog geen dertig meter van de gaskamer, de klok aan de

muur tikt de minuten weg, steeds luider, maar toch is alles simpel.'
'Teken dat papier nou maar, Sam.'
'En dan?'
'Dan gaan we aan het werk. Juridisch kan ik niets voor je doen tot we een overeenkomst hebben. Als je je handtekening hebt gezet, kunnen we aan de slag.'
'En waarmee wil je beginnen?'
'Ik wil eerst die aanslag nog eens met je doornemen. Heel rustig. Stap voor stap.'
'Dat is al duizend keer gedaan.'
'Dan doen wij het nog een keer. Ik heb een notitieblok vol met vragen.'
'Die zijn allemaal al gesteld.'
'Ja, Sam, maar nog niet beantwoord, is het wel?'
'Denk je dat ik lieg?'
'Is dat zo?'
'Nee.'
'Maar je hebt niet het hele verhaal verteld.'
'Wat maakt het uit? Je bent toch advocaat? Je hebt Bateman toch gelezen?'
'Ja, ik ken het uit mijn hoofd, maar er zitten een paar zwakke punten in.'
'Echt iets voor een advocaat.'
'Als er nieuwe bewijzen worden gevonden, zijn er manieren om die naar voren te brengen. Het gaat erom, Sam, dat we zoveel verwarring zaaien dat een rechter besluit om uitstel te verlenen omdat hij nog wat meer wil weten.'
'Ik weet wel hoe het spelletje wordt gespeeld, jochie.'
'Adam, oké? Ik heet Adam.'
'Goed, noem mij dan maar opa. Ik neem aan dat je een verzoek om gratie wilt indienen bij de gouverneur?'
'Ja.'
Sam schoof naar voren op zijn stoel, tot vlak bij het traliewerk. Met de wijsvinger van zijn rechterhand wees hij naar het puntje van Adams neus. Zijn gezicht stond opeens grimmig en hij had zijn ogen tot spleetjes geknepen. 'Luister goed, Adam,' gromde hij, zwaaiend met zijn vinger. 'Ik teken dat papier alleen als je me belooft dat je nooit met die schoft zult praten. Nooit. Is dat duidelijk?'

Adam keek naar de vinger maar zei niets.
Sam vervolgde: 'Hij is een klootzak en een oplichter. Hij is onbetrouwbaar, verdorven en totaal corrupt. Maar dat weet hij goed te verbergen met die stralende glimlach en dat keurige kapsel. Hij is de enige reden waarom ik nu in de dodengang zit. Als je ooit contact met hem hebt, ontsla ik je als mijn advocaat.'
'Dus ik ben nu je advocaat.'
De vinger verdween en Sam kalmeerde wat. 'Ach, je mag het proberen. Dan kun je op me oefenen. Weet je, Adam, dat hele juridische wereldje deugt voor geen cent. Als ik een vrij man was die netjes zijn brood verdiende, niemand lastig viel, zijn belastingen betaalde en zich aan de wet hield, dan zou ik nooit van mijn leven een advocaat kunnen krijgen als ik er niet dik voor betaalde. Maar nu ik ter dood ben veroordeeld wegens moord en geen cent bezit, word ik belegerd door advocaten uit het hele land die me allemaal willen helpen. Beroemde, rijke advocaten met lange namen gevolgd door een cijfer, mensen met hun eigen vliegtuigen en televisieprogramma's, kloppen bij me aan. Kun jij me dat uitleggen?'
'Natuurlijk niet. En het kan me ook niet schelen.'
'Het is een verziekt beroep waar je voor hebt gekozen.'
'De meeste advocaten zijn eerlijke, hard werkende mensen.'
'Ja hoor. En de meesten van mijn kameraden hier in de dodengang zouden dominee of missionaris zijn geworden als ze niet ten onrechte waren veroordeeld.'
'De gouverneur is misschien onze laatste kans.'
'Dan kunnen ze me beter meteen vergassen. Die gewichtige klootzak komt waarschijnlijk zelf mijn executie bijwonen. Daarna houdt hij een persconferentie en zal hij alle details nog eens herkauwen voor de camera's. Hij is een slappe worm die alleen dankzij mij zo ver gekomen is. En als hij nog wat publiciteit uit me kan melken, zal hij het niet laten. Blijf uit zijn buurt.'
'We hebben het er later nog wel over.'
'We hebben het er al over, dacht ik. Geef me je woord voordat ik dit papier onderteken.'
'Heb je nog meer eisen?'
'Ja. Ik wil een bepaling dat ik jullie weer kan ontslaan, als het me niet bevalt, zonder dat jullie je kunnen verzetten.'

'Geef maar hier.'
Sam schoof de overeenkomst door de opening en Adam schreef een keurige bepaling onderaan. Hij gaf het papier terug aan Sam, die het langzaam doorlas en weer neerlegde.
'Je hebt nog niet getekend,' zei Adam.
'Ik denk er nog over na.'
'Mag ik wat vragen terwijl je nadenkt?'
'Ga je gang.'
'Waar heb je geleerd om met explosieven om te gaan?'
'Hier en daar.'
'Er zijn minstens vijf bomaanslagen geweest vóór die aanslag op Marvin Kramer, allemaal met hetzelfde type bom, heel simpel: een paar staven dynamiet met een lont en een slaghoedje. Alleen bij Kramer is een tijdmechaniek gebruikt. Wie heeft je geleerd hoe je bommen moest maken?'
'Heb je wel eens vuurwerk afgestoken?'
'Natuurlijk.'
'Het is hetzelfde principe. Je houdt een lucifer bij de lont, je gaat er als de bliksem vandoor, en boem!'
'Dat tijdmechaniek is wel wat ingewikkelder. Van wie heb je dat geleerd?'
'Van mijn moeder. Wanneer kom je hier weer terug?'
'Morgen.'
'Goed. Dan doen we het zo. Ik heb wat tijd nodig om erover na te denken. Ik wil nu niet praten en zeker geen vragen beantwoorden. Ik zal dat contract eens bekijken, een paar wijzigingen aanbrengen en dan spreken we elkaar morgen weer.'
'Dat is zonde van de tijd.'
'Ik zit hier al bijna tien jaar. Wat maakt die ene dag nou uit?'
'Misschien mag ik niet terugkomen als ik officieel je raadsman nog niet ben. Dit bezoekje was een gunst.'
'Ja, het zijn geweldige kerels. Zeg maar dat je voorlopig voor vierentwintig uur mijn advocaat bent. Dan laten ze je wel binnen.'
'We hebben heel wat te bespreken, Sam. Ik wil graag snel beginnen.'
'Ik moet eerst nadenken, oké? Als je ruim negen jaar alleen in een cel hebt gezeten, leer je heel goed nadenken en analyseren. Maar het gaat niet snel, begrijp je? Het kost meer tijd om de dingen op een rijtje te zetten. Op dit moment ben ik be-

hoorlijk in de war. Dit was nogal een klap voor me.'
'Goed.'
'Morgen gaat het wel beter. Dan kunnen we praten. Dat beloof ik je.'
'Oké.' Adam schoof de dop op zijn pen en stak hem in zijn zak. Hij borg het dossier in zijn koffertje en ging ontspannen zitten. 'De komende twee maanden blijf ik in Memphis.'
'In Memphis? Ik dacht dat je in Chicago woonde.'
'We hebben een klein kantoor in Memphis. Daar krijg ik een kamer. Het telefoonnummer staat op het kaartje. Je kunt me altijd bellen.'
'En wat doe je als dit achter de rug is?'
'Dat weet ik nog niet. Misschien ga ik terug naar Chicago.'
'Ben je getrouwd?'
'Nee.'
'En Carmen?'
'Ook niet.'
'Wat is ze voor een meisje?'
Adam vouwde zijn handen achter zijn hoofd en tuurde naar de dunne rookwolk. 'Ze is heel slim. En mooi. Ze lijkt erg op haar moeder.'
'Evelyn was een knappe vrouw.'
'Dat is ze nog steeds.'
'Ik vond altijd dat Eddie geluk had gehad met haar. Maar haar familie mocht ik niet.'
En omgekeerd ook niet, dacht Adam. Sams kin rustte bijna op zijn borst. Hij wreef in zijn ogen en kneep in de brug van zijn neus. 'Die gesprekken over de familie zullen wel wat tijd kosten.'
'Ja.'
'Over sommige dingen kan ik misschien niet praten.'
'O, jawel. Dat ben je aan me verplicht, Sam. En aan jezelf.'
'Je weet niet wat je zegt. Sommige dingen kun je beter niet horen.'
'Jawel. Ik heb genoeg van al die geheimen.'
'Waarom wil je zoveel weten?'
'Omdat ik het wil begrijpen.'
'Dat is tijdverspilling.'
'Dat maak ik zelf wel uit, oké?'
Sam legde zijn handen op zijn knieën en stond langzaam op.

Hij haalde diep adem en keek door het traliewerk op Adam neer. 'Ik wil nu weg.'
Ze staarden elkaar aan door de smalle ruitvormige openingen van het hek. 'Goed,' zei Adam. 'Kan ik nog iets voor je meenemen?'
'Nee. Als je maar terugkomt.'
'Dat beloof ik je.'

11

Packer deed de deur op slot en samen stapten ze uit de smalle strook schaduw buiten de spreekkamer de felle middagzon in. Adam sloot zijn ogen, bleef even staan en zocht wanhopig in zijn zakken naar een zonnebril. Packer wachtte geduldig, zijn ogen beschermd door een zware imitatie-RayBan, zijn gezicht overschaduwd door de brede klep van zijn Parchman-pet. Het was zo drukkend dat de hitte bijna zichtbaar was. Het zweet droop al van Adams armen en gezicht toen hij eindelijk zijn zonnebril in zijn koffertje vond en hem opzette. Hij kneep zijn ogen halfdicht en maakte een grimas. Nu hij weer iets zag, volgde hij Packer over het zandpad door het dorre grasveld voor de afdeling.

'Alles goed met Sam?' vroeg Packer. Hij had zijn handen in zijn zakken en scheen geen haast te hebben.

'Ik geloof het wel.'

'Hebt u honger?'

'Nee,' antwoordde Adam met een blik op zijn horloge. Het was bijna één uur. Hij wist niet of Packer hem het gevangeniseten wilde aanbieden of iets anders, maar hij nam geen risico.

'Jammer. Het is woensdag, dat betekent groene kool en maïsbrood. Heel lekker.'

'Nee, bedankt.' Adam was ervan overtuigd dat hij diep in zijn genen een heftig verlangen naar groene kool en maïsbrood moest koesteren en dat hij het water in zijn mond moest krijgen bij dit menu, maar hij beschouwde zichzelf als een Californiër. Voor zover hij wist had hij nog nooit groene kool gezien. 'Volgende week misschien,' zei hij. Hij kon maar nauwelijks geloven dat hij voor de lunch in de dodengang was uitgenodigd.

Ze kwamen bij het eerste hek. Toen het openging vroeg Packer, zonder zijn handen uit zijn zakken te halen: 'Wanneer komt u terug?'

'Morgen.'

'Zo gauw al?'
'Ja. En ik zal wel even blijven.'
'Nou, prettig kennis te hebben gemaakt.' Hij grijnsde breed en liep weer terug.
Toen Adam bij het tweede hek kwam, werd de emmer al neergelaten. Een meter boven de grond bleef hij hangen en Adam zocht zijn sleuteltjes eruit. Hij keek niet één keer omhoog naar de wachtpost.
Een witte bestelbus met het officiële logo op de portieren en de zijkant stond naast Adams auto te wachten. De bestuurder draaide het raampje omlaag en Lucas Mann boog zich naar buiten. 'Heb je haast?'
Adam keek weer op zijn horloge. 'Niet echt.'
'Mooi zo. Stap maar in. Ik wil met je praten. Dan kan ik je gelijk een rondleiding geven.'
Adam wilde geen rondleiding, maar hij was toch al van plan geweest bij Mann langs te gaan. Hij opende het rechterportier en gooide zijn jasje en zijn koffertje achterin. Gelukkig werkte de ventilator op volle kracht. Lucas, die een koele indruk maakte en nog steeds onberispelijk was gekleed, leek niet op zijn plaats achter het stuur van het busje. Hij reed bij de Maximaal Beveiligde Afdeling vandaan en draaide de hoofdweg op.
'Hoe ging het?' vroeg hij. Adam probeerde zich te herinneren wat Sam precies over Lucas Mann had gezegd. Dat hij niet te vertrouwen was of zoiets.
'Het ging wel,' antwoordde hij opzettelijk vaag.
'Accepteert hij je als zijn advocaat?'
'Ik denk het wel. Hij wil er nog een nachtje over slapen. Morgen praten we verder.'
'Geen probleem. Maar dan moet je hem morgen wel een overeenkomst laten tekenen. We hebben een schriftelijke machtiging van hem nodig.'
'Dat regel ik wel. Waar gaan we heen?' Ze sloegen linksaf en reden bij de voorkant van de gevangenis vandaan, langs de laatste witte huizen met hun bloemperkjes en schaduwrijke bomen. Even later reden ze door de katoenvelden, die zich eindeloos leken uit te strekken.
'Nergens in het bijzonder. Ik dacht dat je onze farm wel wilde zien. En we moeten een paar dingen bespreken.'

'Ik luister.'
'De uitspraak van het Vijfde Circuit is vanochtend bekendgemaakt en er hebben al minstens drie journalisten opgebeld. Ze ruiken bloed en ze willen weten of dit het einde betekent voor Sam. Een paar van die mensen ken ik nog van vorige executies. Er zitten geschikte kerels bij, maar ook een stel etters. In elk geval informeerden ze allemaal naar Sam en vroegen of hij een advocaat had of dat hij zich zelf zou blijven verdedigen tot het eind. Je begrijpt het wel.'
In een veld aan de rechterkant zag Adam een grote groep gevangenen in witte broeken en met ontbloot bovenlijf. Ze werkten in rijen en het zweet droop van hun rug en hun borst, glinsterend in de moordend hete zon. Een bewaarder te paard hield toezicht, gewapend met een geweer. 'Wat doen die lui?' vroeg Adam.
'Katoen snijden.'
'Moeten ze dat?'
'Nee. Het zijn allemaal vrijwilligers. Ze kunnen dit werk doen of de hele dag in hun cel zitten.'
'Ze dragen witte broeken. Sam droeg een rood trainingspak. En bij de hoofdweg werkte een groep in het blauw.'
'Dat hoort bij de classificatie. Wit betekent dat deze mensen tot de minst gevaarlijke categorie behoren.'
'Wat hebben ze dan gedaan?'
'O, van alles: drughandel, moord, noem maar op. Er zitten ook recidivisten bij. Maar het punt is dat ze zich goed gedragen hebben sinds ze hier zijn binnengekomen. Daarom mogen ze buiten werken.'
Het busje sloeg af bij een kruispunt en ze reden weer langs hekken en prikkeldraad. Links zag Adam een rij moderne barakken. Ze waren op twee verschillende niveaus gebouwd en verspreidden zich vanuit een middelpunt in alle richtingen. Afgezien van het prikkeldraad en de wachttorens leek het complex nog het meest op een stel lelijke studentenflats. Adam wees. 'Wat is dat?' vroeg hij.
'Afdeling 30.'
'Hoeveel afdelingen zijn er?'
'Dat weet ik niet precies. Een stuk of dertig. Er wordt voortdurend gesloopt en bijgebouwd.'
'Het ziet er nieuw uit.'

'O ja. We hebben al bijna twintig jaar problemen met de federale gerechtshoven, dus we bouwen zoveel mogelijk. Het is geen geheim dat de werkelijke directeur van deze gevangenis een federale rechter is.'
'Kunnen die reporters niet tot morgen wachten? Ik wil eerst weten wat Sam van plan is. Het lijkt me geen goed idee om nu met ze te praten, met de kans dat het morgen misloopt.'
'Ik kan ze nog wel een dag aan het lijntje houden. Maar niet veel langer.'
Ze passeerden de laatste wachttoren en Afdeling 30 verdween uit het gezicht. Pas drie kilometer verder doemde het glinsterende prikkeldraad van een volgend complex boven de velden op.
'Ik heb vanochtend met de directeur gesproken, toen jij met Sam zat te praten,' zei Lucas. 'Hij zou je graag ontmoeten. Je zult wel met hem overweg kunnen. Hij heeft de pest aan executies. Hij had gehoopt dat hij over twee jaar met pensioen zou kunnen gaan zonder nog een terechtstelling te hoeven meemaken, maar die kans lijkt nu niet groot.'
'Laat me raden – hij doet zeker gewoon zijn werk?'
'Dat doen we hier allemaal.'
'Dat bedoel ik. Ik krijg de indruk dat iedereen me hier een schouderklopje wil geven en me heel verdrietig vertelt wat er met die arme ouwe Sam gaat gebeuren. Niemand wil hem executeren, maar jullie doen allemaal gewoon je werk.'
'Er zijn genoeg mensen die Sam dood willen hebben.'
'Zoals?'
'De gouverneur en de procureur. De gouverneur ken je wel, neem ik aan, maar de procureur moet je in de gaten houden. Die wil zelf ooit gouverneur worden. Om de een of andere reden hebben we in deze staat een hele reeks van die jonge, vreselijk ambitieuze politici gekozen die gewoon niet stil kunnen zitten.'
'Hij heet Roxburgh, als ik me niet vergis?'
'Ja. Hij is dol op camera's en ik verwacht dat hij vanmiddag nog een persconferentie zal houden. Als ik hem goed ken, zal hij de volledige eer opeisen voor de overwinning in het Vijfde Circuit en plechtig beloven dat hij zijn uiterste best zal doen om Sam over vier weken naar de gaskamer te sturen. Alles loopt via zijn kantoor. En het zou me niet verbazen als de

gouverneur zelf vanavond nog op de tv verschijnt met een verklaring. Ik bedoel dit, Adam: er is een geweldige druk van bovenaf om ervoor te zorgen dat Sam geen uitstel meer krijgt. Ze willen Sam terechtstellen om er politieke munt uit te slaan. Ze zullen er alles uit halen wat erin zit.'
Adam keek naar het volgende kamp waar ze voorbijkwamen. Op een betonnen vloer tussen twee gebouwen werd een basketbalwedstrijd gespeeld met minstens twaalf spelers aan iedere kant. Allemaal zwarten. Naast het basketbalveld waren een paar zware kerels met halters in de weer. Daar zaten ook blanken bij.
Lucas sloeg een andere weg in. 'En er is nog een reden,' vervolgde hij. 'In Louisiana wordt de ene executie na de andere uitgevoerd. Texas heeft dit jaar al zes mensen terechtgesteld. Florida vijf. Bij ons is er al drie jaar geen executie meer geweest. We zijn te laks, roepen sommige mensen. We moeten die andere staten eens laten zien dat we de strijd tegen de misdaad net zo serieus nemen als zij. Vorige week nog heeft een juridische commissie in Jackson een hoorzitting over dit punt gehouden. Onze politieke leiders hielden verontwaardigde verhalen over het onnodige uitstel in deze zaken. En natuurlijk gaven ze de federale gerechtshoven de schuld. Er wordt grote druk uitgeoefend om eindelijk eens iemand terecht te stellen. En Sam is toevallig aan de beurt.'
'Wie komt er na Sam?'
'Eigenlijk niemand. Het kan wel twee jaar duren voordat we weer zo dicht bij een executie komen. De aasgieren cirkelen dus al rond.'
'Waarom vertel je me dit allemaal?'
'Ik ben niet je vijand, oké? Ik ben de advocaat van de gevangenis, niet de officier van justitie. En jij bent hier nog nooit geweest. Daarom dacht ik dat je die dingen zou willen weten.'
'Bedankt,' zei Adam. Hoewel hij er niet om had gevraagd, was het nuttige informatie.
'Ik zal je helpen waar ik kan.'
Aan de horizon doemden de daken van de volgende gebouwen op. 'Is dat weer de voorkant van de gevangenis?' vroeg Adam.
'Ja.'
'Dan zou ik nu graag vertrekken.'

Het filiaal van Kravitz & Bane in Memphis besloeg twee verdiepingen van de Brinkley Plaza, een gebouw uit de jaren twintig op de hoek van Main Street en Monroe in het centrum. Main Street stond ook bekend als de Mid-American Mall. Bij de renovatie van het centrum waren auto's en vrachtwagens verbannen en had het asfalt plaatsgemaakt voor tegels, fonteinen en decoratieve bomen. De Mall was tot voetgangersgebied verklaard.

Ook de Plaza was smaakvol gerenoveerd. De lobby was uitgevoerd in marmer en brons. De kantoren van K&B waren groot en fraai ingericht met antieke meubels, Perzische tapijten en een eikehouten lambrisering.

Een knappe, jonge secretaresse bracht Adam naar de hoekkamer van Baker Cooley, die de dagelijkse leiding had over het kantoor. Ze stelden zich aan elkaar voor, schudden elkaar de hand en keken de secretaresse bewonderend na toen ze de kamer verliet en de deur achter zich sloot. Cooley gluurde wat te lang en leek zijn adem in te houden tot de deur helemaal dicht was en hij niets meer kon zien.

'Welkom in het zuiden,' zei hij ten slotte, terwijl hij uitademde en zich in zijn dure roodleren draaistoel liet zakken.

'Dank je. Je hebt met Garner Goodman gesproken, neem ik aan?'

'Ja, gisteren. Twee keer. Hij heeft me de situatie uitgelegd. We hebben een aardige kleine vergaderkamer aan het eind van de gang, met een telefoon, een computer en voldoende ruimte. Die kun je gebruiken voor eh... zolang als het duurt.'

Adam knikte en keek om zich heen. Cooley was voor in de vijftig, een keurige man met een ordelijk bureau en een opgeruimd kantoor. Hij sprak en bewoog zich snel, maar hij had het grijze haar en de vermoeide ogen van een overwerkte boekhouder. 'Wat voor werk doen jullie hier?' vroeg Adam.

'Niet veel strafrecht en zeker geen criminele zaken,' antwoordde Cooley haastig, alsof criminelen nooit hun smerige voeten op de dure kleden en tapijten van dit kantoor zouden mogen zetten. Adam herinnerde zich Goodmans beschrijving van het filiaal in Memphis: een klein kantoor met twaalf goede juristen, dat jaren geleden door Kravitz & Bane was opgekocht, hoewel niemand meer wist waarom. Maar het adres stond aardig op het briefpapier.

'Voornamelijk economische kwesties,' vervolgde Cooley. 'We vertegenwoordigen enkele oude banken en we doen veel financiële zaken voor de plaatselijke overheid.'
Opwindend, dacht Adam.
'Het kantoor zelf is al honderdveertig jaar oud, het oudste in Memphis. We bestaan al sinds de Burgeroorlog. Het is een paar keer verdeeld en opgesplitst, en uiteindelijk zijn we gefuseerd met de grote jongens in Chicago.'
Cooley vertelde het met een zekere trots, alsof het verleden van het kantoor ook maar iets te maken had met de juridische praktijk van 1990.
'Hoeveel advocaten?' vroeg Adam om een stilte op te vullen in een gesprek dat moeizaam op gang was gekomen en nergens naartoe ging.
'Twaalf. Plus elf juridische medewerkers, negen assistenten, zeventien secretaressen en nog tien man ondersteunend personeel. Niet gek voor dit deel van het land. Maar niet te vergelijken met Chicago, natuurlijk.'
Zeg dat wel, dacht Adam. 'Ik heb me verheugd op mijn verblijf hier. Ik hoop dat ik niemand voor de voeten zal lopen.'
'Natuurlijk niet. Maar ik vrees dat we je weinig kunnen helpen. Wij zijn echte bedrijfsjuristen – allemaal papierwerk. Ik heb al in geen twintig jaar meer voet in een rechtszaal gezet.'
'Ik red me wel. Garner Goodman en een paar anderen zullen me assisteren.'
Cooley sprong overeind en wreef in zijn handen alsof hij niet wist wat hij er anders mee moest doen.
'Nou eh... Darlene is je secretaresse. Ze maakt eigenlijk deel uit van een vaste groep, maar ik heb haar min of meer aan jou toegewezen. Ze zal je een sleutel geven en je vertellen hoe de parkeerplaatsen, de beveiliging, de telefoon, de kopieerapparaten en de rest van de spullen werkt. We hebben de modernste apparatuur. Als je een juridisch medewerker nodig hebt, halen we wel iemand bij een van de andere advocaten weg. En...'
'Nee, dat is niet nodig. Bedankt.'
'Goed, dan zal ik je je kantoor wijzen.'
Adam liep met Cooley door de rustige, verlaten gang en glimlachte toen hij aan het kantoor in Chicago dacht. Daar wemelde het in de gangen van haastige advocaten en drukke

secretaressen. Met het gerinkel van de telefoons en het zoemen van de kopieerapparaten, faxen en intercoms leek het meer op een speelautomatenhal. Daar was het tien uur per dag een gekkenhuis. Alleen in de nissen van de bibliotheek en misschien in de kantoren van de vennoten was enige rust te vinden.

Hier was het zo stil als in een rouwcentrum. Cooley opende een deur en haalde een schakelaar over. 'Wat dacht je ervan?' vroeg hij met een weids gebaar. De kamer was meer dan geschikt: een lang, smal kantoor met in het midden een glimmend gepoetste tafel met vijf stoelen aan weerszijden. Aan één kant was een geïmproviseerde werkplek ingericht met een telefoon, een computer en een mooie bureaustoel. Adam liep langs de tafel en wierp een blik op de boekenkasten met keurige, ongebruikte wetboeken. Hij keek door de gordijnen voor het raam. 'Mooi uitzicht,' zei hij, met een blik op de mensen en de duiven op de Mall, drie verdiepingen lager.

'Ik hoop dat het naar wens is,' zei Cooley.

'Het is uitstekend. Ik zal jullie niet in de weg lopen.'

'Onzin. Als je iets nodig hebt, bel je maar.' Cooley kwam langzaam naar hem toe. 'Maar er is nog één ding,' zei hij met gefronste wenkbrauwen.

Adam keek hem aan. 'En dat is?'

'Een paar uur geleden kreeg ik een telefoontje van een journalist hier in Memphis. Ik kende hem niet, maar hij zei dat hij de zaak Cayhall al jaren volgde. Hij wilde weten of ons kantoor er nog steeds bij betrokken was. Ik zei dat hij maar contact moest opnemen met Chicago. Wíj hebben er natuurlijk niets mee te maken.' Hij haalde een velletje papier uit zijn borstzakje en gaf het aan Adam. Er stonden een naam en een telefoonnummer op.

'Laat het maar aan mij over,' zei Adam.

Cooley kwam nog een stap dichterbij en sloeg zijn armen over elkaar. 'Hoor eens, Adam, wij zijn geen strafpleiters, dat weet je. Wij houden ons met bedrijfsadviezen bezig. We verdienen goed, we blijven op de achtergrond en we houden niet van publiciteit.'

Adam knikte langzaam maar zei niets.

'We hebben nog nooit een strafzaak gedaan, laat staan zo'n sensationele zaak als deze.'

'En je wilt geen negatieve publiciteit.'
'Zo bedoel ik het niet. Begrijp me niet verkeerd. Nee. Maar de situatie ligt hier nu eenmaal anders. Dit is Chicago niet. Onze belangrijkste cliënten zijn degelijke en conservatieve bankiers, met wie we al jaren zaken doen, en... nou ja, we maken ons ongerust over onze reputatie. Je begrijpt me wel?'
'Nee.'
'Natuurlijk wel. Wij houden ons niet bezig met criminelen en we waken over onze goede naam hier in Memphis.'
'Jullie houden je niet met criminelen bezig?'
'Nee.'
'Maar jullie werken wel voor de grote banken?'
'Toe nou, Adam. Je begrijpt me best. Deze sector van ons werk verandert heel snel. Deregulatie, fusies, faillissementen – het is een heel dynamische sector van het juridisch bedrijf. De concurrentie is groot en we willen geen cliënten kwijtraken. Verdomme, iedereen wil graag de banken als klant.'
'En je wilt niet dat jullie cliënten door de mijne worden besmet?'
'Luister, Adam, jij komt uit Chicago. Laten we het gescheiden houden. Dit is een zaak uit Chicago, die door jullie wordt behandeld. Memphis heeft er niets mee te maken, oké?'
'Dit kantoor is een onderdeel van Kravitz & Bane.'
'Ja, en dit kantoor wil niet in verband worden gebracht met tuig als Sam Cayhall.'
'Sam Cayhall is mijn grootvader.'
'Shit!' Cooleys knieën knikten en zijn armen vielen slap langs zijn lichaam. 'Dat lieg je!'
Adam deed een stap in zijn richting. 'Ik lieg niet, en als je bezwaar hebt tegen mijn aanwezigheid hier, dan bel je Chicago maar.'
'Maar dit is een ramp,' zei Cooley, die snel naar de deur liep.
'Bel Chicago.'
'Misschien doe ik dat wel,' zei Cooley half bij zichzelf toen hij de deur opende. Mompelend verdween hij door de gang.
Welkom in Memphis, dacht Adam toen hij in zijn nieuwe stoel ging zitten en naar het lege computerscherm staarde. Hij legde het blaadje papier op tafel en keek naar de naam en het telefoonnummer. Hij voelde een steek in zijn maag en besefte dat hij al uren niet gegeten had. Het liep tegen vieren.

Opeens was hij moe, slap en hongerig.
Voorzichtig legde hij zijn voeten op de tafel naast de telefoon en sloot zijn ogen. De afgelopen dag was één vage vlek, vanaf de nerveuze rit naar Parchman en zijn eerste glimp van de poort van de gevangenis, tot aan de onverwachte ontmoeting met Lucas Mann, zijn gruwelijke eerste schreden in de dodengang en de angst voor de ontmoeting met Sam. En nu wilde de directeur hem spreken, had de pers al vragen gesteld en wilde het kantoor in Memphis de hele zaak het liefst stilhouden. En dat allemaal in nog geen acht uur tijd.
Wat kon hij morgen verwachten?

Ze zaten naast elkaar op de dikke kussens van de sofa. Tussen hen in stond een schaal popcorn uit de magnetron. Hun blote voeten lagen op het koffietafeltje tussen zes lege bakjes van de Chinees en twee flessen wijn. Ze tuurden over hun tenen naar de televisie. Adam had de afstandsbediening in zijn hand. De kamer was donker. Langzaam aten ze van de popcorn, één gepofte korrel per keer.
Lee had zich al een tijd niet bewogen. Haar ogen waren nat, maar ze zei niets. De videoband startte opnieuw.
Adam drukte de pauzetoets in toen Sam voor het eerst verscheen, met handboeien om, op weg van de gevangenis naar de rechtszaal. 'Waar was jij toen je hoorde dat hij was gearresteerd?' vroeg hij zonder haar aan te kijken.
'Hier in Memphis,' zei ze zacht maar ferm. 'We waren al een paar jaar getrouwd. Ik was thuis. Phelps belde en zei dat er een bomaanslag was gepleegd in Greenville en dat er minstens twee doden waren gevallen. Misschien het werk van de Klan. Hij zei dat ik 's middags naar het nieuws moest kijken, maar dat durfde ik niet. Een paar uur later belde mijn moeder en zei dat ze vader in verband met de aanslag hadden gearresteerd. Hij zat in een politiecel in Greenville.'
'Hoe reageerde je?'
'Dat weet ik niet. Verbijsterd. Bang. Eddie belde en zei dat hij en moeder opdracht van Sam hadden gekregen om stiekem naar Cleveland te rijden en zijn auto op te halen. Ik weet nog dat Eddie zei dat het eindelijk was gebeurd. Eindelijk had hij het gedaan. Iemand gedood. Eddie begon te huilen, en ik ook. Het was afschuwelijk.'

'Maar ze hebben de auto opgehaald.'
'Ja. Niemand heeft het ooit ontdekt. Het is nooit uitgekomen tijdens de processen. We waren doodsbang dat de politie erachter zou komen en dat Eddie en mijn moeder zouden moeten getuigen. Maar dat is nooit gebeurd.'
'En waar was ik?'
'Even denken. Jullie woonden toen in dat kleine witte huis in Clanton, en ik weet zeker dat je daar was, met Evelyn. Ik geloof niet dat ze toen nog werkte, maar dat durf ik niet met zekerheid te zeggen.'
'Wat voor werk deed mijn vader toen?'
'Dat weet ik niet meer. Op een gegeven moment was hij bedrijfsleider van een zaak in auto-onderdelen in Clanton, maar hij veranderde steeds van baan.'
De videoband draaide verder met beelden van Sam die heen en weer werd gereden tussen de gevangenis en de rechtbank, gevolgd door het bericht dat hij officieel in staat van beschuldiging was gesteld wegens moord. Adam zette de band stil.
'Heeft iemand van jullie Sam ooit in de gevangenis opgezocht?'
'Nee, zelfs niet in Greenville. Zijn borgsom was erg hoog – een half miljoen dollar, geloof ik.'
'Ja. Een half miljoen.'
'In het begin probeerden we nog het geld bijeen te schrapen. Moeder wilde dat ik Phelps zou vragen een cheque uit te schrijven. Maar Phelps zei natuurlijk nee. Hij wilde er niets mee te maken hebben. We kregen slaande ruzie, maar ik kon het hem niet kwalijk nemen. Vader bleef dus in de gevangenis. Ik herinner me dat een van zijn broers een hypotheek probeerde te krijgen op zijn grond, maar dat lukte niet. Eddie wilde hem niet in de gevangenis bezoeken en moeder was er niet toe in staat. Ik weet ook niet of Sam het had gewild.'
'Wanneer verhuisden wij uit Clanton?'
Lee boog zich naar voren en pakte haar wijnglas van het tafeltje. Ze nam een slok en dacht na. 'Toen hij ongeveer een maand in de gevangenis zat, geloof ik. Ik reed er een keer naartoe om moeder te spreken en zij vertelde me dat Eddie plannen had om te vertrekken. Ik kon het niet geloven. Ze zei dat hij zich vreselijk vernederd voelde en de mensen in de stad niet meer onder ogen durfde te komen. Hij was juist zijn

baan kwijtgeraakt en hij kwam de deur niet meer uit. Ik belde hem en heb een tijdje met Evelyn gepraat. Eddie wilde niet aan de lijn komen. Hij was depressief en voelde zich ellendig. Net als wij allemaal, zei ik tegen Evelyn. Ik vroeg haar of ze echt wilden verhuizen en ze antwoordde beslist van niet. Maar een week later belde moeder me op en zei dat jullie midden in de nacht jullie koffers hadden gepakt en waren verdwenen. De huisbaas vroeg om de huur, maar niemand had Eddie meer gezien. Het huis was verlaten.'
'Ik wou dat ik me er iets van kon herinneren.'
'Je was pas drie, Adam. De laatste keer dat ik je zag, zat je te spelen onder de garage van het kleine witte huis. Je was zo'n schattig jochie.'
'Goh, dank je.'
'Een paar weken later werd ik door Eddie gebeld en vroeg hij me om tegen moeder te zeggen dat jullie in Texas zaten en het goed maakten.'
'In Texas?'
'Ja. Later vertelde Evelyn me dat jullie naar het westen waren getrokken. Ze was zwanger en wilde graag ergens blijven. Eddie belde me weer en zei dat jullie nu in Californië woonden. Dat was het laatste wat ik in jaren van hem hoorde.'
'Zo lang?'
'Ja. Ik probeerde hem te bewegen terug te komen, maar hij hield voet bij stuk. Hij had gezworen dat hij nooit meer terug zou gaan en dat meende hij.'
'Waar woonden de ouders van mijn moeder?'
'Dat weet ik niet. Ze kwamen niet uit Ford County. Ik geloof dat ze ergens in Georgia woonden, of misschien in Florida.'
'Ik heb ze nooit ontmoet.'
Hij drukte de toets weer in en de band liep verder. Het eerste proces in Nettles County. Opnamen van het grasveld voor het gerechtsgebouw met de Ku-Klux-Klan, de politie en de toeschouwers.
'Onvoorstelbaar,' zei Lee.
Adam zette de band weer stil. 'Ben je naar het proces geweest?'
'Eén keer. Toen ben ik naar binnen geglipt en heb ik de slotpleidooien gehoord. Sam had ons verboden naar de processen te komen. Moeder was er niet toe in staat. Haar bloed-

druk was veel te hoog en ze kreeg veel medicijnen. Ze was bijna aan haar bed gekluisterd.'
'Wist Sam dat je er was?'
'Nee. Ik zat helemaal achterin met een sjaal over mijn hoofd. Hij heeft me niet gezien.'
'En hoe reageerde Phelps?'
'Die sloot zich op in zijn kantoor en werkte zich kapot, in de hoop dat niemand zou ontdekken dat Sam Cayhall zijn schoonvader was. Kort na dit proces zijn we voor het eerst uit elkaar gegaan.'
'Wat kun je je nog herinneren van het proces en van het gerechtshof?'
'Ik dacht dat Sam een gunstige jury had – zijn soort mensen. Ik weet niet hoe zijn advocaat dat had geregeld, maar ze hadden twaalf rechtse rakkers gevonden. Ik zag hoe ze reageerden op het verhaal van de officier en hoe aandachtig ze naar het betoog van Sams verdediger luisterden.'
'Louis Brazelton.'
'Ja. Hij was een groot spreker en ze hingen aan zijn lippen. Ik was verbijsterd toen de jury er niet uit kwam en het proces ongeldig werd verklaard. Ik was ervan overtuigd dat ze hem zouden vrijspreken. Ik geloof dat hij zelf ook schrok.'
De videoband ging verder met de reacties op het mislukte proces, de welwillende verklaringen van T. Louis Brazelton en nog een opname van Sam toen hij het gerechtsgebouw verliet. Daarna begon het tweede proces, dat sterk op het eerste leek. 'Hoe lang heb je hieraan gewerkt?' vroeg Lee.
'Zeven jaar. Ik was eerstejaars aan Pepperdine toen ik het idee kreeg. Het was een uitdaging.' Snel spoelde hij de pathetische scène door van Marvin Kramer die na het tweede proces uit zijn rolstoel viel en stopte bij het glimlachende gezicht van een plaatselijke nieuwslezeres die het begin van het derde proces tegen de legendarische Sam Cayhall aankondigde. Dat was in 1981.
'Sam is dertien jaar een vrij man geweest,' zei Adam. 'Wat heeft hij in die tijd gedaan?'
'Hij hield zich rustig, werkte op de boerderij en probeerde de eindjes aan elkaar te knopen. Hij heeft met mij nooit over de aanslag of zijn andere activiteiten voor de Klan gesproken, maar hij genoot van de aandacht die hij in Clanton kreeg. Hij

was een soort plaatselijke legende, en daar was hij trots op. Moeders gezondheid ging snel achteruit, daarom bleef hij vaak thuis en zorgde voor haar.'
'Heeft hij nooit overwogen om te vluchten?'
'Hij heeft er tegen mij nooit iets over gezegd. Hij was ervan overtuigd dat de processen achter de rug waren. Hij had twee rechtszaken overleefd. Geen enkele jury in Mississippi zou in de jaren zestig een Klan-lid hebben veroordeeld. Hij voelde zich onoverwinnelijk. Hij bleef in de buurt van Clanton, meed de Klan en leidde een rustig leven. Ik dacht echt dat hij zijn oude dag zou slijten met het verbouwen van tomaten en het vissen op baars.'
'Vroeg hij wel eens naar mijn vader?'
Ze dronk haar glas leeg en zette het op het tafeltje. Het was nooit bij Lee opgekomen dat ze zich op een dag zoveel details van die droevige kleine historie zou moeten herinneren. Ze had juist haar best gedaan om alles te vergeten. 'Het eerste jaar dat hij weer thuis was vroeg hij soms of ik nog iets van mijn broer had gehoord, dat herinner ik me wel. Maar ik wist ook niets. Jullie woonden ergens in Californië en we hoopten dat het goed met jullie ging. Sam is een trotse en koppige man, Adam. Het zou nooit bij hem zijn opgekomen om jullie achterna te reizen en Eddie te vragen terug te komen. Als Eddie zich schaamde voor zijn familie, dan moest hij maar in Californië blijven, vond Sam.' Ze wachtte even en liet zich dieper in de kussens van de sofa zakken. 'In 1973 werd er bij moeder kanker geconstateerd, en ik huurde een privé-detective om Eddie op te sporen. Hij heeft het zes maanden geprobeerd, een vette rekening ingediend, maar zonder resultaat.'
'Ik was toen negen jaar. Ik zat in de vierde klas. Toen woonden we in... Salem, Oregon.'
'Ja. Evelyn vertelde me later dat jullie een tijdje in Oregon hadden gewoond.'
'We verhuisden steeds. Ieder jaar een andere school, tot ik in de zesde zat. Toen bleven we definitief in Santa Monica.'
'Jullie waren niet te vinden. Eddie moet een goede advocaat hebben gehad, want alle sporen van Cayhall waren uitgewist. Die privé-detective heeft nog plaatselijke mensen ingeschakeld, maar dat leverde ook niets op.'
'Wanneer is ze gestorven?'

'In 1977. We zaten al in de kerk om met de rouwdienst te beginnen toen Eddie door een zijdeur naar binnen glipte en achter mij kwam zitten. Vraag me niet hoe hij wist dat moeder overleden was. Hij dook plotseling in Clanton op en was even plotseling weer verdwenen. Hij heeft geen woord met Sam gewisseld. Hij reed in een huurauto, zodat niemand hem aan de hand van zijn nummerbord kon opsporen. Na de begrafenis kon ik hem nergens meer ontdekken. De volgende dag reed ik terug naar Memphis en daar stond hij te wachten op mijn oprit. We hebben twee uur koffie gedronken en over van alles gepraat. Hij had schoolfoto's van jou en Carmen bij zich. Alles ging geweldig in het zonnige Californië. Een goede baan, een mooi huis in de buitenwijken, en Evelyn was makelaar geworden. De Amerikaanse droom. Hij zou nooit meer naar Mississippi terugkomen, zei hij, zelfs niet voor Sams begrafenis. Nadat ik hem geheimhouding had beloofd, vertelde hij me zijn nieuwe naam en gaf me zijn telefoonnummer. Geen adres, alleen het telefoonnummer. Als ik mijn belofte zou breken, zei hij, zou hij opnieuw verdwijnen. Ik mocht hem alleen bellen als het erg dringend was. Ik zei dat ik jou en Carmen graag wilde zien. Dat kon wel, zei hij. Ooit. Later. Soms was hij dezelfde oude Eddie, dan weer leek hij totaal veranderd. We omhelsden elkaar en namen afscheid. Dat is de laatste keer dat ik hem heb gezien.'
Adam pakte de afstandsbediening en startte de band weer. De scherpe, moderne beelden van het derde en laatste proces flitsten voorbij. Sam was opeens dertien jaar ouder. Met een nieuwe advocaat verdween hij haastig door een zijdeur van het gerechtsgebouw van Lakehead County. 'Ben je ook bij het derde proces geweest?'
'Nee. Hij zei dat ik niet mocht komen.'
Adam zette de band stil. 'Op welk moment kreeg Sam in de gaten dat ze hem opnieuw wilden berechten?'
'Dat is moeilijk te zeggen. Er stond een keer een stukje in de krant van Memphis over de nieuwe officier van justitie in Greenville die de zaak Kramer wilde heropenen. Het was geen groot artikel, gewoon een paar regeltjes ergens in het midden van de krant. Ik weet nog dat ik schrok toen ik het las. Ik heb het tien keer opnieuw gelezen en er een uur naar

zitten staren. Na al die jaren stond de naam Sam Cayhall weer in de krant. Ik kon het niet geloven. Ik belde hem. Hij had het natuurlijk ook gelezen. Maak je geen zorgen, zei hij. Twee weken later stond er weer een stuk in de krant, wat groter nu, met een foto van David McAllister. Ik belde vader, maar hij zei dat er niets aan de hand was. Zo is het begonnen. Eerst heel rustig, maar toen werd het een sneeuwbal. De familie Kramer steunde het idee, de NAACP, de National Association for the Advancement of Colored People – een zwarte-burgerrechtenbeweging – bemoeide zich ermee. Op een gegeven moment was het duidelijk dat McAllister vastbesloten was de zaak door te zetten. Sam vond het vreselijk en hij was bang, maar hij probeerde zich dapper te houden. Hij had twee keer gewonnen, zei hij. Driemaal is scheepsrecht.'

'Heb je Eddie gebeld?'

'Ja. Toen vaststond dat er een nieuw proces zou komen, heb ik hem opgebeld met het nieuws. Het was een kort gesprek. Hij zei niet veel. Ik beloofde dat ik hem op de hoogte zou houden. Ik geloof niet dat hij het goed opnam. Niet veel later stond het ook in de landelijke pers en ik weet zeker dat Eddie het in de media heeft gevolgd.'

Zwijgend keken ze naar de afloop van het derde proces. McAllisters blikkerende grijns domineerde het beeld en Adam had spijt dat hij de man er niet vaker uit had geknipt. Sam werd voor de laatste keer geboeid weggeleid, en de band stopte.

'Heb je dit aan meer mensen laten zien?' vroeg Lee.

'Nee. Jij bent de eerste.'

'Hoe heb je al dat materiaal verzameld?'

'Met veel tijd en moeite, en een beetje geld.'

'Ongelooflijk.'

'Toen ik nog op de middelbare school zat, hadden we een heel bijzondere leraar maatschappijleer. We mochten kranten en tijdschriften meebrengen en discussiëren over actuele kwesties. Iemand had een keer de voorpagina van de *L.A. Times* bij zich, met een artikel over het naderende proces van Sam Cayhall in Mississippi. We hebben er uitvoerig over gepraat en daarna het proces op de voet gevolgd. Iedereen, ook ikzelf, was zeer tevreden toen hij schuldig werd verklaard. Maar we hadden een heftige discussie over de doodstraf.

Twee maanden later was mijn vader dood en vertelde jij me de waarheid. Ik was doodsbenauwd dat mijn vrienden erachter zouden komen.'
'Is dat gebeurd?'
'Natuurlijk niet. Ik ben een Cayhall, een meester in geheimhouding.'
'Het zal niet lang meer geheim blijven.'
'Nee, dat is zo.'
Een tijdlang zaten ze zwijgend naar het lege scherm te staren. Ten slotte zette Adam de televisie uit en legde de afstandsbediening op het tafeltje. 'Het spijt me, Lee, als ik je in moeilijkheden breng. Dat meen ik. Ik wou dat het anders kon.'
'Je begrijpt het niet.'
'Dat weet ik. En jij kunt het niet uitleggen. Ben je soms bang voor Phelps en zijn familie?'
'Ik heb de pest aan Phelps en zijn familie.'
'Maar je neemt wel hun geld aan.'
'Ik heb hun geld verdíend, oké? Ik heb het al vijfentwintig jaar met hem uitgehouden.'
'Ben je bang dat je sociaal wordt doodverklaard? Dat je uit je clubjes wordt gegooid?'
'Hou op, Adam.'
'Sorry,' zei hij. 'Het is een vreemde dag geweest. Eindelijk kom ik openlijk voor mijn verleden uit, Lee. En nu verwacht ik dat iedereen dezelfde moed zal tonen. Het spijt me.'
'Hoe zag hij eruit?'
'Als een heel oude man. Veel rimpels en een bleke huid. Hij is te oud om in een kooi opgesloten te zitten.'
'Ik weet nog dat ik een paar dagen voor zijn laatste proces met hem sprak. Ik vroeg hem waarom hij er niet vandoor ging, naar Zuid-Amerika of zo. En raad eens wat hij zei?'
'Nou?'
'Hij dacht er serieus over. Moeder was al drie jaar dood. Eddie was verdwenen. Hij had boeken over Mengele, Eichmann en andere nazi-oorlogsmisdadigers gelezen die naar Zuid-Amerika waren gevlucht. Hij had het zelfs over Sao Paulo. Dat was een stad van twintig miljoen inwoners, zei hij, met duizenden vluchtelingen van allerlei slag. Hij had een vriend – ook een Klan-lid, denk ik – die de papieren kon regelen en hem kon verbergen. Hij overwoog het serieus.'

'Ik wou dat hij het had gedaan. Dan had mijn vader misschien nog geleefd.'
'Twee dagen voordat ze hem naar Parchman stuurden, heb ik hem in de gevangenis van Greenville bezocht. Dat was mijn laatste bezoek. Ik vroeg hem opnieuw waarom hij niet was gevlucht. Hij zei dat hij nooit had verwacht dat hij de doodstraf zou krijgen. Ik kon niet begrijpen dat hij niet de benen had genomen in al die jaren dat hij een vrij man was geweest. Dat was een grote fout geweest, gaf hij toe. Een fout die hem zijn leven zou kosten.'
Adam zette het schaaltje met popcorn op de tafel, boog zich langzaam naar haar toe en legde zijn hoofd op haar schouder. Ze pakte zijn hand. 'Het spijt me dat jij hierin verzeild bent geraakt,' fluisterde ze.
'Hij zag er zo zielig uit zoals hij daar zat, in zijn rode trainingspak in de dodengang.'

12

Clyde Packer pakte de beker met zijn naam erop, schonk zich een kop sterke koffie in en begon met zijn administratie van die ochtend. Hij werkte al eenentwintig jaar in de dodengang, waarvan de laatste zeven als groepsleider. Iedere ochtend had hij acht uur lang het bevel over een van de vier gangen en was hij belast met het toezicht op veertien veroordeelden, twee bewaarders en twee corveeërs. Hij vulde zijn formulieren in en controleerde zijn klembord. Hij moest de directeur bellen. Een ander briefje meldde dat F.M. Dempsey bijna geen harttabletten meer had en de dokter wilde spreken. Ze wilden allemaal de dokter spreken. Packer nam een slok van de dampende koffie toen hij opstond om aan zijn ochtendronde te beginnen. Hij inspecteerde de uniformen van de twee bewaarders bij de voordeur en gaf een van hen, een jonge, blanke cipier, opdracht naar de kapper te gaan.

De MSU, de Maximaal Beveiligde Afdeling, was geen slechte plek om te werken. In het algemeen gedroegen de ter dood veroordeelden zich heel rustig. Ze zaten drieëntwintig uur per dag alleen in hun cel, van elkaar gescheiden om problemen te voorkomen. Ze aten in hun cel en ze werden maar één uur per dag gelucht, hun 'uurtje buiten', zoals ze het noemden. Als ze dat wilden, konden ze die tijd ook in hun eentje doorbrengen. Iedereen had een radio of een televisie, of allebei, en na het ontbijt kwamen de vier gangen tot leven met muziek, tv-journaals, soap-series en rustige gesprekken door de tralies heen. De gevangenen konden hun buren niet zien, maar wel met hen praten. Zo nu en dan ontstond er ruzie omdat iemand zijn muziek te hard had staan, maar zulke conflicten werden snel door de bewaarders bezworen. De gevangenen hadden bepaalde rechten, maar ook privileges die konden worden ingetrokken. De verwijdering van een televisie of een radio was een zware straf.

De dodengang kweekte een merkwaardige kameraadschap onder de gevangenen. De helft was blank, de andere helft zwart, en ze waren allemaal veroordeeld wegens brute moord. Maar niemand interesseerde zich voor het strafblad of de huidkleur van een ander. In de gewone gevangenis was iedereen in groepen of bendes verdeeld, meestal op grond van ras. Maar in de dodengang werd iemand uitsluitend beoordeeld naar de wijze waarop hij met zijn situatie omging. Of ze wilden of niet, ze zaten samen opgesloten in dit kleine hoekje van de wereld, wachtend op de dood. Het was een bonte verzameling van randfiguren, zwervers, regelrechte gangsters en koelbloedige moordenaars.

Maar de dood van de één kon de dood van iedereen betekenen. Het nieuws over Sams naderende executie deed fluisterend de ronde door de gangen. Sinds het bericht de vorige middag bekend was geworden, was het veel stiller in de dodengang. Alle gevangenen wilden opeens met hun advocaat praten. De belangstelling voor juridische zaken leefde op en Packer had al een paar mensen gezien die de televisie hadden uitgezet en de radio zachter gedraaid om zich in hun dossier te kunnen verdiepen.

Hij stapte een zware deur door, nam nog een flinke slok koffie en liep langzaam en rustig door Gang A: veertien identieke cellen van één meter tachtig breed en twee meter zeventig diep. De voorkant van iedere cel bestond uit een wand van ijzeren tralies, zodat de gevangenen nooit echte privacy hadden. Alles wat ze deden – slapen, naar het toilet gaan – kon door de bewaarders worden gezien.

Ze lagen allemaal in bed. Packer bleef bij iedere cel staan en keek of hij een hoofd boven de lakens zag. De lichten waren uit en het was donker in de gang. De corveeër, een gevangene met speciale privileges, zou hen om vijf uur wakker maken. Om zes uur volgde het ontbijt: eieren, toost, jam, soms bacon, koffie en vruchtesap. Binnen enkele minuten kwam de dodengang tot leven als de zevenenveertig mannen de slaap uit hun ogen wreven om hun eindeloze stervensproces te hervatten. Het ging heel langzaam, iedere nieuwe dag dat die vervloekte zonsopgang weer een deken van hitte over hun eigen kleine hel liet neerdalen. Of het ging snel, zoals gisteren, toen een of andere rechtbank weer een verzoek om uitstel had afgewezen en bepaald dat de executie nu snel moest plaatsvinden.

Packer dronk van zijn koffie, telde de hoofden en werkte rustig zijn vaste programma af. In het algemeen functioneerde de afdeling soepel als iedereen zich aan de regels en schema's hield. Het handboek telde heel wat voorschriften, maar de meeste waren redelijk en gemakkelijk op te volgen. Iedereen kende ze. Maar voor executies was er een apart handboek, met een andere politiek en andere regels die meestal de rust in de dodengang verstoorden. Packer had groot respect voor Phillip Naifeh, maar het leek wel of hij na iedere terechtstelling het handboek weer herschreef. Er was een grote druk om alles keurig volgens de grondwet en de wetten van de menselijkheid te doen. Geen twee executies waren hetzelfde.
Packer had de pest aan executies. Hij geloofde in de doodstraf omdat hij een godsdienstig man was. En had God niet zelf gezegd: oog om oog, tand om tand? Maar het was hem liever geweest als die straf op een andere plaats door andere mensen zou worden uitgevoerd. Gelukkig kwam de doodstraf in Mississippi zo zelden voor dat zijn werk er maar weinig onder leed. In zijn eenentwintig jaar had hij vijftien executies meegemaakt, en sinds 1972 maar vier.
Hij sprak zachtjes met een bewaarder aan het einde van de gang. De zon scheen al door de open raampjes boven het looppad. Het zou weer een verstikkend hete dag worden. En ook veel rustiger – minder klachten over het eten, minder verzoeken om de dokter te spreken. Natuurlijk zou er wat gemopperd worden, maar de groep zou veel gehoorzamer zijn. Ze maakten zich zorgen. Het was minstens een jaar of misschien wel langer geleden dat een verzoek om uitstel zo kort voor een executie was afgewezen. Packer glimlachte bij zichzelf toen hij langs de volgende cel liep en naar een hoofd boven de lakens zocht. Ja, het zou een heel rustig dagje worden.
De eerste maanden dat Sam Cayhall in de dodengang zat had Packer hem grotendeels genegeerd. Het officiële handboek verbood meer dan het strikt noodzakelijke contact met de gevangenen en Packer had geen enkele behoefte zich met Sam in te laten. Hij was een Klan-lid, hij haatte zwarten. Hij zei weinig en gedroeg zich nors en bitter. In het begin, tenminste. Maar twaalf uur per dag nietsdoen neemt de scherpe kantjes weg en na een tijd ontstond er toch enig contact, in de vorm van een handvol woorden en wat gebrom. En nu, nadat ze el-

kaar negen jaar lang iedere dag hadden gezien, kwam het zelfs voor dat Sam tegen Packer grijnsde.
Er zaten twee typen moordenaars in de dodengang, had Packer na jaren van studie geconcludeerd. Je had de koelbloedige moordenaars die het opnieuw zouden doen als ze de kans kregen, en mensen die een fout hadden gemaakt en nooit van hun leven meer een druppel bloed zouden vergieten. De mensen uit de eerste categorie moesten zo snel mogelijk worden vergast. Met de tweede groep had Packer veel meer moeite, omdat hun executie geen doel meer diende. De maatschappij zou er geen last van hebben als deze mannen werden vrijgelaten. Sam behoorde duidelijk tot de tweede groep. Als hij naar huis werd gestuurd, zou hij daar eenzaam sterven. Nee, voor Packer hoefde Sam Cayhall niet te worden geëxecuteerd.
Hij slenterde terug door Gang A, dronk van zijn koffie en keek naar de donkere cellen. Zijn gang lag het dichtst bij de Isoleerkamer, naast de gaskamer. Sam zat in cel nummer 6 in Gang A, nog geen vijfentwintig meter bij de gaskamer vandaan. Een paar jaar geleden had hij overplaatsing aangevraagd vanwege een onnozele ruzie met Cecil Duff, zijn buurman.
Sam zat in het donker op de rand van zijn bed. Packer bleef staan en liep naar de tralies. 'Morgen, Sam,' zei hij zacht.
'Morgen,' antwoordde Sam. Hij keek Packer even aan en stond toen op. Hij droeg een vuil wit T-shirt en een wijde boxershort, de gebruikelijke kleding voor de gevangenen in de dodengang, omdat het zo heet was. De regels schreven voor dat ze buiten de cel hun helderrode trainingspak moesten dragen, maar in de cel trokken ze zo min mogelijk aan.
'Het wordt weer heet,' zei Packer, de gebruikelijke begroeting.
'Wacht maar tot augustus,' zei Sam, het gebruikelijke antwoord.
'Alles in orde?' vroeg Packer.
'Kon niet beter.'
'Je advocaat zei dat hij vandaag zou terugkomen.'
'Ja, dat zei hij. Ik zal heel wat advocaten nodig hebben, denk je niet, Packer?'
'Daar ziet het wel naar uit.' Packer nam nog een slok koffie en wierp een blik door de gang. De ramen achter hem lagen

op het zuiden en het eerste zonlicht sijpelde naar binnen. 'Tot straks, Sam,' zei hij en liep weer door. Hij controleerde de rest van de cellen. Al zijn jongens waren er nog. De deuren vielen achter hem in het slot toen hij Gang A verliet en terugliep naar de voorkant van het gebouw.

Het enige lampje in de cel zat boven de roestvrijstalen wastafel – van roestvrij staal om te voorkomen dat er splinters uit werden gehakt die als wapen of als middel tot zelfmoord konden worden gebruikt. Onder de wastafel stond een roestvrijstalen toilet. Sam deed het licht aan en poetste zijn tanden. Het was bijna half zes. Hij had slecht geslapen.
Hij stak een sigaret op, ging op de rand van zijn bed zitten, bestudeerde zijn voeten en staarde naar de geschilderde betonvloer die op de een of andere manier 's zomers de hitte vasthield en 's winters de kou. Zijn enige schoenen, een paar rubberen badslippers die hij afschuwelijk vond, stonden onder het bed. Hij had een paar wollen sokken die hij 's winters in bed aanhield. De rest van zijn bezittingen bestond uit een zwart-wittelevisie, een radio, een schrijfmachine, zes T-shirts met gaten, vijf witte boxershorts, een tandenborstel, een kam, een nagelknippertje, een ventilator, vier pocketboeken, keurig op grootte op een plank gerangschikt, en een wandkalender van twaalf maanden. Zijn kostbaarste schat was een collectie wetboeken die hij in de loop der jaren had verzameld en uit zijn hoofd geleerd. Ze stonden op de goedkope houten boekenplanken tegenover zijn bed. In een kartonnen doos op de grond, tussen de boekenplanken en de deur, lagen stapels dikke dossiers – de juridische erfenis van 'De staat Mississippi versus Sam Cayhall', chronologisch ingedeeld. Ook die had hij uit zijn hoofd geleerd.
Zijn strafblad was kort. Behalve de doodstraf kwamen er geen andere veroordelingen op voor. Bezittingen had hij verder niet. In het begin had hij moeite gehad met zijn armoe, maar dat was jaren geleden. Volgens de familieverhalen zou zijn overgrootvader ooit een rijk man zijn geweest met land en slaven, maar de huidige Cayhalls waren niet veel waard. Hij had ter dood veroordeelden gekend die zich druk hadden gemaakt over hun testament, alsof hun nabestaanden zouden vechten om hun oude televisies en hun groezelige tijd-

schriften. Hij overwoog zijn eigen testament te maken en zijn wollen sokken en vuile ondergoed na te laten aan de staat Mississippi of aan de NAACP, de zwarte-burgerrechtenbeweging.
Rechts van hem zat J.B. Gullitt, een analfabeet die een middelbare scholiere had verkracht en vermoord. Drie jaar geleden was Gullitt bijna geëxecuteerd, totdat Sam had ingegrepen met een handig rekest. Hij had verschillende onopgehelderde punten naar voren gebracht en het Vijfde Circuit gemeld dat Gullitt geen advocaat had. Gullitt had meteen uitstel gekregen en Sam had een vriend voor het leven gemaakt.
Links van hem zat Hank Henshaw, de leider van een lang vergeten bende die bekendstond als de Redneck Mafia. Hank en zijn dubieuze gezelschap hadden op een nacht een zware truck aangehouden om de lading te stelen. De chauffeur had een pistool getrokken en was gedood in het vuurgevecht dat daarop volgde. Hanks familie had een paar goede advocaten ingehuurd, dus zou het nog wel jaren duren voordat hij aan de beurt was.
De drie buren hadden hun gedeelte van de gang Rhodesië genoemd.
Sam gooide zijn sigaret in de wc en strekte zich uit op zijn bed. De dag voor de bomaanslag op Kramer was hij bij Eddie langs gereden, in Clanton. Hij wist niet meer waarom, maar hij kon zich nog wel herinneren dat hij wat verse tomaten uit zijn moestuin had gebracht en voor het huis met de kleine Alan – nu Adam – had zitten spelen. Het was april, vrij warm, en zijn kleinzoon liep op blote voeten. Sam herinnerde zich die mollige voetjes met een pleister op een van de tenen. Hij had zich gesneden aan een steen, had Alan trots verklaard. Het knulletje was dol op pleisters. Hij had er altijd wel een op een vinger of een teen. Evelyn had de tomaten aangepakt en haar hoofd geschud toen Alan zijn opa een hele doos pleisters in alle soorten en maten had laten zien.
Dat was de laatste keer dat hij Alan had gezien. De volgende dag hadden ze de bom geplaatst en daarna had Sam elf maanden gevangengezeten. Toen het tweede proces achter de rug was en hij werd vrijgelaten, was Eddie met zijn gezin allang vertrokken. Sam was te trots om hen te zoeken. Hij hoorde wel geruchten waar ze nu zouden wonen. Lee be-

weerde dat ze in Californië zaten, maar ze wist niet waar. Jaren later had ze met Eddie gesproken en gehoord dat hij nu ook een dochter had, een meisje dat Carmen heette.
Er klonken stemmen aan het einde van de gang, daarna het doortrekken van een wc en het geluid van een radio. De dodengang werd wakker. Sam kamde zijn vettige haar, stak nog een Montclair op en keek naar de kalender aan de muur. Het was 12 juli. Nog zevenentwintig dagen.
Hij ging op de rand van zijn bed zitten en staarde weer naar zijn voeten.
J.B. Gullitt zette de televisie aan om het nieuws te zien. Sam blies een rookwolk uit, krabde zich aan zijn enkels en luisterde naar een NBC-station uit Jackson. Na de gebruikelijke opsomming van plaatselijke schietpartijen, berovingen en moorden kwam de nieuwslezer met het bericht dat er in Parchman een executie op stapel stond. Het Vijfde Circuit, meldde hij gretig, had gisteren het uitstel opgeheven voor Sam Cayhall, de beroemdste gevangene van Parchman, en de datum voor de terechtstelling op 8 augustus bepaald. De autoriteiten meenden dat Cayhall geen mogelijkheden tot beroep meer had, hoorde Sam de stem zeggen, en dat de executie doorgang kon vinden.
Sam zette zijn eigen televisie aan. Zoals gewoonlijk had hij eerder geluid dan beeld, en hij luisterde naar de officier van justitie die verklaarde dat Sam Cayhall na al die jaren eindelijk zijn gerechte straf zou krijgen. Op het scherm vormde zich een korrelig gezicht dat zijn lippen bewoog, en daar verscheen Roxburgh, glimlachend en fronsend tegelijkertijd, diep in gedachten verzonken terwijl hij voor de camera's nog eens uitvoerig beschreef hoe Sam Cayhall naar de gaskamer zou worden gesleept. Hij maakte plaats voor de nieuwslezer, een plaatselijke jongen met een abrikooskleurig snorretje, die het onderwerp afsloot met een snelle samenvatting van Sams gruwelijke misdrijf. Op de achtergrond werd een primitieve tekening van een Klan-lid met een masker en een puntmuts geprojecteerd. Een geweer, een brandend kruis en de letters KKK voltooiden de illustratie. De nieuwslezer herhaalde de datum, 8 augustus, alsof de kijkers die in hun agenda moesten noteren en een dagje vrij moesten nemen. Daarna volgde het weerbericht.

Sam zette de televisie uit en liep naar de tralies.
'Heb je het gehoord, Sam?' riep Gullitt uit de cel naast hem.
'Ja.'
'Het wordt een gekkenhuis, man.'
'Ja.'
'Maar het heeft ook een goede kant.'
'Wat dan?'
'Over vier weken ben je overal van af.' Gullitt grinnikte om zijn eigen grap, maar niet lang. Sam pakte zijn dossier en ging weer op de rand van zijn bed zitten. Er stonden geen stoelen in de cel. Hij las Adams contract nog eens door, twee vellen papier met anderhalf vel tekst. In de kantlijn had Sam een aantal keurige potloodnotities gemaakt. Op de achterkant van de vellen had hij een paar alinea's toegevoegd. Er kwam nog een idee bij hem op en hij vond er de ruimte voor. Met een sigaret in zijn rechterhand nam hij het contract in zijn linker en las het weer door. En nog eens.
Ten slotte tilde hij voorzichtig zijn oude portable Royal-schrijfmachine van de boekenplank, zette hem op zijn knieën, draaide er een vel papier in en begon te typen.

Om tien over zes gingen de deuren aan de noordkant van Gang A open en kwamen twee bewaarders binnen. Een van hen duwde een wagentje voor zich uit met veertien dienbladen, keurig in vakken gestoken. Bij de eerste cel bleven ze staan en schoven een metalen blad door een smalle opening in de deur. De gevangene in de eerste cel was een magere Cubaan die bij de tralies stond te wachten, zonder hemd en met een afzakkende onderbroek. Hij greep het blad als een uitgehongerde vluchteling en liep er zwijgend mee naar de rand van zijn bed.
Het ontbijt bestond die ochtend uit twee roereieren, vier sneetjes geroosterd witbrood, een dikke plak bacon, twee kleine kuipjes druivenjam, een flesje sinaasappelsap en een grote piepschuimen beker met koffie. Het eten was warm en voedzaam, goedgekeurd door het federale gerechtshof.
Ze liepen verder. De gevangene van de volgende cel stond al te wachten. Ze stonden altijd te wachten, bij de tralies, als hongerige honden.
'Jullie zijn elf minuten te laat,' zei de gevangene rustig toen

hij zijn blad aanpakte.
De bewaarders keken hem niet aan. 'Begin maar een proces,' zei een van hen.
'Ik heb mijn rechten.'
'Jouw rechten zullen me een rotzorg zijn.'
'Die woorden neem je terug! Ik doe je een proces aan. Dit is beledigend!'
De bewaarders liepen naar de volgende cel. Ze gaven geen antwoord. Het hoorde allemaal bij het ochtendritueel.
Sam stond niet bij de tralies. Toen het ontbijt arriveerde, was hij nog druk aan het werk in zijn kleine advocatenkantoor.
'Ik dacht al dat je zat te typen,' zei een van de bewaarders toen ze voor cel nummer 6 bleven staan. Langzaam zette Sam de schrijfmachine op het bed.
'Liefdesbrieven,' zei hij toen hij opstond.
'Wat het ook is, je kunt maar beter opschieten, Sam. De kok praat al over je laatste maal.'
'Zeg maar dat ik een pizza wil, uit de magnetron. Die zal hij ook wel verpesten. Misschien kan ik beter hot dogs en bonen vragen.' Sam pakte zijn blad aan door de opening.
'Je zegt het maar, Sam. De laatste vent wilde biefstuk met garnalen. Stel je voor! Biefstuk met garnalen, uit deze keuken.'
'En heeft hij ze gekregen?'
'Nee. Op het laatste moment had hij geen trek meer en hebben ze hem volgestopt met valium.'
'Geen slechte manier om ertussenuit te knijpen.'
'Stil!' brulde J.B. Gullitt uit de cel ernaast. De bewaarders reden het wagentje een meter verder en bleven bij J.B. staan, die met twee handen de tralies omklemde. De bewaarders hielden afstand.
'Wat zijn we weer vrolijk vanochtend,' zei een van hen.
'Waarom kunnen jullie je kop niet houden als je het eten brengt? Jullie dachten toch niet dat we op de vroege ochtend naar jullie geleuter willen luisteren? Geef me het eten nou maar, man.'
'Ach jemig, J.B., dat spijt ons nou. We dachten dat jullie eenzaam waren.'
'Dan heb je je vergist.' J.B. pakte zijn blad aan en draaide zich om.

'Snel aangebrand,' zei een van de bewaarders toen ze doorliepen om iemand anders te kwellen.
Sam zette zijn blad op het bed en leegde een zakje suiker in zijn koffie. Hij hield niet van roereieren en bacon. De toost en de jam bewaarde hij voor later in de ochtend. De koffie dronk hij altijd met tussenpozen op, om ervan te genieten tot het tien uur was: zijn dagelijkse uurtje beweging én zonneschijn.
Hij balanceerde de schrijfmachine weer op zijn knieën en ging verder met typen.

13

Sams versie van de overeenkomst was om half tien gereed. Hij was er trots op: een van zijn betere werkstukken van de afgelopen maanden. Hij kauwde op een sneetje toost terwijl hij het stuk voor de laatste keer doorlas. Het was keurig getypt, maar zag er wat ouderwets uit door de oude schrijfmachine. Zijn taalgebruik was bloemrijk en omstandig, met veel herhalingen en termen die een eenvoudige leek nooit zou gebruiken. Sam sprak het juridische jargon bijna vloeiend en stond zijn mannetje tegenover iedere advocaat.
Een deur aan het eind van de gang ging open en sloeg weer dicht. Zware, rustige voetstappen weerklonken en Packer verscheen voor zijn cel. 'Je advocaat is er, Sam,' zei hij, terwijl hij de handboeien van zijn riem haalde.
Sam kwam overeind en hees zijn boxershort op. 'Hoe laat is het?'
'Een paar minuten over half tien. Wat maakt het uit?'
'Om tien uur mag ik een uurtje naar buiten.'
'Wil je naar buiten of met je advocaat spreken?'
Sam dacht even na terwijl hij zijn rode trainingspak aantrok en zijn voeten in de rubberen sandalen stak. Aankleden was snel gebeurd in de dodengang. 'Kan ik het later inhalen?'
'We zullen zien.'
'Ik wil echt naar buiten.'
'Dat weet ik, Sam. Kom nou maar mee.'
'Het is heel belangrijk voor me.'
'Dat weet ik, Sam. Het is heel belangrijk voor iedereen. Ik zal zien of je later nog naar buiten kunt, oké?'
Sam kamde zorgvuldig zijn haar en waste zijn handen met koud water. Packer wachtte geduldig. Hij wilde iets tegen J.B. Gullitt zeggen over zijn kwade bui van die ochtend, maar Gullit sliep alweer. De meesten sliepen. De gemiddelde gevangene in de dodengang keek na het ontbijt nog een uurtje televisie voordat hij zich weer uitstrekte voor zijn ochtenddutje. Hoewel hij geen wetenschappelijk onderzoek had ge-

daan, schatte Packer dat ze zo'n vijftien tot zestien uur per dag sliepen – in alle omstandigheden. Ze stoorden zich niet aan hitte of kou of aan de herrie van de tv's en radio's.
Het lawaai was veel minder deze ochtend. De ventilatoren ratelden en zoemden, maar de gevangenen stonden niet naar elkaar te schreeuwen.
Sam liep naar de tralies, draaide zijn rug naar Packer toe en stak zijn handen door de gleuf in de deur. Packer legde hem de handboeien om en Sam liep naar het bed om zijn papieren te pakken. Packer knikte naar een bewaarder aan het eind van de gang en Sams deur ging elektronisch open en weer dicht.
Voetboeien waren verplicht in deze situatie. Bij een jongere of sterkere gevangene, of iemand met praatjes, zou Packer ze wel hebben gebruikt. Maar Sam was een oude man. Hoe ver kon hij lopen? Hoe hard kon hij schoppen?
Packer legde zachtjes zijn hand om Sams magere bovenarm en nam hem mee de gang door. Ze bleven staan bij de deur aan het eind, die ook uit tralies bestond, wachtten tot hij openging en liepen verder. Een andere bewaarder volgde hen toen ze bij een ijzeren deur kwamen die Packer opende met een sleutel aan zijn riem. Ze stapten naar binnen. Adam zat in zijn eentje aan de andere kant van het groene traliewerk.
Packer deed Sam de handboeien af en verliet de spreekkamer.

Adam las de tekst eerst langzaam door. Bij de tweede keer maakte hij een paar aantekeningen en glimlachte om sommige termen. Hij had slechter werk gezien van goed opgeleide advocaten. Maar hij had ook veel beter werk gezien. Sam leed aan de kwaal van veel eerstejaars rechtenstudenten. Hij gebruikte zes woorden als één voldoende was. Zijn Latijn was afgrijselijk. Hele alinea's waren onbruikbaar. Maar toch was het niet slecht gedaan voor een leek.
De twee vellen waren er nu vijf geworden, keurig met kantlijnen getypt. Adam vond maar twee typefouten en één verkeerd gespeld woord.
'Dat doe je heel aardig,' zei Adam toen hij het contract neerlegde. Sam trok aan zijn sigaret en keek hem door de opening aan. 'Maar het is feitelijk dezelfde overeenkomst als die ik je gisteren heb voorgelegd.'

'Het is feitelijk iets heel anders,' wees Sam hem terecht.
Adam wierp een blik op zijn aantekeningen en zei: 'Je maakt je vooral zorgen over vijf punten: de gouverneur, boek- en filmrechten, het opzeggen van de overeenkomst en de vraag wie er als getuigen bij de executie aanwezig mogen zijn.'
'Ik maak me zorgen over een heleboel dingen. Maar die vijf punten zijn onbespreekbaar.'
'Ik heb je gisteren al beloofd dat ik geen boek- of filmcontracten zal tekenen.'
'Goed. Volgende punt.'
'De opzegging van het contract heb je uitstekend geformuleerd. Je wilt het recht de overeenkomst met mij en met Kravitz & Bane te kunnen beëindigen zonder opgaaf van redenen en zonder dat wij ons kunnen verzetten.'
'De vorige keer heeft het me ruim een jaar gekost om die vervloekte joden te ontslaan. Dat overkomt me geen tweede keer.'
'Dat is redelijk.'
'Het kan me niet schelen wat jij redelijk vindt. Het staat in het contract en het is niet bespreekbaar.'
'Goed. En je wilt met niemand anders te maken hebben dan met mij.'
'Klopt. Niemand bij Kravitz & Bane mag zich nog met mijn dossier bemoeien. Het wemelt daar van de joden en die wil ik er niet bij hebben, oké? Hetzelfde geldt voor wijven en nikkers.'
'Kan het ook wat minder, Sam? Zullen we ze zwarten noemen?'
'Oeps. Sorry. Laten we dan maar over Afro-Amerikanen spreken, en Judeo-Amerikanen en Dames-Amerikanen. Dan zijn wij Iers-Amerikanen en blanke Heren-Amerikanen. Als je toch hulp van je kantoor nodig hebt, houd het dan bij Duits-Amerikanen en Italiaans-Amerikanen. En omdat je in Chicago woont, kun je misschien nog wat Pools-Amerikanen gebruiken. Is dat niet gezellig? Dan blijven we keurig multiraciaal en politiek onberispelijk. Wat vind je daarvan?'
'Je zegt het maar.'
'Ik voel me nu al beter.'
Adam streepte een punt op zijn schrijfblok af. 'Ik ga akkoord.'

'Dat zou ik ook maar doen, anders kun je fluiten naar je contract. Hou die minderheden alsjeblieft bij me vandaan.'
'Dacht je dat ze je zo graag willen helpen?'
'Ik denk helemaal niets. Ik heb nog vier weken te leven en die breng ik liever door met mensen die ik kan vertrouwen.'
Adam las de alinea op de derde bladzij van Sams voorstel nog eens door. Daarmee eiste Sam het recht om twee getuigen te kiezen bij zijn executie. 'Ik begrijp die clausule over de getuigen niet,' zei Adam.
'Heel simpel. Als het zover komt, zijn er ongeveer vijftien getuigen. Omdat ik de eregast ben, mag ik er zelf twee kiezen. Ik weet niet of je het handboek hebt gelezen, maar daarin worden een paar mensen genoemd die per definitie aanwezig moeten zijn. De directeur – een Libanees-Amerikaan trouwens – mag de anderen kiezen. Meestal houden ze een loterij voor de pers om te bepalen wie van die aasgieren mag komen loeren.'
'Waarom wil je deze clausule dan?'
'Omdat de advocaat altijd een van de twee getuigen is die door de veroordeelde wordt gekozen. Door mij dus.'
'En je wilt niet dat ik bij je executie ben?'
'Precies.'
'Je gaat ervan uit dat ìk dat zou willen?'
'Ik ga nergens van uit. Het is gewoon een feit dat advocaten graag op de eerste rij zitten om te zien hoe hun cliënten worden vergast als er toch niets meer aan te doen is. Daarna kunnen ze voor de camera's uithuilen en tekeergaan over zoveel onrecht.'
'Dacht je dat ik dat zou doen?'
'Nee, dat denk ik niet.'
'Waarom dan die clausule?'
Sam leunde naar voren met zijn armen op de balie en zijn neus vlak bij het traliewerk. 'Omdat ik je niet bij die executie wil hebben. Duidelijk?'
'Goed,' zei Adam luchtig en bladerde verder. 'Zover zal het toch niet komen, Sam.'
'Mooi zo. Dat wilde ik van je horen.'
'Maar misschien hebben we de gouverneur daar wel voor nodig.'
Sam snoof verachtelijk en liet zich terugzakken in zijn stoel.

Hij sloeg zijn rechterbeen over het linker en keek Adam nijdig aan. 'Het contract is duidelijk.'
Dat was het zeker. Bijna een hele pagina was gewijd aan een felle aanval op David McAllister. Daarbij was Sam zijn juridische termen vergeten en gebruikte hij woorden als schunnig, egoïstisch en narcistisch. Meer dan eens verwees hij naar McAllisters onverzadigbare behoefte aan publiciteit.
'Dus je hebt een probleem met de gouverneur,' zei Adam.
Weer snoof Sam.
'Ik vind het niet verstandig, Sam.'
'Het zal me een zorg zijn wat je vindt.'
'De gouverneur zou je leven kunnen redden.'
'O ja? Hij is de enige reden dat ik hier zit, in de dodengang, wachtend op de gaskamer. Waarom zou hij in godsnaam mijn leven willen redden?'
'Ik zeg niet dat hij dat wil. Ik zeg dat hij het kàn. Laten we alle mogelijkheden openhouden.'
Sam maakte een grimas en zweeg een volle minuut terwijl hij nog een sigaret opstak. Hij rolde met zijn ogen alsof hij zelden zo'n onnozel type als Adam had ontmoet. Ten slotte plantte hij zijn linker elleboog op de balie, leunde naar voren en wees met een kromme rechter vinger in Adams richting.
'Als jij denkt dat David McAllister mij op het laatste moment gratie zal verlenen, ben je niet goed wijs. Ik zal je zeggen wat hij zal doen. Hij zal jou en mij gebruiken om alle publiciteit uit ons te melken die hij kan krijgen. Hij zal je uitnodigen op zijn kantoor in het State Capitol, en de media op de hoogte brengen. Hij zal oprecht naar je luisteren. Hij zal grote twijfels uitspreken of ik wel moet sterven. Daarna belegt hij nog een bespreking, nog dichter bij de datum van de executie. Als jij bent vertrokken, geeft hij een paar interviews en vertelt alles wat hij zojuist van jou heeft gehoord. Dan beschrijft hij de bomaanslag nog eens. Hij begint over burgerrechten en al dat radicale nikkergezwets. Waarschijnlijk pinkt hij zelfs een traantje weg. Hoe dichter de datum nadert, des te groter het mediacircus wordt. Hij zal alles proberen om de aandacht naar zich toe te trekken. Hij zal elke dag met je praten, als wij dat toestaan. En hij zal je belazeren waar je bij staat.'
'Dat kan hij ook zonder ons.'
'En dat is precies wat hij zal doen, geloof me, Adam. Een uur

voordat ik sterf houdt hij ergens een persconferentie, waarschijnlijk hier of in zijn ambtswoning, om voor honderden camera's te verklaren dat hij me helaas geen gratie kan verlenen. Met tranen in zijn ogen. De schoft.'
'Het kan geen kwaad om met hem te praten.'
'Goed. Doe dat maar. En daarna beroep ik me op punt twee van het contract en stuur ik je met je staart tussen je poten naar Chicago terug.'
'Misschien mag hij me wel. We zouden vrienden kunnen worden.'
'O, hij zal dol op je zijn. Je bent Sams kleinzoon. Wat een prachtig verhaal! Nog meer journalisten, camera's, interviews. Hij zal graag met je kennismaken en je op sleeptouw nemen. Met een beetje geluk kun jij zijn herverkiezing veilig stellen.'
Adam sloeg een bladzijde om, maakte nog een paar aantekeningen en treuzelde wat, om het gesprek op een ander onderwerp te brengen. 'Hoe heb je geleerd om zo te schrijven?' vroeg hij.
'Net als jij. Ik heb les gehad van dezelfde hooggeleerde zielen als jij. Dode rechtsgeleerden. Edelachtbare juristen. Breedsprakige advocaten. Saaie professoren. Ik heb dezelfde flauwekul gelezen als jij.'
'Niet slecht,' zei Adam en las nog een pagina door.
'Ik voel me zeer gevleid.'
'Ik heb begrepen dat je er hier een kleine praktijk op nahoudt.'
'Een praktijk? Wat is een praktijk? Waarom praktizeren advocaten? Waarom werken ze niet gewoon, zoals iedereen? Hebben loodgieters een praktijk? Of vrachtwagenchauffeurs? Welnee, die werken. Maar advocaten niet. O nee. Die zijn bijzonder, die praktizeren. Met al dat gepraktizeer zou je toch denken dat ze wisten wat ze deden, dat ze ergens goed in zouden zijn.'
'Is er wel íemand die jij mag?'
'Dat is een stomme vraag.'
'Waarom?'
'Omdat jij aan die kant van het hek zit. Omdat jij naar buiten kunt lopen en wegrijden. Omdat jij vanavond in een goed restaurant kunt eten en in een zacht bed kunt slapen. Maar aan

deze kant van het hek is het leven heel anders. Ik heb al negen jaar de maan niet meer gezien. Ik word behandeld als een dier. Ik leef in een kooi. Ik ben veroordeeld, zodat de staat Mississippi het recht heeft mij over vier weken te doden. Daarom, jochie, is het moeilijk om liefhebbend en begripvol te zijn. Moeilijk om van mensen te houden. Daarom is het een stomme vraag.'
'Wil je zeggen dat je liefhebbend en begripvol was voordat je hier kwam?'
Sam tuurde door de opening en trok aan zijn sigaret. 'Nog zo'n stomme vraag.'
'Waarom?'
'Dat doet er niet toe, meneer de advocaat. Jij bent jurist, geen psycholoog.'
'Ik ben je kleinzoon. Daarom mag ik vragen stellen over je verleden.'
'Ga je gang. Maar ik beloof geen antwoorden.'
'Waarom niet?'
'Het verleden is voorbij, jochie. Geschiedenis. Niets meer aan te doen. En vaak niet te verklaren.'
'Maar ik hèb geen verleden.'
'Dan mag je je gelukkig prijzen.'
'Dat weet ik niet zo zeker.'
'Hoor eens, als je van mij verwacht dat ik de witte plekken invul, ben je aan het verkeerde adres.'
'Goed. Met wie moet ik dan praten?'
'Dat weet ik niet. Het is ook niet belangrijk.'
'Voor mij misschien wel.'
'Eerlijk gezegd ben ik op dit moment niet in jou geïnteresseerd. Geloof het of niet, maar ik vind mezelf belangrijker. Ik en mijn toekomst. Ik en mijn nek. Er tikt daar ergens een klok, en die tikt verdomd luid, vind je niet? Om de een of andere reden, vraag me niet waarom, hoor ik dat ding voortdurend tikken en dat maakt me bloednerveus. Daarom ben ik niet zo geïnteresseerd in de problemen van anderen.'
'Waarom ben je bij de Klan gegaan?'
'Omdat mijn vader Klan-lid was.'
'En hij?'
'Omdat zijn vader bij de Klan zat.'
'Geweldig. Drie generaties.'

'Vier, geloof ik. Kolonel Jacob Cayhall heeft nog met Nathan Bedford Forrest in de Burgeroorlog gevochten, en volgens de familietraditie was hij een van de eerste leden van de Klan. Hij was mijn overgrootvader.'
'En daar ben je trots op.'
'Is dat een vraag?'
'Ja.'
'Het is geen kwestie van trots.' Sam knikte naar de balie. 'Wil je die overeenkomst nog tekenen?'
'Ja.'
'Doe het dan.'
Adam tekende onder aan de laatste pagina en schoof het contract naar Sam toe. 'Je vraagt heel persoonlijke dingen. Als mijn advocaat mag je daar nooit met iemand over spreken.'
'Ik begrijp de relatie.'
Sam zette zijn handtekening naast die van Adam en bekeek toen de namen. 'Wanneer ben je een Hall geworden?'
'Een maand voor mijn vierde verjaardag. Het hele gezin is tegelijk van naam veranderd. Maar natuurlijk kan ik me daar niets van herinneren.'
'Waarom heeft hij dat "Hall" nog behouden? Waarom heeft hij niet definitief gebroken en voor Miller of Green gekozen, of zoiets?'
'Is dat een vraag?'
'Nee.'
'Hij was op de vlucht, Sam. En hij wilde alle schepen achter zich verbranden. Ik denk dat vier generaties wel genoeg voor hem waren.'
Sam legde het contract op een stoel naast hem en stak systematisch nog een sigaret op. Hij blies de rook naar het plafond en keek Adam aan. 'Hoor eens, Adam,' zei hij langzaam, opeens veel zachter, 'laat die familiezaken nou even rusten, oké? Misschien komen we daar later nog wel op. Nu wil ik weten wat er met me gaat gebeuren. Wat mijn kansen zijn. Dat soort dingen, begrijp je? Hoe kunnen we die klok stilzetten? Wat voor verzoeken wil je indienen?'
'Dat hangt van verschillende dingen af, Sam. Wat je me over die aanslag wilt vertellen, bijvoorbeeld.'
'Ik begrijp je niet.'

'Als er nieuwe feiten zijn, kunnen we die naar voren brengen. Dat moet lukken, geloof me. We vinden wel een rechter die zal luisteren.'
'Wat voor nieuwe feiten?'
Adam sloeg een nieuw vel van zijn schrijfblok op en krabbelde de datum in de marge. 'Wie heeft die groene Pontiac naar Cleveland gebracht op de avond van de aanslag?'
'Dat weet ik niet. Een van Dogans mensen.'
'Je weet niet hoe hij heette?'
'Nee.'
'Kom nou, Sam.'
'Ik zweer het je. Ik heb geen idee wie het was. Ik heb de man nooit gezien. De auto is op een parkeerterrein achtergelaten. Daar heb ik hem gevonden en daar moest ik hem weer terugbrengen. De man die hem heeft gebracht heb ik niet gezien.'
'Waarom is hij nooit opgespoord tijdens het onderzoek?'
'Hoe moet ik dat weten? Omdat hij een onbelangrijke schakel was, neem ik aan. Ze moesten míj hebben. Waarom zouden ze zich druk maken over een boodschappenjongen? Vraag het me niet.'
'Die aanslag op Kramer was de zesde, nietwaar?'
'Ik geloof het wel.' Sam had zich weer naar voren gebogen, met zijn gezicht bijna tegen het traliewerk. Hij sprak zorgvuldig en met gedempte stem, alsof iemand hen zou kunnen afluisteren.
'Dat geloof je?'
'Het is al lang geleden.' Hij sloot zijn ogen en dacht even na. 'Oké. Ja, het was de zesde.'
'Dat beweert de FBI tenminste.'
'Nou, dat geeft de doorslag. Die hebben altijd gelijk.'
'Is diezelfde groene Pontiac ook bij eerdere aanslagen gebruikt?'
'Ja. Bij een paar, als ik het me goed herinner. Maar we gebruikten meer dan één auto.'
'Allemaal geleverd door Dogan?'
'Ja. Hij was autohandelaar.'
'Dat weet ik. Heeft dezelfde man die Pontiac ook bij eerdere gelegenheden afgeleverd?'
'De mensen die de auto's brachten heb ik nooit gezien. Zo werkte Dogan niet. Hij was heel voorzichtig en dacht aan alle

details. Ik weet bijna zeker dat de man die de auto's afleverde geen idee had wie ik was.'
'Lag het dynamiet al in de auto's?'
'Ja. Altijd. Dogan had genoeg wapens en explosieven om een kleine oorlog te beginnen. Maar de FBI heeft zijn arsenaal nooit ontdekt.'
'Hoe heb je geleerd met explosieven om te gaan?'
'In de kleuterklas van de Klan en uit het officiële handboek.'
'Het zat zeker in je bloed?'
'Nee, helemaal niet.'
'Ik meen het. Hoe wist je iets van explosieven?'
'Het is heel simpel. Iedereen krijgt dat in dertig minuten onder de knie.'
'En met een beetje oefening word je een expert.'
'Oefening helpt, ja. Het is niet veel moeilijker dan vuurwerk afsteken. Je strijkt een lucifer aan, maakt niet uit wat voor type, en houdt die bij het uiteinde van de lont totdat die begint te branden. En dan ga je er als de bliksem vandoor. Als je geluk hebt, duurt het een kwartier voordat de bom afgaat.'
'En dat weten alle leden van de Klan?'
'De meesten die ik kende konden met explosieven omgaan.'
'Ken je nu nog Klan-leden?'
'Nee. Ze hebben me in de steek gelaten.'
Adam keek hem scherp aan. De felle blauwe ogen knipperden niet. De rimpels bleven roerloos. Adam kon geen enkele emotie ontdekken, geen woede of verdriet. Sam keek strak terug.
Adam boog zich weer over zijn schrijfblok. 'Op 2 maart 1967 werd er een bomaanslag gepleegd op de Hirsch Temple in Jackson. Was jij dat?'
'Kom nou maar ter zake.'
'Het is een simpele vraag.'
Sam draaide de filter tussen zijn lippen en dacht even na. 'Waarom is dat belangrijk?'
'Geef nou maar antwoord, verdomme,' snauwde Adam. 'Er is geen tijd meer voor spelletjes.'
'Niemand heeft me dat ooit eerder gevraagd.'
'Nou, dan is vandaag je grote kans. Een eenvoudig ja of nee is voldoende.'
'Ja.'

'Heb je toen ook die groene Pontiac gebruikt?'
'Ik geloof het wel.'
'En wie was er bij je?'
'Waarom denk je dat er iemand bij me was?'
'Omdat een getuige heeft verklaard dat hij een paar minuten voor de explosie een groene Pontiac voorbij heeft zien rijden met twee mensen erin. Hij heeft zelfs een redelijk signalement gegeven van jou, de bestuurder.'
'O, ja. Onze goede vriend Bascar. Ik heb over hem gelezen in de kranten.'
'Hij stond op de hoek van Fortification Street en State Street toen jij en je makker met hoge snelheid passeerden.'
'Ja, daar stond hij. Het was drie uur in de nacht, hij kwam straalbezopen uit de kroeg en hij was al niet zo slim. Bascar is nooit als getuige toegelaten, dat weet jij ook. Hij heeft nooit zijn hand op de bijbel gelegd om te zweren dat hij de waarheid sprak, hij is nooit aan een kruisverhoor onderworpen en hij meldde zich pas toen ik al in Greenville was gearresteerd en de halve wereld foto's van de groene Pontiac had gezien. Mijn gezicht had ook al in de krant gestaan, dus dat signalement stelde niet veel voor.'
'Dus hij loog?'
'Nee, hij wist gewoon niet wat hij zei. Je moet bedenken, Adam, dat ik nooit van die bomaanslag ben beschuldigd. Bascar is nooit onder druk gezet. Hij heeft niet onder ede hoeven getuigen. Zijn verhaal kwam pas naar buiten, geloof ik, toen een verslaggever van een krant uit Memphis alle kroegen en bordelen had afgestroopt om iemand als Bascar te vinden.'
'Laten we het anders proberen. Had je wel of niet iemand bij je toen je op 2 maart 1967 een bomaanslag pleegde op de Hirsch Temple, een joodse synagoge?'
Sam sloeg heel langzaam zijn ogen neer. Hij schoof een eindje bij het traliewerk vandaan en liet zich in zijn stoel terugzakken. Zoals Adam al had verwacht, haalde hij het blauwe pakje Montclairs uit zijn borstzakje, koos er na lang beraad een sigaret uit, tikte de filter tegen de balie en stak hem tussen zijn vochtige lippen.
Het afstrijken van de lucifer was de volgende korte ceremonie, en toen die eindelijk achter de rug was, steeg er een

verse rookwolk naar het plafond.
Adam keek toe en wachtte tot het duidelijk was dat hij geen snel antwoord hoefde te verwachten. Die aarzeling was op zich al een bekentenis. Zenuwachtig tikte hij met zijn pen op zijn notitieblok. Hij ademde snel en voelde zijn hart bonzen. Zijn lege maag speelde plotseling op. Zou dit de grote doorbraak kunnen zijn? Als er een medeplichtige was geweest, hadden ze misschien als team gewerkt en had Sam de bom die de Kramer-tweeling had gedood niet eigenhandig gelegd. Dat feit kon aan een begripvolle jury worden voorgelegd die naar de argumenten zou luisteren en een nieuw uitstel kon verlenen. Misschien. Was dat mogelijk?
'Nee,' zei Sam op zachte maar besliste toon toen hij Adam door de opening weer aankeek.
'Ik geloof je niet.'
'Ik had geen medeplichtige.'
'Ik geloof je niet, Sam.'
Sam haalde nonchalant zijn schouders op, alsof het hem een zorg zou zijn. Hij sloeg zijn benen over elkaar en klemde zijn vingers om zijn knie.
Adam haalde diep adem, maakte routineus een paar aantekeningen alsof hij dit wel had verwacht en sloeg een schone bladzij op. 'Hoe laat kwam je in Cleveland aan op de avond van de 20e april 1967?'
'Wanneer?'
'De eerste keer.'
'Ik ben om een uur of zes uit Clanton vertrokken. Het was twee uur rijden naar Cleveland, dus ik kwam daar tegen achten aan.'
'En waar reed je naartoe?'
'Het winkelcentrum.'
'Waarom?'
'Om de auto op te halen.'
'De groene Pontiac?'
'Ja. Maar die stond er niet. Daarom ben ik naar Greenville gereden om poolshoogte te nemen.'
'Was je daar al eens geweest?'
'Ja. Twee weken eerder had ik de omgeving verkend. Ik ben zelfs in het kantoor van die jood geweest om rond te kijken.'
'Dat was nogal stom, vind je niet? Ik bedoel, zijn secretaresse

heeft je tijdens het proces herkend als de man die de weg kwam vragen en van de wc gebruik wilde maken.'
'Heel stom, ja. Maar ik verwachtte niet dat ik gepakt zou worden. Ze had me nooit meer terug mogen zien.' Hij beet op de filter en zoog hard. 'Een domme zet. Maar achteraf is het makkelijk praten.'
'Hoe lang ben je in Greenville gebleven?'
'Een uurtje. Toen ben ik weer naar Cleveland gereden om de auto op te halen. Dogan bouwde altijd meer mogelijkheden in. De auto stond bij een wegrestaurant, de tweede keus.'
'En de sleuteltjes?'
'Onder de mat.'
'Wat deed je toen?'
'Ik ben een eindje gaan rijden, de stad uit, door de katoenvelden. Op een stil plekje ben ik gestopt en heb in de kofferbak gekeken of het dynamiet er lag.'
'Hoeveel staven?'
'Vijftien, geloof ik. Ik gebruikte er tussen de twaalf en de twintig, afhankelijk van het doelwit. Twintig voor de synagoge, omdat dat een modern gebouw was van steen en beton. Maar het kantoor van die jood was een oud houten gebouw, dus vijftien staven zouden genoeg moeten zijn.'
'Wat lag er verder nog in de kofferbak?'
'De bekende spullen. Een kartonnen doos met dynamiet, twee slaghoedjes en een lont van vijftien minuten.'
'Was dat alles?'
'Ja.'
'Weet je het zeker?'
'Natuurlijk weet ik het zeker.'
'En dat tijdmechaniek? De ontsteker?'
'O ja, dat vergeet ik nog. Die zat in een kleinere doos.'
'Beschrijf het eens.'
'Waarom? Je kent de verslagen van het proces. Die expert van de FBI heeft mijn kleine bom heel vakkundig geanalyseerd. Je hebt het toch gelezen?'
'Meer dan eens.'
'Dan heb je ook de foto's gezien van de restanten van het tijdmechaniek. Of niet?'
'Ja. Waar had Dogan die klok vandaan?'
'Dat heb ik hem nooit gevraagd. Het was een goedkope op-

windwekker die je in ieder warenhuis kunt kopen. Niets bijzonders.'
'Was dit de eerste keer dat je een tijdmechaniek gebruikte?'
'Dat weet je ook wel. Die andere bommen zijn met een lont aangestoken. Waarom vraag je dat allemaal?'
'Omdat ik je antwoorden wil weten. Ik heb alles gelezen, maar ik wil het uit je eigen mond horen. Waarom heb je juist bij die aanslag op Kramer een tijdmechaniek gebruikt?'
'Omdat ik genoeg had van die lonten. Dan moet je te haastig vluchten. Ik wilde meer tijd tussen het plaatsen van de bom en het moment waarop hij afging.'
'Hoe laat heb je hem geplaatst?'
''s Nachts om een uur of vier.'
'En wanneer moest hij afgaan?'
'Om vijf uur.'
'Wat is er misgegaan?'
'Hij explodeerde niet om vijf uur, maar een paar minuten voor acht, toen er al mensen in het gebouw waren. En twee van die mensen zijn gedood. Daarom zit ik nu hier in dit rode apepakje en vraag ik me af hoe het gas zal ruiken.'
'Dogan zei dat jullie samen Marvin Kramer als doelwit hadden uitgekozen. Dat Kramer al drie jaar op de zwarte lijst van de Klan stond. Dat jij had voorgesteld een tijdmechaniek te gebruiken omdat Kramer een vaste dagindeling had. En dat jij in je eentje opereerde.'
Sam luisterde geduldig en trok aan zijn sigaret. Hij kneep zijn ogen tot spleetjes, keek naar de grond en knikte. Toen glimlachte hij bijna. 'Maar Dogan kletste uit zijn nek. De FBI had hem jaren op de hielen gezeten en eindelijk hadden ze hem te pakken. Hij was geen sterke figuur.' Sam haalde diep adem en keek Adam aan. 'Een deel ervan is waar. Niet veel, maar iets.'
'Was het de bedoeling om Kramer te doden?'
'Nee. We doodden geen mensen. We bliezen gebouwen op, dat was alles.'
'En het huis van de Pinders in Vicksburg? Was dat ook jullie werk?'
Sam knikte langzaam.
'Die bom ging 's nachts om vier uur af toen de hele familie Pinder lag te slapen. Zes mensen. Een godswonder dat er

maar één licht gewonde is gevallen.'
'Dat was niet zo'n wonder. Ik heb alleen de garage opgeblazen. Als ik iemand had willen doden, had ik die bom wel onder het slaapkamerraam gelegd.'
'Maar het halve huis stortte in.'
'Ja. Maar ik had ook een tijdmechaniek kunnen gebruiken om dat stelletje joden te vermoorden toen ze hun matses zaten te eten of wat dan ook.'
'Waarom heb je dat niet gedaan?'
'Ik zei je toch al dat we geen mensen wilden doden.'
'Wat wilde je dan wel?'
'Intimidatie. Vergelding. Die vervloekte joden duidelijk maken dat ze de burgerrechtenbeweging niet moesten financieren. We wilden de Afrikanen op hun plaats houden – in hun eigen scholen, kerken, buurten en kroegen. Bij onze vrouwen en kinderen vandaan. Joden als Marvin Kramer wilden een gemengde samenleving en daarom stookten ze de Afrikanen op. Die klootzak had een lesje nodig.'
'Nou, dat hebben jullie hem wel geleerd.'
'Hij kreeg wat hij verdiende. Maar het spijt me van die jochies.'
'Je medelijden is roerend.'
'Luister, Adam, en luister goed. Ik wilde niemand doden. Die bom was ingesteld op vijf uur, drie uur voordat Kramer normaal op kantoor kwam. De enige reden dat zijn kinderen er waren was dat zijn vrouw toevallig griep had.'
'Maar het spijt je niet dat Marvin zijn beide benen is kwijtgeraakt?'
'Niet echt.'
'En dat hij een jaar later zelfmoord heeft gepleegd?'
'Hij heeft zelf de trekker overgehaald, niet ik.'
'Je bent een ziek mens, Sam.'
'Ja, en ik zal nog heel wat zieker worden als ik het gas krijg toegediend.'
Adam schudde verontwaardigd zijn hoofd maar zei niets. Over rassenhaat konden ze later nog wel discussiëren. Niet dat hij verwachtte op dat gebied veel vorderingen te maken met Sam. Maar hij wilde het toch proberen. Later. Eerst moesten de feiten op tafel komen.
'Wat deed je nadat je het dynamiet had gecontroleerd?'

'Ik ben teruggereden naar het wegrestaurant en heb een kop koffie gedronken.'
'Waarom?'
'Omdat ik dorst had, denk ik.'
'Heel geestig, Sam. Een serieus antwoord, graag.'
'Ik zat te wachten.'
'Waarop?'
'Ik moest de tijd doden. Het was pas middernacht en ik wilde zo min mogelijk tijd in Greenville doorbrengen. Daarom heb ik in Cleveland zitten wachten.'
'Heb je nog met iemand gepraat in dat wegrestaurant?'
'Nee.'
'Was het druk?'
'Dat weet ik echt niet meer.'
'Zat je alleen?'
'Ja.'
'Aan een tafeltje?'
'Ja.' Sam grijnsde even, omdat hij wist wat er komen ging.
'Een vrachtwagenchauffeur, een zekere Tommy Farris, zei dat hij iemand die sterk op jou leek die nacht in het wegrestaurant heeft gezien en dat die man een hele tijd koffie zat te drinken met een jongere vent.'
'Ik heb meneer Farris nooit ontmoet, maar ik geloof dat hij drie jaar aan geheugenverlies heeft geleden. Al die tijd heeft hij niets gezegd, als ik het wel heb, totdat een verslaggever met hem op de proppen kwam en zijn naam in de krant verscheen. Je vraagt je af waar die geheimzinnige getuigen na al die jaren opeens vandaan komen.'
'Waarom is Farris niet als getuige opgeroepen bij je laatste proces?'
'Geen idee. Waarschijnlijk omdat hij niets te zeggen had. Het feit dat ik koffie zat te drinken, in mijn eentje of met iemand anders, zeven uur voordat de aanslag plaatsvond, was nauwelijks relevant. Bovendien was dat in Cleveland en had het niets met de aanslag te maken.'
'Dus Farris loog?'
'Weet ik dat? Het zal me een zorg zijn. Ik zat daar alleen. De rest doet er niet toe.'
'Hoe laat ben je uit Cleveland vertrokken?'
'Om een uur of drie, denk ik.'

'En je bent rechtstreeks naar Greenville gegaan?'
'Ja. Ik ben eerst langs het huis van de Kramers gereden en zag de nachtwaker op de veranda zitten. Toen ben ik naar Kramers kantoor gegaan en heb nog een tijdje gewacht. Om vier uur heb ik de auto achter zijn kantoor geparkeerd, ben door de achterdeur naar binnen geglipt, heb de bom in een kast in de gang geplaatst, ben naar mijn auto teruggelopen en weggereden.'
'Hoe laat vertrok je weer uit Greenville?'
'Ik had willen vertrekken nadat de bom was afgegaan. Maar zoals je weet heeft het een paar maanden geduurd voordat ik de stad weer uit mocht.'
'Waar ging je heen nadat je de bom had geplaatst?'
'Naar een klein café aan de autoweg, bijna een kilometer van Kramers kantoor.'
'Waarom?'
'Om koffie te drinken.'
'Hoe laat was het toen?'
'Dat weet ik niet. Een uur of half vijf.'
'Was het druk?'
'Een handjevol mensen. Het was een gewoon wegcafé met een dikke kok in een vuil T-shirt en een dienster die kauwgom kauwde.'
'Heb je nog met iemand gepraat?'
'Met de dienster, toen ik mijn koffie bestelde. En misschien nog een donut.'
'Dus je zat daar koffie te drinken, rustig in je eentje, totdat de bom zou afgaan.'
'Precies. Ik vond het prettig om de explosie te horen en de reacties van de mensen te zien.'
'Dus je had dit al eens eerder gedaan?'
'Eén keer. In februari van dat jaar had ik een aanslag gepleegd op een makelaarskantoor in Jackson – een stel joden die een huis in een blanke wijk aan nikkers hadden verkocht. Ik zat net in een café op drie straten afstand toen de bom explodeerde. Ik gebruikte toen nog een lont, dus ik moest snel parkeren en een tafeltje zoeken. Het meisje had juist mijn koffie gebracht toen de grond begon te trillen en iedereen verstijfde. Dat vond ik prachtig. Het was vier uur 's nachts en het café zat vol met chauffeurs en bestellers. Er zaten zelfs een

paar smerissen in een hoek. Die sprongen natuurlijk meteen in hun auto's en gingen er vandoor met de zwaailichten aan. Mijn tafeltje trilde zo hevig dat de koffie uit het kopje klotste.'

'Dat gaf je een kick?'

'Behoorlijk. Maar bij die andere aanslagen was dat te riskant. Toen had ik geen tijd om een café of een wegrestaurant te zoeken, daarom reed ik een paar minuten rond, wachtend op de knal. Ik hield mijn horloge in de gaten om te weten wanneer de bom zou afgaan. Dan reed ik het liefst aan de rand van de stad, begrijp je?' Sam zweeg en nam een lange haal van zijn sigaret. Hij sprak langzaam en zorgvuldig. Zijn ogen tintelden een beetje toen hij over zijn avonturen vertelde, maar zijn woorden klonken afgemeten. 'De explosie bij de Pinders heb ik zelf gezien,' zei hij.

'Hoe dan?'

'Ze woonden in een groot huis in de buitenwijken, met veel bomen. Een soort vallei. Ik parkeerde langs een helling, ongeveer anderhalve kilometer van het huis, en ik zat onder een boom toen het zaakje de lucht in ging.'

'Wat vredig.'

'Dat was het echt. Volle maan, een koele nacht. Ik had een prachtig uitzicht op de straat. Ik kon bijna het hele dak zien. Het was zo rustig. Iedereen sliep. En toen boem! Daar ging het dak.'

'Wat had Pinder misdaan?'

'Ach, de gewone joodse streken. Hij was dol op nikkers. Hij steunde die radicale Afrikanen die uit het noorden kwamen om iedereen op te hitsen. Hij vond het prachtig om met die Afrikanen te marcheren en te demonstreren. We vermoedden dat hij ook geld in de beweging stak.'

Adam maakte aantekeningen en probeerde het allemaal te verwerken. Dat viel niet mee. Hij kon het nauwelijks geloven. Misschien was de doodstraf toch niet zo'n slecht idee. 'Terug naar Greenville. Waar was dat café precies?'

'Dat weet ik niet meer.'

'Hoe heette het?'

'Het is drieëntwintig jaar geleden. En het was geen tent die je je herinnert.'

'Aan Highway 82?'

'Ik denk het wel. Wat ben je van plan? Wou je die dikke kok en die kleverige dienster opsporen? Geloof je me soms niet?'
'Nee. Ik geloof je niet.'
'Waarom niet?'
'Omdat je me niet kunt vertellen waar je hebt geleerd een bom te fabriceren met een tijdmechaniek.'
'In de garage achter mijn huis.'
'In Clanton?'
'Buiten Clanton. Zo moeilijk is het niet.'
'Wie heeft het je geleerd?'
'Ikzelf. Ik had een boekje met tekeningen en schema's en zo. Stap één, twee en drie. Geen probleem.'
'Hoe vaak heb je met dat mechaniek geoefend voordat je de aanslag op Kramer pleegde?'
'Eén keer.'
'Waar? Wanneer?'
'In de bossen niet ver van mijn huis. Ik heb twee staven dynamiet genomen, met de rest van de spullen. Die heb ik getest in een droge bedding diep in het bos. Het ging perfect.'
'Natuurlijk. En dat heb je allemaal uitgeprobeerd in je garage?'
'Dat zei ik toch?'
'Je eigen kleine laboratorium.'
'Noem het zoals je wilt.'
'Toen je was gearresteerd, heeft de FBI je hele huis doorzocht, ook de garage, maar ze hebben geen spoor van explosieven kunnen vinden.'
'Misschien zijn ze niet zo slim. Of misschien was ik heel voorzichtig en wilde ik geen sporen achterlaten.'
'Of misschien is die bom geplaatst door iemand die meer ervaring had met explosieven.'
'Nee. Sorry.'
'Hoe lang heb je in dat wegcafé in Greenville gezeten?'
'Behoorlijk lang. Ik weet nog dat het vijf uur werd. Een paar minuten voor zes ben ik teruggegaan en langs Kramers kantoor gereden. Daar was nog niets gebeurd. Er waren al mensen op straat en ik wilde niet gezien worden. Ik ben de rivier overgestoken naar Lake Village in Arkansas en daarna weer teruggereden naar Greenville. Toen was het inmiddels zeven uur, de zon was op en het werd druk op straat. Nog steeds

geen explosie. Ik heb de auto in een zijstraat geparkeerd en een tijdje rondgelopen. Die vervloekte bom wilde maar niet afgaan. En ik kon niet meer naar binnen. Ik hield mijn oren gespitst, in de hoop dat de grond toch nog zou gaan trillen, maar er gebeurde niets.'

'Heb je Marvin Kramer en zijn zoontjes naar binnen zien gaan?'

'Nee. Maar toen ik de hoek om kwam, zag ik zijn auto staan en dacht ik: verdomme! Eerst schrok ik even. Maar ach, wat maakte het uit? Hij was toch maar een jood die niet deugde. Maar toen dacht ik aan de secretaressen en de andere mensen die er werkten, dus liep ik nog een keertje om het blok. Ik herinner me nog dat ik om tien over half acht op mijn horloge keek. Ik overwoog om anoniem op te bellen en Kramer te waarschuwen dat er een bom in die kast lag. Als hij me niet geloofde, kon hij zelf gaan kijken en het gebouw evacueren.'

'Waarom heb je dat niet gedaan?'

'Ik had geen kleingeld. Dat had ik achtergelaten als fooi voor de dienster en ik wilde niet een winkel binnenlopen om geld te wisselen. Ik was behoorlijk nerveus. Mijn handen trilden en ik wilde geen argwaan wekken. Ik was een vreemdeling daar en er lag een bom in dat kantoor. Greenville was een kleine stad waar iedereen elkaar kende. En ze zouden zich zeker een vreemdeling herinneren als er een misdaad was gepleegd. Ik weet nog dat er aan de overkant van Kramers kantoor een kapper was met een krantenstandaard voor de deur. Een man stond in zijn zak naar muntjes te zoeken. Ik had hem bijna gevraagd of ik een kwartje kon lenen om te bellen. Maar ik was te zenuwachtig.'

'Waarom, Sam? Je zei juist dat het je geen moer kon schelen als Kramer iets overkwam. Dit was je zesde aanslag al.'

'Ja, maar die andere waren veel gemakkelijker gegaan. Je stak de lont aan, je ging ervandoor en je wachtte een paar minuten. Ik moest steeds denken aan die leuke secretaresse op Kramers kantoor die me de toiletten had gewezen. Dezelfde die later getuigde tijdens mijn proces. En ik dacht aan al die andere mensen die er werkten en die ik toen had gezien. Het was bijna acht uur en ik wist dat iedereen over een paar minuten binnen zou zijn. Dat zou een bloedbad worden. Ik kon niet meer helder denken. Ik weet nog dat ik een straat ver-

derop bij een telefooncel stond en beurtelings op mijn horloge en naar die telefoon staarde. Ik móest opbellen. Ten slotte stapte ik naar binnen en zocht het nummer op, maar toen ik de gids dichtsloeg was ik het weer vergeten. Ik zocht het opnieuw op en wilde bellen, maar toen herinnerde ik me dat ik geen kwartje had. Daarom besloot ik toch bij die kapper binnen te stappen en geld te wisselen. Ik had lood in mijn schoenen en ik zweette als een otter. Ik liep naar die kapperszaak en keek door de grote ruit naar binnen. Het was er stampvol. De mensen zaten in rijen langs de muur te praten of de krant te lezen, en alle kappersstoelen waren bezet. Iedereen kletste door elkaar heen. Een paar kerels keken al mijn kant op, toen nog een paar, en ik liep snel door.'
'Waarheen?'
'Dat weet ik niet meer. Er was een kantoor naast dat van Kramer en ik weet nog dat er een auto geparkeerd stond. Ik dacht dat het misschien de auto van een secretaresse of iemand anders van het personeel was. Op het moment dat ik naar die auto liep, ging de bom af.'
'Dus je was aan de overkant van de straat?'
'Ik geloof het wel. Ik viel op mijn handen en knieën toen het puin en de glasscherven op me neer regenden. Van wat er daarna gebeurde kan ik me niet veel herinneren.'
Er werd zachtjes op de deur geklopt en brigadier Packer kwam binnen met een grote plastic beker, een papieren servetje, een roerstokje en een kuipje poedermelk. 'Ik dacht dat u wel koffie zou lusten. Sorry voor de interruptie.' Hij zette de beker op de balie.
'Bedankt,' zei Adam.
Packer draaide zich snel om en liep terug naar de deur.
'Voor mij twee klontjes suiker en een wolkje room!' zei Sam vanaf de andere kant van het hek.
'Jazeker, meneer,' snauwde Packer zonder zijn pas in te houden. Hij trok de deur weer achter zich dicht.
'Goede service hier,' zei Adam.
'Perfect. Het kon niet beter.'

14

Sam kreeg natuurlijk geen koffie. Dat wist hij meteen, maar Adam niet. Na een paar minuten zei Sam: 'Drink maar op.' Zelf stak hij nog een sigaret op en begon achter zijn stoel heen en weer te lopen terwijl Adam met het plastic stokje in zijn koffie roerde. Het was bijna elf uur. Sam had het luchten gemist en hij geloofde geen moment dat Packer het nog zou goedmaken. Hij liep op en neer, hurkte een paar keer en deed zes diepe kniebuigingen. Zijn knieën en zijn andere gewrichten kraakten toen hij onvast overeind kwam. De eerste paar maanden in de dodengang had hij zich strak aan zijn oefeningen gehouden. Op een gegeven moment deed hij iedere dag honderd push-ups en honderd strekoefeningen in zijn cel. Hij viel af tot het ideale gewicht van vierenzestig kilo, en het vetarme dieet hielp daarbij. Zijn buik was strak en hard. Hij was nog nooit zo gezond geweest.

Maar niet lang daarna drong het tot hem door dat de dodengang zijn laatste tehuis zou zijn en dat de staat hem ooit in dit gebouw zou doden. Wat heb je aan een goede gezondheid en stevige biceps als je drieëntwintig uur per dag zit opgesloten, wachtend op de dood? Allengs werkte hij minder aan zijn conditie en begon steeds meer te roken. Door zijn kameraden werd Sam benijd, voornamelijk omdat hij geld van buiten kreeg. Zijn jongere broer Donnie woonde in North Carolina en stuurde hem eens per maand een doos met tien sloffen Montclair-sigaretten. Sam rookte drie tot vier pakjes per dag. Hij wilde het liefst zichzelf doden voordat de overheid de kans kreeg – en dan bij voorkeur met een lange, slopende ziekte, die een dure behandeling vergde die de staat Mississippi zou moeten betalen.

Maar het zag ernaar uit dat hij die race ging verliezen.

De federale rechter die na een proces over de rechten van de gevangenen het gezag over Parchman had overgenomen, had duidelijke richtlijnen en procedures vastgesteld. Hij had de rechten van de gevangenen uitvoerig beschreven, compleet met details als de afmetingen van iedere cel in de dodengang en de hoeveelheid geld die iedere gevangene mocht bezitten. Twintig dollar was het maximum. Dat werd 'stof' genoemd en het kwam altijd van buiten. Gevangenen in de dodengang mochten niet werken om geld te verdienen. Wie geluk had, kreeg een paar dollar per maand van familie of vrienden. Dat kon worden besteed in de kantine in het midden van de Maximaal Beveiligde Afdeling, aan frisdranken, snoep, snacks of sigaretten.

De meeste gevangenen kregen helemaal niets van buiten. Ze dreven een soort ruilhandel om genoeg kleingeld bijeen te schrapen voor shag, die ze in dunne papiertjes rolden en langzaam oprookten. Sam had inderdaad geluk.

Hij ging weer zitten en stak nog een sigaret op.

'Waarom heb je zelf niet getuigd op het proces?' vroeg zijn advocaat door het traliewerk.

'Welk proces?'

'Goede vraag. De eerste twee.'

'Dat hoefde niet. Brazelton had goede jury's gekozen, allemaal blanken, brave mensen die begrepen hoe de wereld in elkaar zat. Die jury's zouden me nooit veroordelen, dat wist ik. Daarom hoefde ik zelf niet te getuigen.'

'En bij het derde proces?'

'Dat lag moeilijker. Ik heb er vaak genoeg met Keyes over gesproken. Eerst vond hij het een goed idee, omdat ik de jury dan kon uitleggen wat mijn bedoeling was geweest. Dat ik niemand had willen doden en dat die bom om vijf uur 's ochtends had moeten afgaan. Maar we wisten dat de officier me aan een scherp kruisverhoor zou onderwerpen. De rechter had al bepaald dat er ook over de andere bomaanslagen mocht worden gesproken om dingen te verduidelijken. Dan zou ik moeten toegeven dat ik de bom had geplaatst – vijftien staven dynamiet, meer dan genoeg om dodelijk te zijn.'

'En waarom besloot je het niet te doen?'

'Vanwege Dogan. Die vervloekte leugenaar vertelde de jury dat wij die jood wilden doden. Hij was een zeer effectieve getuige. Ik bedoel, een voormalige Imperial Wizard van de Klan die voor het OM tegen een van zijn eigen mensen getuigde. Dat was niet gering. En de jury trapte erin.'

'Waarom loog Dogan?'

'Jerry Dogan was murw gemaakt, Adam. De FBI had hem vijftien jaar op zijn huid gezeten, zijn telefoon afgeluisterd, zijn vrouw geschaduwd bij het boodschappen doen, zijn familie onder druk gezet, zijn kinderen bedreigd en hem lastig gevallen op de vreemdste uren van de nacht. Hij had geen leven meer. Hij werd constant in de gaten gehouden. Toen maakte hij een fout en kreeg hij de belastingdienst op zijn nek. Samen met de FBI dreigden ze hem dat hij dertig jaar zou krijgen. Dogan bezweek onder de druk. Na mijn proces heeft hij nog een tijdje in een inrichting gezeten. Daar hebben ze hem behandeld en weer naar huis gestuurd, maar niet veel later was hij dood.'
'Dood?'
Sam verstijfde halverwege een haal van zijn sigaret. De rook lekte uit zijn mond en kringelde omhoog langs zijn neus en zijn ogen. Stomverbaasd keek hij zijn kleinzoon aan. 'Wist je dat niet?' vroeg hij.
In gedachten ging Adam de talloze artikelen en verhalen na die hij had verzameld en geïndexeerd. Hij schudde zijn hoofd. 'Nee. Wat is er met Dogan gebeurd?'
'Ik dacht dat je alles wist,' zei Sam. 'Dat je de hele zaak uit je hoofd kende.'
'Ik weet heel veel over jou, Sam, maar niet over Jeremiah Dogan.'
'Hij is omgekomen bij een brand. Samen met zijn vrouw. Ze lagen op een nacht te slapen toen een gasleiding propaan begon te lekken. Volgens de buren leek het wel of er een bom ontplofte.'
'Wanneer was dat?'
'Precies één jaar nadat hij tegen mij had getuigd.'
Adam probeerde het op te schrijven, maar zijn hand wilde niet. Hij keek Sam scherp aan. 'Precies een jaar?'
'Ja.'
'Dat is wel heel toevallig.'
'Ik zat natuurlijk gevangen, maar ik heb wel wat gehoord. Volgens de politie was het een ongeluk. Ik geloof dat er nog een proces is gevoerd tegen de propaangasmaatschappij.'
'Dus je denkt niet dat hij is vermoord?'
'Natuurlijk denk ik dat hij is vermoord.'
'Door wie dan?'

'De FBI kwam hier op bezoek om me vragen te stellen. Kun je nagaan! De Feds die hun neus hier om de hoek staken. Twee kerels uit het noorden. Ze konden nauwelijks wachten om hun penningen te laten zien en met een echte Klan-terrorist in de dodengang te spreken. Ze waren nog bang voor hun eigen schaduw, als je het mij vraagt. Ze hebben me een uur lang stomme vragen gesteld en zijn toen weer vertrokken. Daarna heb ik nooit meer iets gehoord.'
'Wie had een reden om Dogan te vermoorden?'
Sam beet op de filter en zoog de laatste rook uit de sigaret. Toen drukte hij hem in de asbak uit en blies een rookwolk door het hek. Adam wapperde de rook weg met een overdreven gebaar, maar Sam lette er niet op. 'Heel wat mensen,' mompelde hij.
Adam maakte een aantekening in de marge om later nog uitvoeriger over Dogan te spreken. Eerst zou hij zelf een onderzoek instellen en het onderwerp daarna nog eens ter sprake brengen.
'Ik wil niet vervelend zijn,' zei hij, terwijl hij zat te schrijven, 'maar volgens mij had je tegen Dogan moeten getuigen.'
'Dat had ik ook bijna gedaan,' zei Sam met iets van spijt. 'De laatste avond van het proces hebben ik en Keyes en zijn assistente... ik weet niet meer hoe ze heette... tot middernacht zitten discussiëren of ik nu moest getuigen of niet. Maar denk eens na, Adam. Dan had ik moeten toegeven dat ik die bom had geplaatst, met een tijdmechaniek zodat hij pas later zou exploderen, dat ik betrokken was geweest bij andere aanslagen en dat ik tegenover het gebouw had gestaan toen het de lucht in vloog. Bovendien had de officier al duidelijk aangetoond dat Marvin Kramer het doelwit was. Ik bedoel, verdomme, ze hadden de afgeluisterde telefoongesprekken al voor de jury afgespeeld. Je had het moeten horen. Er stonden van die grote luidsprekerboxen in de rechtszaal en ze zetten de recorder op een tafeltje voor de jury alsof het een bom was. En toen hoorde je Dogan telefoneren met Wayne Graves. Zijn stem klonk krasserig, maar duidelijk verstaanbaar. Ze hadden het over een aanslag op Marvin Kramer vanwege alles wat hij had gedaan. Dogan pochte dat hij zijn "groep"... dat was ik dus... naar Greenville zou sturen om de zaak te regelen. De stemmen op dat bandje klonken als geesten uit de

hel en de jury zat vol ontzetting te luisteren. Heel effectief. En dan was er natuurlijk nog Dogans eigen verklaring. Nee, als ik op dat moment in de getuigenbank was gaan zitten om de jury ervan te overtuigen dat ik heus niet zo'n slechte jongen was, hadden ze me uitgelachen. McAllister zou me levend hebben gevild. Daarom besloten we dat ik zelf niet zou getuigen. Achteraf was dat een vergissing. Ik had mijn mond moeten opendoen.'

'Maar je advocaat adviseerde je om dat niet te doen?'

'Hoor eens, Adam, als je eraan denkt om Keyes aan te klagen wegens wanprestatie, vergeet het dan maar. Ik heb Keyes goed betaald, een hypotheek genomen op alles wat ik had, en hij heeft zijn best gedaan. Goodman en Tyner hebben lang geleden ook eens overwogen om Keyes aan te pakken, maar uiteindelijk konden ze hem op geen enkele fout betrappen. Nee, dat is zinloos.'

Het Cayhall-dossier van Kravitz & Bane bevatte een pak papier van minstens vijf centimeter dikte – memo's en onderzoek – dat uitsluitend betrekking had op Benjamin Keyes' verdediging. Nalatigheid van een advocaat was een standaardargument in beroepsprocedures tegen de doodstraf, maar in Sams geval was van die mogelijkheid geen gebruik gemaakt. Goodman en Tyner hadden er langdurig over gesproken en lange memo's verstuurd tussen hun kantoren op de eenenzestigste en de zesenzestigste verdieping in Chicago, maar het laatste memo verklaarde dat Keyes zijn werk zo goed had gedaan dat het een zinloze poging zou zijn.

Bovendien zat in het dossier een brief van drie kantjes waarin Sam iedere aanval op Keyes uitdrukkelijk verbood. Hij zou daar nooit een petitie voor tekenen, zei hij.

Maar dat laatste memo was al zeven jaar geleden geschreven, toen de uitvoering van het doodvonnis nog ver in de toekomst lag. Dat was nu wel anders. Er moesten argumenten worden gevonden – desnoods verzonnen. Adam was bereid zich aan iedere strohalm vast te klampen.

'Waar is Keyes nu?' vroeg hij.

'Het laatste wat ik hoorde was dat hij een baan in Washington had. Vijf jaar geleden heeft hij me nog eens geschreven om te zeggen dat hij geen praktijk meer uitoefende. Het was een zware klap voor hem dat we verloren. We hadden het

geen van beiden verwacht.'
'Dus je dacht niet dat je zou worden veroordeeld?'
'Niet echt. Ik was al twee keer de dans ontsprongen, moet je rekenen. En de derde keer zaten er acht blanken in de jury – Anglo-Amerikanen moet ik eigenlijk zeggen. Het proces verliep niet gunstig, maar toch dacht ik niet dat ze me schuldig zouden verklaren.'
'En Keyes?'
'Die had meer twijfels. We hebben het zeker niet luchtig opgevat. We hebben ons maanden voorbereid. Wekenlang verwaarloosde Keyes zijn andere cliënten en zelfs zijn gezin om aan de zaak te kunnen werken. McAllister leek wel elke dag in de krant te staan, en hoe meer praatjes hij verkocht, des te harder wij werkten. Er werd een lijst van potentiële juryleden bekendgemaakt, in totaal vierhonderd namen, en het heeft ons dagen gekost om al die mensen te controleren. Nee, aan Keyes' voorbereiding heeft het niet gelegen. Zo naïef waren we niet.'
'Lee zei dat je had overwogen om te vluchten.'
'O, zei ze dat?'
'Ja, gisteravond.'
Sam tikte de volgende sigaret uit het pakje en bewonderde hem even alsof het wel eens zijn laatste zou kunnen zijn. 'Ja, ik heb er wel over gedacht. Het heeft bijna dertien jaar geduurd voordat McAllister me weer aanklaagde. Ik was pas zesenveertig toen het tweede proces ongeldig werd verklaard en ik als vrij man naar huis kon gaan. Zesenveertig jaar, en ik had twee processen overleefd. Ik dacht dat alles achter de rug was. Ik was gelukkig, ik leidde een normaal leven. Ik werkte op de boerderij, ik had een houtzagerij, ik dronk koffie in de stad en bij elke verkiezing ging ik stemmen. De FBI hield me nog een paar maanden in de gaten, totdat ze ervan overtuigd waren dat ik geen aanslagen meer zou plegen. Zo nu en dan doken er wel journalisten in Clanton op om vragen te stellen, maar niemand was bereid met ze te praten. Ze kwamen altijd uit het noorden, ze waren onbeschoft, onnozel en te stom om voor de duvel te dansen, en ze bleven nooit lang. Ooit kwam er een naar het huis en weigerde te vertrekken. In plaats van mijn buks te pakken stuurde ik de honden op hem af en die hebben een flinke hap uit zijn zitvlak genomen. Ik heb hem

nooit meer gezien.' Grinnikend stak hij de sigaret op. 'Zelfs in mijn ergste nachtmerries had ik dit niet zien aankomen. Als ik maar het flauwste vermoeden had gehad van wat me te wachten stond, zou ik al jaren eerder zijn verdwenen. Ik was volledig vrij, moet je bedenken, zonder enige beperking. Ik had naar Zuid-Amerika kunnen gaan om een andere naam aan te nemen, twee of drie keer te verdwijnen en me dan in Sao Paulo of Rio te vestigen.'

'Net als Mengele.'

'Zoiets. Die hebben ze ook nooit gevonden. Een heel stel van die lui is zo ontkomen. Dan zou ik nu in een aardig huisje wonen, Portugees spreken en me rotlachen om idioten als David McAllister.' Sam schudde zijn hoofd, sloot zijn ogen en droomde van hoe het had kunnen zijn.

'Waarom ben je niet gevlucht toen McAllister met zijn campagne begon?'

'Omdat ik onnozel was. Het ging allemaal zo geleidelijk. Als een nachtmerrie die stukje bij beetje werkelijkheid werd. Eerst werd McAllister gekozen met al zijn beloften. Een paar maanden later werd Dogan gepakt door de belastingdienst. Toen hoorde ik al geruchten en las ik soms iets in de krant. Maar ik kon gewoon niet geloven dat het zou gebeuren. En voordat ik het wist, werd ik door de FBI geschaduwd en kon ik niet meer ontsnappen.'

Adam keek op zijn horloge. Opeens voelde hij zich moe. Ze hadden meer dan twee uur zitten praten en hij had behoefte aan frisse lucht en zonneschijn. De sigaretterook bezorgde hem hoofdpijn en het werd met iedere minuut warmer in de spreekkamer. Hij schroefde de dop op zijn pen en borg zijn schrijfblok in zijn koffertje. 'Ik ga maar eens,' zei hij in de richting van het traliewerk. 'Ik denk dat ik morgen terugkom voor nog een ronde.'

'Ik loop niet weg.'

'Lucas Mann heeft me toestemming gegeven om je te bezoeken wanneer ik wil.'

'Een geweldige vent, dat is het.'

'Hij is wel oké. Hij doet gewoon zijn werk.'

'Net als Naifeh en Nugent en al die andere witten.'

'Witten?'

'Ja, zo noemen ze hier het gezag. De witten. Niemand wil me

doden, maar ze doen gewoon hun werk. Er loopt hier een mongool met negen vingers rond – dat is de officiële beul, de man die het gas mengt en de container aanbrengt. Als je hem vraagt wat hij doet op het moment dat hij mijn riemen vastbindt, zal hij zeggen: "Gewoon mijn werk." De dominee, de dokter, de psychiater, de bewaarders die me naar de gaskamer zullen brengen en de ziekenbroeders die me er weer uit zullen halen... het zijn allemaal aardige mensen die niets tegen me hebben en gewoon hun werk doen.'
'Zover zal het niet komen, Sam.'
'Beloof je dat?'
'Nee. Maar we moeten positief blijven denken.'
'Ja, positief denken is hier erg populair. De andere jongens en ik zijn dol op positieve praatprogramma's, reisverslagen en de thuiswinkel. De Afrikanen kijken liever naar *Soul Train*.'
'Lee maakt zich ongerust over je, Sam. Ik moest tegen je zeggen dat ze aan je denkt en voor je bidt.'
Sam beet op zijn onderlip en keek naar de grond. Hij knikte langzaam maar zei niets.
'Ik blijf nog zeker een maand bij haar logeren.'
'Is ze nog steeds getrouwd met die kerel?'
'Min of meer. Ze wil je graag zien.'
'Nee.'
'Waarom niet?'
Sam kwam voorzichtig overeind van zijn stoel en klopte op de deur achter hem. Hij draaide zich om en staarde naar Adam door het traliewerk. Ze bleven elkaar aankijken tot een bewaarder de deur opende en Sam meenam.

15

'Zijn advocaat is een uur geleden vertrokken met een contract, hoewel ik dat nog niet heb gezien,' zei Lucas Mann tegen Phillip Naifeh, die voor zijn raam stond en naar een schoonmaakploeg langs de autoweg keek. Naifeh had hoofdpijn en rugpijn en maakte een vervelende dag door, die al vroeg was begonnen met drie telefoontjes van de gouverneur en twee van Roxburgh, de procureur. Sam was natuurlijk de reden geweest.
'Dus hij heeft weer een advocaat,' zei Naifeh terwijl hij zachtjes met zijn vuist tegen zijn onderrug drukte.
'Ja, en ik mag die jongen wel. Toen hij vertrok, kwam hij nog even langs. Hij zag eruit of hij door een vrachtwagen was overreden. Volgens mij hebben hij en zijn grootvader het behoorlijk zwaar.'
'Zijn grootvader zal het nog wel zwaarder krijgen.'
'Wij allemaal, denk ik.'
'Weet je wat de gouverneur me vroeg? Hij wilde een exemplaar van ons handboek over de uitvoering van het doodvonnis. Ik heb nee gezegd. Maar hij vond dat hij als gouverneur recht had op een exemplaar. Ik probeerde hem uit te leggen dat het niet een echt handboek was, maar een losbladige instructie in een zwarte band die na iedere executie weer wordt aangepast. Hoe het dan heette, wilde hij weten. Het heeft geen officiële naam, zei ik, omdat het goddank niet zo vaak wordt gebruikt. Ik noem het wel eens ons zwarte boekje, vertelde ik hem. Hij bleef aandringen, ik werd steeds kwader en ten slotte hingen we op. Een kwartier later belde zijn advocaat, die kleine gebochelde klootzak met dat knijpbrilletje...'
'Larramore.'
'Ja, Larramore. Die belde me en zei dat de gouverneur volgens een of ander wetsartikel recht had op een exemplaar van het handboek. Ik zette hem in de wacht, haalde het wetboek erbij, liet hem tien minuten bungelen en daarna lazen we samen het artikel door. Natuurlijk was het bluf en had hij zit-

ten liegen. Hij dacht zeker dat ik achterlijk was. In mijn wetboek was er niets over te vinden. Dus ik hing op. Tien minuten daarna had ik de gouverneur weer aan de lijn, opeens poeslief. Dat zwarte boekje moesten we maar vergeten, zei hij. Maar hij maakte zich zorgen over Sams wettelijke rechten en hij zou graag op de hoogte worden gehouden van het verloop. Wat een gladjanus.' Naifeh verplaatste zijn gewicht van de ene voet op de andere en drukte nog eens met zijn vuist tegen zijn rug terwijl hij uit het raam staarde.

'Een half uur later belde Roxburgh. Raad eens? Hij wilde weten of ik met de gouverneur had gesproken. Hij denkt namelijk dat wij de beste vrienden zijn, oude politieke makkers, en dat we elkaar kunnen vertrouwen. Daarom vertelde hij me, in strikt vertrouwen, dat hij bang was dat de gouverneur deze executie voor zijn eigen politieke doeleinden zou misbruiken.'

'Hoe komt hij daar nou bij?' lachte Lucas.

'Ja. Ik zei tegen Roxburgh dat ik niet kon geloven dat hij zoiets van onze gouverneur kon denken. Ik was heel serieus, en hij ook, en we beloofden elkaar dat we de gouverneur goed in de gaten zouden houden. Zodra we het vermoeden kregen dat hij de situatie probeerde te manipuleren, zouden we elkaar meteen bellen. Hij kon wel iets doen om de gouverneur in toom te houden, zei Roxburgh nog. Ik heb hem niet gevraagd wat, maar hij leek heel zeker van zichzelf.'

'Wie is nou de grootste idioot van die twee?'

'Roxburgh, denk ik. Met een neuslengte voorsprong.' Naifeh rekte zich uit en liep naar zijn bureau. Hij liep op zijn sokken, met zijn overhemd uit zijn broek. Het was duidelijk dat hij pijn had. 'Ze zijn allebei publiciteitsgeil. Ze lijken wel twee kleine jochies die doodsbang zijn dat de ander een groter stuk taart zal krijgen. Ik mag ze allebei niet.'

'Niemand mag ze, behalve de kiezers.'

Er werd luid op de deur geklopt – drie stevige tikken met exacte tussenpozen. 'Daar hebben we Nugent,' zei Naifeh en opeens werd zijn pijn nog heviger. 'Binnen.'

De deur ging snel open. Kolonel buiten dienst George Nugent marcheerde de kamer binnen, trok in één beweging de deur achter zich dicht en stapte formeel op Lucas Mann af, die niet opstond maar wel zijn hand uitstak. 'Meneer Mann!'

begroette Nugent hem energiek, waarna hij zich omdraaide en Naifeh de hand schudde over het bureau heen.
'Ga zitten, George,' zei Naifeh en wuifde hem naar een lege stoel naast Mann. Naifeh hield niet van die militaire onzin, maar het had geen zin er iets over te zeggen.
'Ja, meneer,' antwoordde Nugent en liet zich met een stramme rug in de stoel zakken. Omdat alleen de gevangenen en de bewaarders van Parchman een uniform droegen, had Nugent er zelf een verzonnen. Zijn overhemd en broek waren olijfgroen, in dezelfde tint en keurig gesteven. Wonderbaarlijk genoeg kwamen er nooit kreukels in. De broekspijpen eindigden een paar centimeter boven de enkels, waar ze verdwenen in een paar zwartleren soldatenschoenen, die minstens twee keer per dag glimmend werden gepoetst. Ooit had het gerucht gecirculeerd dat een secretaresse of een corveeër een spatje modder op een van de zolen had gezien, maar dat bericht was nooit bevestigd.
Het bovenste knoopje van zijn overhemd stond open en de kraag vormde een perfecte driehoek met het grijze T-shirt eronder. De zakken en mouwen droegen geen versierselen, lintjes of medailles – tot groot verdriet van de kolonel, vermoedde Naifeh. Nugent droeg zijn haar zo kort mogelijk, opgeschoren boven zijn oren, met een dunne laag grijze stoppels op zijn schedel. De kolonel was tweeënvijftig, had zijn land vierendertig jaar gediend, eerst als soldaat eersteklas in Korea en daarna als kapitein in Vietnam, waar hij vanachter een bureau de oorlog had gevolgd. Toen hij gewond raakte bij een verkeersongeluk met een jeep, was hij met een lintje naar huis gestuurd.
Twee jaar was Nugent nu al assistent-opzichter van het gevangeniswezen, een betrouwbare en loyale medewerker van Phillip Naifeh, en hij deed zijn werk bewonderenswaardig. Hij hield van voorschriften, regels en details. Hij verslond handboeken en kwam steeds met voorstellen voor nieuwe procedures en richtlijnen. De directeur werd behoorlijk moe van hem, maar de man had ook zijn verdiensten. En het was geen geheim dat Nugent op Naifehs baantje aasde.
'George, Lucas en ik hebben de zaak Cayhall besproken. Ik weet niet of je van de beroepsprocedure op de hoogte bent, maar het Vijfde Circuit heeft gisteren het uitstel opgeheven

en over vier weken kunnen we de executie verwachten.'
'Ja, meneer,' blafte Nugent. Hij luisterde scherp en onthield ieder woord. 'Ik heb het vandaag in de krant gelezen.'
'Goed. Lucas denkt dat het inderdaad zal gebeuren. Niet-waar, Lucas?'
'De kans is groot. Meer dan vijftig procent,' zei Lucas zonder Nugent aan te kijken.
'Hoe lang werk je hier nu al, George?'
'Twee jaar en één maand.'
De directeur maakte een berekening terwijl hij zijn slapen masseerde. 'Dan heb je de executie van Parris dus niet meegemaakt?'
'Nee, meneer. Die was een paar weken eerder,' antwoordde Nugent met iets van spijt in zijn stem.
'Dus je hebt geen enkele ervaring?'
'Nee, meneer.'
'Het is een onthutsende belevenis, George. Afschuwelijk. Het akeligste aspect van dit beroep. En eerlijk gezegd voel ik me er niet meer toe in staat. Ik had gehoopt dat ik mijn pensioen zou kunnen halen zonder de gaskamer nog eens te hoeven gebruiken, maar dat zit er niet in. En daarom heb ik hulp nodig.'
Nugent rechtte zijn rug, voor zover dat nog mogelijk was. Hij knikte haastig en zijn ogen schoten alle kanten op.
Naifeh liet zich voorzichtig in het zachte leer van zijn stoel zakken. Zijn gezicht vertrok van pijn. 'Omdat ik er niet meer toe in staat ben, George, dachten Lucas en ik dat jij misschien de aangewezen man was.'
De kolonel kon een glimlach niet onderdrukken. Maar meteen stond zijn gezicht weer strak en ernstig. 'Dat kunt u gerust aan mij overlaten, meneer.'
'Dat dacht ik ook.' Naifeh wees naar een zwarte map op de hoek van zijn bureau. 'Daar ligt het handboek, met alle wijsheid van de vijfentwintig keer dat de gaskamer de afgelopen dertig jaar is gebruikt.'
Nugent keek misprijzend naar het zwarte boekje. Hij zag meteen dat de pagina's niet allemaal even groot waren. Hier en daar waren zelfs opgevouwen velletjes tussen de tekst gestoken, en de map zelf zag er versleten en groezelig uit. Over een paar uur, nam hij zich voor, moest die klapper zijn veranderd

in een keurig boekwerk, geschikt voor publikatie. Dat was zijn eerste taak. De administratie moest onberispelijk zijn.
'Lees het vanavond maar door en laat me morgen weten wat je ervan denkt,' zei Naifeh.
'Jawel, meneer,' antwoordde Nugent zelfvoldaan.
'En praat er nog met niemand over. Ik wil het eerst met je bespreken, oké?'
'Goed, meneer.'
Met een formeel knikje naar Lucas Mann stond Nugent weer op en verliet de kamer, met het zwarte boekje in zijn hand als een kind met een nieuw stuk speelgoed. De deur viel achter hem dicht.
'Die man is geschift,' zei Lucas.
'Dat weet ik. We houden hem wel in de gaten.'
'Heel verstandig. Hij is zo fanatiek dat hij straks nog probeert om Sam dit weekend al te vergassen.'
Naifeh trok een la van zijn bureau open, haalde er een buisje pillen uit en nam er twee, die hij zonder water doorslikte. 'Ik ga naar huis, Lucas. Ik moet even liggen. Anders ben ik nog eerder dood dan Sam.'
'Dan mag je wel opschieten.'

Het telefoongesprek met Garner Goodman was kort. Adam vertelde met enige trots dat Sam een overeenkomst had getekend en dat ze al vier uur hadden gesproken, hoewel ze nog niet veel verder waren. Goodman vroeg om een kopie van de overeenkomst en Adam zei dat er nog geen kopieën beschikbaar waren. Het origineel lag veilig opgeborgen in een cel in de dodengang en er zouden alleen kopieën worden gemaakt als de cliënt dat nodig vond.
Goodman beloofde dat hij het dossier zou herzien en aan de slag zou gaan. Adam gaf hem Lee's telefoonnummer en zei dat hij elke dag zou bellen. Toen hing hij op en staarde naar de twee verontrustende berichten naast zijn computer. Ze waren allebei afkomstig van journalisten, één van een krant uit Memphis, de ander van een tv-station in Jackson, Mississippi.
Baker Cooley had met de twee verslaggevers gesproken. Er was zelfs een tv-ploeg van het station uit Jackson bij de balie van het kantoor verschenen en pas vertrokken toen Cooley

dreigementen had geuit. Al die aandacht had de dagelijkse gang van zaken op het rustige advocatenkantoor verstoord en daar was Cooley niet blij mee. De andere advocaten spraken nauwelijks met Adam. De secretaressen waren zakelijk en beleefd, maar bleven zoveel mogelijk uit zijn buurt.
De pers was al op de hoogte, had Cooley hem somber gewaarschuwd. Ze wisten dat Sam zijn grootvader was, hoewel hij geen idee had hoe ze daarachter waren gekomen. Híj had het hun in elk geval niet verteld. Hij had er met niemand over gesproken, maar blijkbaar was het nieuws al uitgelekt en daarom had hij voor de lunch alle collega's bijeengeroepen om het hun persoonlijk te vertellen.
Het was nu bijna vijf uur. Adam zat achter zijn bureau met de deur dicht, luisterend naar de stemmen op de gang toen de advocaten en medewerkers zich opmaakten om naar huis te gaan. Adam besloot dat hij de tv-reporter niets te zeggen had. Hij belde het nummer van Todd Marks van *The Memphis Press*. Een bandje vroeg wie hij wilde spreken en de wonderen der techniek brachten hem naar het juiste toestel.
'Todd Marks,' antwoordde een haastige stem. Hij klonk als een tiener.
'U spreekt met Adam Hall van Kravitz & Bane. Ik vond een briefje met uw nummer.'
'O ja, meneer Hall,' zei Marks overdreven vriendelijk. Opeens had hij geen haast meer. 'Fijn dat u terugbelt. Ik eh... wij hebben het gerucht gehoord dat u de zaak Cayhall hebt overgenomen en eh... ik wilde weten of dat waar is.'
'Ik vertegenwoordig de heer Cayhall,' antwoordde Adam afgemeten.
'Ja, dat hadden wij ook gehoord. En eh... u komt uit Chicago?'
'Dat klopt.'
'Juist. Hoe eh... hoe bent u bij de zaak betrokken geraakt?'
'Mijn kantoor vertegenwoordigt Sam Cayhall al zeven jaar.'
'Dat is zo, maar hij had het contact toch verbroken, als ik goed ben ingelicht?'
'Dat is waar, maar hij is op zijn besluit teruggekomen.' Adam hoorde het geratel van een toetsenbord toen Marks zijn woorden noteerde.
'Juist. En wij hebben nog een ander verhaal gehoord... niet

meer dan een gerucht, neem ik aan... dat Sam Cayhall uw grootvader zou zijn.'
'Waar hebt u dat gehoord?'
'Eh... wij hebben natuurlijk onze bronnen, en die moeten we beschermen. Dus ik kan u niet zeggen waar die informatie vandaan komt.'
'Dat begrijp ik.' Adam haalde diep adem en liet Marks een tijdje bungelen. 'Waar bent u nu?'
'Op de krant.'
'En waar is dat? Ik ken de stad nog niet.'
'Waar zit u?' vroeg Marks.
'In het centrum, op het kantoor van ons filiaal.'
'Dat is niet zo ver. Ik kan over tien minuten bij u zijn.'
'Nee, laten we maar ergens anders afspreken. Een rustig café of zo.'
'Goed. Drie straten bij u vandaan is het Peabody Hotel. Naast de lobby is een aardige bar, de Mallard.'
'Ik ben er over een kwartier. Alleen u en ik, oké?'
'Akkoord.'
Adam hing op. Sam had in zijn overeenkomst een paar onduidelijke bepalingen opgenomen die zijn raadsman verboden met de pers te spreken. Maar daar zaten grote gaten in waar iedere advocaat dwars doorheen kon lopen. Adam was er niet op ingegaan. Na twee gesprekken was zijn grootvader nog steeds een mysterie voor hem. Sam hield niet van advocaten en zou geen moment aarzelen om er een te ontslaan – ook zijn eigen kleinzoon.

De Mallard Bar liep langzaam vol met jonge, vermoeide yuppen die nog een paar borrels kwamen halen voordat ze terugreden naar de buitenwijken. Er woonden niet veel mensen in het centrum van Memphis, daarom ontmoetten de bankiers en effectenmakelaars elkaar in deze en talloze andere bars om Zweedse wodka of bier uit groene flessen te drinken. Ze verzamelden zich aan de bar en rond de tafeltjes om de bewegingen van de markt en de toekomst van de dollar te bespreken. Het was een modieuze tent, met echte gemetselde muren en hardhouten vloeren. Op een tafeltje bij de deur stonden bladen met kippepootjes en levertjes in spek.
Adam ontdekte een jongeman in spijkerbroek, die een schrijf-

blok in zijn hand had. Hij stelde zich voor en ze liepen naar een tafeltje in de hoek. Todd Marks was hooguit vijfentwintig. Hij droeg een brilletje met draadmontuur en zijn haar kwam tot zijn schouders. Hij was hartelijk en een beetje nerveus. Ze bestelden Heineken.

Het schrijfblok lag al op tafel, klaar voor actie, en Adam besloot het initiatief te nemen. 'Eerst een paar regels,' zei hij. 'Ik wil alleen officieus met je praten. Je mag me dus niet citeren. Akkoord?'

Marks haalde zijn schouders op alsof hij het best vond, hoewel hij op iets anders had gehoopt. 'Oké,' zei hij.

'Een niet nader genoemde bron, zo heet dat toch?'

'Ja.'

'Ik wil wel een paar vragen beantwoorden, maar niet veel. Ik zit hier met je te praten omdat ik wil dat er geen onzin wordt geschreven. Duidelijk?'

'Goed. Is Sam Cayhall inderdaad uw grootvader?'

'Sam Cayhall is mijn cliënt en hij heeft me verboden met de pers te praten. Daarom mag je me niet citeren. Ik kan alleen ontkennen of bevestigen. Meer niet.'

'Oké. Maar is hij uw grootvader?'

'Ja.'

Marks haalde diep adem en moest dat even verwerken. Dit werd een ongelooflijk verhaal. Hij zag de koppen al voor zich.

Toen besefte hij dat hij nog meer vragen moest stellen. Voorzichtig haalde hij een pen uit zijn zak. 'Wie is uw vader?'

'Mijn vader is dood.'

Een lange stilte. 'Dus Sam is uw grootvader van moeders kant?'

'Nee, van vaders kant.'

'Juist. Waarom heet u dan anders?'

'Omdat mijn vader zijn naam heeft veranderd.'

'Waarom?'

'Daar geef ik geen antwoord op. Ik wil geen gesprek over mijn familie.'

'Bent u in Clanton opgegroeid?'

'Nee. Ik ben er wel geboren, maar we zijn weggegaan toen ik drie jaar was. Mijn ouders zijn verhuisd naar Californië. Daar ben ik opgegroeid.'

'Dus u had geen contact met Sam Cayhall?'
'Nee.'
'Kende u hem wel?'
'Ik heb hem gisteren ontmoet.'
Marks dacht na over de volgende vraag. Gelukkig kwam het bier. Ze namen allebei een slok en zwegen.
Hij tuurde op zijn schrijfblok, noteerde wat en vroeg: 'Hoe lang werkt u al voor Kravitz & Bane?'
'Bijna een jaar.'
'En aan de zaak Cayhall?'
'Anderhalve dag.'
Hij nam een flinke slok en keek Adam aan alsof hij een verklaring verwachtte. 'Hoor eens, meneer Hall...'
'Zeg maar Adam.'
'Goed, Adam. Dit verhaal is nogal vaag. Kun je me niet een beetje helpen?'
'Nee.'
'Oké. Ik heb ergens gelezen dat Kravitz & Bane kort geleden door Cayhall de laan uit is gestuurd. Werkte jij al aan de zaak toen dat gebeurde?'
'Ik zei al dat ik er pas anderhalve dag bij betrokken ben.'
'Wanneer ben je voor het eerst in de dodengang geweest?'
'Gisteren.'
'Wist hij dat je kwam?'
'Daar wil ik het niet over hebben.'
'Waarom niet?'
'Dat is vertrouwelijk. Ik doe geen mededelingen over mijn bezoeken aan de dodengang. Ik zal alleen bevestigen of ontkennen wat je ergens anders kunt verifiëren.'
'Heeft Sam nog meer kinderen?'
'Ik praat niet over de familie. Daar heeft je krant al over geschreven, denk ik.'
'Maar dat is lang geleden.'
'Zoek het maar op.'
Nog een flinke slok en een peinzende blik op het notitieblok.
'Wat zijn de kansen dat de executie op 8 augustus zal doorgaan?'
'Moeilijk te zeggen. Daar speculeer ik liever niet over.'
'Maar alle beroepsmogelijkheden zijn uitgeput?'
'Misschien. Laten we zeggen dat het een zware strijd zal wor-

den.'
'Kan de gouverneur gratie verlenen?'
'Ja.'
'Zit die kans erin?'
'Het lijkt me niet waarschijnlijk. Dat moet je hem maar vragen.'
'Is je cliënt nog bereid tot interviews voor de executie?'
'Dat betwijfel ik.'
Adam keek op zijn horloge alsof hij een vliegtuig moest halen. 'Verder nog iets?' vroeg hij en dronk zijn glas leeg.
Marks stak zijn pen in zijn borstzakje. 'Kunnen we nog eens praten?'
'Dat hangt ervan af.'
'Waarvan?'
'Hoe je hiermee omgaat. Als je de familiegeschiedenis oprakelt, kun je het wel vergeten.'
'Verbergen jullie dan zoveel duistere geheimen?'
'Geen commentaar.' Adam stond op en stak zijn hand uit. 'Leuk je ontmoet te hebben,' zei hij toen ze afscheid namen.
'Bedankt. Ik bel nog wel.'
Adam liep snel langs de drukke bar en verdween door de hal van het hotel.

16

Van alle onzinnige, kinderachtige regels voor de gevangenen in de dodengang ergerde Sam zich het meest aan de twaalfenhalve-centimeterregel. Deze briljante bepaling stelde een limiet aan de hoeveelheid juridische papieren die een gevangene in zijn cel mocht hebben. De stapel documenten mocht niet dikker zijn dan twaalfenhalve centimeter. Sams dossier verschilde niet veel van dat van de andere gevangenen. Na negen jaar juridische strijd nam het twee grote kartonnen dozen in beslag. Hoe moest hij in godsnaam studeren en zich voorbereiden met zulke beperkingen als de twaalfenhalvecentimeter regel?

Zo nu en dan kwam Packer zijn cel binnen met een liniaal waar hij als een tambour-maître mee zwaaide voordat hij hem langs de papieren legde. En steeds opnieuw zat Sam boven de limiet, zelfs één keer met maar liefst tweeënvijftig centimeter, volgens Packer. En iedere keer schreef Packer een rapport, dat in Sams gevangenisdossier werd opgenomen. Sam vroeg zich af of zijn dossier bij de administratie ook dikker was dan twaalfenhalve centimeter. Hij hoopte het maar. Wat maakte het in godsnaam uit? Ze hielden hem nu al negen jaar in een kooi in leven, alleen met de bedoeling hem ooit te kunnen doden. Wat konden ze hem verder nog aandoen?

Bij iedere overtreding had Packer hem vierentwintig uur de tijd gegeven zijn dossier aan te passen. Meestal stuurde Sam een stapel naar zijn broer in North Carolina. Een paar keer had hij met tegenzin een klein gedeelte naar E. Garner Goodman verstuurd.

Op dit moment zat hij zo'n dertig centimeter boven de limiet. En onder zijn matras lag nog een dun dossier met zaken die recent door het Hooggerechtshof waren behandeld. Verder had hij nog een stapel van vijf centimeter op een boekenplank bij zijn buurman Hank Henshaw en een pakket van zevenenhalve centimeter tussen de papieren van J.B. Gullitt.

Henshaw had een goede advocaat omdat zijn familie rijk was. Gullitt had een malloot van een groot kantoor in Washington die nog nooit een rechtszaal van binnen had gezien.

Een andere krankzinnige bepaling was de drie-boekenregel, die voorschreef dat een gevangene in de dodengang niet meer dan drie boeken mocht bezitten. Sam had er vijftien, zes in zijn cel en negen verspreid onder zijn cliënten in de gang. Hij hield niet van romans. Zijn verzameling bestond uitsluitend uit juridische boeken over de doodstraf en het achtste amendement.

Hij had juist een avondmaal van gekookt varkensvlees, pinto-bonen en maïsbrood naar binnen gewerkt en was verdiept in een zaak die voor het Negende Circuit in Californië had gediend, over een gevangene die zijn doodvonnis zo rustig onder ogen had gezien dat zijn advocaten hadden besloten dat hij geestelijk gestoord moest zijn. Daarom hadden ze op die gronden beroep aangetekend. Bij het Negende Circuit in Californië wemelde het van de progressieve rechters die tegen de doodstraf waren, en ze grepen deze kans met beide handen aan. De executie was uitgesteld. De zaak beviel Sam wel. Hij had het al vaak betreurd dat hij onder de jurisdictie van het Vijfde en niet van het Negende Circuit viel.

'Ik heb een vlieger voor je, Sam,' zei J.B. Gullitt vanuit de cel naast hem. Sam liep naar de tralies. Een 'vlieger' was het enige middel tot schriftelijk contact tussen gevangenen die een paar cellen bij elkaar vandaan zaten. Gullitt gaf hem het briefje. Het was afkomstig van Preacher Boy, een zielige blanke jongen, zeven cellen verderop. Hij was al heel jong predikant geworden op het platteland – een echte fanaticus die hel en verdoemenis preekte. Maar aan die carrière was abrupt, en misschien wel voorgoed, een eind gekomen toen hij was veroordeeld omdat hij de vrouw van een ouderling had verkracht en vermoord. Hij was pas vierentwintig, zat al drie jaar in de dodengang en was kort geleden weer volledig tot het evangelie teruggekeerd. Het briefje luidde:

> Beste Sam, ik zit op dit moment voor je te bidden. Ik geloof oprecht dat God zal ingrijpen om dit kwaad te stoppen. Maar als Hij dat niet doet, zal ik Hem vragen je snel

bij Zich te nemen, zonder pijn of wat ook, en je naar huis te brengen. Liefs, Randy.

Geweldig, dacht Sam. Ze bidden al dat het snel voorbij zal zijn, zonder pijn of wat ook. Hij ging op de rand van zijn bed zitten en schreef een briefje terug:

Beste Randy, bedankt voor de gebeden. Ik heb ze nodig. Ik heb ook een van mijn boeken nodig: *Bronsteins Death Penalty Review*. Het is een groen boek. Wil je het doorgeven? Sam.

Hij gaf het briefje aan J.B., en wachtte met zijn armen door de tralies tot de 'vlieger' langs de cellen was doorgegeven. Het was bijna acht uur, nog steeds warm en drukkend, maar buiten werd het gelukkig al donker. 's Nachts daalde de temperatuur tot zo'n vijfentwintig graden en werd het dankzij de ventilatoren wat draaglijker in de cellen.
Sam had die dag al meer vliegers ontvangen. Allemaal drukten ze hoop en medeleven uit. Allemaal boden ze hulp aan. De muziek stond zachter en er werd niet geschreeuwd als iemand zich weer eens in zijn rechten voelde aangetast. Ook deze tweede dag heerste er een opvallende rust in de dodengang. De televisie stond overal aan, tot diep in de nacht, maar niet zo luid. Vooral in Gang A was het een stuk stiller.
'Ik heb een nieuwe advocaat,' zei Sam zacht. Hij leunde op zijn ellebogen, met zijn handen tussen de tralies door. Hij droeg alleen een boxershort. Als ze vanuit hun cellen met elkaar praatten, kon hij Gullitts handen en polsen zien, maar nooit zijn gezicht. Iedere dag als Sam naar buiten werd gebracht voor een uurtje luchten, liep hij langzaam de gang door en staarde in de ogen van zijn kameraden. En zij staarden terug. Hij had hun gezichten in zijn geheugen geprent en hij kende hun stemmen. Maar het was wreed om jarenlang naast iemand te zitten en lange gesprekken over het leven en de dood met hem te voeren terwijl je alleen zijn handen zag.
'Dat is mooi, Sam. Daar ben ik blij om.'
'Ja. Ik geloof dat hij behoorlijk slim is.'
'Wie is het?' Gullitt had zijn handen gevouwen en bewoog ze niet.

'Mijn kleinzoon,' zei Sam, zo zacht dat alleen Gullitt het kon horen. J.B. kon een geheim bewaren.
Gullits vingers bewogen even toen hij dat verwerkte. 'Je kleinzoon?'
'Ja. Uit Chicago. Van een groot kantoor. Hij denkt dat we misschien een kans hebben.'
'Je hebt nooit verteld dat je een kleinzoon had.'
'Ik heb hem twintig jaar niet gezien. Gisteren kwam hij hiernaartoe, zei me dat hij advocaat was en dat hij mijn zaak wilde overnemen.'
'Wat heeft hij dan de afgelopen tien jaar gedaan?'
'Opgroeien, denk ik. Hij is nog jong. Zesentwintig, geloof ik.'
'Laat je je verdedigen door een jochie van zesentwintig?'
Dat irriteerde Sam een beetje. 'Ik heb op dit moment niet veel keus.'
'Verdomme, Sam, jij weet meer van de wet dan hij.'
'Dat is zo, maar toch is het prettig om weer een echte advocaat te hebben om verzoekschriften uit te typen op echte computers en ze bij de juiste rechtbanken in te dienen en zo. Iemand die met de rechters kan discussiëren en op voet van gelijkheid tegen de officier kan strijden.'
Dat scheen voor Gullitt voldoende te zijn, want hij zweeg een paar minuten. Maar ten slotte begon hij zijn vingers tegen elkaar te wrijven – een zeker teken dat hem iets dwarszat. Sam wachtte.
'Ik heb ergens aan zitten denken, Sam. De hele dag al.'
'Wat dan?'
'Nou, drie jaar zit jij al daar en ik hier, weet je, en je bent de beste vriend die ik heb. Je bent de enige die ik kan vertrouwen en ik weet niet wat ik zou moeten beginnen als jij straks die gang door loopt naar de kamer. Ik bedoel, jij bent er altijd geweest om mijn juridische zaken te regelen. Daar begrijp ik nooit iets van. Jij hebt me altijd goede raad gegeven en me gezegd wat ik moest doen. Mijn advocaten in Washington vertrouw ik niet. Die schrijven of bellen nooit en ik heb geen idee hoe mijn zaak ervoor staat. Ik weet niet of ik nog één jaar of vijf jaar te leven heb. Dat is verschrikkelijk. Als jij er niet was geweest, was ik gek geworden. En als het nou verkeerd afloopt voor jou?' Zijn vingers trilden nu heftig. Hij

zweeg en zijn handen werden weer wat rustiger.
Sam stak een sigaret op en bood er Gullitt een aan – de enige in de dodengang met wie hij ze wilde delen. Hank Henshaw, aan zijn linkerkant, rookte niet. Ze namen zwijgend een trek en bliezen een rookwolk naar de rij ramen boven in de gang.
Ten slotte zei Sam: 'Ik ga niet weg, J.B. Volgens mijn advocaat hebben we een goede kans.'
'Geloof je hem?'
'Jawel. Hij is een slimme jongen.'
'Het lijkt me wel vreemd, man, je eigen kleinzoon als advocaat. Ik kan het me niet voorstellen.' Gullitt was eenendertig, getrouwd, zonder kinderen. Hij beklaagde zich vaak over zijn vrouw en haar 'jody' – haar vriend in de vrije buitenwereld. Ze behandelde hem wreed. Ze kwam nooit op bezoek en één keer had ze hem een briefje geschreven met het goede nieuws dat ze zwanger was. Gullitt had twee dagen met een lang gezicht rondgelopen voordat hij tegenover Sam had bekend dat hij haar jarenlang had geslagen en zelf ook achter de vrouwen aan had gezeten. Een maand later schreef ze dat het haar speet. Een vriendin had haar het geld geleend voor een abortus en ze wilde toch niet van hem scheiden. Gullitt was in de wolken.
'Het is wel vreemd, ja,' zei Sam. 'Hij lijkt op zijn moeder, niet op mij.'
'Dus hij liep hier gewoon binnen en zei dat hij je verloren kleinzoon was?'
'Nee, niet meteen. We hebben een tijdje zitten praten en zijn stem klonk zo bekend. Precies zijn vader.'
'En zijn vader is je zoon.'
'Ja. Hij is dood.'
'Dood?'
'Ja.'
Het groene boek arriveerde uit de cel van Preacher Boy, met nog een briefje over een prachtige droom die hij twee nachten geleden had gehad. Kort geleden had hij opeens de zeldzame gave ontwikkeld om dromen te interpreteren, en hij kon niet wachten om Sam er deelgenoot van te maken. De droom was nog bezig zich te openbaren, maar zodra alle stukjes op hun plaats waren gevallen zou hij Sam de betekenis uitleggen. Het was goed nieuws, zoveel wist hij al.

In elk geval zingt hij niet meer, dacht Sam toen hij het briefje had gelezen en op zijn bed ging zitten. Preacher Boy was ook gospelzanger en liedjesschrijver geweest. Soms kreeg hij de geest en barstte hij op alle uren van de dag en de nacht in luid gezang uit. Hij was een ongeoefende tenor met weinig bereik maar een ongelooflijk volume, en er brak een koor van protesten uit als hij zijn nieuwe liederen de gang in slingerde. Packer moest meestal tussenbeide komen om een eind te maken aan de herrie. Sam had zelfs gedreigd met juridische stappen om de executie van de jongen te bespoedigen als dat gejank niet ophield – een sadistische reactie waar hij later zijn excuses voor aanbood. De arme jongen was gewoon gestoord, en als Sam tijd van leven had, wilde hij een verzoek om clementie indienen op grond van krankzinnigheid. Die strategie was ook toegepast in een zaak in Californië waar hij over gelezen had. Het was wreed en verwerpelijk om een geestelijk gestoorde te executeren. Daarom gaf Sam de meesten van zijn cliënten in de dodengang het advies zich zo krankzinnig mogelijk te gedragen.
Hij strekte zich op het bed uit en begon te lezen. De wind van de ventilator rukte aan de bladzijden en verplaatste de benauwde lucht, maar binnen een paar minuten waren de lakens onder hem kletsnat. Hij viel op het vochtige bed in slaap en werd pas wakker in de vroege ochtenduren, toen het bijna koel was in de dodengang en het beddegoed bijna droog.

17

Het Auburn House was geen huis of tehuis. Het was een merkwaardig kerkje van gele baksteen. Ooit had het gebrandschilderde ramen gehad. Het werd omringd door een lelijke metalen ketting en stond op een overschaduwd pleintje, een paar straten van het centrum van Memphis. De gele muren waren volgekladderd met graffiti en het gebrandschilderde glas was vervangen door multiplex. De kerkgangers waren al jaren geleden naar het oosten gevlucht, uit het centrum vandaan, naar de veilige buitenwijken. Ze hadden hun kerkbanken, hun liedbundels en zelfs hun torenspits meegenomen. Een bewaker patrouilleerde langs het hek. Ernaast stond een vervallen appartementengebouw en daarachter lag een armoedige wijk met sociale woningbouw, waar de cliënten van het Auburn House vandaan kwamen.

Het waren allemaal jonge moeders – tieners, met moeders die ook als tiener een kind hadden gekregen en vaders die meestal met de noorderzon waren vertrokken. De gemiddelde leeftijd was vijftien. De jongste was elf. Ze slenterden naar het kerkje met hun baby op hun heup en soms nog een ander kind op sleeptouw. Ze kwamen in groepjes van drie of vier en maakten er een uitstapje van. Of ze kwamen alleen en waren doodsbang. Ze verzamelden zich in de voormalige sacristie, die nu als wachtkamer werd gebruikt. Daar zat ook de administratie. Ze wachtten met hun baby's, terwijl de oudere kinderen onder de banken speelden. Ze kletsten met hun vriendinnen. De meisjes kwamen lopend naar het Auburn House. Vervoer was schaars en ze waren te jong om zelf te mogen rijden.

Adam parkeerde op een plaatsje naast de kerk en vroeg de bewaker waar hij moest zijn. De man nam Adam van hoofd tot voeten op en wees toen naar de voordeur, waar twee jonge meisjes stonden te roken met hun baby's op de arm. Hij liep tussen hen door en knikte beleefd, maar ze staarden hem zwijgend aan. Binnen zag hij nog zes jonge moeders die op

plastic stoelen zaten, met kinderen aan hun voeten. Een jonge vrouw achter een bureau wees naar een deur en zei dat hij de gang aan de linkerkant moest hebben.
De deur van Lee's kantoortje stond open en ze zat ernstig met een cliënte te praten. Ze glimlachte toen ze Adam zag. 'Nog vijf minuten,' zei ze, met iets in haar hand dat een luier bleek te zijn. De cliënte had haar baby nog niet bij zich. Ze was hoogzwanger.
Adam slenterde de gang door naar het toilet. Lee stond op hem te wachten toen hij weer naar buiten stapte. Ze kusten elkaar op de wang. 'Wat vind je van ons kleine bureau?' vroeg ze.
'Wat doen jullie precies?' vroeg hij. Ze liepen door een smalle gang met een versleten tapijt en afbladderende muren.
'Het Auburn House is een maatschappelijke organisatie die door vrijwilligers wordt gerund. We helpen jonge moeders.'
'Is dat niet deprimerend?'
'Het ligt eraan hoe je het bekijkt. Welkom in mijn kantoortje.' Lee wees naar haar deur en ze stapten naar binnen. Aan de muren hingen kleurige posters. Op een ervan stonden een paar baby's afgebeeld met de voeding die ze nodig hadden. Op een ander affiche stonden in simpele bewoordingen de meest voorkomende kinderziekten beschreven. Een getekende strip propageerde het gebruik van condooms. Adam ging zitten en keek om zich heen.
'Al onze meisjes komen uit de achterstandsbuurten, dus je kunt je voorstellen hoeveel ze thuis over postnatale zorg te horen krijgen. Ze zijn geen van allen getrouwd. Ze wonen bij hun moeders, hun tantes of hun grootmoeders. Het Auburn House is twintig jaar geleden door de nonnen gesticht om die meisjes te leren hoe je kinderen moet grootbrengen.'
Adam knikte naar het affiche over condooms. 'En hoe je kunt voorkomen dat je ze krijgt.'
'Ja. We zijn geen instelling voor gezinsplanning, en dat willen we ook niet zijn, maar het kan geen kwaad om aandacht te vragen voor voorbehoedmiddelen.'
'Misschien moet je meer doen dan aandacht vragen.'
'Misschien. Zestig procent van de baby's die vorig jaar in dit district zijn geboren was buitenechtelijk. En dat aantal stijgt ieder jaar. Bovendien komen er jaarlijks meer gevallen van

mishandelde en in de steek gelaten kinderen voor. Het breekt je hart. Sommigen van die peuters hebben geen enkele kans.'
'Waar komt het geld vandaan?'
'Uit giften. We besteden de helft van onze tijd aan fondsenwerving. We hebben niet veel geld.'
'Hoeveel consulentes zijn er zoals jij?'
'Een stuk of twaalf. Sommigen werken een paar middagen per week, anderen alleen op zaterdag. Ik heb mazzel. Ik kan hier fulltime werken.'
'Hoeveel uur per week?'
'Dat weet ik niet. Wie houdt dat nou bij? Ik kom hier om een uur of tien en ik ga naar huis als het donker is.'
'En dat doe je gratis?'
'Ja. Pro Deo, zo noemen jullie dat toch?'
'Voor advocaten ligt het anders. Wij doen vrijwilligerswerk als rechtvaardiging voor ons andere werk en het geld dat we verdienen – een kleine bijdrage aan de maatschappij. Maar we verdienen er geen cent minder door. Dit is heel iets anders.'
'Maar het geeft voldoening.'
'Hoe ben je hier terechtgekomen?'
'Dat weet ik niet meer. Het is al zo lang geleden. Ik was lid van een sociale club. We kwamen eens per maand bijeen voor een heerlijke lunch, en dan bespraken we wat we voor de minder bedeelden konden doen. Op een dag vertelde een non iets over het Auburn House en toen hebben we dat als project geadopteerd. Van het één kwam het ander.'
'En je krijgt er geen cent voor?'
'Phelps is rijk genoeg, Adam. Ik geef zelfs geld aan het Auburn House. Ieder jaar houden we een feest in The Peabody om geld bijeen te brengen – een duur galafeest met avondkleding en champagne. Ik vraag Phelps om zijn bankiersvriendjes met hun vrouwen te sturen en een dikke cheque uit te schrijven. Vorig jaar hebben we meer dan tweehonderdduizend dollar binnengehaald.'
'En waar wordt dat aan besteed?'
'Gedeeltelijk aan de vaste kosten. We hebben twee fulltime stafmedewerkers. Het gebouw is goedkoop, maar het moet wel onderhouden worden. De rest gaat op aan babyspullen, medicijnen en literatuur. Er is nooit genoeg.'

'En jij leidt de zaak zo'n beetje?'
'Nee. We hebben een boekhouder. Ik ben consulente, meer niet.'
Adam bekeek de poster achter haar, met een tekening van een groot geel condoom dat zich onschuldig over de muur slingerde. Uit de laatste studies en publikaties had hij begrepen dat tieners nog steeds geen condooms gebruikten, ondanks alle tv-campagnes, de voorlichting op scholen en de MTV-spots van serieuze popsterren. Hij kon zich niets ergers voorstellen dan de hele dag in dit kleine kamertje te moeten zitten om met vijftienjarige moeders over luieruitslag te praten.
'Ik heb hier grote bewondering voor,' zei hij met een blik op de muur met het affiche voor babyvoeding.
Lee knikte, maar zei niets. Haar ogen stonden vermoeid en ze wilde vertrekken. 'Laten we wat gaan eten,' zei ze.
'Waar?'
'Dat weet ik niet. Ergens.'
'Ik heb Sam vandaag weer gesproken. Ik ben er twee uur geweest.'
Lee zakte onderuit in haar stoel en legde haar voeten op het bureau. Zoals gewoonlijk droeg ze een verschoten spijkerbroek en een overhemd.
'Ik ben nu zijn raadsman.'
'Heeft hij de overeenkomst getekend?'
'Ja. Hij heeft er zelf een opgesteld, vier pagina's lang. We hebben allebei getekend, dus nu is het aan mij.'
'Ben je bang?'
'Behoorlijk. Maar ik kan het wel aan. Vanmiddag heb ik met een journalist van *The Memphis Press* gesproken. Ze hadden het gerucht gehoord dat Sam Cayhall mijn grootvader is.'
'Wat heb je tegen hem gezegd?'
'Ik kon het moeilijk ontkennen. Hij wilde van alles over de familie weten, maar daar ben ik niet op ingegaan. Ik heb hem verteld dat mijn vader in Californië is gestorven, meer niet. Maar hij zal wel op onderzoek uitgaan en nog meer ontdekken.'
'En over mij?'
'Natuurlijk heb ik hem niets over jou verteld. Maar hij zal wel gaan spitten. Het spijt me.'

'Wat spijt je?'
'Dat hij misschien achter je ware identiteit zal komen. Dat je zult worden gebrandmerkt als de dochter van Sam Cayhall – moordenaar, racist, antisemiet, terrorist, Klan-lid –, de oudste man die ooit naar de gaskamer is gestuurd en als een beest is omgebracht. Ze zullen je de stad uit jagen.'
'Ik heb wel ergere dingen meegemaakt.'
'Zoals?'
'Getrouwd zijn met Phelps Booth.'
Adam schoot in de lach en Lee glimlachte even. Een vrouw van middelbare leeftijd verscheen in de deuropening en zei tegen Lee dat ze naar huis ging. Lee sprong overeind en stelde haastig haar knappe, jonge neef voor, Adam Hall, advocaat uit Chicago, die een tijdje bij haar logeerde. De dame was onder de indruk toen ze afscheid nam en door de gang verdween.
'Dat was niet slim,' zei Adam.
'Hoezo?'
'Omdat mijn naam morgen in de krant zal staan: Adam Hall, advocaat uit Chicago, kleinzoon van Sam Cayhall.'
Lee's mond viel open, maar toen herstelde ze zich. Ze haalde haar schouders op alsof het haar niet kon schelen, maar Adam zag de angst in haar ogen. Wat een stomme fout, dacht ze nu bij zichzelf. 'Ach, wat maakt het uit?' zei ze toen ze haar koffertje en haar tas pakte. 'Laten we maar een restaurant gaan zoeken.'

Ze gingen naar een bistro in de buurt, een Italiaanse familiezaak in een verbouwde bungalow, met kleine tafels en weinig licht. Ze gingen in een donker hoekje zitten en bestelden wat te drinken: ijsthee voor haar en mineraalwater voor hem. Toen de ober was vertrokken, boog Lee zich over de tafel en zei: 'Adam, er is iets wat ik je moet vertellen.'
Hij knikte zwijgend.
'Ik ben alcoholist.'
Hij kneep zijn ogen halfdicht en fronste. De afgelopen twee avonden hadden ze samen gedronken.
'Al een jaar of tien,' verklaarde ze, nog steeds over de tafel gebogen. De dichtstbijzijnde andere gasten zaten vijf meter bij hen vandaan. 'Er waren redenen genoeg... de meeste kun je

wel raden. Ik heb me laten behandelen en daarna heb ik ongeveer een jaar geen drank meer aangeraakt. Toen ging het weer mis. In totaal ben ik drie keer opgenomen, de laatste keer vijf jaar geleden. Het valt niet mee.'
'Maar je hebt gisteren een paar borrels gedronken.'
'Dat weet ik. En eergisteren ook. Maar vandaag heb ik alle flessen leeggegoten en het bier weggegooid. Er is geen druppel drank meer in huis.'
'Goed zo. Ik hoop dat ik niet de reden ben?'
'Nee. Maar ik heb wel je hulp nodig, oké? Je logeert een paar maanden bij me en we zullen het nog moeilijk krijgen. Wil je me helpen?'
'Natuurlijk, Lee. Ik wou dat je het meteen gezegd had. Ik drink niet zoveel. Ik kan er wel afblijven.'
'Alcoholisme is een vreemd verschijnsel, Adam. Soms doet het me niets als ik andere mensen zie drinken. Maar dan zie ik een tv-spotje voor bier of een wijnadvertentie in een tijdschrift, en breekt het klamme zweet me uit. Dan verlang ik zo heftig naar drank dat ik er bijna misselijk van word. Het is een zware strijd.'
De ober kwam met hun drankjes. Adam durfde zijn mineraalwater bijna niet aan te raken. Hij schonk het over de ijsblokjes en roerde erin met een lepeltje. 'Zit het in de familie?' vroeg hij. Hij wist bijna zeker van niet.
'Ik geloof het niet. Toen wij nog kinderen waren, sloop Sam wel eens weg om te gaan drinken, maar nooit waar wij bij waren. Mijn grootmoeder van moeders kant was aan de drank, daarom raakte mijn moeder geen alcohol aan. Ik heb het nooit in huis gezien.'
'Hoe is het dan bij jou gebeurd?'
'Geleidelijk. Toen ik het huis uit was, kon ik niet wachten om het eens te proberen, omdat het taboe was toen Eddie en ik opgroeiden. Daarna ontmoette ik Phelps. Hij komt uit een familie van zware sociale drinkers. Eerst werd het een vlucht en daarna mijn enige steun.'
'Ik zal doen wat ik kan. Het spijt me.'
'Het hoeft je niet te spijten. Die paar borrels met jou vond ik prettig, maar nu is het tijd om te stoppen, oké? Het is drie keer misgegaan, steeds omdat ik dacht dat ik het wel bij één of twee borrels kon houden. Ik heb eens een maandlang

iedere dag één glaasje wijn gedronken. Maar toen werd het anderhalf glas, toen twee, toen drie, en zo kwam ik weer in de kliniek terecht. Ik ben alcoholist. Daar kom ik nooit meer van af.'

Adam pakte zijn glas en toostte. 'Op je wilskracht. We redden het samen wel.' Ze namen een flinke slok van hun frisdrank.

De ober was een student met duidelijke ideeën over het menu. Hij stelde de *ravioli du chef* voor, omdat die gewoon de beste in de stad was en binnen tien minuten op tafel zou staan. Adam en Lee knikten instemmend en de ober vertrok.

'Ik had me al afgevraagd hoe je je dagen doorbracht, maar ik durfde het niet te vragen,' zei Adam.

'Vroeger had ik een baan. Toen Walt naar de kleuterschool ging, begon ik me te vervelen en vond Phelps een baantje voor me bij het bedrijf van een van zijn vrienden. Ik had mijn eigen secretaresse, die veel meer van het werk wist dan ik. Na een jaar ben ik ermee gestopt. Ik heb geld getrouwd, Adam, dus ik hóór niet te werken. Phelps' moeder was hevig geschokt dat ik een salaris verdiende.'

'Wat doen rijke vrouwen dan de hele dag?'

'Ze dragen de lasten van de wereld. Eerst helpen ze manlief naar zijn werk, daarna plannen ze hun dag. Het personeel moet zijn instructies krijgen en in de gaten worden gehouden. Het winkelen wordt verdeeld in twee etappes – 's ochtends en 's middags. De ochtendronde bestaat meestal uit een lang telefoongesprek met Fifth Avenue om de noodzakelijke spullen te bestellen. 's Middags wordt er soms echt gewinkeld, terwijl de chauffeur op het parkeerterrein staat te wachten. De lunch kan uren in beslag nemen, als je de voorbereidingen meerekent. Het is meestal een klein banket met een paar vriendinnen die het ook vreselijk druk hebben. En dan hebben ze nog hun sociale taken als rijke vrouw. Minstens drie keer per week gaan ze naar een tea-party bij een van hun kennissen, waar ze op dure koekjes knabbelen en zuchtend de problemen van verslaafde jonge moeders en verwaarloosde kinderen bespreken. En dan moeten ze weer snel naar huis om klaar te zitten als manlief terugkeert uit de jungle van het bedrijfsleven. Samen drinken ze hun eerste martini bij het zwembad, terwijl vier mensen het eten klaarmaken.'

'En de seks?'
'Daar is hij te moe voor. Bovendien heeft hij meestal een vriendin.'
'Is het met jou en Phelps ook zo gegaan?'
'Ja, zo ongeveer. Hoewel hij over de seks niet te klagen had. Ik kreeg een baby, ik werd ouder en hij had voldoende keus onder al die blondjes op zijn bank. Je gelooft je ogen niet als je bij hem op kantoor komt. Het wemelt er van de prachtige vrouwen met perfecte tanden, prachtig gelakte nagels, korte rokjes en lange benen. Ze zitten achter mooie bureaus te telefoneren, wachtend op een teken van hun heer en meester. Hij heeft een kleine slaapkamer naast de vergaderzaal. De man is een beest.'
'Dus je hebt dat harde leven vaarwel gezegd en je bent vertrokken?'
'Ja. Ik was geen succes als rijke vrouw, Adam. Ik had er de pest aan. In het begin was het wel leuk, maar ik paste niet in het patroon. De verkeerde bloedgroep. Geloof het of niet, maar mijn familie was volslagen onbekend in de sociale kringen van Memphis.'
'Meen je dat nou?'
'Ik zweer het je. En om als rijke vrouw een toekomst te hebben in deze stad moet je uit een familie van rijke fossielen komen, bij voorkeur met een overgrootvader die een kapitaal heeft verdiend in de katoen. Ik viel behoorlijk uit de toon.'
'Maar je zit nog steeds in het sociale circuit.'
'Nee. Ik kom nog wel eens opdraven, maar alleen voor Phelps. Het is belangrijk voor hem om een vrouw van zijn eigen leeftijd te hebben, met een paar grijze haren – een rijpe echtgenote die er goed uitziet in een avondjurk met diamanten en die een redelijk gesprek kan voeren met zijn saaie vrienden. Drie keer per jaar gaan we uit. Ik ben een soort bejaarde trofee voor hem.'
'Waarom trouwt hij niet met een van die knappe blondjes? Dan heeft hij een echte trofee.'
'Nee. Dat zou een grote klap voor zijn familie zijn, en er ligt heel wat geld op hem te wachten. Phelps is voorzichtig met zijn familie. Als zijn ouders zijn overleden, dan laat hij zich misschien van me scheiden.'
'Ik dacht dat zijn ouders je niet mochten.'

'Natuurlijk niet. Maar ironisch genoeg zijn ze wel de enige reden dat wij nog getrouwd zijn. Een scheiding zou een schandaal veroorzaken. Ze zijn heel gelovige katholieken.'
Adam lachte en schudde verbijsterd zijn hoofd. 'Dat is krankzinnig.'
'Ja, maar het werkt. Ik ben gelukkig en hij ook. Hij heeft zijn jonge meisjes, ik rotzooi met wie ik maar wil, en we laten elkaar met rust.'
'En Walt?'
Langzaam zette ze haar glas op tafel en sloeg haar ogen neer.
'Hoe bedoel je?' vroeg ze zonder hem aan te kijken.
'Je praat nooit over hem.'
'Dat weet ik,' zei ze zacht en staarde naar iets boven zijn schouder.
'Laat me raden. Nog meer duistere geheimen.'
Ze keek hem verdrietig aan en haalde toen haar schouders op alsof het haar niet kon schelen.
'Hij is tenslotte mijn neef,' zei Adam. 'En mijn enige neef, voor zover ik weet. Als me geen nieuwe onthullingen te wachten staan.'
'Je zou hem niet mogen.'
'Natuurlijk niet. Hij is ook een Cayhall.'
'Nee hoor, hij is voor honderd procent een Booth. Phelps wilde een zoon, ik weet niet waarom. Dus kregen we een kind. Natuurlijk had Phelps geen tijd voor hem. Veel te druk met zijn werk. Hij nam hem mee naar de country club om hem te leren golfen, maar dat werd niets. Walt hield niet van sport. Ze gingen een keer naar Canada om op fazanten te jagen. Toen ze thuiskwamen, hebben ze een week niet tegen elkaar gesproken. Hij was geen softie, maar ook niet erg sportief. Phelps wel. Die deed aan football, rugby en boksen toen hij nog op school zat. Walt heeft het wel geprobeerd, maar hij had er gewoon geen aanleg voor. Phelps zette hem steeds meer onder druk en Walt ging zich verzetten. Daarom heeft Phelps ten slotte harde maatregelen genomen en hem naar een kostschool gestuurd. Typerend. Zo raakte ik mijn zoon kwijt toen hij pas vijftien was.'
'Waar heeft hij gestudeerd?'
'Hij heeft één jaar op Cornell gezeten, toen is hij ermee gestopt.'

'Gestopt?'
'Ja. Na zijn eerste jaar is hij naar Europa vertrokken en daar zit hij nog steeds.'
Adam nam haar scherp op en wachtte of er nog meer zou komen. Hij nam een slok mineraalwater en wilde iets zeggen toen de ober opdook en snel een kom met groene salade tussen hen in zette.
'Waarom is hij in Europa gebleven?'
'Hij is naar Amsterdam gegaan en verliefd geworden.'
'Een leuk Hollands meisje?'
'Een leuke Hollandse jongen.'
'O.'
Ze had opeens grote belangstelling voor de salade, die ze op haar bord schepte en in kleine stukjes begon te snijden. Adam deed hetzelfde en ze zaten een tijdje zwijgend te eten terwijl het drukker en lawaaieriger werd in de bistro. Een knap stel yuppen kwam aan het tafeltje naast hen zitten en bestelde een borrel.
Adam smeerde een broodje, nam een hap en vroeg: 'Hoe reageerde Phelps?'
Ze veegde haar mondhoeken schoon. 'De laatste reis die Phelps en ik samen hebben gemaakt was naar Amsterdam, om onze zoon te zoeken. Toen was hij al bijna twee jaar van huis. Hij had een paar keer geschreven en gebeld, maar daarna hoorden we niets meer van hem. Natuurlijk waren we ongerust en dus hebben we het vliegtuig naar Amsterdam genomen en daar in een hotel gelogeerd tot we hem hadden gevonden.'
'Wat deed hij?'
'Hij werkte als ober in een café. Hij had ringetjes in zijn oren, zijn haar was kortgeknipt en hij droeg vreemde kleren en wollen sokken met van die klompschoenen. Hij sprak heel goed Nederlands. Omdat we geen scène wilden maken vroegen we of hij meeging naar het hotel. Dat deed hij. Het was afschuwelijk. Echt vreselijk. Phelps reageerde als de idioot die hij is, en de schade was niet meer te herstellen. We zijn vertrokken. Toen we thuiskwamen heeft Phelps demonstratief zijn testament veranderd en Walt onterfd.'
'Is hij nooit meer thuisgekomen?'
'Nee. Ik zie hem nu één keer per jaar. We reizen allebei naar

Parijs. Alleen. Dat is de afspraak. We nemen kamers in een mooi hotel en brengen een weekje samen door: lekker eten, de stad bekijken, musea bezoeken. Voor mij is dat het hoogtepunt van het jaar. Maar hij haat Memphis.'
'Ik zou hem wel eens willen ontmoeten.'
Lee nam hem scherp op en kreeg toen tranen in haar ogen. 'Wat fijn. Als je het echt meent, zou ik graag met je meegaan.'
'Ik meen het serieus. Het kan mij niet schelen dat hij homo is. Ik wil mijn neef wel ontmoeten.'
Ze haalde diep adem en glimlachte. De ravioli werd gebracht – twee volle, dampende borden. De ober legde er een lang stokbrood met knoflookboter bij en verdween toen weer.
'Weet Walt iets over Sam?' vroeg Adam terwijl hij een stukje ravioli aan zijn vork prikte.
'Nee. Ik heb het hem nooit durven vertellen.'
'Weet hij wel iets over mij en Carmen? En Eddie? Of de roemruchte geschiedenis van onze familie?'
'Een beetje. Toen hij nog klein was, heb ik hem verteld dat hij een neef en een nicht in Californië had, maar dat ze nooit in Memphis kwamen. Phelps zei natuurlijk dat ze uit een veel lager sociaal milieu kwamen en dat hij daarom niet met ze moest omgaan. Phelps heeft echt geprobeerd een snob van Walt te maken, Adam. Hij heeft op de duurste scholen gezeten, is lid geweest van de duurste clubs, en zijn enige familie bestond uit een stel neven en nichten van Phelps' kant, die allemaal hetzelfde waren. Vervelende types.'
'Wat vinden de Booths ervan dat ze een homo in de familie hebben?'
'Ze hebben natuurlijk de schurft aan hem. En dat is wederzijds.'
'Ik mag hem nu al.'
'Hij is geen nare jongen. Hij wil kunstgeschiedenis studeren en gaan schilderen. Ik stuur hem regelmatig geld.'
'Weet Sam dat hij een homoseksuele kleinzoon heeft?'
'Ik denk het niet. Wie had hem dat moeten vertellen? Tot twee dagen geleden wist hij niet eens dat hij een heteroseksuele kleinzoon had.'
'Ik zal het hem maar niet zeggen.'
'Nee, alsjeblieft niet. Hij heeft al genoeg aan zijn hoofd.'
De ravioli was voldoende afgekoeld en ze aten met smaak.

De ober bracht nog twee glazen mineraalwater en ijsthee. Het stel naast hen had een fles wijn laten aanrukken, waar Lee meer dan eens naar keek.

Adam veegde zijn mond af en wachtte even. Toen boog hij zich over het tafeltje. 'Mag ik je iets persoonlijks vragen?' zei hij zacht.

'Je doet niet anders.'

'Goed. Dan kan dit er ook wel bij.'

'Ga je gang.'

'Nou, vanavond heb je me verteld dat je alcoholiste bent, dat je man een beest is en dat je een homoseksuele zoon hebt. Dat is niet mis voor één etentje. Zijn er nog meer dingen die ik moet weten?'

'Even denken. Ja, Phelps is ook aan de drank, maar hij wil het niet toegeven.'

'Verder?'

'Hij is twee keer aangeklaagd wegens ongewenste intimiteiten.'

'Goed. Laat de Booths maar zitten. Heb je nog meer onthullingen over onze kant van de familie?'

'Ik ben nog maar pas begonnen, Adam.'

'Daar was ik al bang voor.'

18

Kort voor het aanbreken van de dag denderde een luid onweer over de delta. Sam werd wakker van een donderslag. Toen hoorde hij de regen tegen de open raampjes boven de gang kletteren. Het water droop langs de binnenmuur en vormde een poel onder de ramen, niet ver van zijn cel. Zijn vochtige bed was opeens koel. Misschien zou het vandaag wat minder heet worden. Misschien zou de regen aanhouden en de zon zich verbergen. Misschien zou de wind de vochtigheid een paar dagen verdrijven. Dat hoopte hij altijd als het regende, maar een onweersbui in de zomer betekende meestal een doorweekte grond, die de atmosfeer nog vochtiger maakte als het water verdampte in de zon.

Hij tilde zijn hoofd op en keek naar de regen die langs de ruiten spoelde en een plas veroorzaakte op de vloer. Het water glinsterde in het gele licht van een kale lamp verderop. Afgezien van dat vage schijnsel was het donker in de gang. En stil. Sam hield van de regen, vooral 's nachts en in de zomer. De overheid van Mississippi had in haar oneindige wijsheid de gevangenis op de heetste plek van de staat gebouwd. En de veiligheidsmaatregelen waren ontworpen volgens de blauwdruk van een fornuis. De ramen in de buitenmuren waren nutteloos – om veiligheidsredenen, natuurlijk. De ontwerpers van dit filiaal van de hel hadden iedere vorm van ventilatie uitgesloten. De buitenlucht kon niet binnendringen en de klamme stank kon er niet uit. En toen deze modelinrichting er eenmaal stond, hadden ze besloten geen airconditioning aan te brengen. Het gebouw stond trots tussen de sojabonen en de katoen, en nam dezelfde hitte en vochtigheid op als de omgeving. Als het buiten droog was, verdorde de gevangenis samen met de gewassen.

Maar de staat Mississippi had geen macht over het weer, en als de regen voor wat koelte zorgde, glimlachte Sam bij zichzelf en zei een dankgebedje. Er moest toch een opperwezen zijn. De overheid stond machteloos als het regende.

Dat was een kleine triomf.
Hij kwam overeind en rekte zich uit. Zijn matras, of wat ervoor door moest gaan, bestond uit een stuk schuimrubber van één meter tachtig bij vijfenzeventig centimeter en was tien centimeter dik. Het lag op een metalen ledikant dat stevig aan de vloer en de muur was bevestigd. Er lagen twee lakens op. 's Winters werden soms dekens uitgereikt. Rugpijn kwam veel voor onder de gevangenen in de dodengang, maar na een tijdje paste het lichaam zich meestal aan en verdwenen de klachten. De gevangenisarts werd door de gevangenen niet als een vriend beschouwd.
Sam deed twee stappen en steunde met zijn ellebogen tegen de tralies. Hij luisterde naar de wind en het onweer en keek naar de druppels die langs de rand van het raam omlaag spatten op de vloer. Wat zou het heerlijk zijn om een wandeling te kunnen maken door het natte gras, om over het gevangenisterrein te kunnen lopen in de stromende regen, naakt en uitgelaten, met kletsnatte haren en een druipende baard.
De hel van de dodengang is dat je iedere dag een beetje sterft. Het wachten is dodelijk. Je leeft in een kooi en als je wakker wordt, zet je weer een streepje op de kalender en weet je dat je een dag dichter bij de dood bent.
Sam stak een sigaret op en keek de rook na die omhoogzweefde naar de regendruppels. Het Amerikaanse rechtsstelsel zat vreemd in elkaar. Een rechtbank kon de ene keer een heel andere beslissing nemen dan de volgende. Dezelfde rechters kwamen tot andere uitspraken over bekende punten. Een hof kon een bezwaarschrift jarenlang negeren en het dan opeens toewijzen en vrijspraak verlenen. Presidenten kwamen en gingen en benoemden hun eigen rechters. Het Hooggerechtshof zwalkte nu eens de ene, dan weer de andere kant op. Sam verlangde wel eens naar de dood. Als hij de keuze had gehad tussen het leven in de dodengang en de dood door de gaskamer, zou hij onmiddellijk voor het gas hebben gekozen. Maar er was altijd hoop – dat sprankje hoop dat iemand, ergens in die juridische jungle, een ander besluit zou nemen en zijn zaak zou herzien. Alle gevangenen in de dodengang droomden van een wonderbaarlijke tussenkomst. Die dromen hielden hen op de been, van de ene ellendige dag tot de andere.

Sam had pas gelezen dat er bijna vijfentwintighonderd mensen in Amerika op de doodstraf wachtten terwijl er het vorige jaar, 1989, maar zestien waren terechtgesteld. In Mississippi waren maar vier doodvonnissen voltrokken sinds 1977, het jaar waarin Gary Gilmore in Utah zelf om het vuurpeloton had gevraagd. Die getallen gaven hoop. Ze sterkten hem in zijn voornemen om nog meer verzoeken in te dienen.
Hij rookte een sigaret bij de tralies terwijl het onweer overdreef en de regen ophield. Hij kreeg zijn ontbijt toen de zon opging en om zeven uur zette hij de tv aan voor het ochtendnieuws. Hij beet juist in een sneetje koude toost toen hij opeens zijn eigen gezicht op het scherm zag, achter een nieuwslezeres van het station in Memphis. Ze meldde enthousiast het belangrijkste onderwerp van die dag, het bizarre verhaal van Sam Cayhall en zijn nieuwe raadsman. Het scheen dat de nieuwe advocaat Cayhalls verloren kleinzoon was, een zekere Adam Hall, een jonge advocaat van het grote kantoor Kravitz & Bane in Chicago, dezelfde firma die Cayhall al zeven jaar had vertegenwoordigd. De foto van Sam was minstens tien jaar oud, dezelfde opname die ze altijd gebruikten als zijn naam op de televisie of in de krant werd genoemd. De foto van Adam was nogal vreemd. Hij had er niet voor geposeerd, dat was duidelijk. Iemand had hem op straat gefotografeerd toen hij niet keek. De nieuwslezeres verklaarde met grote ogen dat *The Memphis Press* die ochtend had bevestigd dat Adam Hall inderdaad de kleinzoon van Sam Cayhall was. Ze gaf een vluchtige samenvatting van Sams misdrijf en noemde twee keer de datum van zijn naderende executie. Later volgde er meer, beloofde ze. Misschien al in het middagjournaal. Toen ging ze verder met een opsomming van de moorden van de afgelopen nacht.
Sam smeet de toost tegen de grond, onder de boekenplanken, en staarde ernaar. Een insekt had het brood bijna meteen gevonden en kroop er eerst zes keer overheen voordat het besloot dat het niet te eten was.
Zijn raadsman had dus al met de pers gesproken. Wat leren ze die mensen op de universiteit? Staat publiciteit daar zo hoog op het programma?
'Sam, ben je daar?' Het was Gullitt.
'Ja, ik ben er.'

'Ik heb je net gezien op Kanaal 4.'
'Ja, ik ook.'
'Ben je kwaad?'
'Nee hoor.'
'Een paar keer diep ademhalen, Sam. Dat helpt.'
De gevangenen die op de gaskamer wachtten riepen vaak naar elkaar dat ze 'even diep adem moesten halen'. Het was een versleten grap. Ze zeiden het meestal als iemand kwaad was. Maar de bewaarders mochten het nooit zeggen. Dan was het niet leuk meer. Dat druiste tegen de regels in. Het was al in meer dan één rechtszaak aangevoerd als een voorbeeld van de wrede behandeling van de gevangenen in de dodengang.
Sam vond dat het insekt gelijk had en liet de rest van zijn ontbijt staan. Hij dronk van zijn koffie en staarde naar de grond.
Om half tien kwam brigadier Packer de gang in om Sam op te halen. Het was tijd voor zijn uurtje frisse lucht. De regen was allang verdwenen en de zon brandde weer boven de delta. Packer had twee bewaarders bij zich en een paar voetboeien. Sam wees naar de kettingen en vroeg: 'Wat wil je daarmee?'
'Veiligheidsvoorschrift, Sam.'
'Ik dacht dat ik naar buiten mocht.'
'Nee, we brengen je naar de bibliotheek. Je advocaat zit daar te wachten, dan kunnen jullie tussen de wetboeken met elkaar praten. Draai je maar om.'
Sam draaide zich om en stak zijn handen door de gleuf tussen de tralies. Packer legde hem losjes de handboeien om, de deur ging open en Sam stapte de gang in. De andere bewaarders knielden en maakten de voetboeien vast. 'En mijn uurtje luchten dan?' vroeg Sam aan Packer.
'Hoe bedoel je?'
'Wanneer mag ik naar buiten?'
'Later.'
'Dat zei je gisteren ook en toen is er niets van gekomen. Je hebt me gewoon belazerd. Net als nu. Ik doe je een proces aan.'
'Processen kosten veel tijd, Sam. Soms wel jaren.'
'Ik wil de directeur spreken.'
'Hij wil ook wel met jou praten, denk ik. Nou, gaan we naar je advocaat of niet?'

'Ik heb het recht mijn advocaat te spreken, maar ik heb ook recht op een uurtje luchten.'
'Laat hem met rust, Packer!' riep Hank Henshaw van nog geen twee meter afstand.
'Packer, vuile leugenaar!' riep J.B. Gullitt vanaf de andere kant.
'Rustig, mannen,' zei Packer onverstoorbaar. 'Wij zorgen wel voor ouwe Sam.'
'Ja, je zou hem vandaag nog vergassen als je de kans kreeg,' gilde Henshaw.
De voetboeien zaten op hun plaats en Sam liep zijn cel in om een dossier te pakken. Hij klemde het tegen zijn borst en schuifelde de gang door met Packer naast zich en de andere bewaarders op zijn hielen.
'Laat je niet kisten, Sam!' riep Henshaw nog toen ze vertrokken.
Onderweg kreeg Sam nog meer aanmoedigingen te horen en werd Packer uitgefloten. Even later kwamen ze bij de deuren en verlieten Gang A.
'De directeur heeft gezegd dat je vanmiddag twee uur naar buiten mag, en daarna iedere dag twee uur, tot dit achter de rug is,' zei Packer toen ze langzaam een korte gang door liepen.
'Tot wat achter de rug is?'
'Deze toestand.'
'Welke toestand?'
Packer en de meeste andere bewaarders noemden een executie een 'toestand'.
'Je weet wel wat ik bedoel,' zei Packer.
'Zeg maar tegen de directeur dat hij een echte schat is. En vraag hem of ik ook twee uur krijg als deze toestand niet doorgaat, oké? En als je hem toch spreekt, zeg hem dan meteen dat hij een vuile leugenaar is.'
'Dat weet hij al.'
Ze bleven staan bij een getraliede deur. Toen die openging, moesten ze opnieuw wachten bij de twee bewaarders bij de voordeur. Packer maakte haastig een paar aantekeningen op een klembord en ze liepen naar buiten, waar een wit bestelbusje gereedstond. De bewaarders namen Sam bij zijn armen en tilden hem geboeid en wel door de zijdeur naar binnen.

Packer ging voorin zitten naast de chauffeur.
'Heeft dit ding geen airconditioning?' snauwde Sam tegen de chauffeur, die zijn raampje open had.
'Ja,' zei de chauffeur terwijl hij bij de Maximaal Beveiligde Afdeling vandaan reed.
'Zet dat ding dan aan, verdomme!'
'Hou op, Sam,' zei Packer zonder overtuiging.
'Het is al erg genoeg om de hele dag in een hok zonder ventilatie te zitten zweten. Ik heb geen zin om onderweg te stikken van de hitte. Zet dat ding aan. Ik heb mijn rechten.'
'Diep ademhalen, Sam,' teemde Packer met een knipoog naar de chauffeur.
'Dat zul je bezuren, Packer. Daar krijg je spijt van.'
De chauffeur drukte een schakelaar in en de ventilator begon te blazen. Ze passeerden de dubbele poort en reden langzaam het zandpad af, weg van de dodengang.
Hoewel hij aan handen en voeten geboeid was, vond Sam het korte ritje toch verfrissend. Hij hield op met kankeren en negeerde zijn medepassagiers. De regen had plassen achtergelaten in het gras langs de weg en de katoenplanten, die al meer dan kniehoog waren, stonden er fris bij, met donkergroene stengels en bladeren. Sam herinnerde zich dat hij als jongen nog katoen had geplukt, maar zette die gedachte meteen weer uit zijn hoofd. Hij had zich erin geoefend het verleden te vergeten. De zeldzame keren dat er een jeugdherinnering bij hem opkwam, sloot hij zich daar snel voor af.
Het busje reed niet hard, en daar was hij blij om. Hij zag twee gevangenen die onder een boom zaten toe te kijken terwijl een van hun kameraden met gewichten trainde in de zon. Er stond een hek om hen heen, maar Sam bedacht hoe heerlijk het zou zijn om buiten te lopen, met mensen te praten, aan sport te doen of rustig te zitten, zonder aan de gaskamer of het laatste appèl te hoeven denken.

De bibliotheek was een klein filiaal van de grote juridische bibliotheek die in het hart van het complex lag, bij een andere afdeling. Dit filiaal werd uitsluitend door gevangenen uit de dodencellen gebruikt. Het was een zaaltje aan de achterkant van het administratiegebouw, met maar één deur en geen ramen. Sam was er de afgelopen negen jaar al heel wat keren

geweest. Het was een kleine bibliotheek met een redelijke collectie recente wetboeken en actuele verslagen. In het midden stond een oude vergadertafel en de vier wanden stonden vol met boeken. Soms bood een corveeër zich als bibliothecaris aan, maar goede hulp was moeilijk te vinden en de boeken stonden zelden op hun plaats. Dat irriteerde Sam enorm, omdat hij van orde en netheid hield en niet van Afrikanen. Hij was ervan overtuigd dat de meeste, zo niet alle, bibliothecarissen zwart waren, hoewel hij dat niet zeker wist.
Toen ze voor de deur stonden werd Sam door de twee bewaarders van zijn boeien verlost.
'Je hebt twee uur,' zei Packer.
'Ik heb zo lang als ik wil,' zei Sam, terwijl hij zijn polsen masseerde alsof ze door de handboeien waren gebroken.
'Natuurlijk, Sam. Maar als ik je over twee uur kom halen, krijgen we je heus wel in het busje. Goedschiks of kwaadschiks.'
Packer opende de deur en de bewaarders stelden zich aan weerskanten op. Sam stapte de bibliotheek binnen en sloeg de deur achter zich dicht. Hij legde zijn dossier op tafel en keek naar zijn advocaat.
Adam stond aan het andere eind van de vergadertafel met een boek in zijn hand, wachtend op zijn cliënt. Hij had de stemmen achter de deur gehoord en zag Sam binnenkomen zonder bewaarders of handboeien. Hij stond daar in zijn rode trainingspak, veel kleiner nu, zonder het dikke traliehek tussen hen in.
Ze keken elkaar over de tafel aan, grootvader en kleinzoon, raadsman en cliënt, onbekende en vreemdeling. Het was een moeilijk moment, waarop ze elkaar taxeerden en niet goed wisten wat ze moesten doen.
'Hallo, Sam,' zei Adam en liep op hem toe.
'Morgen. Ik heb ons op de tv gezien, een paar uur geleden.'
'Ja, ik ook. Heb je de krant al gelezen?'
'Nog niet. Die komt later.'
Adam schoof de ochtendkrant over de tafel en Sam pakte hem met twee handen aan. Hij ging op een stoel zitten en hield de krant op een paar centimeter voor zijn neus. Aandachtig las hij het artikel door en bestudeerde de foto's van zichzelf en Adam.

Todd Marks had de vorige avond nog heel wat onderzoek verricht en telefoontjes gepleegd, dat was duidelijk. Hij had geverifieerd dat een zekere Alan Cayhall in 1964 in Clanton in Ford County was geboren, als zoon van Edward S. Cayhall. Daarna had hij het geboortebewijs van Edward S. Cayhall opgespoord. Edwards vader was Samuel Lucas Cayhall, de man die nu in de dodengang zat. Marks schreef dat Adam Hall had bevestigd dat hij in Californië een andere naam had gekregen en dat Sam Cayhall inderdaad zijn grootvader was. Adam werd nergens letterlijk geciteerd, maar toch was het een inbreuk op de afspraak die Adam met Sam had gemaakt. Hij had duidelijk met de journalist gesproken.

Zich baserend op niet nader genoemde bronnen schreef Marks dat Eddie en zijn gezin in 1967, na Sams arrestatie, naar Californië waren gevlucht, waar Eddie later zelfmoord had gepleegd. Daar eindigde het spoor omdat Marks zo laat op de avond geen nadere informatie uit Californië had kunnen krijgen. De niet nader genoemde bronnen hadden blijkbaar niet over Sams dochter gesproken, die nu in Memphis woonde, dus Lee bleef voorlopig buiten schot. Daarna volgden wat nietszeggende opmerkingen van Baker Cooley, Garner Goodman, Phillip Naifeh, Lucas Mann en een advocaat van het kantoor van de procureur in Jackson. Maar Marks eindigde sterk, met een sensationele samenvatting van de bomaanslag op Marvin Kramer.

Het bericht stond op de voorpagina van *The Memphis Press*, boven de kop van het hoofdartikel. Rechts was een oude foto van Sam geplaatst, met daarnaast een vreemde foto van Adam. Hij stond er maar half op – alleen zijn bovenlijf. Lee had hem de krant gebracht toen hij vroeg in de ochtend op het terras naar het verkeer op de rivier zat te kijken. Ze hadden koffie en vruchtesap gedronken en het artikel een paar keer gelezen. Na lang nadenken had Adam geconcludeerd dat Todd Marks een fotograaf aan de overkant van het Peabody Hotel had geposteerd, die hem na hun gesprek op de stoep had gefotografeerd. Hij herkende het pak en de das die hij gisteren had gedragen.

'Heb je met die klootzak gesproken?' gromde Sam toen hij de krant neerlegde. Adam was tegenover hem gaan zitten.

'We hebben elkaar ontmoet.'

'Waarom?'
'Omdat ons kantoor in Memphis zei dat hij geruchten had gehoord, en ik wilde niet dat hij onzin zou schrijven. Wat maakt het uit?'
'Wat maakt het uit? Onze foto's op de voorpagina?'
'Dat heb je wel eerder meegemaakt.'
'En jij?'
'Ik heb zelf niet geposeerd. Het was een hinderlaag. Maar ik sta er wel goed op, vind ik.'
'Heb je die feiten tegenover hem bevestigd?'
'Ja. We hebben afgesproken dat het achtergrondinformatie was en dat hij me niet mocht citeren of als bron mocht noemen. Daar heeft hij zich niet aan gehouden en bovendien heeft hij een fotograaf meegenomen. Dat was tegen de afspraak. Dit was dus de laatste keer dat ik met *The Memphis Press* heb gesproken.'
Sam keek nog eens naar de krant. Hij maakte een ontspannen indruk en sprak heel traag. 'Je hebt dus bevestigd dat je mijn kleinzoon bent?' vroeg hij met een spoor van een glimlach.
'Ja. Dat kan ik moeilijk ontkennen.'
'Had je het willen ontkennen?'
'Lees de krant, Sam. Als ik het had willen ontkennen, zou het dan op de voorpagina hebben gestaan?'
Dat was voor Sam voldoende. Zijn glimlach werd breder. Hij beet op zijn lip en keek Adam aan. Toen opende hij methodisch een nieuw pakje sigaretten. Adam zocht een raam.
Toen de eerste sigaret was opgestoken, zei Sam: 'Blijf uit de buurt van de pers. Ze zijn dom en meedogenloos. Ze liegen en ze maken slordige vergissingen.'
'Maar ik ben advocaat, Sam. Het zit in ons bloed.'
'Dat weet ik. Het is moelijk, maar probeer je te beheersen. Ik wil niet dat het nog een keer gebeurt.'
Adam pakte zijn koffertje, glimlachte en haalde er enkele papieren uit. 'Ik heb een geweldig idee om je leven te redden.' Hij wreef in zijn handen en haalde een pen uit zijn zak. Tijd om aan de slag te gaan.
'Ik luister.'
'Ik heb heel wat onderzoek gedaan, maar dat wist je natuurlijk al.'

'Daar word je voor betaald.'
'Ja. En ik heb een prachtige theorie ontwikkeld – een nieuwe eis, die ik maandag wil indienen. De theorie is heel simpel. Mississippi is een van de vijf staten die de gaskamer nog gebruiken. Klopt?'
'Dat klopt.'
'En in 1984 is in Mississippi een wet aangenomen om de veroordeelde de keus te geven tussen een dodelijke injectie en de gaskamer. Maar die nieuwe wet geldt alleen voor mensen die zijn veroordeeld na 1 juli 1984. Dus niet voor jou.'
'Dat is zo. Ik denk dat ongeveer de helft van de jongens in de dodengang die keus zal krijgen. Maar dat zal nog jaren duren.'
'Een van de redenen waarom die wet is aangenomen, is dat een injectie een humaner middel is. Ik heb de stukken bestudeerd. Er is uitvoerig gediscussieerd over de problemen die de staat met de gaskamer heeft gehad. De achterliggende gedachte was eenvoudig. Als je de executies snel en pijnloos maakt, zullen er minder protesten komen dat ze te wreed zijn. Een dodelijke injectie roept minder juridische problemen op en dus zal er minder verzet zijn tegen de executies. Onze stelling is dus dat de staat door het invoeren van de dodelijke injectie in feite heeft toegegeven dat de gaskamer uit de tijd is. En waarom? Omdat het een wrede methode is om mensen te doden.'
Sam zat een minuutje zwijgend te roken voordat hij langzaam knikte. 'Ga door,' zei hij.
'We verzetten ons dus tegen de gaskamer als methode van executie.'
'En wil je dat beperken tot Mississippi?'
'Ik denk het wel. Ik weet dat er problemen waren met de terechtstelling van de eerste twee, Teddy Doyle Meeks en Maynard Tole.'
Sam snoof en blies een rookwolk over de tafel. 'Problemen? Zeg dat wel.'
'Weet je daar iets van?'
'Wat dacht je? Ze zijn op nog geen vijftig meter afstand van mij gestorven. Wij zitten de hele dag in onze cel aan de dood te denken. Iedereen in de gang weet wat er met die jongens is gebeurd.'

'Vertel er eens over.'
Sam leunde naar voren op zijn ellebogen en staarde verstrooid naar de krant die voor hem lag. 'Meeks was de eerste die in tien jaar tijd in Mississippi werd geëxecuteerd en ze wisten echt niet wat ze deden. Dat was in 1982. Ik zat hier toen bijna twee jaar en tot die tijd hadden we in een droomwereld geleefd. We hadden nog nooit over de gaskamer of cyanidepillen of laatste maaltijden nagedacht. We waren ter dood veroordeeld, maar niemand werd ooit terechtgesteld, dus we maakten ons geen zorgen. Dat werd heel anders toen ze Meeks executeerden. Dat betekende dat wij ook aan de beurt konden komen.'
'Wat is er met hem gebeurd?' Adam had tientallen verhalen over de mislukte executie van Teddy Doyle Meeks gelezen, maar hij wilde het van Sam zelf horen.
'Alles ging mis. Heb je de gaskamer al gezien?'
'Nog niet.'
'Ernaast is een kamertje waar de beul het gas moet mengen. Het zwavelzuur zit in een bakje dat hij vanuit zijn kleine laboratorium door een slang naar de gaskamer laat glijden. Toen Meeks werd terechtgesteld, was de beul dronken.'
'Kom nou, Sam.'
'Ik heb het niet zelf gezien, dat is waar. Maar iedereen weet dat hij dronken was. De wet schrijft een officiële beul voor. De directeur en zijn kameraden hadden daar pas op het laatste moment aan gedacht. Vergeet niet dat niemand serieus verwachtte dat Meeks echt zou sterven. Iedereen wachtte op uitstel. Dat was al twee keer eerder gebeurd. Maar het uitstel kwam niet en dus moesten ze op het laatste moment een officiële beul zien te vinden. Die vonden ze ook, maar hij was dronken. Het was een loodgieter, geloof ik. Zijn eerste mengsel werkte niet. Hij liet het bakje door de slang glijden, haalde een hefboom over en iedereen wachtte tot Meeks het gas zou inademen en zou sterven. Meeks hield zo lang mogelijk zijn adem in en inhaleerde toen. Er gebeurde niets. De getuigen wachtten. Meeks wachtte. En toen draaiden ze zich allemaal naar de beul, die ook zat te wachten en begon te vloeken. Hij liep terug naar zijn kamertje en maakte een nieuw mengsel van zwavelzuur. Hij moest het oude bakje weer uit de slang halen en dat duurde tien minuten. De directeur, Lucas Mann

en de rest van die klootzakken stonden zenuwachtig te wachten en vervloekten die dronken loodgieter, tot hij eindelijk een nieuw bakje door de slang liet glijden en weer de hefboom overhaalde. Deze keer kwam het zwavelzuur op de goede plaats terecht, in een schaal onder de stoel waarop Meeks zat vastgeketend. De beul haalde een andere hefboom over om de cyanidepillen te laten vallen, die onder de stoel boven het zwavelzuur hingen. De pillen vielen en het gas zweefde omhoog naar die ouwe Meeks, die weer zijn adem inhield. Je kunt het gas namelijk zien, als een damp. Toen hij eindelijk een neusvol had geïnhaleerd, begon hij te schokken en te trillen. Dat ging een tijdje door. Om de een of andere reden zit er een metalen stang in de gaskamer, van de vloer tot aan het plafond, vlak achter de stoel. Toen Meeks verslapte en iedereen dacht dat hij dood was, begon zijn hoofd opeens op en neer te schokken en sloeg daardoor tegen die stang. Keihard. Het wit van zijn ogen was te zien, zijn mond hing open, het schuim stond op zijn lippen en hij sloeg maar met zijn kop tegen die paal. Vreselijk.'
'Hoe lang duurde het voordat hij stierf?'
'Wie zal het zeggen? Volgens de gevangenisarts trad de dood onmiddellijk en pijnloos in. Volgens sommige ooggetuigen heeft Meeks nog vijf minuten zitten stuiptrekken terwijl hij met zijn hoofd tegen die stang sloeg.'
De executie van Meeks had de tegenstanders van de doodstraf heel wat argumenten in handen gegeven. Het stond wel vast dat hij zwaar geleden had en er waren veel verslagen over zijn doodsstrijd gepubliceerd. Sams versie klopte met die van de ooggetuigen.
'Wie heeft je dat allemaal verteld?' vroeg Adam.
'Een paar bewaarders spraken erover. Niet tegen mij, natuurlijk, maar het nieuws deed snel de ronde. De buitenwereld reageerde geschokt. De verontwaardiging viel nog mee omdat Meeks zo'n klootzak was geweest. Hij was algemeen gehaat. Zijn kleine slachtoffer had zwaar geleden, daarom had niemand enige sympathie voor hem.'
'Waar zat jij toen hij werd terechtgesteld?'
'In mijn eerste cel in Gang D, aan de overkant, bij de gaskamer vandaan. Die nacht hebben ze iedereen ingesloten, alle gevangenen van Parchman. Het gebeurde vlak na midder-

nacht – eigenlijk belachelijk, omdat de staat een hele dag heeft om de executie uit te voeren. In het doodvonnis wordt geen tijd genoemd, alleen een datum. Maar dat stelletje zakken kan niet wachten om toe te slaan. Eén minuut na middernacht, zo gaat het bij iedere terechtstelling. Als er op het laatste moment dan toch nog uitstel volgt, heeft de officier een hele dag de tijd om er iets tegen te doen. Zo ging het met Buster Moac ook. Ze hadden hem om middernacht al op de stoel vastgebonden. Toen ging de telefoon en brachten ze hem weer terug naar de Isoleerkamer, waar hij zes uur heeft zitten zweten terwijl de advocaten van de ene rechtbank naar de andere holden. Ten slotte, toen de zon opging, hebben ze hem definitief op de stoel gezet. Je weet wat zijn laatste woorden waren, neem ik aan?'
Adam schudde zijn hoofd. 'Geen idee.'
'Buster was een vriend van me, een prima vent. Naifeh vroeg hem of hij nog iets te zeggen had. Ja, dat had hij. De biefstuk die hij bij zijn laatste maal had gekregen was te rauw geweest. Naifeh mompelde dat hij er met de kok over zou spreken. Buster vroeg of de gouverneur hem op het laatste moment nog gratie had verleend. Dat was niet zo. Toen zei Buster: "Zeg dan maar tegen die klootzak dat ik de volgende keer niet op hem stem." Daarna gooiden ze de deur dicht en vergasten hem.'
Sam vond dat kennelijk grappig en Adam lachte geforceerd. Hij keek op zijn notitieblok terwijl Sam nog een sigaret opstak.
Twee jaar na de executie van Teddy Doyle Meeks waren de beroepsmogelijkheden van Maynard Tole uitgeput en moest de gaskamer opnieuw worden gebruikt. Tole was een prodeocliënt van Kravitz & Bane geweest. Peter Wiesenberg, een jonge advocaat, had hem bijgestaan, onder toezicht van E. Garner Goodman. Zowel Wiesenberg als Goodman was getuige geweest van de terechtstelling, die in veel opzichten even gruwelijk was verlopen als die van Meeks. Adam had de zaak Tole niet met Goodman besproken, maar hij had de ooggetuigenverklaringen van Wiesenberg en Goodman in het dossier gelezen.
'En Maynard Tole?' vroeg Adam.
'Dat was een militante Afrikaan die bij een overval een stel

mensen had vermoord. Natuurlijk gaf hij de maatschappij de schuld. Hij noemde zichzelf een Afrikaanse krijger. Hij heeft me een paar keer bedreigd, maar het waren allemaal wolvepraatjes.'
'Wolvepraatjes?'
'Ja, dat betekent dat iemand onzin kletst. Dat doen al die Afrikanen. Ze roepen allemaal dat ze onschuldig zijn. Stuk voor stuk. Ze zitten hier alleen omdat ze zwart zijn binnen een blank systeem. Het zijn verkrachters en moordenaars, maar dat is nooit hun eigen schuld. Het ligt altijd aan iemand anders.'
'Dus je was blij dat hij werd geëxecuteerd?'
'Dat zei ik niet. Doden is verkeerd – voor Afrikanen, voor Anglo-Amerikanen en voor de overheid van Mississippi die mensen naar de gaskamer stuurt. Wat ik heb gedaan deugde niet, maar hoe kun je dat goedmaken door mij te doden?'
'Heeft Tole geleden?'
'Ja. Net als Meeks. Ze hadden een nieuwe beul gevonden en die deed het in één keer goed. Tole ademde het gas in en begon meteen te schokken en met zijn hoofd tegen die paal te slaan, net als Meeks. Maar Tole had blijkbaar een hardere kop, want hij bleef maar tegen die paal beuken. Er kwam geen eind aan. Naifeh en zijn boeven kregen de zenuwen omdat Tole niet wilde sterven en de hele zaak uit de hand dreigde te lopen. Daarom hebben ze de getuigen verwijderd. Het was één grote rotzooi.'
'Ik heb ergens gelezen dat het tien minuten duurde voordat hij dood was.'
'Hij heeft zich met hand en tand verzet, dat is alles wat ik weet. Natuurlijk verklaarden de directeur en de dokter achteraf dat de dood onmiddellijk en pijnloos was ingetreden. Typerend. Maar na de executie van Tole hebben ze wel een verandering in de procedure aangebracht. Toen ze Buddy Moac vergasten, hadden ze een soort kap van leren riemen gemaakt, die aan die vervloekte paal was bevestigd om zijn hoofd in bedwang te houden. Bij Moac en later ook bij Jumbo Parris hebben ze het hoofd vastgesnoerd. Een hele verbetering, vind je niet? Dat maakte het voor Naifeh en de getuigen veel minder erg om naar te kijken.'
'Begrijp je waar ik naartoe wil, Sam? Het is een afschuwelijke

manier om te sterven. Daar beroepen we ons op. We zoeken getuigen van deze executies en we proberen een rechter ervan te overtuigen dat de gaskamer tegen de grondwet indruist.'
'En daarna vragen we om een dodelijke injectie? Wat schieten we daarmee op? Het lijkt me vrij zinloos om te beweren dat ik niet in de gaskamer wil sterven maar geen enkel bezwaar heb tegen een dodelijke injectie. Dan binden ze me op een brancard en spuiten me vol met drugs. Maar dood ga ik toch. Ik zie er het nut niet van in.'
'Tijdwinst. Als we de gaskamer aanvechten, kunnen we misschien uitstel krijgen. Daarna zoeken we het hogerop. Dan kan het nog jaren gaan duren.'
'Dat is al eens geprobeerd.'
'Wat bedoel je?'
'Texas, 1983. De zaak Larson. Toen hebben ze dezelfde argumenten gebruikt. Maar de rechter zei dat de gaskamer al vijftig jaar werd gebruikt en een heel goed middel was om mensen humaan te doden.'
'Ja, maar er is één groot verschil.'
'Wat dan?'
'Dit is Texas niet. Meeks, Tole, Moac en Parris zijn niet in Texas vergast. Bovendien is Texas nu ook overgestapt op een dodelijke injectie. Ze hebben hun gaskamer afgeschaft omdat ze een betere methode hebben gevonden. En dat geldt voor de meeste staten die vroeger de gaskamer gebruikten. Ze hebben allemaal gekozen voor een betere technologie.'
Sam stond op en liep naar de andere kant van de tafel. 'Nou, als het mijn tijd is, wil ik de pijp uit gaan met de modernste technologie.' Hij ijsbeerde langs de tafel heen en weer en bleef toen staan. 'Het is zes meter van het ene eind van deze kamer naar het andere. Ik kan hier zes meter lopen zonder op tralies te stuiten. Weet je wat het is om drieëntwintig uur per dag in een cel van twee meter zeventig bij een meter tachtig te moeten zitten? Dan is dit al vrijheid, man!' Hij liep nog een tijdje heen en weer en rookte zijn zoveelste sigaret.
Adam keek naar de tengere gestalte die langs de tafel ijsbeerde met een rookwolk achter zich aan. Hij droeg geen sokken in zijn marineblauwe rubberen badslippers, die piepten bij elke stap. Opeens bleef hij staan, rukte een boek van een plank, smeet het op de tafel en begon het energiek door te

bladeren. Na een paar minuten intensief zoeken had hij het gevonden. Daarna zat hij vijf minuten te lezen.
'Ja, dat is het,' mompelde hij bij zichzelf. 'Ik wist dat ik het ergens gelezen had.'
'Wat?'
'Een zaak uit 1984 in North Carolina. De man heette Jimmy Old en Jimmy wilde niet sterven. Hij liet zich schreeuwend, huilend en schoppend naar de gaskamer slepen, en het kostte heel wat moeite om hem op de stoel vast te binden. Ten slotte gooiden ze de deur dicht, spoten het gas naar binnen en zagen zijn kin op zijn borst zakken. Toen rolde zijn hoofd naar achteren en begon te trillen. Hij draaide zich naar de getuigen toe, die alleen het wit van zijn ogen konden zien. Het kwijl droop uit zijn mond. Zijn hoofd bleef heen en weer zwaaien terwijl hij over zijn hele lichaam begon te schokken en het schuim op zijn lippen kreeg. Het ging maar door. Een van de getuigen, een journaliste, moest braken. Net als bij Maynard Tole kreeg de directeur er genoeg van en sloot de zwarte gordijnen, zodat de getuigen niets meer konden zien. Volgens de schattingen heeft Jimmy Old er veertien minuten over gedaan om te sterven.'
'Het klinkt vreselijk wreed.'
Sam sloeg het boek dicht en zette het zorgvuldig terug op de plank. Hij stak nog een sigaret op en tuurde naar het plafond. 'Bijna alle gaskamers zijn heel lang geleden gebouwd door Eaton Metal Products uit Salt Lake City. Ik heb ergens gelezen dat de gaskamer van Missouri door de gevangenen zelf is gebouwd. Maar onze kamer hier is afkomstig van Eaton, en ze zijn bijna allemaal gelijk: een stalen box, achthoekig van vorm, met een paar ramen zodat de getuigen de executie kunnen zien. Er is niet veel ruimte in de kamer, net voldoende voor een houten stoel met een stel riemen. Recht onder de stoel staat een metalen schaal en boven de schaal bevindt zich een zakje met cyanidetabletten dat door de beul met een hefboom kan worden bediend. Hij heeft een andere hefboom voor het zwavelzuur, dat via een bakje en een slang in de gaskamer wordt gebracht. Als de schaal onder de stoel zich met het zuur heeft gevuld, haalt hij de hefboom over om de cyanidepillen te laten vallen. Daardoor ontstaat het dodelijke gas, dat een snelle en pijnloze uitwerking moet hebben.'

'Was de gaskamer niet bedoeld als een vervanging voor de elektrische stoel?'
'Ja. In de jaren twintig en dertig had elke staat een elektrische stoel. Dat vond iedereen toen een prachtig apparaat. Ik herinner me uit mijn jeugd dat ze zelfs een draagbare elektrische stoel hadden die ze gewoon op een vrachtwagen laadden om er stad en land mee af te reizen. Ze stopten bij de plaatselijke gevangenissen, brachten de gevangenen geboeid naar buiten, zetten ze naast de vrachtwagen en werkten de hele rij af. Het was een efficiënte methode om de overvolle gevangenissen wat te ontlasten.' Hij schudde ongelovig zijn hoofd. 'Ze hadden natuurlijk geen idee waar ze mee bezig waren. Er deden afschuwelijke verhalen de ronde over het lijden van die mensen. Dat was geen doodstraf meer, dat was martelen. Niet alleen Mississippi, maar een heleboel staten gebruikten zo'n primitieve elektrische stoel, bediend door een stel boerenkinkels die de schakelaars overhaalden. Er waren allerlei problemen. Soms kreeg iemand een zware schok, maar niet zwaar genoeg, zodat hij van binnen verschroeide zonder dood te gaan. Een paar minuten later kreeg hij dan weer een stroomstoot. Dat kon wel een kwartier zo doorgaan. Ze brachten de elektroden niet goed aan, waardoor de vonken en de vlammen soms uit de ogen en oren van de mensen sloegen. Ik heb eens een verhaal gelezen over iemand die een verkeerd voltage kreeg toegediend. Er ontstond zoveel stoom in zijn schedel dat zijn ogen eruit sprongen. Het bloed stroomde over zijn gezicht. Bij elektrocutie wordt de huid zo heet dat ze het slachtoffer niet meteen kunnen aanraken. Vroeger moesten ze dus een tijdje wachten voordat ze konden vaststellen of iemand dood was. Er zijn talloze verhalen over kerels die na de eerste schok doodstil bleven zitten en daarna toch weer begonnen te ademen. En dan kregen ze weer een stroomstoot. Soms wel vier of vijf keer. Dat was verschrikkelijk, en daarom heeft een militaire arts toen de gaskamer uitgevonden als een humanere methode om mensen te doden. Maar die is nu ook al verouderd en vervangen door de dodelijke injectie, zoals je zei.'
Sam had een aandachtig gehoor. Adam luisterde geboeid.
'Hoeveel mensen zijn er al gestorven in de gaskamer van Mississippi?' vroeg hij.

'Hij is voor het eerst gebruikt in 1954 of omstreeks die tijd. Tussen 1954 en 1970 zijn er 35 mannen vergast. Geen enkele vrouw. Na Furman in 1972 is er tien jaar lang geen enkele executie uitgevoerd tot Teddy Doyle Meeks in 1982. Sindsdien is de gaskamer nog drie keer gebruikt. Dat brengt het totaal dus op 39. Ik zou nummer 40 worden.'

Hij begon weer te ijsberen, veel langzamer nu. 'Het is een vreselijk ondoelmatige manier om mensen te doden,' zei hij, alsof hij college gaf aan een stel studenten. 'En het is gevaarlijk, niet alleen voor die arme vent die op de stoel zit vastgebonden, maar ook voor de mensen eromheen. Al die kamers zijn oud en vertonen lekken. De verzegeling droogt uit of begint te rotten. Een gaskamer die niet lekt is vreselijk duur. Maar een klein lek kan al voldoende zijn om de beul of iemand anders in de buurt te doden. Er is altijd een handjevol mensen – Naifeh, Lucas Mann, misschien de dominee, de dokter en twee bewaarders – die in de kleine ruimte vlak naast de kamer staan. Die ruimte heeft twee deuren, die tijdens de executie worden gesloten. Als er gas uit de kamer naar die ruimte lekt, leggen Naifeh en Lucas Mann dus ook het loodje. Geen slecht idee, nu ik erover nadenk.

De getuigen lopen ook groot gevaar, zonder het zelf te beseffen. Er is geen enkele beveiliging tussen hen en de gaskamer behalve een paar ramen, die al oud zijn en dus ook kunnen lekken. De getuigen zitten in een kleine kamer met een dichte deur. Als er te veel gas zou lekken, is dat stelletje gluurders dus ook de klos.

Maar het grootste gevaar komt achteraf. Ze bevestigen een snoer tegen je ribben dat naar buiten wordt geleid, waar de dokter je hartslag controleert. Als de dokter verklaart dat je dood bent, openen ze een klep boven in de kamer waardoor het gas moet verdampen. Het meeste verdampt ook. Ze wachten een kwartier en openen dan de deur. De koelere buitenlucht die het gas uit de kamer moet verdrijven, vermengt zich met de restanten van het gas en vormt condens op alle oppervlakken. Dat is levensgevaarlijk voor iedereen die naar binnen gaat. De meesten van die klootzakken weten dat niet eens. Overal blijft een residu van blauwzuur achter: op de ramen, de muren, de vloer, het plafond, de deur en natuurlijk ook op het dode lichaam.

Ze besproeien de kamer en het lijk met ammonia om de resten van het gas te neutraliseren, en daarna komt de schoonmaakploeg binnen, met zuurstofmaskers op. Zij besproeien het lijk nog een keer met ammonia of chloor, omdat het gif door de poriën van de huid naar buiten dringt. Terwijl het lichaam nog op de stoel zit, trekken ze de kleren uit, doen ze in een zak en verbranden die. Vroeger mocht de veroordeelde alleen een onderbroek dragen, omdat dat achteraf gemakkelijker was. Tegenwoordig zijn ze zo sympathiek om ons alles te laten dragen wat we willen. Als het zo ver komt, zal ik me kostelijk amuseren met het kiezen van mijn garderobe.'
Hij spuwde op de grond toen hij daaraan dacht. Vloekend liep hij naar de andere kant van de tafel.
'Wat gebeurt er met het lijk?' vroeg Adam, die zich een beetje geneerde omdat hij naar zulke gevoelige zaken vroeg. Maar hij wilde het toch weten.
Sam bromde wat en stak de sigaret toen tussen zijn lippen. 'Weet je hoeveel kleren ik bezit?'
'Nee.'
'Twee van die rode trainingspakken, vier stel schoon ondergoed en één paar van die mooie rubberen badslippers die ze volgens mij uit een tweedehands nikkerwinkel vandaan hebben. Ik verdom het om in een van die rode pakken te sterven. Ik heb erover gedacht om gebruik te maken van mijn grondwettelijke rechten en spiernaakt de gaskamer in te gaan. Zou dat geen sensatie zijn? Zie je al voor je hoe die klootzakken me op die stoel duwen en de riemen vastmaken terwijl ze angstvallig proberen mijn edele delen niet aan te raken? En als ze me dan hebben ingesnoerd, maak ik die sensor van de hartmonitor aan mijn ballen vast. Dat zal de dokter wel prachtig vinden. En natuurlijk laat ik de getuigen mijn blote reet zien. Ja, dat lijkt me een goed idee.'
'Wat gebeurt er met het lijk?' vroeg Adam weer.
'Als het is gedesinfecteerd en gewassen, trekken ze het een boevenpakje aan, hijsen het uit de stoel en stoppen het in een lijkzak. Dan wordt het op een brancard naar de ambulance gebracht, die het naar een of ander rouwcentrum brengt. Daar neemt de familie het over. Als er familie is.'
Sam stond nu met zijn rug naar Adam toe. Hij leunde op een boekenplank en praatte tegen de muur. Daarna zweeg hij een

hele tijd en staarde roerloos naar de hoek terwijl hij aan de vier mannen dacht die hem naar de gaskamer waren voorgegaan in de tijd dat hij hier zat. Er was een ongeschreven regel in de dodengang dat je je niet liet vergassen in je rode gevangenispak. Je gunde ze niet de voldoening om je te doden in de kleren die ze je hadden verplicht te dragen.

Misschien zou zijn broer, die hem iedere maand zijn sigaretten stuurde, hem willen helpen met een overhemd en een broek. Sokken zouden ook prettig zijn. En alles was beter dan die rubberen badslippers. Hij zou nog liever op blote voeten naar de gaskamer gaan.

Hij draaide zich om, liep langzaam naar de tafel terug en ging tegenover Adam zitten. 'Dat plan van jou bevalt me wel,' zei hij rustig en beheerst. 'Het is het proberen waard.'

'Goed. Laten we dan maar aan het werk gaan. Probeer nog meer zaken te vinden zoals die van Jimmy Old in North Carolina. We moeten zoveel mogelijk gevallen verzamelen waarin executies in de gaskamer op gruwelijke wijze zijn misgegaan. Die citeren we allemaal als voorbeeld. En maak een lijst van mensen die over de terechtstelling van Meeks en Tole – en misschien ook Moac en Parris – kunnen getuigen.'

Sam was al overeind gekomen. Mompelend trok hij tientallen boeken uit de kasten, legde ze op tafel en begroef zich tussen de stapels.

19

De golvende korenvelden strekten zich kilometers ver uit, tot aan de uitlopers van de heuvels, waar ze steil omhoogliepen. De statige bergen begrensden de akkers in de verte. Het nazicomplex lag in een brede vallei, met aan één kant een weids uitzicht over de velden en aan de andere kant de bergen, die zich als een muur verhieven. Het terrein was veertig hectaren groot. De prikkeldraadversperringen waren gecamoufleerd met heggen en struikgewas. De schietbanen en oefenterreinen waren onzichtbaar vanuit de lucht. Er was niets anders te zien dan twee onschuldige houten vissershutten. Maar daaronder, diep in de heuvels, lagen twee schachten met liften die uitkwamen in een labyrint van natuurlijke en kunstmatige grotten. Grote tunnels, breed genoeg voor een golfkarretje, vertakten zich naar alle kanten en verbonden de twaalf kamers met elkaar. In één ervan stond een drukpers, in twee andere lagen wapens en munitie opgeslagen. Drie grote kamers dienden als woonverblijven. Dan was er nog een kleine bibliotheek. De grootste ruimte, twaalf meter hoog, was de centrale hal waar de leden bijeenkwamen voor redevoeringen, films en demonstraties.

Het was een ultramodern complex, met satellietschotels die het nieuws van tv-stations uit de gehele wereld opvingen, computers die met andere centra waren verbonden voor de snelle uitwisseling van informatie, faxapparaten, mobiele telefoons en alle andere technische snufjes van de moderne tijd. Niet minder dan tien kranten werden dagelijks bij het complex bezorgd en naar een kamer naast de bibliotheek gebracht, waar ze het eerst werden gelezen door een man die Roland heette. Hij woonde het grootste deel van de tijd in het complex, samen met enkele andere leden die voor het onderhoud zorgden. Als de kranten arriveerden uit de stad, meestal 's ochtends om een uur of negen, schonk Roland zich een grote kop koffie in en begon te lezen. Dat deed hij met plezier. Hij had de hele wereld gezien, sprak vier talen en had

een niet te stillen honger naar kennis. Als een artikel zijn aandacht trok, streepte hij het aan om er later een kopie van te maken voor de computerdesk.
Hij had een specifieke belangstelling. Sport interesseerde hem nauwelijks en de advertenties sloeg hij over. Mode, lifestyle, showbusiness en verwante onderwerpen las hij maar vluchtig door. Hij zocht voornamelijk naar informatie over soortgelijke groepen als de zijne: de ariërs, de nazi's, de Ku-Klux-Klan. De laatste tijd kwam hij steeds meer berichten uit Duitsland en Oost-Europa tegen en hij verheugde zich over de opkomst van het fascisme daar. Hij sprak vloeiend Duits en bracht minstens een maand per jaar in dat prachtige land door. Hij volgde de politici, met hun diepe bezorgdheid over de misdaad en de toenemende haat, en hun pogingen om de rechten van groepen als de zijne te beknotten. Hij hield het Hooggerechtshof in de gaten. Hij volgde de processen tegen skinheads in de Verenigde Staten. En hij was geïnteresseerd in de Ku-Klux-Klan.
Normaal besteedde hij twee uur per ochtend aan het verwerken van het laatste nieuws en de selectie van berichten die bewaard moesten blijven. Het was routinewerk, maar hij had er plezier in.
Maar deze ochtend zou dat anders zijn. Het eerste teken van dreigende problemen was een foto van Sam Cayhall, ergens diep verborgen in het eerste katern van een krant uit San Francisco. Het stukje telde maar drie alinea's en meldde het verrassende nieuws dat de oudste man in de dodencel nu door zijn kleinzoon zou worden verdedigd. Roland las het drie keer door voordat hij het geloofde en streepte het artikel toen aan om het te bewaren. Een uur later had hij hetzelfde bericht al vijf of zes keer gelezen. In twee kranten stond dezelfde foto van de jonge Adam Hall die de vorige dag ook op de voorpagina van de krant uit Memphis had gestaan.
Roland volgde de zaak Cayhall al vele jaren, om verschillende redenen. Om te beginnen was het normaal gesproken een zaak die hun computers interesseerde: een bejaarde Klan-terrorist uit de jaren zestig die zijn dagen sleet in de dodencel. Het uitgeprinte materiaal over Cayhall was al dertig centimeter dik. Hoewel hij zeker geen advocaat was, deelde Roland de algemene opinie dat Sam geen beroepsmogelijkhe-

den meer had en binnenkort zou worden terechtgesteld. Dat kwam Roland goed uit, maar die mening hield hij voor zich. Sam Cayhall was een held van het blanke fascisme en Rolands eigen kleine nazi-groepering was al gevraagd om deel te nemen aan demonstraties tegen de executie. Ze hadden geen rechtstreeks contact met Cayhall omdat hij nooit hun brieven had beantwoord, maar hij was een symbool en ze wilden politieke munt slaan uit zijn dood.
Rolands achternaam, Forchin, was van Cajun-origine en afkomstig uit de omgeving van Thibodaux. Hij had geen sofinummer, hij vulde nooit belastingformulieren in en officieel bestond hij dus niet. Hij bezat drie subliem vervalste paspoorten, waaronder een Duits en een Iers. Daarmee stak hij zonder enig probleem alle grenzen over.
Een van zijn andere namen, die hij alleen zelf kende en nooit aan iemand vertelde, was Rollie Wedge. In 1967, na de aanslag op het kantoor van Kramer, was hij uit de Verenigde Staten gevlucht en in Noord-Ierland ondergedoken. Daarna had hij een tijdje in Libië, München, Belfast en in Libanon gewoond. In 1967 en 1968 was hij nog even teruggekomen om de processen tegen Sam Cayhall te volgen. Tegen die tijd reisde hij al moeiteloos met zijn vervalste papieren.
Ook daarna kwam hij soms korte tijd naar de Verenigde Staten terug, altijd in verband met de zaak Cayhall. Maar naarmate de tijd verstreek maakte hij zich steeds minder ongerust. Drie jaar geleden was hij definitief teruggekeerd en had zijn intrek genomen in de bunker om de boodschap van het nazisme te verbreiden. Hij beschouwde zich niet langer als een Klan-lid. Hij was nu een trotse fascist.
Toen hij alles had gelezen, was hij het verhaal over Cayhall in zeven van de tien kranten tegengekomen. Hij legde ze in een metalen mandje en besloot even naar buiten te gaan. Hij schonk nog wat koffie in zijn plastic bekertje en nam de lift naar de hal in een van de blokhutten, vijfentwintig meter hoger. Het was een mooie dag, koel en zonnig, zonder een wolkje aan de hemel. Hij liep langs een smal pad de berg op en tien minuten later had hij een prachtig uitzicht over het dal beneden hem. In de verte strekten de korenvelden zich uit.
Roland droomde al drieëntwintig jaar over Sam Cayhalls

dood. Ze deelden samen een geheim, een zware last die pas van Rolands schouders zou worden genomen als Sam was geëxecuteerd. Hij had grote bewondering voor de man. Anders dan Jeremiah Dogan was Sam zijn eed trouw gebleven en had nooit zijn mond opengedaan. Hij had standgehouden, ondanks drie processen, talloze beroepszaken, duizenden gesprekken met verschillende advocaten en miljoenen vragen. Sam Cayhall was een man van eer. Toch wachtte Roland op zijn dood. Tijdens de eerste twee processen was hij gedwongen geweest om Cayhall en Dogan een paar keer te bedreigen, maar dat was al zo lang geleden. Dogan was voor de druk van de FBI bezweken en had tegen Sam getuigd. Dogan was gestorven.

Die kleinzoon beviel hem niet. Zoals iedereen had Roland Sams zoon en de rest van de familie uit het oog verloren. Hij wist dat er een dochter in Memphis woonde, maar de zoon was spoorloos verdwenen. En nu opeens verscheen er een jonge, knappe, goed opgeleide advocaat van een groot joods advocatenkantoor, die zijn grootvader van de gaskamer wilde redden. Roland had genoeg over terechtstellingen gelezen om te weten dat advocaten op het laatste moment nog van alles probeerden. Als Sam ooit zijn mond zou opendoen, zou dat nu gebeuren, tegenover zijn eigen kleinzoon.

Hij gooide een steen de helling af en keek hem na tot hij uit het gezicht verdwenen was. Hij zou zelf naar Memphis moeten gaan.

Op het hoofdkantoor in Chicago was de zaterdag gewoon een drukke werkdag, maar hier in Memphis deed Kravitz & Bane het wat rustiger aan. Adam kwam om negen uur op kantoor en trof maar twee andere juristen en één medewerker aan. Hij sloot zich in zijn kamer op en liet de zonwering zakken.

De vorige dag hadden hij en Sam twee uur zitten werken. Tegen de tijd dat Packer met de hand- en voetboeien de bibliotheek binnenstapte, lag de tafel bezaaid met tientallen juridische boeken en notities. Packer wachtte ongeduldig tot Sam op zijn gemak de boeken had teruggezet.

Adam las hun aantekeningen nog eens door. Hij voerde zijn eigen onderzoek in de computer in en controleerde het verzoekschrift voor de derde keer. Hij had al een kopie naar

Garner Goodman gefaxt, die het met enkele correcties had teruggestuurd.
Goodman was niet optimistisch over een objectieve behandeling van de zaak, maar in dit stadium hadden ze niets meer te verliezen. Als het geding tot een federaal gerechtshof zou doordringen, was hij bereid te getuigen over de executie van Maynard Tole. Hij en Peter Wiesenberg waren erbij geweest. Voor Wiesenberg was de aanblik van een levende mens die werd vergast zelfs zo schokkend geweest, dat hij ontslag had genomen bij de firma en een baan als docent had aangenomen. Zijn grootvader had de holocaust overleefd, zijn grootmoeder niet. Goodman beloofde contact op te nemen met Wiesenberg. Hij was er bijna zeker van dat Wiesenberg ook zou willen getuigen.
Tegen een uur of twaalf had Adam genoeg van het kantoor. Hij stapte de gang in. Het was doodstil. De andere advocaten waren vertrokken. Hij verliet het gebouw en liep naar zijn auto.
Hij reed naar het westen, de rivier over naar Arkansas, langs de wegrestaurants en de hondenrenbaan van West-Memphis, tot hij de stad achter zich had gelaten en op het platteland kwam. Hij passeerde de dorpjes Earle, Parkin en Wynne, waar de heuvels begonnen. Hij stopte voor een cola bij een kleine kruidenier waar drie oude mannen in verschoten overalls voor de deur zaten te zweten en naar de vliegen mepten. Adam opende de kap van de auto en reed verder.
Twee uur later stopte hij weer, nu in het stadje Mountain View, om een broodje te eten en de weg te vragen. Calico Rock lag een eindje verderop, kreeg hij te horen. Hij hoefde de White River maar te volgen. Het was een mooie weg, die zich langs de uitlopers van de Ozarks slingerde, door dichte bossen en over bergbeekjes. De White River stroomde links van de weg en overal lagen bootjes met vissers die op forel visten.
Calico Rock was een kleine stad op een heuvel boven de rivier. Aan de oostelijke oever, bij de brug, waren drie vissteigers. Adam parkeerde bij de rivier en liep naar de eerste, de Calico Marina. Het gebouwtje lag op drijvende pontons en was met dikke kabels aan de wal verankerd. Bij de steiger dobberde een rij lege huurboten. Een pomp verspreidde de doordrin-

gende lucht van olie en benzine. Op een bordje stonden de prijzen voor boten, gidsen, visspullen en visvergunningen.
Adam stapte de overdekte steiger op en genoot even van het uitzicht over de rivier. Een jonge man met vuile handen dook uit een achterkamertje op en vroeg of hij kon helpen. Hij nam de bezoeker van hoofd tot voeten op en besloot dat Adam geen sportvisser was.
'Ik ben op zoek naar Wyn Lettner.'
Op het borstzakje van de jongen stond de naam Ron, half onleesbaar door een olievlek. Ron liep naar binnen. 'Meneer Lettner!' riep hij naar de hordeur van een kleine winkel. Ron verdween.
Wyn Lettner was een forse vent, ruim één meter tachtig lang en zwaargebouwd. Garner had gezegd dat hij graag een biertje lustte en dat was te zien, dacht Adam met een blik op Lettners dikke buik. Hij liep tegen de zeventig, met dun grijs haar dat netjes onder een Evinrude-petje was weggestopt. Adam had minstens drie krantefoto's van FBI-agent Lettner in zijn dossier en op elk van die foto's was hij afgebeeld als de stereotiepe G-man: een donker pak, een wit overhemd, een smalle das en stekeltjeshaar. En heel wat slanker, in die tijd.
'Jawel, meneer,' zei hij luid toen hij door de hordeur naar buiten kwam. Hij veegde een paar kruimels van zijn lippen. 'Ik ben Wyn Lettner.' Hij had een zware stem en een innemende lach.
Adam stak zijn hand uit en zei: 'Adam Hall. Hoe maakt u het.'
Lettner schudde hem krachtig de hand. Hij had boomdikke armen met stevige biceps. 'Jawel, meneer,' baste hij. 'En wat kan ik voor u doen?'
Gelukkig was de steiger verlaten, op Ron na, die uit het gezicht was verdwenen en op de achtergrond met gereedschap bezig was. Adam aarzelde even, maar zei toen: 'Eh, ik ben advocaat en ik vertegenwoordig Sam Cayhall.'
De glimlach werd nog breder, zodat twee rijen sterke gele tanden zichtbaar werden. 'Geen eenvoudige klus, meneer. Helemaal niet!' zei hij lachend en sloeg Adam op zijn schouder.
'Nee, dat is zo,' zei Adam onhandig, wachtend op de volgende aanval. 'Ik wilde even met u praten over Sam.'
Opeens was Lettner serieus. Hij streek met een vlezige hand

over zijn kin en keek Adam met half dichtgeknepen ogen aan. 'Ik heb het in de krant gelezen, kerel. Sam is je grootvader. Dat moet heel zwaar voor je zijn. En het zal nog zwaarder worden.' Hij grijnsde weer. 'Maar voor Sam natuurlijk ook.' Zijn ogen twinkelden alsof hij een goede grap had gemaakt en verwachtte dat Adam dubbel zou slaan van het lachen.
Adam zag er de humor niet van in. 'Sam heeft nog minder dan een maand,' zei hij, ervan overtuigd dat Lettner alles over de dreigende terechtstelling had gelezen.
Een zware hand klemde zich om Adams schouder en duwde hem in de richting van de winkel. 'Kom maar eens mee, kerel. Dan kunnen we over Sam praten. Een biertje?'
'Nee, bedankt.' Ze kwamen in een kleine ruimte met visspullen aan de muur en het plafond en wankele kasten met etenswaren als crackers, sardientjes, worstjes in blik, brood, varkensvlees en bonen en koekjes: alle benodigdheden voor een dagje op de rivier. In een hoek stond een koelkast met frisdrank, naast een doos met krekels en een aquarium met voorntjes.
'Ga zitten,' zei Lettner, wijzend naar de hoek bij de kassa. Adam liet zich op een wiebelende houten stoel zakken terwijl Lettner een flesje bier uit de koelkast haalde. 'Weet je het zeker?' vroeg hij.
'Straks misschien.' Het was bijna vijf uur.
Lettner wipte de dop eraf, dronk het flesje in één teug voor een derde leeg, smakte met zijn lippen en ging toen op een versleten leren kapiteinsstoel zitten die ongetwijfeld uit een omgebouwde vrachtwagen afkomstig was. 'Willen ze die ouwe Sam toch naar de gaskamer sturen?' vroeg hij.
'Ze doen wel hun best.'
'Wat zijn de kansen?'
'Niet zo best. We zullen de gebruikelijke laatste verzoeken indienen, maar de klok tikt verder.'
'Sam is geen slechte kerel,' zei Lettner met iets van spijt in zijn stem, die hij wegspoelde met nog een flinke slok. De krekels brachten een pijnlijke serenade in hun doos en boven de deur ratelde een luidruchtige ventilator. De vloer kraakte zachtjes toen de steiger heen en weer deinde op de rivier.
'Hoe lang hebt u in Mississippi gezeten?' vroeg Adam.
'Vijf jaar. Hoover heeft me erheen gestuurd toen die drie bur-

gerrechtenactivisten waren verdwenen. Dat was in 1964. We hebben een speciale eenheid in het leven geroepen en zijn aan het werk gegaan. Na de aanslag op Kramer raakte de Klan een beetje op dood spoor.'
'En wat was uw opdracht?'
'Daar was Hoover heel duidelijk in. Ik moest tot elke prijs in de Klan infiltreren. Hij wilde er een eind aan maken. Eerlijk gezegd duurde het allemaal erg lang in Mississippi. Om allerlei redenen. Hoover had de pest aan de Kennedy's en ze zetten hem behoorlijk onder druk, daarom probeerde hij tijd te rekken. Maar toen die drie activisten verdwenen, moesten we wel in actie komen. Het was een dramatisch jaar, 1964, in Mississippi.'
'Het jaar waarin ik geboren ben.'
'Ja, de krant schreef dat je in Clanton was geboren.'
Adam knikte. 'Dat heb ik heel lang niet geweten. Mijn ouders zeiden altijd dat ik in Memphis geboren was.'
De deurbel rinkelde en Ron kwam binnen. Hij wierp een blik in hun richting en keek toen naar de crackers en sardines. Lettner en Adam wachtten. Ron keek naar Adam alsof hij wilde zeggen: 'Ga rustig door, ik luister niet mee.'
'Wat wil je?' vroeg Lettner bits.
Haastig pakte Ron met een vuile hand een blikje Weense saus en hield het omhoog. Lettner knikte en gebaarde naar de deur. Ron slenterde terug, met nog een blik op de koekjes en de chips.
'Hij is vreselijk nieuwsgierig,' zei Lettner toen de jongen verdwenen was. 'Ik heb een paar keer met Garner Goodman gesproken. Jaren geleden. Dat is een vreemde vogel.'
'Hij is mijn baas. Hij heeft me uw naam gegeven en zei dat u wel iets wilde zeggen.'
'Waarover?' vroeg Lettner en nam nog een slok.
'Over de zaak Kramer.'
'De zaak Kramer is gesloten. Het enige dat resteert is Sam en zijn afspraak met de gaskamer.'
'Wilt u dat hij wordt terechtgesteld?'
Ze hoorden voetstappen, gevolgd door stemmen, en de deur ging weer open. Een man en een jongen stapten naar binnen en Lettner kwam overeind. Ze hadden aas en voorraden nodig. Tien minuten lang deden ze inkopen en praatten over de

beste stekjes. Lettner had zijn bier meteen onder de toonbank gezet toen de klanten binnenkwamen.
Adam haalde een blikje frisdrank uit de koelkast en liep naar buiten. Hij slenterde over de rand van de houten steiger langs het water en bleef staan bij de benzinepomp. Twee jongelui in een bootje meerden af bij de brug en Adam realiseerde zich dat hij nog nooit van zijn leven had gevist. Zijn vader was geen man met hobby's of andere bezigheden geweest. Toch had hij regelmatig zonder werk gezeten. Adam kon zich niet herinneren wat zijn vader eigenlijk met zijn tijd had gedaan.
De klanten vertrokken en de deur viel dicht. Lettner kwam langzaam naar de benzinepomp. 'Vis je wel eens op forel?' vroeg hij met een liefdevolle blik op de rivier.
'Nee. Nog nooit gedaan.'
'Laten we dan een eindje gaan varen. Ik wil even een goede stek verkennen, drie kilometer stroomafwaarts. Daar schijnen ze goed te bijten.'
Lettner had een koelbox bij zich, die hij voorzichtig in een boot zette. Hij stapte van de steiger en de boot wiebelde vervaarlijk toen hij de motor greep. 'Kom!' riep hij tegen Adam, die aarzelend naar de zeventig centimeter brede kloof tussen de boot en de steiger keek. 'En pak die lijn,' riep Lettner, wijzend op een dun touw dat om een kikker was geslagen.
Adam maakte het touw los en stapte zenuwachtig in de boot, die op dat moment juist een beweging maakte. Adam gleed uit, kwam op zijn hoofd terecht en sloeg bijna overboord. Lettner brulde van het lachen en trok aan het startkoord. Ron had natuurlijk alles gevolgd en stond stompzinnig te grijnzen op de steiger. Adam voelde zich opgelaten en lachte zuurzoet mee. Lettner gaf gas, de boeg van de boot kwam omhoog en ze voeren weg.
Adam hield zich stevig aan de dolboorden vast toen ze over het water scheerden, onder de brug door. Al snel lag het stadje achter hen. De rivier slingerde zich langs mooie heuvels en rotsachtige uitlopers. Lettner stuurde met één hand en hield een flesje bier in zijn andere. Na een paar minuten durfde Adam zich wat te ontspannen en haalde een biertje uit de koelbox zonder zijn evenwicht te verliezen. Het flesje was ijskoud. Hij hield het in zijn rechterhand terwijl hij zich met zijn andere hand vastgreep. Lettner zat achter hem te neuriën

of te zingen. Het lawaai van de motor maakte ieder gesprek onmogelijk.
Ze kwamen langs een kleine vissteiger waar een groepje yuppen uit de stad hun vis zat te tellen en bier dronk. Ze passeerden een stel rubbervlotten met onfrisse jongelui die in de zon lagen en iets rookten. Ze zwaaiden naar andere vissers die druk bezig waren.
Eindelijk minderde Lettner vaart en stuurde de boot voorzichtig door een bocht, alsof hij de vis beneden al kon zien en de juiste positie koos. Toen zette hij de motor af. 'Wil je vissen of bier drinken?' vroeg hij met een blik in het water.
'Bier.'
'Dat dacht ik al.' Zijn flesje was opeens van geen belang meer toen hij de hengel greep en de lijn uitgooide in de richting van de oever. Adam keek even toe, maar toen er niets gebeurde liet hij zich achteroverzakken, met zijn voeten bungelend boven het water. De boot was niet echt comfortabel.
'Hoe vaak ga je vissen?' vroeg hij.
'Iedere dag. Het hoort bij mijn werk. Dat is service aan de klanten. Ik moet weten waar de goede stekjes zijn.'
'Zwaar werk.'
'Iemand moet het doen.'
'Hoe ben je in Calico Rock terechtgekomen?'
'In 1975 kreeg ik een hartaanval en moest ik ontslag nemen bij de FBI. Ik had een goed pensioen, maar ik ben niet iemand om thuis te zitten. Mijn vrouw en ik kwamen hier toevallig langs en zagen dat de jachthaven te koop was. Van de ene vergissing kwam de andere, en hier zit ik dan. Geef me nog een biertje, wil je?'
Hij legde nog eens in toen Adam hem een flesje had aangereikt. Snel telde Adam de overgebleven flessen in de koelbox. Het waren er nog veertien. De boot dreef mee op de stroming van de rivier en Lettner greep een peddel. Hij viste met één hand, stuurde de boot met de andere en hield het flesje bier tussen zijn knieën geklemd. Het leven van een vissersgids.
Ze bleven liggen onder een paar bomen, waar het gelukkig wat koeler was. Lettner ging moeiteloos met de werphengel om. Hij wierp de lijn met een soepele beweging van zijn pols en wist de haak met het aas precies op de juiste plek te krij-

gen. Maar de vissen beten niet. Hij probeerde het nu in het midden van de stroom.
'Sam is geen slechte vent.' Dat had hij al eens gezegd.
'Vind je dat hij moet worden terechtgesteld?'
'Dat is mijn zaak niet, kerel. De mensen in Mississippi hebben voor de doodstraf gekozen, en dus moet het gebeuren. Sam is schuldig verklaard en de straf is duidelijk. Wie ben ik om daar iets van te zeggen?'
'Maar je hebt er toch wel een mening over?'
'Wat heeft dat voor zin? Mijn mening doet niet ter zake.'
'Waarom zei je dat Sam geen slechte vent is?'
'Dat is een lang verhaal.'
'We hebben nog veertien biertjes.'
Lettner lachte breed. Hij nam een slok en tuurde langs de rivier, zonder op zijn aas te letten. 'Sam interesseerde ons eigenlijk niet, moet je begrijpen. Hij was niet betrokken bij de zware zaken. Niet in het begin, tenminste. Toen die burgerrechtenactivisten verdwenen, sloegen we hard toe. We smeten met geld en al gauw hadden we allerlei tipgevers binnen de Klan. De meesten van die lui waren simpele, arme boeren met ultrarechtse ideeën. Voor geld deden ze alles, en daar speculeerden wij op. We zouden die drie activisten nooit hebben gevonden als we geen smeergeld hadden betaald. Het heeft ons zo'n dertigduizend dollar gekost, als ik het me goed herinner, hoewel ik niet rechtstreeks met de tipgevers te maken had. We hebben ze ten slotte gevonden en dat was een aardig succesje. Eindelijk konden we een stel mensen arresteren. Maar het was moeilijk om ze veroordeeld te krijgen. En het geweld ging gewoon door. Ze pleegden zoveel aanslagen op huizen en kerken van de zwarte bevolking dat we het nauwelijks konden bijhouden. Het leek wel een burgeroorlog. Het werd steeds erger, Hoover kreeg de pest in en we gooiden er nog meer geld tegenaan.' Hij aarzelde even. 'Hoor eens, kerel, denk maar niet dat je van mij iets belangrijks te horen krijgt.'
'Waarom niet?'
'Sommige dingen mag ik je vertellen, andere dingen niet.'
'Sam heeft die aanslag niet in zijn eentje gepleegd, is het wel?'
Lettner glimlachte weer en tuurde naar zijn lijn. De hengel lag in zijn schoot. 'Eind 1965, begin 1966, hadden we een heel

netwerk van verklikkers opgebouwd. Dat was niet zo moeilijk. Als we hoorden dat iemand lid was van de Klan, lieten we hem schaduwen. We volgden hem 's avonds naar zijn huis, knipperden met onze lichten en parkeerden bij hem op de stoep. Zuivere intimidatie. 's Ochtends reden we hem achterna naar zijn werk, soms praatten we met zijn baas en lieten onze penningen zien, heel agressief, alsof we iemand wilden neerknallen. We gingen naar zijn ouders, met onze donkere pakken en ons noordelijke accent, we zwaaiden met onze papieren en die arme plattelanders gingen meteen voor de bijl. Als de man bij een kerk hoorde, volgden we hem ook op zondag en gingen de volgende dag met zijn dominee praten. We vertelden hem dat we het vreselijke gerucht hadden gehoord dat meneer zus-en-zo een actief lid was van de Klan. Wist hij daar iets over? We deden alsof het een misdrijf was om lid te zijn van de Klan. Als de man opgroeiende kinderen had, volgden we die naar afspraakjes, gingen in de bioscoop achter ze zitten en overvielen ze als ze in het bos zaten te vrijen. Zuivere intimidatie, zoals ik zei, maar het werkte. Ten slotte belden we die vent op of namen hem apart, en boden hem geld aan. We beloofden hem met rust te laten als hij voor ons wilde werken, en dat lukte altijd. Meestal was zo'n vent een zenuwinzinking nabij en tot alles bereid. Ik heb ze wel zien huilen. Je zou het niet geloven. Huilend kwamen ze naar het altaar om hun zonden op te biechten.' Lettner lachte in de richting van zijn lijn, waar geen enkele beweging in zat.
Adam dronk van zijn bier. Als ze de hele voorraad naar binnen werkten, zou Lettner misschien wat loslippiger worden.
'We hadden eens een vent, die zal ik nooit vergeten. We betrapten hem in bed met zijn zwarte vriendin. Dat kwam wel vaker voor. Ik bedoel, die kerels verbrandden kruisen en beschoten huisjes waarin zwarten woonden, maar ondertussen hielden ze er wel zwarte vriendinnen op na. Ik heb nooit begrepen waarom die zwarte vrouwen zich daarvoor leenden. Hoe dan ook, hij had een kleine jachthut diep in het bos, die hij als liefdesnestje gebruikte. Op een middag was hij erheen geweest voor een vluggertje, en toen hij weer naar buiten stapte, stonden wij voor zijn neus en namen een foto. Van hem en haar. En daarna hebben we met hem gepraat. Hij was deken of ouderling bij een of andere plattelandskerk, een

echte steunpilaar van de maatschappij, maar we behandelden hem als oud vuil. We joegen die meid weg en sleepten hem weer naar binnen. Binnen de kortste keren zat hij te janken. Achteraf zou hij een van onze beste getuigen blijken. Maar later kwam hij toch achter de tralies terecht.'
'Waarom?'
'Nou, terwijl hij met die zwarte vriendin rommelde, deed zijn vrouw hetzelfde met een zwarte jongen die op hun boerderij werkte. De vrouw werd zwanger, de baby was een halfbloed en de man ging naar het ziekenhuis om zijn vrouw en het kind te vermoorden. Hij heeft vijftien jaar in Parchman gezeten.'
'Mooi zo.'
'Er waren niet veel veroordelingen in die tijd, maar we joegen ze zoveel angst aan dat ze niet veel meer durfden te doen. Het geweld was al behoorlijk afgenomen totdat Jeremiah Dogan met zijn aanslagen op joden begon. Daar werden we door verrast, moet ik toegeven. We hadden geen idee wie erachter zat.'
'Waarom niet?'
'Omdat Dogan geen domme jongen was. Hij wist uit ervaring dat zijn eigen mensen hem konden verraden, daarom werkte hij alleen met kleine, anonieme eenheden.'
'Eenheden? Dus meer dan één persoon?'
'Ja, zoiets.'
'Dus Sam was niet alleen?'
Lettner snoof en grinnikte. Hij besloot dat de vis niet wilde bijten, legde zijn hengel neer en startte de motor. Even later scheerden ze weer over het water, stroomafwaarts langs de rivier. Adam liet zijn voeten over de zijkant hangen. Zijn leren mocassins en zijn blote enkels waren al gauw drijfnat. Hij nam nog een slok bier. De zon zakte eindelijk achter de heuvels en hij genoot van de schoonheid van de rivier.
Ze hielden halt op een stil plekje onder een overhangende landtong waar een touw van af hing. Lettner wierp zijn lijn weer uit en haalde hem in, maar zonder resultaat. Nu was het zijn beurt om vragen te stellen. Hij wilde alles weten over Adam en zijn familie: de vlucht naar het westen, de nieuwe identiteit, de zelfmoord. Toen Sam in de gevangenis zat, vertelde hij, hadden ze ook onderzoek gedaan naar zijn familie.

Ze wisten dat hij een zoon had die was verdwenen, maar omdat Eddie ongevaarlijk leek, hadden ze geen moeite gedaan hem op te sporen. In plaats daarvan hielden ze Sams broers en neven in de gaten. Lettner was nieuwsgierig naar Adams jeugd en hoe hij was opgegroeid zonder iets over zijn familie te weten.

Adam stelde ook een paar vragen, maar de antwoorden bleven vaag en werden onmiddellijk omgebogen tot vragen over zijn eigen verleden. Lettner was een man die vijfentwintig jaar ervaring had in het ondervragen van mensen.

De derde en laatste plek lag niet ver van Calico Rock. Ze bleven vissen tot het donker werd. Na vijf biertjes verzamelde Adam voldoende moed om ook een lijn uit te gooien. Lettner was een geduldige leermeester en binnen een paar minuten had Adam al een indrukwekkende forel aan de haak. Heel even vergaten ze Sam, de Ku-Klux-Klan en de andere nachtmerries uit het verleden en hadden alleen nog aandacht voor de rivier. Ze visten en dronken bier.

Lettners vrouw heette Irene en ze verwelkomde haar man en de onbekende bezoeker heel luchtig en vriendelijk. Toen Ron hen naar huis reed, had Wyn tegen Adam gezegd dat Irene wel gewend was aan onverwachte gasten. Ze was totaal niet verrast toen de twee mannen wankelend naar binnen stapten en haar een lijn met forel overhandigden.

De Lettners woonden in een huisje aan de rivier, anderhalve kilometer ten noorden van de stad. De veranda achter het huis was van gaas voorzien tegen de insekten en had een prachtig uitzicht op het water. Ze gingen in rieten schommelstoelen zitten en trokken nog een paar pilsjes open terwijl Irene de vis bakte.

Zelf je eten vangen was een nieuwe ervaring voor Adam en hij at met smaak. Je eigen vis smaakte altijd beter, vond Wyn, die zelf ook gretig toetastte en de forel met nog meer bier wegspoelde. Halverwege de maaltijd ging Wyn op whisky over, maar Adam bedankte. Hij zou het liefst een glas water hebben gevraagd, maar een soort mannelijke trots dwong hem nog een biertje te nemen. Hij kon het nu niet laten afweten. Dat zou Lettner als zwakte hebben uitgelegd.

Irene dronk wijn en vertelde verhalen over Mississippi. Ze

was een paar keer bedreigd en hun kinderen durfden nooit te komen. Ze waren allebei afkomstig uit Ohio en hun familie had zich voortdurend ongerust gemaakt over hun veiligheid. Ja, dat waren nog eens tijden, zei ze meer dan eens, met een zekere spijt in haar stem. Ze was erg trots op haar man en zijn aandeel in de strijd voor de burgerrechten.

Na het eten verdween ze ergens in huis. Het was bijna tien uur en Adam had slaap. Wyn stond op, hield zich vast aan een balk en excuseerde zich toen hij naar het toilet ging. Even later kwam hij terug met twee grote glazen whisky. Hij gaf er een aan Adam en liet zich weer in zijn schommelstoel vallen. Ze schommelden en dronken even in stilte. Ten slotte zei Lettner: 'Dus je bent ervan overtuigd dat Sam hulp heeft gehad.'

'Natuurlijk.' Adam merkte dat hij traag en met dubbele tong sprak. Lettner klonk nog redelijk helder.

'Waarom ben je daar zo zeker van?'

Adam zette het zware glas neer en nam zich heilig voor niet meer te drinken. 'Na de aanslag heeft de FBI toch Sams huis doorzocht?'

'Ja.'

'Sam zat in de gevangenis van Greenville en jullie hadden een huiszoekingsbevel.'

'Ik was er zelf bij, kerel. We zijn er met twaalf agenten naartoe gegaan en we hebben drie dagen gezocht.'

'Maar niets gevonden.'

'Precies.'

'Geen spoor van dynamiet, slaghoedjes, lonten of ontstekers. Geen spoor van de spullen die bij de aanslag waren gebruikt. Klopt?'

'Dat klopt. En wat wil je daarmee zeggen?'

'Sam wist niets van explosieven. Het is ook niet bewezen dat hij ze ooit eerder had gebruikt.'

'Dat ben ik niet met je eens. De aanslag op Kramer was de zesde al. Die klootzakken legden overal bommen en wij konden er niets tegen doen. Jij bent er niet bij geweest. Ik zat ermiddenin. We hadden de Klan zo zwaar onder druk gezet en geïnfiltreerd dat ze haast niets meer durfden te doen, maar opeens brak er een nieuwe oorlog uit en begonnen er overal bommen te exploderen. We legden ons oor te luisteren, we

zetten onze verklikkers onder druk tot ze bijna bezweken, maar het leverde niets op. Ze wisten niets. Het leek wel of er opeens een andere tak van de Klan in Mississippi actief was geworden zonder dat de rest ervan op de hoogte was.'
'Wisten jullie niets van Sam?'
'Zijn naam kwam wel in ons bestand voor. Als ik het me goed herinner, had zijn vader ook bij de Klan gezeten, en misschien een paar van zijn broers. Dus we kenden hun namen. Maar ze stonden niet onder verdenking. Ze woonden in het noorden van de staat, in een streek waar de Klan niet erg gewelddadig was. Ze verbrandden wel eens een kruis en beschoten soms een huis van een zwarte familie, maar dat was niets vergeleken bij de aanslagen van Dogan en zijn bende. We hadden onze handen vol aan de moordenaars. We hadden geen tijd om iedere Klucker in de staat te ondervragen.'
'Hoe verklaar je dat Sam opeens zo gewelddadig werd?'
'Geen idee. Hij was natuurlijk geen misdienaar. Hij had al eerder iemand vermoord.'
'Wat?'
'Je verstond me wel. In het begin van de jaren vijftig heeft hij een van zijn zwarte werknemers doodgeschoten. Hij heeft er nog geen dag voor in de gevangenis gezeten. Volgens mij is hij er niet eens voor aangehouden.'
'Weet je zeker dat het waar is?' vroeg Adam.
'Ja. We ontdekten het toen Sam was gearresteerd en op zijn proces zat te wachten. We hebben maandenlang navraag gedaan in Ford County en we hoorden het verhaal van verschillende kanten. En misschien heeft hij nog een andere zwarte vermoord.'
'Laat maar. Ik wil het niet eens weten.'
'Vraag het hem zelf maar. Ik ben benieuwd of die ouwe klootzak het lef heeft het tegenover zijn eigen kleinzoon te bekennen.' Hij nam nog een slok. 'Hij was behoorlijk gewelddadig. Hij had er geen moeite mee om bomaanslagen te plegen en mensen te doden. Wees niet zo naïef, kerel.'
'Ik ben niet naïef. Ik probeer alleen zijn leven te redden.'
'Waarom? Hij heeft twee onschuldige jochies vermoord. Twee kleine kinderen. Dat besef je toch wel?'
'Hij is veroordeeld wegens moord. Maar als het fout is om te doden, heeft de staat niet het recht hem te executeren.'

'Ach, klets toch niet. De doodstraf is nog te goed voor dat soort mensen. Veel te netjes en steriel. Zij weten dat ze gaan sterven en hebben alle tijd om hun gebeden te zeggen en afscheid te nemen. Denk eens aan hun slachtoffers. Hoeveel tijd hadden die om zich op de dood voor te bereiden?'
'Dus je vindt dat Sam moet worden terechtgesteld?'
'Ja. Net als de rest van dat zootje.'
'En je zei dat hij eigenlijk geen slechte kerel was.'
'Dan heb ik gelogen. Sam Cayhall is een koelbloedige moordenaar. En hij is zo schuldig als wat. Hoe wil je anders verklaren dat de aanslagen meteen stopten zodra hij was aangehouden?'
'Misschien waren ze bang geworden na de aanslag op Kramer?'
'Ze? Wie bedoel je met "ze"?'
'Sam en zijn maat. En Dogan.'
'Goed, ik zal het spelletje meespelen. Laten we aannemen dat Sam een medeplichtige had.'
'Nee, laten we aannemen dat Sam de medeplichtige wàs – dat die andere vent de expert was die de bom heeft geplaatst.'
'Expert? Het waren heel primitieve bommen, man. De eerste vijf waren niets anders dan een paar staven dynamiet met een touwtje erom en een lont eraan. Je steekt die lont aan, gaat er als de bliksem vandoor en een kwartier later: boem! En die bom in het kantoor van Kramer was niets anders dan een simpele ontsteker met een wekker. Ze hebben nog geluk gehad dat het ding niet afging terwijl ze ermee bezig waren.'
'Denk je dat de bom bewust op die tijd was ingesteld?'
'De jury dacht van wel. En Dogan zei dat het de bedoeling was om Marvin Kramer te vermoorden.'
'Waarom was Sam dan nog in de buurt – zo dichtbij dat hij zelf door de rondvliegende scherven werd geraakt?'
'Dat zul je Sam moeten vragen. Dat heb je natuurlijk al gedaan. Beweert hij zelf dat hij een medeplichtige had?'
'Nee.'
'Nou, dat lijkt me duidelijk genoeg. Als je eigen cliënt het ontkent, waarom houd je dan vol?'
'Omdat ik denk dat mijn cliënt liegt.'
'Jammer voor je cliënt. Als hij wil liegen om iemand te beschermen, wat kan het jou dan schelen?'

'Waarom zou hij tegen mij liegen?'
Lettner schudde wanhopig zijn hoofd, mompelde wat en nam nog een slok. 'Hoe moet ik dat weten, verdomme? Ik wìl het niet eens weten! Het zal me een rotzorg zijn of Sam de waarheid spreekt of liegt. Als hij niet eens eerlijk is tegenover jou, zijn eigen kleinzoon, laten ze hem dan maar vergassen.'
Adam nam een flinke slok en tuurde in de duisternis. Soms vond hij het nogal onnozel dat hij wilde bewijzen dat zijn cliënt tegen hem loog. Hij zou het nog één keer proberen. Daarna konden ze het ergens anders over hebben. 'En de getuigen die beweerden dat ze Sam met iemand anders hadden gezien?'
'Die waren niet echt betrouwbaar, als ik het me goed herinner. Die man uit het wegrestaurant meldde zich pas jaren later. Die andere vent kwam net uit een kroeg. Niet overtuigend, allemaal.'
'En Dogan? Geloofde je hem?'
'De jury wel.'
'Dat vroeg ik niet.'
Eindelijk begon Lettner wat zwaarder te ademen en moe te worden. 'Dogan was geschift, maar ook geniaal. Hij zei dat de bom bedoeld was om te doden, en ik geloof hem. Vergeet niet, Adam, dat ze in Vicksburg bijna een heel gezin hadden uitgemoord. Ik weet de naam niet meer...'
'Pinder. En je hebt het steeds over "zij".'
'Ik speel het spelletje mee, dat zei ik toch? We gaan er nu van uit dat Sam een medeplichtige had. Die bom bij de Pinders ontplofte midden in de nacht. De hele familie had dood kunnen zijn.'
'Sam zegt dat hij de bom in de garage had geplaatst, zodat er niemand gewond kon raken.'
'Zei hij dat? Dus Sam gaf toe dat hij die aanslag heeft gepleegd? Waarom vraag je mij dan nog naar een medeplichtige? Je moet beter luisteren naar je cliënt, Adam. Die klootzak is honderd procent schuldig. Luister naar hem.'
Adam nam nog een slok en voelde zijn oogleden steeds zwaarder worden. Hij keek op zijn horloge, maar het danste voor zijn ogen. 'En die banden?' vroeg hij geeuwend.
'Welke banden?' vroeg Lettner, die ook moest gapen.
'De FBI-banden die op Sams proces werden afgespeeld. Op-

namen van de gesprekken tussen Dogan en Wayne Graves over de aanslag op Kramer.'

'We hadden wel meer banden. En ze spraken over zoveel doelwitten. Kramer was maar een van de velen. Verdomme, we hadden zelfs een band van twee Kluckers die een synagoge wilden opblazen terwijl er een bruiloft werd voltrokken. Ze wilden de deuren vergrendelen en gas door de heteluchtleidingen pompen zodat de hele zaak de lucht in zou vliegen. Gestoorde klootzakken. Het was niet Dogan, maar een stel andere idioten die maar wat kletsten, dus we namen het niet serieus. Wayne Graves was een Klucker, maar hij werkte ook voor ons en hij vond het goed dat we zijn telefoon afluisterden. Op een avond belde hij Dogan en zei dat hij in een telefooncel stond. Het gesprek kwam op Kramer. Maar ze hadden het ook over anderen. Die opname was heel nuttig tijdens Sams proces. Maar geen van die banden heeft ooit een aanslag kunnen voorkomen. En Dogan sprak met geen woord over Sam.'

'Dus jullie hadden geen vermoeden dat Sam Cayhall erbij betrokken was?'

'Geen enkel. Als die idioot wat eerder uit Greenville was vertrokken, zou hij waarschijnlijk nu nog op vrije voeten zijn geweest.'

'Wist Kramer dat hij een doelwit was?'

'We hebben het hem gezegd. Maar hij was wel gewend aan dreigementen. Hij had een nachtwaker.' Lettner sprak nu steeds trager en zijn kin rustte bijna op zijn borst.

Adam excuseerde zich en liep voorzichtig naar de wc. Toen hij terugkwam op de veranda, hoorde hij een luid gesnurk. Lettner zat onderuitgezakt in zijn stoel, met zijn glas nog in zijn hand. Adam haalde het tussen zijn vingers vandaan en ging op zoek naar een sofa.

20

Het was een warme ochtend, maar in de oude legerjeep was het echt om te smoren. De wagen miste een airco en nog een paar andere voorzieningen. Adam zat te zweten en hield zijn hand op de kruk van het portier, dat hij hopelijk snel open zou krijgen als zijn ontbijt van die ochtend onverhoopt omhoogkwam.

Hij was wakker geworden op de grond naast een smalle sofa in een kamer die hij per vergissing voor de huiskamer had aangezien. Het bleek de bijkeuken te zijn, en de sofa was geen sofa maar een bankje waar Lettner op ging zitten als hij zijn schoenen uittrok, zoals hij bulderend van de lach vertelde. Irene had hem na lang zoeken gevonden en Adam had uitvoerig zijn excuses gemaakt, totdat ze hem vroegen daarmee op te houden. Irene had een stevig ontbijt klaargemaakt. Dit was de enige dag van de week dat ze bacon aten, zei ze – een vaste traditie in huize Lettner. Adam had in de keuken het ene glas ijswater na het andere gedronken, terwijl het spek zachtjes sputterde in de pan, Irene stond te neuriën en Wyn de krant las. Daarna maakte Irene roereieren en mixte een paar bloody mary's.

De wodka verdoofde zijn hoofdpijn een beetje, maar had een minder gunstig effect op zijn maag. Toen ze over de hobbelige landweggetjes naar Calico Rock reden, was hij bang dat hij moest kotsen.

Hoewel Lettner de vorige avond het eerst voor de bijl was gegaan, was hij nu weer opvallend fris en monter. Niets te merken van een kater. Hij had een bord vol vette bacon en koekjes naar binnen gewerkt, met maar één bloody mary. Hij had geïnteresseerd de krant gelezen en overal commentaar op geleverd. Adam veronderstelde dat hij een van die alcoholisten was die elke avond dronken werden maar er in de praktijk weinig last van hadden.

Het stadje kwam in zicht. De weg werd beter en Adams maag kwam wat tot rust. 'Het spijt me van gisteravond,' zei Lettner.

'Hoezo?' vroeg Adam.
'Over Sam. Ik was wel erg hard. Hij is natuurlijk je grootvader en je maakt je zorgen. Het was niet waar wat ik zei. Ik wil niet dat hij wordt geëxecuteerd. Sam is geen slechte kerel.'
'Ik zal het hem zeggen.'
'Nou, dat zal hem plezier doen.'
Ze reden de stad binnen en sloegen af naar de brug. 'En er is nog iets,' zei Lettner. 'Wij hebben altijd vermoed dat Sam een partner had.'
Adam glimlachte en keek door het raampje. Ze kwamen langs een kleine kerk met oudere mensen die in hun zondagse kleren in de schaduw onder een boom stonden.
'Waarom?' vroeg Adam.
'Om dezelfde redenen die jij noemde. Sam was nooit eerder met bommen in verband gebracht. Hij was niet betrokken geweest bij het Klan-geweld. En die twee getuigen, vooral die vrachtwagenchauffeur uit Cleveland, hebben ons altijd dwarsgezeten. Die trucker had geen enkele reden om te liegen en hij scheen voor honderd procent zeker van zijn zaak. Sam leek me er de man niet naar om in zijn eentje een campagne van bomaanslagen te beginnen.'
'Maar wie is die partner dan geweest?'
'Ik zou het eerlijk niet weten.' Ze stopten bij de rivier en Adam opende het portier – voor alle zekerheid. Lettner leunde op het stuur en hield zijn hoofd schuin toen hij Adam aankeek. 'Na de derde of de vierde bom... ik denk die aanslag op de synagoge in Jackson... hadden een paar vooraanstaande joden in New York en Washington een gesprek met Lyndon Johnson, die op zijn beurt Hoover belde, die mij liet komen. In Washington heb ik toen een gesprek gehad met Hoover en de president, die me er flink van langs gaven. Toen ik in Mississippi terugkwam, was ik vastbesloten niet met me te laten spotten. We zetten onze tipgevers onder zware druk. We gingen er hard tegenaan. We probeerden alles wat we konden verzinnen, maar het leverde niets op. Onze bronnen wisten gewoon niet wie die bomaanslagen pleegde. Alleen Dogan wist dat, en die hield zijn mond. Maar na de vijfde aanslag... op dat makelaarskantoor in Jackson, als ik me niet vergis... kregen we eindelijk een spoor te pakken.'
Lettner opende zijn portier en liep naar de voorkant van de

jeep. Adam stapte ook uit en ze keken naar de rivier die rustig door Calico Rock stroomde. 'Wil je een biertje? Ik heb ze koud staan in de winkel.'
'Nee, dank je. Ik ben nog half misselijk.'
'Grapje. Hoe dan ook, Dogan handelde in tweedehandsauto's. Een van zijn medewerkers was een oude neger, een analfabeet, die de auto's waste en de vloeren schrobde. We hadden die oude man al eens eerder benaderd, heel voorzichtig, maar hij reageerde vijandig. Maar op een gegeven moment vertelde hij een van onze agenten dat hij had gezien dat Dogan en een andere man een paar dagen eerder iets in de kofferbak van een groene Pontiac hadden gelegd. Later had hij de kofferbak geopend en gezien dat het dynamiet was. De volgende dag had hij gehoord dat er weer een aanslag was gepleegd. Hij wist dat de FBI Dogan in de gaten hield en daarom had hij het ons verteld. Dogans assistent was ook een Klanlid, een zekere Virgil. Dus ging ik met Virgil praten. 's Nachts om drie uur klopte ik bij hem aan... ik ramde zijn deur bijna in, zoals we dat deden in die dagen... en even later ging het licht aan en verscheen hij op de veranda. Ik had een stuk of acht agenten bij me en we lieten onze penningen zien. Virgil was doodsbang. Ik zei dat we wisten dat hij de vorige avond het dynamiet naar Jackson had gebracht en dat hij de kans liep om dertig jaar de bak in te draaien. Door de hordeur hoorden we zijn vrouw gillen. Virgil stond te trillen en kon ieder moment in tranen uitbarsten. Ik liet mijn kaartje achter met de boodschap dat hij me nog diezelfde dag vóór twaalf uur moest bellen en ik verbood hem om er met Dogan of iemand anders over te praten. We zouden hem geen minuut uit het oog verliezen, waarschuwde ik hem.
Ik denk niet dat hij die nacht nog veel geslapen heeft. Zijn ogen waren rood en gezwollen toen hij een paar uur later in mijn kantoor zat. Ik stelde hem op zijn gemak en hij begon te praten. Hij vertelde me dat de bommen niet het werk waren van Dogans gewone groepje. Veel had hij niet gehoord, maar genoeg om te weten dat de aanslagen werden gepleegd door een jonge vent uit een andere staat, die uit het niets was opgedoken en veel van explosieven wist. Dogan wees de doelwitten aan, bereidde de operatie voor en belde dan die jongen, die heimelijk de stad binnenkwam, zijn op-

dracht uitvoerde en weer verdween.'
'Geloofde je hem?'
'Grotendeels wel. Het klopte allemaal. Het moest een onbekende zijn, omdat we inmiddels genoeg verklikkers hadden bij de Klan. We wisten bijna alles wat ze deden.'
'Wat is er met Virgil gebeurd?'
'Ik heb contact met hem gehouden en hem wat geld gegeven. De vaste gang van zaken, je kent dat wel. Ze wilden altijd geld. Ik raakte ervan overtuigd dat hij niet wist wie die aanslagen pleegde. Hij wilde niet toegeven dat hij er ook bij betrokken was, dat hij de auto's en het dynamiet had afgeleverd, en we hebben hem niet onder druk gezet. Hij was niet de man die we zochten.'
'Had hij iets te maken met de aanslag op Kramer?'
'Nee. Daar heeft Dogan iemand anders voor gebruikt. Soms leek Dogan wel een zesde zintuig te bezitten waardoor hij wist wanneer hij zijn werkwijze moest veranderen.'
'Virgils verdachte klinkt in elk geval niet als Sam Cayhall,' merkte Adam op.
'Nee.'
'En jullie hadden geen idee?'
'Nee.'
'Toe nou, Wyn. Natuurlijk hadden jullie een vermoeden.'
'Ik zweer het je. We wisten niet wie het was. Kort nadat ik met Virgil had gesproken, werd Kramers kantoor opgeblazen en was het allemaal voorbij. Als Sam een partner heeft gehad, is die ervandoor gegaan.'
'En de FBI heeft nooit meer iets gehoord?'
'Geen woord. De enige die we hadden was Sam, en die maakte een zeer schuldige indruk.'
'En natuurlijk wilden jullie de zaak graag afwikkelen.'
'Ja. Bovendien was het afgelopen met die aanslagen toen Sam gepakt werd, vergeet dat niet. Dus we hadden onze man. Hoover was tevreden, de joden waren tevreden en de president was tevreden. Daarna duurde het dertien jaar voordat ze hem eindelijk konden veroordelen, maar dat is een ander verhaal. Iedereen was opgelucht dat er een eind kwam aan die aanslagen.'
'Maar waarom heeft Dogan die andere man dan niet verraden en Sam wel?'

Ze waren langs de oever gelopen, tot vlak bij het water. Adams auto stond niet ver weg. Lettner schraapte zijn keel en spuwde in de rivier. 'Zou jij getuigen tegen een terrorist die nog vrij rondloopt?'
Adam dacht even na. Die vraag was hem nog nooit gesteld, voor zover hij zich kon herinneren. Lettner grijnsde zijn grote gele tanden bloot en liep naar de steiger. 'Laten we nog een biertje nemen,' zei hij grinnikend.
'Nee, sorry. Ik moet weer eens gaan.'
Lettner bleef staan. Ze schudden elkaar de hand en beloofden dat ze nog eens een afspraak zouden maken. Adam nodigde hem uit in Memphis en Lettner zei dat Adam altijd welkom was in Calico Rock voor een biertje en een middagje vissen. Maar Adam moest er niet aan denken. Voorlopig. Hij vroeg Lettner om Irene de groeten te doen, maakte opnieuw zijn excuses dat hij in de bijkeuken in slaap was gevallen en bedankte hem voor het gesprek.
Hij verliet het stadje en volgde langzaam de bochtige weg tussen de heuvels door, bang dat zijn maag toch nog in opstand zou komen.

Lee worstelde met een Italiaans gerecht toen hij het appartement binnenkwam. De tafel was gedekt met porselein, zilver en verse bloemen. Het ging niet goed in de keuken. Lee was bezig met gebakken manicotti, maar ze had de afgelopen week al meer dan eens gezegd dat ze niet kon koken. Dat bleek. Het hele aanrecht stond vol met potten en pannen. Haar zelden gebruikte schort zat onder de tomatenpuree. Ze kusten elkaar en Lee zei lachend dat er altijd nog een paar pizza's in de vriezer lagen als het helemaal mis zou gaan.
Toen keek ze hem scherp aan. 'Je ziet er vreselijk uit,' zei ze.
'Het was een zware nacht.'
'En je ruikt naar drank.'
'Ik heb twee bloody mary's gedronken bij het ontbijt. Ik neem er nog maar een, denk ik.'
'De bar is dicht.' Ze pakte een mes en liep naar een stapel groente. Een courgette was het volgende slachtoffer. 'Wat heb je gedaan?'
'Te veel gezopen, met een FBI-agent. Daarna ben ik naast zijn wasmachine in slaap gevallen.'

'Gezellig.' Bijna sneed ze zich in haar vinger. Haastig trok ze haar hand van de snijplank terug en staarde ernaar. 'Heb je de krant uit Memphis al gelezen?'
'Nee. Moet dat?'
'Ja. Daar ligt hij.' Ze knikte naar de hoek van de eetbar.
'Slecht nieuws?'
'Lees het maar.'
Adam pakte de zondagseditie van *The Memphis Press* en ging aan de keukentafel zitten. Op de eerste pagina van het tweede katern zag hij opeens zijn eigen gezicht. Het was een bekende foto, nog niet zo lang geleden genomen, toen hij tweedejaarsstudent was aan de universiteit van Michigan. Het artikel besloeg een halve pagina en behalve zijn eigen portret stonden er nog meer foto's bij: van Sam natuurlijk, van Marvin Kramer en van de tweeling Josh en John, van Ruth Kramer, David McAllister, de procureur Steve Roxburgh, gevangenisdirecteur Naifeh, Jeremiah Dogan en van Elliot Kramer, de vader van Marvin.
Todd Marks had niet stilgezeten. Zijn verhaal begon met een beknopt overzicht van de zaak, dat een hele kolom besloeg. Daarna ging hij snel over naar het heden, met een samenvatting van het artikel dat hij twee dagen geleden had geschreven. Hij had nog wat meer gegevens over Adam gevonden: zijn studie aan Pepperdine en Michigan, zijn functie als redacteur van het juridische blad en zijn werk bij Kravitz & Bane. Naifeh had weinig te zeggen, behalve dat de terechtstelling volgens de regels zou worden uitgevoerd. McAllister debiteerde een aantal wijsheden. Hij leefde al drieëntwintig jaar met de nachtmerrie van de aanslag op de Kramers, verklaarde hij ernstig. Er ging geen dag voorbij dat hij er niet aan dacht. Het was hem een eer en een voorrecht geweest om Sam Cayhall te vervolgen en de moordenaar zijn gerechte straf te bezorgen. Alleen een executie zou een eind kunnen maken aan dit afschuwelijke hoofdstuk uit de geschiedenis van Mississippi. Nee, antwoordde hij na rijp beraad, van gratie zou geen sprake kunnen zijn. Dat was niet rechtvaardig tegenover die kleine jongens Kramer. Enzovoort.
Steve Roxburgh was blijkbaar ook bij het interview aanwezig geweest. Hij zou zich uit alle macht verzetten tegen de laatste pogingen van Cayhall en zijn advocaat om de terechtstelling

nog af te wenden. Hij en zijn staf waren bereid achttien uur per dag te werken om de wens van het volk te kunnen uitvoeren. Deze zaak had zich lang genoeg voortgesleept, verklaarde hij meer dan eens, en het was nu tijd dat er gerechtigheid geschiedde. Nee, hij maakte zich geen zorgen over de laatste juridische mogelijkheden van Sam Cayhall. Hij had alle vertrouwen in zijn eigen capaciteiten als procureur, in dienst van de kiezers.
Sam Cayhall weigerde ieder commentaar en Adam Hall was niet bereikbaar – alsof Adam best iets had willen zeggen maar helaas onvindbaar was.
Het commentaar van de familie was zowel interessant als ontmoedigend. Elliot Kramer, inmiddels zevenenzeventig jaar, was nog gezond en vitaal. Hij werkte zelfs nog, ondanks zijn hartproblemen. Maar hij was ook verbitterd. Hij beschuldigde de Klan en Sam Cayhall niet alleen van de moord op zijn twee kleinzoons, maar ook van de dood van Marvin zelf. Hij wachtte al drieëntwintig jaar op de executie van Sam Cayhall. Iedere minuut uitstel was er één te veel. Hij fulmineerde tegen een rechtssysteem dat een veroordeelde nog tien jaar in leven liet nadat de jury het vonnis had uitgesproken. Hij wist niet of hij getuige wilde zijn van de terechtstelling. Dat moesten zijn artsen beslissen. Maar hij zou er graag bij willen zijn om Sam Cayhall in de ogen te kijken als hij op de stoel werd vastgebonden.
Ruth Kramer reageerde wat rustiger. De tijd had vele wonden geheeld, zei ze, en ze wist niet hoe ze zich zou voelen na de executie. Haar zoons kreeg ze toch niet terug. Ze had weinig te zeggen tegen Todd Marks.
Adam vouwde de krant op en legde hem naast zijn stoel. Opeens was hij zenuwachtig, vanwege Steve Roxburgh en David McAllister. Als de man die Sams leven moest redden, was het onthutsend voor hem dat zijn tegenstanders zo gretig op de laatste confrontatie wachtten. Hij was maar een beginneling. Zij waren oude rotten. Met name Roxburgh had veel ervaring, en hij beschikte over een geroutineerde staf waaronder een specialist die bekendstond als Dr. Death, een gehaaide advocaat met een voorliefde voor executies. Adam had niets anders dan een dossier met mislukte verzoekschriften en de hoop op een wonder. Hij was in alle opzichten aan de verlie-

zende hand, en op dat moment voelde hij zich kwetsbaar en machteloos.
Lee kwam naast hem zitten met een kop espresso. 'Je kijkt zorgelijk,' zei ze en streelde zijn arm.
'Mijn vriend de forellenvisser heeft me ook niet kunnen helpen.'
'En de Kramers azen op wraak.'
Adam masseerde zijn slapen om de pijn wat terug te dringen.
'Heb je een aspirientje?'
'Of een valium?'
'Ja, graag.'
'Heb je erge honger?'
'Nee. Mijn maag is nog niet in orde.'
'Gelukkig maar. Het avondeten gaat niet door. Technische problemen met het menu. Diepvriespizza of anders niets.'
'Dan maar niets. Behalve een valium.'

21

Adam gooide zijn sleuteltjes in de rode emmer en zag het ding omhooggaan tot zo'n zes meter boven de grond, waar het bleef bungelen aan het touw. Hij liep naar het eerste hek, dat schokkerig openging, en bleef staan wachten voor het tweede hek. Packer verscheen in de deuropening, dertig meter verderop. Hij rekte zich uit en geeuwde alsof hij zojuist een tukje had gedaan in de dodengang.

Het tweede hek schoof achter hem dicht en Packer wachtte hem op. 'Middag,' zei hij. Het was bijna twee uur, de heetste tijd van de dag. Die ochtend had een weerman op de radio vrolijk de eerste dag van veertig graden aangekondigd.

'Hallo, brigadier,' zei Adam alsof ze oude vrienden waren. Ze liepen over het zandpad naar de kleine deur met het onkruid ervoor. Packer stak de sleutel in het slot en Adam stapte naar binnen.

'Ik zal Sam halen,' zei Packer en hij verdween zonder veel haast.

De stoelen aan zijn kant van het metalen hek stonden schots en scheef door elkaar. Twee ervan waren omgevallen, alsof de advocaten en bezoekers ruzie hadden gehad. Adam trok er een naar de balie toe, aan het eind van de rij, zo ver mogelijk bij de ratelende ventilator vandaan.

Uit zijn koffertje haalde hij een kopie van het appèl dat hij die ochtend om negen uur had ingediend. Volgens de wet konden er geen eisen of verzoeken bij een federale rechtbank worden ingediend die niet eerst waren behandeld en afgewezen door een regionaal gerechtshof. Het appèl tegen de gaskamer was ingediend bij het Hooggerechtshof van Mississippi, volgens de geldende beroepsprocedures van de staat. Adam en Garner Goodman beschouwden het als een formaliteit. Goodman had het hele weekend aan de stukken gewerkt, terwijl Adam die zaterdag met Wyn Lettner op forel was gaan vissen en het op een zuipen had gezet.

Sam kwam binnen zoals altijd, met zijn handen op zijn rug

gebonden, geen enkele uitdrukking op zijn gezicht en zijn rode trainingspak bijna tot aan de navel open. Het witte haar op zijn bleke borst was nat van het zweet. Als een goed afgericht dier draaide hij zijn rug naar Packer, die hem snel de handboeien afdeed en toen zelf vertrok. Sam pakte meteen een pakje sigaretten en stak er een op voordat hij ging zitten.
'Welkom terug.'
'Ik heb vanochtend dit verzoek ingediend,' zei Adam en hij schoof de kopie door de smalle opening in het traliewerk. 'Ik heb met de griffier van het Hooggerechtshof in Jackson gesproken. Zij dacht dat het hof snel uitspraak zou doen.'
Sam pakte de papieren en keek Adam aan. 'Reken maar. Ze zullen het met groot genoegen afwijzen.'
'De staat is verplicht onmiddellijk te reageren, dus de procureur heeft het opeens razend druk.'
'Mooi zo. Dan zien we het wel in het avondnieuws. Hij zal de tv wel hebben uitgenodigd bij de voorbereidingen van zijn reactie.'
Adam deed zijn jasje uit en trok zijn stropdas los. Het was vochtig in de spreekkamer en hij zat al te zweten. 'Ken je de naam Wyn Lettner nog?'
Sam legde de papieren op een stoel en zoog hard aan de filter. 'Ja,' zei hij, terwijl hij een flinke rookwolk naar het plafond blies. 'Hoezo?'
'Heb je hem ooit ontmoet?'
Sam dacht even na. Zoals gewoonlijk koos hij zorgvuldig zijn woorden toen hij antwoord gaf. 'Misschien. Ik weet het niet zeker. Ik wist wel wie hij was. Waarom?'
'Ik heb hem dit weekend opgezocht. Hij is nu met pensioen en verhuurt visbootjes op de White River. We hebben een lang gesprek gehad.'
'Geweldig. En wat heeft dat opgeleverd?'
'Hij zegt dat hij nog steeds denkt dat je een partner had.'
'Heeft hij je ook een naam genoemd?'
'Nee. Ze hebben nooit iemand kunnen vinden, zegt hij. Maar een van hun tipgevers, iemand die voor Dogan werkte, had Lettner verteld dat die andere man een nieuwkomer was, niet een lid van de vaste groep. Ze dachten dat hij uit een andere staat kwam en nog heel jong was. Meer wist Lettner niet.'
'En jij gelooft hem?'

'Ik weet niet wat ik moet geloven.'
'Wat maakt het nu nog voor verschil?'
'Dat weet ik niet. Het kan een mogelijkheid zijn om je leven te redden, dat is alles. Ik ben wanhopig, neem ik aan.'
'Ik niet soms?'
'Ik klamp me nu aan elke strohalm vast, Sam. Ik probeer de gaten op te vullen.'
'Dus er zitten gaten in mijn verhaal?'
'Volgens mij wel. Lettner zegt dat hij altijd twijfels heeft gehouden omdat ze geen spoor van explosieven hebben gevonden toen ze je huis doorzochten. En in het verleden had je nooit explosieven gebruikt. Je leek hem niet het type om in je eentje met bomaanslagen te beginnen.'
'Geloof jij alles wat Lettner zegt?'
'Ja, omdat het logisch klinkt.'
'Ik zal je wat vragen. Stel dat er iemand anders bij was geweest. Stel dat ik je zijn naam, adres, telefoonnummer, bloedgroep en urineanalyse zou geven. Wat zou je dan doen?'
'Een enorme rel schoppen. Een hele reeks eisen en verzoeken indienen. De media waarschuwen en jou tot een zondebok maken. Je onschuld aandikken en hopen dat iemand er notitie van zou nemen. De rechter, bijvoorbeeld.'
Sam knikte, alsof dat volslagen belachelijk was – precies wat hij had verwacht. 'Dat zou nooit werken, Adam,' zei hij nadrukkelijk, alsof hij het tegen een klein kind had. 'Ik heb nog drieënhalve week. Je kent de wet. Het is onmogelijk om nu te gaan roepen dat een medeplichtige het heeft gedaan als die medeplichtige nog nooit is genoemd.'
'Dat weet ik. Maar ik zou het toch proberen.'
'Het heeft geen enkele zin. Zet die medeplichtige nou maar uit je hoofd.'
'Wie is hij?'
'Hij bestaat niet.'
'O, jawel.'
'Waarom ben je daar zo zeker van?'
'Omdat ik in je onschuld wil geloven, Sam. Dat is heel belangrijk voor me.'
'Ik zei je toch dat ik onschuldig was? Ik heb die bom wel geplaatst, maar het was nooit mijn bedoeling iemand te doden.'
'Maar waaròm heb je die aanslag gepleegd? Waarom heb je

een bom gelegd in het huis van de Pinders, die synagoge en dat makelaarskantoor? Waarom wilde je onschuldige mensen kwaad doen?'
Sam trok aan zijn sigaret en staarde naar de grond.
'Waarom ben je zo haatdragend, Sam? Waar komt dat vandaan? Hoe heb je geleerd om zwarten en joden en katholieken te haten – iedereen die een beetje anders is dan jij? Heb je je dat ooit afgevraagd?'
'Nee. En dat ben ik ook niet van plan.'
'Het zit dus in je. Het is je eigen karakter, je eigen instelling. Het hoort bij je, net als je lengte en je blauwe ogen. Je bent ermee geboren en je kunt er niets aan doen. Je bent erfelijk belast door je vader en je grootvader, trouwe Kluckers. Je bent er trots op en je neemt het mee in je graf.'
'Het was een manier van leven. Iets anders kende ik niet.'
'En mijn vader dan? Waarom is het je niet gelukt om Eddie te besmetten?'
Sam smeet de sigaret op de grond en leunde naar voren op zijn ellebogen. De rimpels bij zijn ooghoeken en op zijn voorhoofd verstrakten. Adam keek hem aan door de smalle opening, maar Sam staarde omlaag naar de onderkant van het traliewerk. 'Dus dit is het. Tijd voor ons gesprek over Eddie.' Zijn stem klonk opeens veel zachter en zijn woorden kwamen nog trager.
'Waar heb je gefaald met hem?'
'Dit heeft natuurlijk niets te maken met dat gasfeestje dat ze voor me in petto hebben. Nee toch? Het heeft niets te maken met beroepsprocedures, eisen, verzoekschriften, advocaten, rechters en uitstel. Dit is gewoon tijdverspilling.'
'Wees niet zo laf, Sam. Vertel me wat er misging tussen jou en Eddie. Heb je hem het woord nikker geleerd? Heb je hem geleerd zwarte kinderen te haten? Heb je geprobeerd hem te leren om kruisen te verbranden of bommen te fabriceren? Heb je hem meegenomen naar zijn eerste lynchpartij? Wat heb je met hem gedaan, Sam? Waar ging het mis?'
'Eddie wist niet eens dat ik lid van de Klan was totdat hij op de middelbare school zat.'
'Waarom? Je schaamde je toch niet? De hele familie was er toch trots op?'
'Het is niet iets waar we over praatten.'

'Waarom niet? Jullie waren de vierde generatie Klan-leden, met wortels tot aan de Burgeroorlog of zoiets. Dat heb je me toch verteld?'
'Ja.'
'Waarom heb je kleine Eddie dan niet op je knie genomen om hem de kiekjes uit het familiealbum te laten zien? Waarom heb je hem voor het slapengaan geen verhaaltjes over de heldhaftige Cayhalls verteld – hoe ze 's nachts rondreden met maskers voor hun dappere gezicht, om negerhutten plat te branden? Je weet wel, oorlogsverhalen. Van vader tot zoon.'
'Ik zei je al, het was niet iets waar we over praatten.'
'Maar probeerde je hem dan niet te rekruteren toen hij ouder werd?'
'Nee. Hij was anders.'
'Hij had geen haatgevoelens, bedoel je?'
Sam schokte naar voren en begon te hoesten – de schurende, rochelende hoest van een kettingroker. Zijn gezicht liep rood aan toen hij naar adem hapte. Het hoesten werd nog erger en hij kwatte op de vloer. Ten slotte stond hij op en leunde tegen de balie, met zijn handen op zijn heupen. Hij liep een paar keer rochelend heen en weer en probeerde zichzelf weer onder controle te krijgen.
Eindelijk was het voorbij. Hij richtte zich op en haalde een paar keer snel adem. Toen slikte hij, spuwde nog eens en zoog langzaam de lucht in zijn longen. Zodra de aanval over was, kreeg zijn gezicht de normale bleke kleur terug. Hij ging tegenover Adam zitten en trok woest aan zijn sigaret, alsof het hoesten een heel andere oorzaak had. Hij nam rustig de tijd, haalde nog eens diep adem en schraapte zijn keel.
'Eddie was een gevoelig kind,' begon hij hees. 'Dat had hij van zijn moeder. Hij was niet verwijfd of zo – hij was net zo stoer als andere jochies.' Een lange stilte, nog een haal nicotine. 'Niet ver van ons huis woonde een nikkerfamilie...'
'Kunnen we ze zwarten noemen, Sam? Dat heb ik je al eerder gevraagd.'
'Sorry. Er woonde een Afrikaanse familie op ons terrein. De Lincolns. Joe Lincoln werkte al jaren voor ons. Hij woonde samen en hij had een stuk of twaalf kinderen. Een van die jochies was van Eddies leeftijd en ze waren onafscheidelijk.

De beste vrienden. Dat kwam wel vaker voor in die tijd. Je speelde met de kinderen uit je buurt. Zelf had ik ook een paar Afrikaanse vriendjes gehad, geloof het of niet. Toen Eddie voor het eerst naar school ging, was hij stomverbaasd dat hij met de ene bus mee moest en zijn Afrikaanse vriendje met de andere. Het jochie heette Quince. Quince Lincoln. Zodra ze uit school kwamen, zochten ze elkaar weer op om te spelen op de boerderij. Eddie heeft het nooit kunnen verkroppen dat ze niet naar dezelfde school konden en dat Quince nooit bij ons mocht blijven slapen of omgekeerd. Hij vroeg me altijd waarom de Afrikanen in Ford County zo arm waren, in zulke armoedige huisjes woonden, geen mooie kleren droegen en zoveel kinderen hadden. Dat zat hem echt dwars, en dat maakte hem anders. Hoe ouder hij werd, des te meer sympathie hij voor die Afrikanen kreeg. Ik probeerde wel met hem te praten...'
'Natuurlijk. Je probeerde hem op het rechte pad te brengen, neem ik aan.'
'Ik probeerde hem te vertellen hoe de wereld in elkaar zat.'
'O ja?'
'Ja. Bijvoorbeeld de noodzaak om de rassen apart te houden. Er is niets tegen gescheiden maar gelijkwaardige scholen. Er is niets tegen wetten die gemengde huwelijken verbieden. Er is niets op tegen om de Afrikanen op hun plaats te houden.'
'En wat is hun plaats?'
'Onder controle. Als je ze niet kort houdt, zie je wat er gebeurt. Misdaad, drugs, aids, onwettige kinderen, algehele morele verloedering van de maatschappij.'
'Wat dacht je van kernwapens en kruisraketten?'
'Je begrijpt best wat ik bedoel.'
'En hoe staat het met de mensenrechten, radicale denkbeelden als het stemrecht, het gebruik van openbare toiletten, het recht om in restaurants te eten en in hotels te slapen, het recht om niet te worden gediscrimineerd bij huisvesting, werk en onderwijs?'
'Je klinkt net als Eddie.'
'Mooi zo.'
'Tegen de tijd dat hij van de middelbare school kwam, verkondigde hij ook zulke ideeën. Dat de Afrikanen zo slecht

werden behandeld. Toen hij zeventien was, ging hij al het huis uit.'
'Miste je hem?'
'In het begin niet, geloof ik. We hadden zo vaak ruzie. Hij wist dat ik bij de Klan zat en hij had de pest aan me. Dat zei hij tenminste.'
'Dus je vond de Klan belangrijker dan je eigen zoon?'
Sam staarde naar de grond. Adam krabbelde wat op een notitieblok. De ventilator ratelde, liep bijna vast en leek er de brui aan te geven. 'Hij was een aardige jongen,' zei Sam zacht. 'We gingen vaak vissen. Dat vonden we allebei leuk. Ik had een oude boot en we lagen urenlang op het meer om op bliek of brasem te vissen, en soms op baars. Maar toen hij ouder werd, moest hij me niet meer. Hij schaamde zich voor me, en natuurlijk deed dat pijn. Hij vond dat ik moest veranderen, en ik verwachtte dat hij wel tot bezinning zou komen, zoals alle blanke jongens van zijn leeftijd. Maar dat gebeurde niet. We dreven uit elkaar toen hij op de middelbare school zat. Daarna begon dat gedoe met die burgerrechten en liep het helemaal verkeerd.'
'Deed hij aan de beweging mee?'
'Nee. Hij was niet achterlijk. Hij had er misschien sympathie voor, maar hij hield zijn mond. Daar praatte je niet over bij ons in de buurt. Er waren genoeg joden en radicalen uit het noorden om de zaak op te hitsen. Die hadden geen hulp nodig.'
'Wat deed hij toen hij uit huis ging?'
'Hij ging in het leger. Het was een gemakkelijke manier om weg te komen, uit Mississippi vandaan. Toen hij na drie jaar terugkwam, was hij getrouwd. Ze gingen in Clanton wonen en we zagen ze nauwelijks. Soms praatte hij met zijn moeder, maar tegen mij had hij niet veel te zeggen. Het was het begin van de jaren zestig en de Afrikaanse beweging kwam toen echt op gang. Er waren veel Klan-bijeenkomsten en veel activiteiten, vooral ten zuiden van ons. Eddie bleef op afstand. Hij was een rustige jongen, die nooit veel zei.'
'En toen werd ik geboren.'
'Jij bent geboren rond de tijd dat die drie burgerrechtenactivisten zijn verdwenen. Eddie had nog het lef te vragen of ik er iets mee te maken had.'

'Was dat zo?'
'Nee, verdomme. Het duurde bijna een jaar voordat ik te weten kwam wie erachter zaten.'
'Het waren toch Kluckers?'
'Het waren Klan-leden, ja.'
'Was je tevreden toen die jongens werden vermoord?'
'Wat doet dat er nu nog toe, in 1990, terwijl ik op de gaskamer zit te wachten?'
'Wist Eddie dat jij met die bomaanslagen bezig was?'
'Niemand in Ford County wist dat. We waren daar niet zo actief. De meeste acties werden rond Meridian uitgevoerd. Ten zuiden van ons, zoals ik al zei.'
'Maar jij stond te popelen om mee te doen?'
'Ze hadden hulp nodig. De FBI had de organisatie geïnfiltreerd en niemand was meer te vertrouwen. De burgerrechtenbeweging groeide snel. Er moest iets gebeuren. Ik heb me er nooit voor geschaamd.'
Adam glimlachte en schudde zijn hoofd. 'Maar Eddie schaamde zich wel?'
'Eddie wist er helemaal niets van, tot die aanslag op Kramer.'
'Waarom heb je hem erbij betrokken?'
'Dat heb ik niet gedaan.'
'O, jawel. Je hebt je vrouw gezegd dat ze Eddie moest vragen om jouw auto uit Cleveland op te halen. Daarmee was hij medeplichtig achteraf.'
'Ik zat in de gevangenis, oké? Ik was bang. En niemand heeft het ooit ontdekt. Het kon geen kwaad.'
'Misschien dacht Eddie er anders over.'
'Ik weet niet wat Eddie dacht. Tegen de tijd dat ik uit de gevangenis kwam, was hij vertrokken. Jullie allemaal. Ik heb hem niet meer gezien tot aan de begrafenis van zijn moeder, en toen heeft hij met niemand gesproken.' Sam wreef met zijn linkerhand over de rimpels in zijn voorhoofd en streek toen door zijn vettige haar. Zijn gezicht stond verdrietig en Adam zag dat zijn ogen vochtig waren. 'De laatste keer dat ik Eddie heb gezien was na de begrafenis, toen hij buiten de kerk in zijn auto stapte. Hij had haast. Iets zei me dat ik hem nooit meer zou terugzien. Hij was alleen gekomen omdat zijn moeder was gestorven. Het was zijn laatste bezoek aan huis. Er was geen enkele reden waarom hij ooit nog terug zou ko-

men. Ik stond op de treden van de kerk, samen met Lee, en we keken hem na toen hij wegreed. Ik had mijn vrouw begraven en op hetzelfde moment zag ik mijn zoon voorgoed uit mijn leven verdwijnen.'
'Heb je nog geprobeerd hem te zoeken?'
'Nee, niet echt. Lee zei dat ze een telefoonnummer had, maar ik wilde niet de minste zijn. Het was duidelijk dat hij niets met me te maken wilde hebben, dus heb ik hem met rust gelaten. Ik dacht wel vaak aan jou en ik zei wel eens tegen je grootmoeder dat het leuk zou zijn om je te zien. Maar ik had geen tijd en zin om jullie op te sporen.'
'Je had ons niet gemakkelijk gevonden.'
'Dat heb ik ook begrepen. Lee sprak Eddie nog wel eens en vertelde me dan het een en ander. Blijkbaar trokken jullie heel Californië door.'
'Ik heb in twaalf jaar op acht verschillende scholen gezeten.'
'Maar waarom? Wat deed hij dan?'
'Van alles. Dan was hij zijn baan weer kwijt en konden we de huur niet betalen. Of moeder vond ergens anders werk, zodat we moesten verhuizen. Of pa werd kwaad op mijn school, om een vage reden, en haalde me eraf.'
'Wat voor werk deed hij?'
'Hij heeft bij de post gewerkt, totdat hij ontslagen werd. Hij dreigde met een proces en een hele tijd heeft hij een soort kruistocht tegen de posterijen gehouden. Hij kon geen advocaat vinden om hem te verdedigen, daarom overstelpte hij ze met brieven. Hij had een bureautje met een oude schrijfmachine en dozen vol paperassen – zijn kostbaarste bezit. Als we weer eens verhuisden, moest zijn kantoortje mee. Zo noemde hij het, zijn kantoortje. Verder kon het hem allemaal weinig schelen, maar zijn kantoortje beschermde hij met zijn leven. Ik weet nog goed dat ik nachtenlang wakker lag en de slaap probeerde te vatten terwijl hij maar op die vervloekte schrijfmachine zat te rammen. Hij had de pest aan de regering.'
'Zo mag ik het horen.'
'Maar om een andere reden dan jij, denk ik. Eén keer heeft hij de belastingdienst op zijn nek gehad, wat ik nogal vreemd vond omdat hij nooit een cent bezat. Daarna had hij dus ook ruzie met de belasting – of de belastering, zoals hij ze noemde. Dat heeft jaren geduurd. Zijn rijbewijs werd inge-

trokken toen hij een keer was vergeten het te vernieuwen. Volgens hem druiste dat tegen de burgerrechten en de mensenrechten in. Moeder moest hem twee jaar overal naartoe rijden voordat hij eindelijk het hoofd boog voor de bureaucratie. Hij zat altijd brieven te schrijven aan de gouverneur, de president, senatoren, congresleden, noem maar op. Iedereen die een kantoor en medewerkers had. Hij maakte veel misbaar over van alles en nog wat, en als hij een brief terugkreeg, zag hij dat als een overwinning. Hij bewaarde al die brieven. Hij kreeg een keer ruzie met de buurman over een hond die op onze veranda piste. Ze stonden over de heg tegen elkaar te schreeuwen. Hoe kwader ze werden, des te machtiger hun vrienden. Die zouden ze wel eens bellen om hun gram te halen! Pa rende naar binnen en stormde een paar seconden later weer naar buiten met dertien brieven van de gouverneur van Californië. Hij telde ze hardop en zwaaide ermee onder de neus van de buurman. De arme kerel was verpletterd. Einde van de ruzie. Geen hond meer die op onze veranda piste. Natuurlijk stond er in elk van die brieven dat hij het dak op kon – beleefd geformuleerd.'
Zonder dat ze het zelf merkten, zaten ze allebei te glimlachen aan het eind van de anekdote.
'Als hij steeds zijn baan kwijtraakte, waarvan leefden jullie dan?' vroeg Sam, starend door de opening in het traliewerk.
'Dat weet ik niet. Moeder heeft altijd gewerkt. Ze was heel handig. Soms had ze zelfs twee baantjes. Caissière bij de supermarkt, assistente bij de apotheek. Ze kon van alles. Ik weet nog dat ze een paar goede banen heeft gehad als secretaresse. Op een gegeven moment kreeg pa een licentie om levensverzekeringen te verkopen en dat werd een permanente parttime baan. Ik denk dat hij daar wel goed in was, want we kregen het steeds beter toen ik ouder werd. Hij kon zijn eigen tijd indelen en hij had geen directe chef boven zich. Dat beviel hem goed, hoewel hij beweerde dat hij de pest had aan verzekeringsmaatschappijen. Hij heeft er ooit een aangeklaagd omdat die zijn polis had geroyeerd of zoiets. Ik begreep het niet erg en natuurlijk verloor hij de zaak. Hij gaf de schuld aan zijn advocaat, die zo dom was om Eddie een lange brief met argumenten te sturen. Pa zat drie dagen te typen en toen zijn meesterwerk klaar was, liet hij het trots aan moeder

zien. Eenentwintig kantjes met fouten en leugens van de advocaat. Moeder schudde alleen haar hoofd. Jarenlang heeft hij met die arme advocaat in de clinch gelegen.'
'Hoe was hij als vader?'
'Dat weet ik niet. Dat is een moeilijke vraag, Sam.'
'Waarom?'
'Vanwege de manier waarop hij is gestorven. Ik ben nog heel lang kwaad op hem geweest. Ik kon niet begrijpen dat hij ons zomaar in de steek had gelaten. Dacht hij soms dat we hem niet meer nodig hadden? En toen ik later de waarheid hoorde, was ik kwaad omdat hij al die jaren tegen me had gelogen, op de vlucht was geslagen en mijn naam had veranderd. Dat was allemaal heel verwarrend op die leeftijd. En dat is het nog steeds.'
'Ben je nog kwaad?'
'Niet echt. Ik probeer me Eddies goede dingen te herinneren. Hij was de enige vader die ik heb gehad, dus ik weet niet hoe ik hem moet beoordelen. Hij rookte en dronk niet, hij hield niet van gokken, hij zat niet achter andere vrouwen aan en hij sloeg zijn kinderen niet. Hij zat vaak zonder werk, maar we hadden altijd genoeg te eten en een dak boven ons hoofd. Hij en moeder praatten voortdurend over scheiden, maar dat gebeurde nooit. Zij is een paar keer bij hem weggegaan en omgekeerd. Dat was vervelend, maar Carmen en ik raakten eraan gewend. Hij had zijn "moeilijke tijden", zoals we ze noemden, als hij zich in zijn kamer opsloot met de gordijnen dicht. Dan zei moeder dat hij zich niet goed voelde en dat we geen lawaai mochten maken. Geen tv of radio. Ze was altijd heel bezorgd als hij zich terugtrok. Soms bleef hij dagen in zijn kamer en dan kwam hij opeens naar buiten alsof er niets gebeurd was. We leerden te leven met Eddies "moeilijke tijden". Hij zag er normaal uit en hij droeg geen rare kleren. Hij was er bijna altijd als we hem nodig hadden. We honkbalden in de achtertuin en hij nam ons mee naar de kermis en zelfs een paar keer naar Disneyland. Ik denk wel dat hij een goede man was, een goede vader, met een moeilijke kant aan zijn karakter waar hij soms last van had.'
'Maar jullie hadden geen hechte band.'
'Nee, dat niet. Hij hielp me met mijn huiswerk en mijn natuurkundeprojecten, en hij vond het belangrijk dat we goede

cijfers haalden. We praatten over het zonnestelsel en het milieu, maar nooit over meisjes, seks en auto's. Nooit over familie en voorouders. Het was niet intiem. Hij was geen warm mens. Er waren momenten dat ik hem nodig had terwijl hij zich in zijn kamer had opgesloten.'
Sam wreef in zijn ooghoeken, leunde weer voorover op zijn ellebogen, met zijn gezicht vlak bij het traliewerk, en keek Adam strak aan. 'En zijn dood?' vroeg hij.
'Wat is daarmee?'
'Hoe is het gebeurd?'
Adam wachtte lang voordat hij antwoord gaf. Hij kon het verhaal op verschillende manieren vertellen. Wreed, haatdragend en meedogenloos eerlijk, maar dan zou hij de oude man kapotmaken. De verleiding om dat te doen was sterk. Het was noodzakelijk, had hij zichzelf al zo vaak voorgehouden. Sam moest boeten. Hij hoorde zich schuldig te voelen over Eddies zelfmoord. Adam wilde die oude klootzak pijn doen – hem zien huilen.
Maar tegelijkertijd wilde hij het verhaal zo beknopt mogelijk vertellen, de pijnlijke gedeelten verdoezelen en het gesprek snel op een ander onderwerp brengen. De oude man aan de andere kant van het traliewerk had al genoeg ellende. De regering wilde hem binnen vier weken vergassen. En Adam vermoedde dat Sam meer over Eddies dood wist dan hij liet blijken.
'Hij had weer een moeilijke periode,' zei Adam, starend naar het traliewerk maar zonder Sam aan te kijken. 'Hij kwam al twee weken zijn kamer niet meer uit, langer dan normaal. Moeder zei steeds dat het beter met hem ging en dat hij over een paar dagen wel weer in orde zou zijn. Wij geloofden haar. Zo ging het immers altijd. Hij koos een dag waarop zij naar haar werk was en Carmen bij een vriendin, een dag waarop ik het eerst zou thuiskomen. Ik vond hem in mijn slaapkamer op de grond, met het pistool nog in zijn hand. Een .38. Eén schot in de rechterslaap. Er lag een keurig plasje bloed onder zijn hoofd. Ik ging op de rand van mijn bed zitten.'
'Hoe oud was je toen?'
'Bijna zeventien. Ik zat nog op school. Ik haalde goede cijfers. Ik zag dat hij zorgvuldig een stuk of zes handdoeken op de grond had uitgespreid en daarop was gaan liggen. Ik

voelde zijn pols, maar hij was al bijna stijf. De lijkschouwer zei later dat hij toen al drie uur dood moest zijn geweest. Er lag een briefje naast hem, keurig getypt op wit papier. Het begon met "Beste Adam". Hij schreef dat hij van me hield en dat het hem speet. Hij vroeg of ik voor de meisjes wilde zorgen. Ooit zou ik het misschien begrijpen, hoopte hij. Toen wees hij me op de plastic vuilniszak die ook op de grond lag en vroeg me de vuile handdoeken daarin te doen, de troep op te ruimen en de politie te waarschuwen. Raak het pistool niet aan, schreef hij. En schiet op, voordat de meisjes thuiskomen.' Adam schraapte zijn keel en keek naar de grond.
'Ik deed precies wat hij me vroeg en wachtte op de politie. We waren een kwartier alleen, wij samen. Hij lag op de grond en ik lag op bed naar hem te staren. Ik begon te huilen en vroeg hem waarom, en hoe, en waarvoor. Honderden vragen. Daar lag mijn vader, de enige die ik ooit zou hebben, in zijn verschoten spijkerbroek, zijn vuile sokken en zijn favoriete UCLA-sweatshirt. Het leek wel of hij gewoon een tukje deed – afgezien van dat gaatje in zijn hoofd en het geronnen bloed in zijn haar. Ik haatte hem omdat hij zelfmoord had gepleegd, maar ik had ook medelijden met hem. Ik vroeg waarom hij er nooit over gepraat had. Ik vroeg hem van alles. Toen hoorde ik stemmen en kwam de politie binnen. Ze brachten me naar de huiskamer en wikkelden een deken om me heen. En dat was het einde van mijn vader.'
Sam leunde nog steeds op zijn ellebogen. Hij had zijn hand voor zijn ogen geslagen. Adam wilde nog een paar dingen kwijt.
'Na de begrafenis bleef Lee nog een tijdje logeren. Zij vertelde me over jou en de Cayhalls. Ze vulde heel wat witte plekken over mijn vader in. Ik raakte hevig geïnteresseerd in jou en die aanslag op de Kramers en ik begon oude kranten en tijdschriften door te lezen. Het duurde ongeveer een jaar voordat ik ontdekte waarom Eddie zich juist op dat moment van het leven had beroofd. Tijdens jouw proces had hij zich in zijn kamer opgesloten en toen het voorbij was, pleegde hij zelfmoord.'
Sam haalde zijn hand weg en keek Adam met vochtige ogen aan. 'Dus het is allemaal mijn schuld, Adam? Dat bedoel je toch?'

'Nee, niet helemaal.'
'Hoeveel dan? Voor tachtig procent? Negentig? Je hebt tijd genoeg gehad om een berekening te maken. Hoe schuldig ben ik?'
'Dat weet ik niet, Sam. Waarom vertel je het me zelf niet?'
Sam veegde de tranen uit zijn ogen. 'Ach, verdomme,' zei hij met stemverheffing. 'Ik neem alle schuld wel op me. Voor honderd procent. Is dat wat je wilt horen?'
'Je zegt het maar.'
'Niet zo neerbuigend, jongen! Je wilt de naam van mijn zoon aan het lijstje toevoegen? Doe dat maar. De Kramer-tweeling, hun vader en Eddie. De vier mensen die ik heb gedood. Of heb je nog anderen in gedachten? Dan moet je wel snel zijn, want de klok tikt door.'
'Hoeveel slachtoffers zijn er nog?'
'Doden?'
'Ja, doden. Ik heb de geruchten gehoord.'
'En natuurlijk geloof je die. Je schijnt alles te willen geloven wat ze van me zeggen.'
'Ik zei niet dat ik ze geloofde.'
Sam sprong overeind en liep naar het andere eind van de spreekkamer. 'Ik heb genoeg van dit gesprek!' riep hij van tien meter afstand. 'En ik heb genoeg van jou! Ik geloof dat ik nog liever met die vervloekte joodse advocaten te maken heb!'
'Dat is zo geregeld,' gaf Adam terug.
Sam liep langzaam naar zijn stoel terug. 'Ik heb nog drieëntwintig dagen tot de gaskamer, ik maak me grote zorgen, maar jij wilt alleen over de doden praten. Ga zo door, jongen, dan kun je straks over mij beginnen. Waarom dóe je niet wat?'
'Ik heb vanochtend een nieuw verzoek ingediend.'
'Mooi zo. Dan kun je nu vertrekken. Verdwijn en hou op met me te kwellen!'

22

De deur aan Adams kant ging open en Packer kwam binnen met twee heren achter zich aan. Het waren advocaten, dat was duidelijk: donkere pakken, fronsende gezichten en uitpuilende koffertjes. Packer wees naar een paar stoelen onder de ventilator en de mannen gingen zitten. Packer keek naar Adam en vooral naar Sam, die nog steeds aan de andere kant stond. 'Alles in orde?' vroeg hij Adam.
Adam knikte en Sam ging weer zitten. Packer vertrok en de twee nieuwe advocaten begonnen efficiënt hun dossiers uit te pakken. Een paar minuten later zaten ze in hemdsmouwen.
Vijf minuten verstreken zonder dat Sam iets zei. Adam ving zo nu en dan een glimp op van de andere advocaten. Ze zaten in dezelfde kamer als de beroemdste gevangene in de dodengang, de man die binnenkort zou worden vergast, en natuurlijk wierpen ze heimelijke blikken naar Sam Cayhall en zijn raadsman.
De deur achter Sam ging open en twee bewaarders kwamen binnen met een pezige kleine man die aan handen en voeten was geboeid alsof hij ieder moment in de aanval zou kunnen gaan om tientallen mensen met zijn blote handen te vermoorden. Ze brachten hem naar een stoel tegenover zijn advocaten en bevrijdden hem gedeeltelijk van zijn boeien. Zijn handen bleven achter zijn rug gebonden. Een van de bewaarders verliet de kamer, maar zijn collega stelde zich halverwege Sam en de zwarte gevangene op.
Sam keek langs de balie naar zijn kameraad, een nerveus type dat duidelijk ontevreden was met zijn advocaten. De juristen leken ook niet enthousiast. Adam keek toe vanaf zijn kant van het traliewerk en binnen een paar minuten zat het tweetal met de koppen bij elkaar voor de smalle opening en praatte op hun cliënt in, die nijdig op zijn handen bleef zitten. Ze spraken zacht, zodat Adam niet kon verstaan wat ze zeiden.
Sam leunde weer naar voren op zijn ellebogen en wenkte

Adam, die zich naar hem toe boog.
'Dat is Stockholm Turner,' zei Sam bijna fluisterend.
'Stockholm?'
'Ja, maar hij wordt Stock genoemd. Die Afrikanen van het platteland zijn dol op vreemde namen. Hij zegt dat hij nog twee broers heeft die Denmark en Germany heten. Het zal wel zo zijn.'
'Waarvoor zit hij hier?' vroeg Adam, opeens nieuwsgierig.
'Ik geloof dat hij een slijterij heeft overvallen en de eigenaar heeft doodgeschoten. Twee jaar geleden zou hij worden vergast, maar twee uur vóór de executie ging het feest niet door.'
'Wat gebeurde er?'
'Zijn advocaten hadden uitstel gekregen, en sindsdien worden er allerlei procedures uitgevochten. Je weet het nooit, maar hij zou wel eens de volgende kunnen zijn, na mij.'
Ze keken allebei naar het andere eind van de kamer, waar de discussie in volle gang was. Stock zat niet meer op zijn handen maar op het puntje van zijn stoel en sprak zijn advocaten nijdig toe.
Sam grijnsde, boog zich nog dichter naar het hek toe en zei: 'Stocks familie is straatarm en ze willen niets met hem te maken hebben. Dat komt wel vaker voor, zeker bij die Afrikanen. Hij krijgt zelden post of bezoek. Hij is tachtig kilometer hiervandaan geboren, maar de buitenwereld is hem vergeten. Toen het eind van alle procedures in zicht kwam, begon Stock zich zorgen te maken over het leven en de dood en de wereld in het algemeen. Als niemand je lichaam opeist, word je door de staat begraven in een goedkoop graf. Stock was bang voor wat er met zijn lichaam zou gebeuren en begon allerlei vragen te stellen. Packer en een paar andere bewaarders verzekerden hem dat hij zou worden gecremeerd. De as zou uit een vliegtuig over Parchman worden uitgestrooid. Omdat hij net zo hol was als een gasballon, zou hij waarschijnlijk meteen exploderen als ze een lucifer onder zijn reet hielden. Stock was een gebroken man. Hij sliep niet meer en hij vermagerde. Toen begon hij brieven te schrijven naar zijn vrienden en familie en smeekte hen om een paar dollar voor een christelijke begrafenis, zoals hij het noemde. Het geld sijpelde binnen en hij schreef nog meer brieven – ook aan dominees en burgerrechtengroepen. Zelfs zijn advocaten stuurden geld.

Toen de datum naderde, had Stock bijna vierhonderd dollar en was hij bereid om te sterven. Dat dacht hij tenminste.'
Sams ogen twinkelden en zijn stem klonk vrolijk. Hij sprak rustig en langzaam, genietend van de details. Adam vond de manier waarop hij het vertelde amusanter dan het verhaal zelf.
'Ze hebben hier een soort bepaling dat je de laatste drie dagen voor je executie bijna onbeperkt bezoek mag hebben. Zolang er geen gevaar is, mag de veroordeelde bijna alles doen wat hij wil. Aan de voorkant is een kantoortje met een bureau en een telefoon, en dat dient als bezoekkamer. Meestal zit het vol met familie – grootmoeders, tantes, nichten, neven – vooral bij die Afrikanen. Ze voeren ze met busladingen aan. Familie die nog nooit vijf minuten aan de arme kerel heeft gedacht, komt nu opdraven om zijn laatste ogenblikken mee te maken. Het wordt een echte sociale gebeurtenis, zeker bij die Afrikanen.
Dan hebben ze nog een andere regel – ook niet officieel, neem ik aan – dat de veroordeelde recht heeft op nog één echtelijk bezoek van zijn vrouw. Als hij niet getrouwd is, geeft de directeur in zijn oneindige genade zelfs toestemming voor een bezoekje van een vriendin. Nog één vluggertje voordat Casanova de pijp uit gaat.' Sam keek langs de balie naar Stock en boog zich nog verder naar Adam toe.
'Onze vriend Stock is een van de populairste gevangenen hier, en op de een of andere manier had hij de directeur ervan overtuigd dat hij zowel een vrouw als een vriendin had en dat de beide dames op bezoek wilden komen voordat hij werd geëxecuteerd. Samen! Op hetzelfde moment! De directeur wist vermoedelijk wel dat er iets niet klopte, maar iedereen mocht Stock en ze zouden hem vergassen, dus wat deed het ertoe? En zo zat Stock in dat kantoortje met zijn moeder, zijn zusters, zijn neven en nichten – zo'n heel stel Afrikanen die de laatste tien jaar nauwelijks één keer aan hem hadden gedacht. Hij kreeg zijn laatste maal van biefstuk met aardappelen, terwijl iedereen zat te snotteren en te bidden. Ongeveer vier uur voor de executie werd de hele familie naar de kapel gestuurd. Even later werden Stocks vrouw en zijn vriendin met een busje afgeleverd. De bewaarders brachten hen naar het kantoortje, waar Stock gretig en met grote ogen zat te

wachten. De arme kerel zat al twaalf jaar in de dodencel.
Ze hadden voor de gelegenheid een ledikant in het kantoortje gezet, en Stock en zijn meiden lieten er geen gras over groeien. De bewaarders zeiden later dat Stock een knappe vrouw had en een mooie vriendin – en zo jong nog. Stock wilde juist een nummertje maken met zijn vrouw of zijn vriendin, dat maakt niet uit, toen de telefoon ging. Het was zijn advocaat, huilend en buiten adem, met het grote nieuws dat het Vijfde Circuit weer uitstel had verleend.
Stock hing meteen op, want hij had belangrijker zaken aan zijn hoofd. Na een paar minuten werd er weer gebeld. Stock greep de hoorn. Weer zijn advocaat, die hem nu wat kalmer uitlegde met welke juridische kunstgrepen hij voorlopig Stocks leven had gered. Stock was hem heel dankbaar, maar vroeg zijn advocaat of hij het nog een uurtje stil kon houden.'
Adam wierp weer een blik naar rechts en vroeg zich af wie van de twee advocaten Stock had gebeld tijdens dat laatste echtelijke bezoek.
'Inmiddels had de procureur natuurlijk de directeur al gebeld en was de executie afgelast of geschorst, zoals ze hier meestal zeggen. Maar Stock dacht aan heel andere dingen. Die ging tekeer of hij nooit meer een vrouw te zien zou krijgen. De deur van het kantoortje kan natuurlijk niet vanaf de binnenkant worden gesloten. Naifeh wachtte geduldig, maar na een tijdje klopte hij aan en vroeg Stock om naar buiten te komen. Tijd om terug te gaan naar je cel, riep hij. Stock riep dat hij nog vijf minuutjes nodig had. Nee, antwoordde Naifeh. Alsjeblieft, smeekte Stock, en opeens klonken er weer allerlei geluiden. De directeur grijnsde tegen de bewaarders, die teruggrijnsden, en vijf minuten lang staarden ze zwijgend naar de grond terwijl het ledikant stond te schudden en te rammelen in dat kleine kantoor.
Ten slotte ging de deur open en stapte Stock naar buiten alsof hij zojuist wereldkampioen boksen was geworden. Volgens de bewaarders was hij voldaner over zijn prestaties dan over het uitstel. Haastig werkten ze de vrouwen weg. Toen bleek pas dat het zijn echtgenote en vriendin niet waren.'
'Nee? Wie waren het dan?'
'Twee hoertjes.'
'Hoertjes!' herhaalde Adam wat te luid. Een van de andere

advocaten keek zijn kant op.
Sam leunde zo ver naar voren dat zijn neus het traliewerk bijna raakte. 'Ja, hoertjes uit de buurt. Zijn broer had het geregeld. Hij had toch geld voor zijn begrafenis ingezameld?'
'Dat meen je niet!'
'Ja hoor. Vierhonderd dollar voor twee prostituées. Dat lijkt nogal duur, zeker voor Afrikaanse hoertjes, maar ze vonden het natuurlijk doodeng om naar de dodengang te komen. Daarom was het zo duur. Later vertelde Stock me dat het hem geen reet kon schelen hoe hij werd begraven. Maar het was iedere cent meer dan waard geweest. Naifeh voelde zich flink verneukt en dreigde die echtelijke bezoekjes te verbieden. Maar Stocks advocaat, die kleine daar met dat donkere haar, spande een geding aan en de rechter bepaalde dat één laatste vluggertje moest worden toegestaan. Volgens mij verheugt Stock zich al bijna op de volgende keer.'
Sam leunde achterover en langzaam verdween de glimlach van zijn gezicht. 'Persoonlijk heb ik nog niet echt nagedacht over dat laatste echtelijke bezoek. Het is alleen bedoeld voor gehuwden, zoals de naam al aangeeft. Maar de directeur wil wel een oogje toeknijpen. Wat denk jij ervan?'
'Ik heb er nog niet over nagedacht.'
'Ik maak maar een geintje. Ik ben een oude man. Ik ben al blij met een lekkere massage en een stevige borrel.'
'En je laatste maal?' vroeg Adam, nog steeds heel zacht.
'Dat is niet grappig.'
'Je maakte zelf ook een geintje.'
'Waarschijnlijk iets oneetbaars als gekookt vlees met rubberbonen. Dezelfde troep die ze me al jaren voorzetten. Met misschien een extra stukje toost. Ik gun de kok de kans niet iets klaar te maken dat echte mensen ook zouden lusten.'
'Het klinkt heerlijk.'
'Je mag meeëten, als je wilt. Ik heb me vaak afgevraagd waarom je te eten krijgt voordat ze je vergassen. Je wordt zelfs door de dokter onderzocht, kun je het je voorstellen? Om vast te stellen of je gezond genoeg bent om te sterven. Ze hebben een psychiater die de directeur zwart op wit moet bevestigen dat je niet gestoord bent. En een dominee die met je praat en bidt om ervoor te zorgen dat je ziel de goede kant op gaat. Zo regelen die brave mensen dat, op kosten van de be-

lastingbetalers van Mississippi. En vergeet het echtelijke bezoekje niet. Zelfs je lust wordt nog bevredigd voordat je sterft. Ze denken overal aan: aan je eetlust, je gezondheid en je geestelijk welzijn. Heel zorgzaam. En op het laatste moment steken ze een catheter in je lul en een kurk in je hol om te voorkomen dat je leegloopt. Dat is voor hun eigen gemak, niet het jouwe. Dan hoeven ze achteraf de troep niet op te ruimen. Eerst proppen ze je vol met eten en dan stoppen ze je dicht. Het is ziek, vind je niet? Ziek, ziek, ziek.'
'Ander onderwerp graag.'
Sam rookte zijn laatste sigaret op en smeet hem op de grond, voor de voeten van de bewaarder. 'Nee. Ik hou ermee op. Ik vind het wel genoeg voor vandaag.'
'Goed.'
'En we praten niet meer over Eddie, oké? Het is niet eerlijk om me lastig te vallen met dat soort dingen.'
'Het spijt me. Ik zal het niet meer over Eddie hebben.'
'Laten we ons op de komende drie weken concentreren. Daarmee hebben we het al druk genoeg.'
'Afgesproken, Sam.'

Greenville had zich langs Highway 82 naar het oosten uitgebreid. De nieuwbouw was een lelijke puist van winkelcentra met videotheken, kleine slijterijen, eindeloze rijen hamburgerrestaurants en motels met gratis televisie en ontbijt. De rivier blokkeerde zo'n uitbreiding naar het westen, en omdat Highway 82 de belangrijkste doorgangsweg was, hadden de projectontwikkelaars hun aandacht daarop geconcentreerd.
De afgelopen vijfentwintig jaar was Greenville van een slaperig rivierstadje met vijfendertigduizend zielen uitgegroeid tot een drukke stad met zestigduizend inwoners. Greenville bloeide en breidde zich steeds verder uit. In 1990 was het de op vier na grootste stad van Mississippi.
De straten naar het centrum werden omzoomd door grote bomen en statige oude huizen. Het oude hart van de stad was mooi en bijzonder, goed geconserveerd en ogenschijnlijk nooit veranderd. Een heel contrast met de willekeurige chaos langs Highway 82, dacht Adam. Hij parkeerde in Washington Street. Het was een paar minuten over vijf en de winkeliers en hun klanten bereidden zich voor op het einde van de

dag. Adam deed zijn das af, trok zijn jasje uit en liet ze in de auto achter. Het was nog steeds ver boven de dertig graden en het zag er niet naar uit dat het snel zou afkoelen.
Drie straten verder vond hij het park met het levensgrote bronzen beeld van de twee kleine jongens. Ze waren allebei even groot, met dezelfde glimlach en dezelfde ogen. Een van de twee liep hard, de ander sprong. De beeldhouwer had hen perfect getroffen. Josh en John Kramer, voor eeuwig vijf jaar oud, bevroren in koper en tin. De koperen plaquette onder het beeld droeg de simpele tekst:

JOSH EN JOHN KRAMER
STIERVEN HIER OP 21 APRIL 1967
(2 MAART 1962 – 21 APRIL 1967)

Het park was een zuiver vierkant, een halve straat lang, op de plaats waar ooit Marvins kantoor en het oude gebouw ernaast hadden gestaan. Het terrein was jarenlang eigendom geweest van de familie Kramer, maar Marvin had het aan de gemeente geschonken om het als gedenkplaats in te richten. Sam had het kantoor met de grond gelijkgemaakt en de gemeente had het gebouw ernaast gesloopt. Er was veel aandacht en heel wat geld aan het Kramer Park besteed. Het werd geheel omringd door een smeedijzeren sierhek, met aan twee kanten een ingang. Langs het hek stonden rijen eiken en esdoorns. De struiken waren in rechte hoeken neergezet, rondom bloemperken met azalea's en tulpen. In één hoek was een klein amfitheater onder de bomen en aan de overkant zweefde een groepje zwarte kinderen op houten schommels door de lucht.
Het was klein en fleurig, een prettig parkje tussen de straten en gebouwen. Een jong stelletje zat op een bankje te ruziën toen Adam voorbijliep. Een groepje kinderen racete op fietsen rond een fontein. Een oudere politieman slenterde voorbij en tikte zelfs aan zijn pet toen hij Adam gedag zei.
Adam ging op een bankje zitten en staarde naar Josh en John, nog geen tien meter bij hem vandaan. 'Je mag nooit de slachtoffers vergeten,' had Lee hem terechtgewezen. 'Zij hebben het recht om vergelding te eisen. Dat hebben ze verdiend.'

Hij herinnerde zich alle gruwelijke details van de processen: de FBI-expert die de bom had beschreven en de snelheid waarmee de explosie door het gebouw joeg; de lijkschouwer die in kiese woorden de kleine lichamen beschreef en de doodsoorzaak toelichtte; de brandweermensen die de kinderen hadden willen redden maar te laat waren gekomen en alleen de lijkjes hadden kunnen bergen. Er waren foto's geweest van het gebouw en de jongetjes, maar de rechters hadden een strenge selectie gemaakt voordat ze aan de jury werden getoond. McAllister wilde natuurlijk een paar vergrote kleurenfoto's van de verminkte lichamen laten zien, maar beide rechters hadden dat verboden.

Adam zat nu op de plaats waar ooit Marvin Kramers kantoor had gestaan. Hij sloot zijn ogen en probeerde zich voor te stellen dat de grond begon te trillen. In gedachten zag hij zijn eigen videoband van de smeulende puinhoop en de stofwolk boven de ravage. Hij hoorde weer de overslaande stem van de verslaggever en het loeien van de sirenes op de achtergrond.

Die bronzen knulletjes waren niet veel ouder geweest dan hij toen ze door zijn grootvader waren gedood. Zij waren vijf, hij drie. En om de een of andere reden had hij hun leeftijd altijd bijgehouden. Nu was hij zesentwintig en zouden zij achtentwintig zijn geweest.

Het schuldgevoel kwam hard aan, als een klap in zijn maag. Hij begon te trillen en te zweten. De zon verschool zich achter twee grote eiken in het westen en scheen door de takken heen op de glimmende gezichten van de jongens.

Hoe had Sam dit kunnen doen? Waarom was Sam Cayhall zíjn grootvader en niet die van iemand anders? Wanneer had hij besloten om deel te nemen aan de heilige oorlog van de Klan tegen de joden? Wat had hem van een ongevaarlijke kruisverbrander in een echte terrorist veranderd?

Adam zat op het bankje, staarde naar het beeld en haatte zijn grootvader. Hij voelde zich schuldig omdat hij naar Mississippi was gegaan om die oude schoft te helpen.

Hij vond een Holiday Inn en betaalde voor een kamer. Hij belde Lee en keek toen naar het avondnieuws van de zenders in Jackson. Blijkbaar was het een gewone, lome zomerdag geweest in Mississippi. Veel was er niet gebeurd. Sam Cayhall en zijn laatste pogingen om in leven te blijven waren het voornaamste onderwerp. Alle stations toonden een somber commentaar van de gouverneur en de procureur op het laatste appèl dat die ochtend door de verdediging was aangetekend. De twee mannen hadden schoon genoeg van die eindeloze beroepszaken, maar ze zouden ook deze eis dapper bestrijden, zodat er eindelijk gerechtigheid kon geschieden. Een van de stations begon daadwerkelijk met aftellen: nog drieëntwintig dagen tot de executie, meldde de nieuwslezer, alsof hij het aantal winkeldagen noemde tot aan de kerst. Het cijfer 23 werd boven de foto van Sam Cayhall geprojecteerd – altijd diezelfde foto.

Adam at in een restaurantje in het centrum. Hij zat alleen in een nis, speelde wat met de rosbief en de erwten op zijn bord en luisterde naar het gebabbel om hem heen. Niemand sprak over Sam.

Toen de schemering viel, liep hij de stad door, langs de winkels. Sam had door dezelfde straten gelopen, over hetzelfde beton, wachtend tot de bom zou afgaan terwijl hij zich afvroeg wat er in godsnaam was misgegaan. Hij bleef staan bij een telefooncel, misschien wel die vanwaaruit Sam had willen bellen om Kramer te waarschuwen.

Het park was verlaten en donker. Bij de ingang stonden twee gaslantaarns, die voor het enige licht zorgden. Adam ging aan de voet van het bronzen beeld zitten, onder de twee jongetjes en de plaquette met hun namen en hun geboorte- en sterfdatum. Op deze plek, verklaarde de plaquette, waren ze gestorven.

Lang bleef hij zo zitten, zich niet bewust van de duisternis, terwijl hij zich tevergeefs afvroeg hoe het allemaal misschien anders had kunnen lopen. Die bom had zijn leven bepaald, dat wist hij wel. De bom was de reden waarom hij uit Mississippi was weggegaan en in een andere wereld was terechtgekomen, met een nieuwe naam. De bom had zijn ouders tot nomaden gemaakt, die hun verleden waren ontvlucht en zich voor het heden hadden verborgen. De bom had zijn vader gedood – vermoedelijk, want niemand kon zeggen hoe het anders met Eddie Cayhall zou zijn afgelopen. De bom had een belangrijke rol gespeeld in Adams besluit om rechten te gaan studeren, een roeping die hij nooit eerder had gevoeld totdat

hij de waarheid hoorde over Sam. Hij had er altijd van gedroomd piloot te worden.
En nu had de bom hem teruggebracht naar Mississippi, voor een pijnlijke opdracht met weinig hoop. De kans was groot dat de bom over drieëntwintig dagen zijn laatste slachtoffer zou eisen, en Adam vroeg zich af hoe hij zich daarna zou voelen.
Wat had de bom nog meer voor hem in petto?

23

Meestal slepen beroepsprocedures tegen de doodstraf zich jarenlang voort, in het tempo van een hoogbejaarde slak. Niemand heeft haast. Het gaat om ingewikkelde kwesties. De dossiers zijn dik en de eisen, verzoekschriften, bezwaarschriften enzovoort vragen veel aandacht en studie. De meeste rechtbanken hebben dringender zaken op de rol staan.
Maar zo nu en dan wordt er verrassend snel een uitspraak gedaan. Dan werkt het recht opeens heel efficiënt. Vooral die laatste dagen, als de datum voor de executie al is vastgesteld en het hof genoeg heeft van al die eisen en bezwaren. Dit snelrecht trad in werking toen Adam op maandagmiddag nog door de straten van Greenville zwierf.
Het Hooggerechtshof van Mississippi hoefde maar één blik te werpen op zijn verzoek tot uitstel. Maandagmiddag om een uur of vijf werd het afgewezen. Adam was juist in Greenville aangekomen en wist van niets. De afwijzing kwam niet als een verrassing, maar de snelheid wel. De zaak had nog geen acht uur in beslag genomen. Daar stond natuurlijk tegenover dat het hof al zo'n jaar of tien met Sam Cayhall bezig was.
De laatste dagen voor de executie houden de verschillende gerechtshoven elkaar scherp in het oog. Kopieën van alle verzoeken en uitspraken worden meteen naar de betrokken instanties gefaxt, zodat de hogere hoven weten wat ze kunnen verwachten. De afwijzing door het Hooggerechtshof van Mississippi werd onmiddellijk overgebracht aan de federale rechtbank in Jackson, de volgende stap in het systeem. De fax kwam terecht bij de edelachtbare F. Flynn Slattery, een jonge federale rechter die pas was benoemd en nooit eerder iets met de zaak Cayhall te maken had gehad.
Het kantoor van rechter Slattery probeerde Adam tussen vijf en zes uur maandagmiddag te bereiken, maar toen zat Adam in het Kramer Park. Slattery belde de procureur, Steve Roxburgh, en om half negen vond er in het kantoor van de rech-

ter een bespreking plaats. De rechter was toevallig een workaholic en dit was zijn eerste doodvonniszaak. Samen met zijn griffier bestudeerde hij de stukken tot middernacht.

Als Adam maandag het late tv-journaal zou hebben gezien, zou hij hebben geweten dat zijn appèl door het hof van Mississippi was verworpen. Maar toen lag Adam al te slapen.

Dinsdagochtend om zes uur zag hij toevallig een krant uit Jackson en las dat het Hooggerechtshof zijn eis had afgewezen, dat de zaak was overgedragen aan het federale hof, in de persoon van rechter Slattery, en dat de procureur en de gouverneur een nieuwe overwinning opeisten. Vreemd, dacht hij, omdat hij officieel nog geen enkel beroep bij het federale hof had aangetekend. Hij sprong in zijn auto en reed snel naar Jackson, een rit van twee uur. Om negen uur stapte hij de federale rechtbank in Capitol Street binnen en had een kort gesprek met Breck Jefferson, een serieuze jongeman die pas was afgestudeerd en de belangrijke positie van griffier bij rechter Slattery bekleedde. Adam kreeg te horen dat hij om elf uur kon terugkomen voor een bespreking met de rechter.

Hoewel hij om exact elf uur bij het kantoor van rechter Slattery arriveerde, was het duidelijk dat de vergadering al enige tijd aan de gang was. In het midden van Slattery's grote kantoor stond een mahoniehouten vergadertafel, lang en breed, met acht zwarte leren stoelen aan weerskanten. Slattery's zetel stond aan het hoofd, vlak bij zijn bureau, en voor hem op tafel lagen stapels dossiers, notitieblokken en andere paperassen. Aan zijn rechterkant zat een rij blanke jonge mannen in marineblauwe pakken, met een rij gretige strebers vlak achter hen. Dat was de afvaardiging van de overheid, met gouverneur David McAllister aan Slattery's rechterhand. De procureur, Steve Roxburgh, was naar het midden van de tafel verbannen. Hij had de strijd om het territorium dus verloren.

Alle ambtenaren hadden hun belangrijkste juridische medewerkers meegenomen, en dit eskadron van strategische denkers was kennelijk al enige tijd met de rechter in gesprek.

Breck, Slattery's griffier, opende de deur, begroette Adam zeer beleefd en vroeg hem binnen te komen. Er viel een doodse stilte toen Adam langzaam naar de tafel liep. Slattery kwam onwillig overeind, stelde zich voor en gaf Adam vluchtig en koel een hand. 'Ga zitten,' zei hij op onheilspellende toon, met een vaag gebaar naar de acht leren stoelen aan de linkerkant van de tafel, gereserveerd voor de verdediging. Adam aarzelde en koos toen een plaats tegenover een bekend gezicht – dat van Roxburgh. Hij legde zijn koffertje op tafel en ging zitten. Rechts van hem, naar Slattery toe, stonden vier lege stoelen, links van hem drie. Hij voelde zich een eenzame indringer.

'Ik neem aan dat u de gouverneur en de procureur al kent,' zei Slattery, alsof iedereen die twee mannen wel eens persoonlijk had ontmoet.

Adam schudde licht zijn hoofd. 'Nee, geen van beiden,' zei hij.

'Ik ben David McAllister, meneer Hall. Blij u te ontmoeten,' zei de gouverneur meteen en glimlachte zijn prachtige tanden bloot – op en top de gladde politicus.

'Hoe maakt u het,' zei Adam zonder zijn lippen te bewegen.

'En ik ben Steve Roxburgh,' zei de procureur.

Adam knikte zwijgend naar het bekende gezicht tegenover hem. Hij had het al in de kranten gezien.

Roxburgh nam het initiatief. Hij wees om zich heen en zei: 'Dit zijn juristen van mijn afdeling strafzaken, belast met beroepsprocedures. Kevin Laird, Bart Moody, Morris Henry, Hugh Simms en Joseph Ely. Zij houden zich met de doodvonnissen bezig.' De mannen knikten gehoorzaam en staarden Adam achterdochtig aan. Adam telde elf mensen aan de andere kant van de tafel.

McAllister nam niet de moeite zijn legertje klonen voor te stellen. Zo te zien leden ze allemaal aan migraine of aambeien. Hun gezichten waren verwrongen van pijn, of misschien concentreerden ze zich op de juridische haken en ogen van de zaak.

'Wij waren vast begonnen, meneer Hall. Ik hoop dat u het niet erg vindt,' zei Slattery, die een leesbril opzette. Hij was begin veertig, een van de jonge rechters die door Reagan waren benoemd. 'Wanneer verwacht u officieel beroep aan te tekenen bij het federale hof?'

'Vandaag nog,' zei Adam nerveus, nog steeds overdonderd door de snelheid waarmee alles verliep. Maar het was een gunstige ontwikkeling, had hij onderweg bedacht. Als Sam

ergens kans maakte op uitstel, dan was het bij een federaal hof, niet bij een plaatselijke rechtbank.
'Wanneer kan de staat Mississippi reageren?' vroeg de rechter aan Roxburgh.
'Morgenochtend. Aangenomen dat de inhoud van het appèl hetzelfde is.'
'Dat is zo,' zei Adam tegen Roxburgh, en wendde zich toen tot Slattery. 'Ik was gevraagd hier om elf uur te zijn. Wanneer is deze vergadering begonnen?'
'Op het moment dat het mij uitkwam, meneer Hall,' antwoordde Slattery ijzig. 'Hebt u daar problemen mee?'
'Ja. Het is duidelijk dat deze bespreking al enige tijd aan de gang is, zonder mij.'
'En wat is daarop tegen? Dit is mijn kantoor en ik kan beginnen wanneer ik wil.'
'Ja, maar het is mijn zaak, en ik ben hier uitgenodigd om erover te praten. Het lijkt me logisch dat ik dan ook bij de hele bespreking aanwezig ben.'
'Vertrouwt u me soms niet, meneer Hall?' Slattery steunde op zijn ellebogen en boog zich naar voren. Hij had hier duidelijk plezier in.
'Ik vertrouw niemand,' zei Adam en hij keek Zijne Edelachtbare strak aan.
'We willen u juist van dienst zijn, meneer Hall. Uw cliënt heeft niet veel tijd meer en ik probeer er haast achter te zetten. Ik zou denken dat u blij was dat we zo snel deze vergadering konden uitschrijven.'
'Dank u,' zei Adam en boog zich over zijn notitieblok. Het bleef even stil en de spanning verminderde.
Slattery pakte een vel papier. 'Teken vandaag nog beroep aan, dan kan de staat Mississippi daar morgen op reageren. Ik zal de zaak in het weekend overwegen en maandag uitspraak doen. Als ik besluit een hoorzitting te houden, wil ik van beide partijen weten hoe lang ze nodig hebben voor de voorbereiding. Hoe zit het met u, meneer Hall? Wanneer kunt u gereed zijn voor een zitting?'
Sam had nog tweeëntwintig dagen te leven. Een hoorzitting zou een haastige affaire moeten zijn met beknopte getuigenverklaringen en hopelijk een snelle beslissing van het hof. Adam kreeg het wat benauwd omdat hij dit nooit eerder aan

de hand had gehad en niet wist hoeveel tijd de voorbereidingen zouden kosten. In Chicago had hij wel een paar kleinere zaken gedaan, maar altijd met Emmitt Wycoff als steun. Hij was nog maar een beginneling, verdomme! Hij wist niet eens waar het gerechtshof was.
En iets vertelde hem dat de elf aasgieren die hem over de tafel aanstaarden heel goed beseften dat hij niet wist wat hij deed.
'Een week moet voldoende zijn,' zei hij onbewogen en met zoveel mogelijk zelfvertrouwen.
'Goed,' zei Slattery alsof dat een keurig antwoord was: goed gedaan, Adam, brave jongen. Een week was redelijk. Roxburgh fluisterde iets tegen een van zijn trawanten en de hele groep begon te grinniken. Adam negeerde hen.
Slattery noteerde iets met een vulpen en las wat hij geschreven had. Toen gaf hij het briefje aan zijn griffier, die meteen vertrok om er iets mee te doen. Zijne Edelachtbare liet zijn blik langs de rij van juridisch voetvolk glijden en keek zijn jonge vriend Adam weer aan. 'Dan is er nog iets anders dat ik wil bespreken, meneer Hall. Zoals u al zei, zal het vonnis over tweeëntwintig dagen worden voltrokken. Ik zou graag willen weten of dit hof in die tijd nog meer verzoeken namens de heer Cayhall kan verwachten. Ik weet dat het een ongebruikelijke vraag is, maar het is ook een ongebruikelijke situatie. Ik moet toegeven dat dit mijn eerste ervaring is met een doodvonnis in zo'n vergevorderd stadium, en het lijkt me het beste dat we allemaal zo goed mogelijk samenwerken.'
Met andere woorden, Edelachtbare, u wilt er zeker van zijn dat er geen uitstel meer wordt verleend. Adam dacht even na. Het was inderdaad een ongebruikelijke vraag, en ook niet eerlijk. Sam had het volste recht om ieder moment ieder willekeurig verzoek in te dienen, ongeacht wat Adam hier beloofde. Hij besloot beleefd te blijven. 'Dat kan ik echt niet zeggen, Edelachtbare. Nu nog niet. Misschien volgende week.'
'Natuurlijk doet u alle bekende wanhoopspogingen,' zei Roxburgh, en die grijnzende etters om hem heen staarden Adam verwonderd aan.
'Eerlijk gezegd, meneer Roxburgh, voel ik me niet geroepen mijn plannen met u te bespreken. Of met dit hof.'
'Natuurlijk niet,' beaamde McAllister om de een of andere

reden, waarschijnlijk alleen omdat hij nooit langer dan vijf minuten zijn mond kon houden.
Adam lette speciaal op de advocaat aan Roxburghs linkerhand, een zakelijk type met harde ogen die Adam voortdurend aanstaarden. Hij was jong maar grijs, gladgeschoren en keurig verzorgd. McAllister steunde blijkbaar op hem, want hij had zich al een paar keer naar rechts gebogen alsof hij zich liet adviseren. Ook de medewerkers van de procureur leken zich naar hem te richten. In een van de honderden kranteknipsels in Adams dossiers was sprake van een beruchte jurist op het kantoor van de procureur, die 'Dr. Death' werd genoemd – een sluwe vogel die vond dat doodvonnissen zo snel mogelijk moesten worden voltrokken. Zijn voor- of achternaam luidde Morris en Adam herinnerde zich vaag een Morris onder de namen die Roxburgh had genoemd toen hij haastig zijn mensen voorstelde.
Adam ging ervan uit dat deze man de gevaarlijke Dr. Death moest zijn. Morris Henry heette hij.
'Nou, schiet dan maar op en dien het hele zaakje in,' zei Slattery vermoeid. 'Ik heb geen zin om dag en nacht te moeten doorwerken als deze zaak zijn ontknoping nadert.'
'Nee, Edelachtbare,' zei Adam met gespeeld medeleven.
Slattery keek hem nijdig aan en boog zich toen weer over de papieren die voor hem lagen. 'Goed, heren. Ik stel voor dat u zondagavond en maandagochtend in de buurt van de telefoon blijft. Zodra ik een besluit heb genomen, zal ik u bellen. Deze vergadering is gesloten.'
De samenzweerders aan de andere kant van de tafel stoven uiteen. Dossiers en andere papieren werden van de tafel gegrist en de mannen bleven in groepjes staan praten. Adam was het dichtst bij de deur. Hij knikte naar Slattery, mompelde 'Tot ziens, Edelachtbare,' en vertrok. Hij grijnsde beleefd naar de secretaresse en stond al in de gang toen iemand zijn naam riep. Het was de gouverneur, met twee assistenten in zijn kielzog.
'Kunnen we even praten?' vroeg McAllister, terwijl hij zijn arm uitstak ter hoogte van Adams middel. Ze gaven elkaar een hand.
'Waarover?'
'Vijf minuutjes maar, oké?'

Adam keek naar de assistenten, die op een meter afstand bleven wachten. 'Alleen. Onder vier ogen. En officieus,' zei hij.
'Goed,' zei MacAllister en hij wees naar een dubbele deur. Ze stapten een kleine, lege rechtszaal binnen waar geen licht brandde. Iemand anders droeg McAllisters koffertje en zijn tassen. De gouverneur had zijn handen vrij. Hij stak ze diep in zijn zakken en leunde tegen een hekje. Hij was mager en droeg een mooi kostuum, een modieuze zijden das en het verplichte witte katoenen overhemd. Hij was nog geen veertig en leek zelfs jonger. Alleen aan zijn slapen werd hij wat grijs.
'Hoe gaat het met Sam?' vroeg hij op diepbezorgde toon.
Adam snoof, keek opzij en zette zijn koffertje op de grond.
'O, geweldig. Ik zal hem zeggen dat u naar hem hebt gevraagd. Dat zal hem deugd doen.'
'Ik hoorde dat het slecht ging met zijn gezondheid.'
'Zijn gezondheid? Jullie willen hem doden. Wat kan zijn gezondheid jullie dan schelen?'
'Ik had zoiets gehoord.'
'Hij heeft de pest aan u, oké? Zijn gezondheid houdt niet over, maar hij zal het nog wel drie weken volhouden.'
'Haatgevoelens zijn niets nieuws voor Sam.'
'Waar wilt u eigenlijk over praten?'
'Ik wilde even kennismaken. Binnenkort zullen we elkaar nog wel spreken.'
'Luister eens, gouverneur, ik heb een getekende overeenkomst met mijn cliënt die me uitdrukkelijk verbiedt om met u te praten. Zoals gezegd, hij heeft de pest aan u. U bent de reden dat hij nu in de dodencel zit. Hij geeft u overal de schuld van. Als hij wist dat ik nu met u stond te praten, zou hij me ter plekke ontslaan.'
'Uw eigen grootvader?'
'Ja. Reken maar. Dus als ik morgen in de krant lees dat u me vandaag hebt ontmoet en dat we over Sam Cayhall hebben gesproken, kan ik op het eerste vliegtuig naar Chicago stappen, en zit u met een groot probleem, omdat u Sam niet kunt laten executeren zonder dat hij een raadsman heeft.'
'Wie zegt dat?'
'Ik zou mijn mond maar houden, als ik u was.'
'Goed. Afgesproken. Maar als u niet met me mag praten, hoe kunnen we het verzoek om gratie dan bespreken?'

'Geen idee. Zo ver ben ik nog niet.'
McAllisters gezicht bleef vriendelijk. Dat charmante lachje was nooit ver weg. 'U hebt toch wel aan een gratieverzoek gedacht?'
'Natuurlijk. We hebben nog maar drie weken, dus uiteraard heb ik aan gratie gedacht. Iedereen in de dodencellen droomt van gratie, gouverneur, en daarom kunt u er niet op ingaan. Als u één man gratie verleent, krijgt u de andere vijftig op uw nek met hetzelfde verzoek. Vijftig families die brieven schrijven en u dag en nacht bellen. Vijftig advocaten die van alles proberen om tot u door te dringen. We weten allebei dat gratie uitgesloten is.'
'Toch twijfel ik nog of Sam moet sterven.'
Hij zei het met neergeslagen ogen, alsof hij op het punt stond van mening te veranderen – alsof hij door de jaren milder was geworden en niet langer gebrand op wraak. Adam wilde iets zeggen, maar besefte toen de betekenis van die laatste woorden. Hij keek naar de grond en staarde een minuutje naar de kwastjes op de glimmende instappers van de gouverneur. McAllister leek in gedachten verzonken.
'Ik weet ook niet of hij wel moet sterven,' zei Adam ten slotte.
'Hoeveel heeft hij u verteld?'
'Waarover?'
'Over de aanslag op de Kramers.'
'Hij zegt dat hij me alles heeft verteld.'
'Maar u gelooft hem niet?'
'Nee.'
'Ik ook niet. Ik heb altijd twijfels gehouden.'
'Waarom?'
'Om verschillende redenen. Jeremiah Dogan was een beruchte leugenaar en doodsbang om de gevangenis in te draaien. De belastingdienst had hem klem. Als hij achter de tralies terecht zou komen, zou hij door zijn zwarte medegevangenen worden gemarteld en verkracht, daar was hij van overtuigd. Hij was ooit Imperial Wizard geweest van de Ku-Klux-Klan, vergeet dat niet. En op sommige punten was hij erg onnozel. Hij was een sluwe, ongrijpbare terrorist, maar hij wist niet veel van de wet. Ik denk nog altijd dat iemand, waarschijnlijk de FBI, Dogan heeft wijsgemaakt dat hij alleen vrijuit zou gaan als Sam zou worden veroordeeld. Geen ver-

oordeling, geen deal. Hij was een bijzonder gewillige getuige tijdens het proces. Hij smeekte de jury bijna om Sam te veroordelen.'
'En dus heeft hij gelogen?'
'Dat weet ik niet. Misschien.'
'Waarover?'
'Hebt u Sam ooit gevraagd of hij een medeplichtige had?'
Adam dacht even na en probeerde die vraag te taxeren. 'Ik kan u niet vertellen wat Sam en ik hebben besproken. Dat is vertrouwelijk.'
'Natuurlijk. Maar er zijn heel wat mensen in Mississippi die in hun hart niet willen dat Sam wordt geëxecuteerd.' McAllister nam Adam nu scherp op.
'Bent u daar één van?'
'Dat weet ik niet. Maar stel dat Sam nooit de bedoeling heeft gehad om Marvin Kramer of zijn zoontjes te doden? Natuurlijk, hij was erbij betrokken, maar stel dat iemand anders in feite die moord heeft beraamd?'
'Dan is Sam niet zo schuldig als wij denken.'
'Precies. Dan is hij zeker niet ònschuldig, maar niet schuldig genoeg om hem naar de gaskamer te sturen. En dat zit me dwars, meneer Hall. Of mag ik u Adam noemen?'
'Natuurlijk.'
'Ik neem aan dat Sam niets over een medeplichtige heeft gezegd?'
'Daar kan ik echt niets over zeggen. Niet op dit moment.'
De gouverneur haalde een hand uit zijn zak en gaf Adam een visitekaartje. 'Er staan twee telefoonnummers achterop, mijn privé-lijn op kantoor en mijn nummer thuis. Alle telefoongesprekken blijven vertrouwelijk, dat beloof ik je. Voor de camera's voer ik soms een show op, Adam. Dat hoort bij het werk. Maar je kunt me vertrouwen.'
Adam pakte het kaartje aan en keek naar de handgeschreven nummers.
'Ik zou niet met mezelf kunnen leven als ik iemand die gratie verdiende naar de gaskamer had laten gaan,' zei McAllister terwijl hij naar de deur liep. 'Bel me alsjeblieft. Maar wacht niet te lang. De zaak is in een stroomversnelling geraakt. Ik krijg al twintig telefoontjes per dag.'
Hij knipoogde tegen Adam, liet nog eens zijn schitterende

tanden zien en verdween naar de gang.
Adam ging op een metalen stoeltje tegen de muur zitten en bekeek de voorkant van het kaartje. De tekst was in gouden reliëfletters gedrukt, met een officieel zegel. Twintig telefoontjes per dag. Wat betekende dat? Wilden die mensen Sam laten executeren of hem juist redden?
Een heleboel mensen in Mississippi wilden niet dat Sam naar de gaskamer werd gestuurd, had McAllister gezegd, alsof hij al een berekening had gemaakt van de stemmen die hij kon winnen of verliezen.

24

De glimlach van de receptioniste in de hal was niet zo stralend als anders en toen Adam naar zijn kantoor liep, bespeurde hij een gedrukte stemming onder het personeel en het handjevol advocaten dat hij tegenkwam. Er werd zachter gepraat en harder gewerkt.
Chicago was gekomen. Dat gebeurde zo nu en dan – meestal niet als inspectie, maar voor een bespreking met een plaatselijke cliënt of voor administratief overleg met de vestiging in Memphis. Er was nog nooit iemand ontslagen als Chicago op bezoek kwam. Er was nog nooit iemand onheus behandeld. Maar voor Memphis was het altijd een opluchting als Chicago weer naar het noorden vertrok.
Adam opende de deur van zijn kamer en botste bijna tegen E. Garner Goodman op, compleet met zijn groene paisley-vlinderdas, zijn witte gesteven overhemd en zijn golvende grijze haar. Goodman keek zorgelijk. Hij liep te ijsberen en was juist bij de deur aangekomen toen die openging. Adam staarde hem verbaasd aan en gaf hem snel een hand.
'Kom binnen, kom binnen,' noodde Goodman hem in zijn eigen kantoor en sloot de deur. Een glimlach kon er niet af.
'Wat doet u hier?' vroeg Adam. Hij zette zijn koffertje op de grond en liep naar zijn bureau. Ze keken elkaar aan.
Goodman streek over zijn keurige grijze baard en trok zijn strikje recht. 'We hebben een probleem, ben ik bang. Het ziet er niet goed uit.'
'Wat is er dan?'
'Ga zitten, ga zitten. Dit kan wel even duren.'
'Nee, zeg het nou maar. Wat is er?' Het moest wel een ramp zijn als Goodman hem vroeg om te gaan zitten.
Goodman frunnikte aan zijn strikje, streek nog eens over zijn baard en zei: 'Vanochtend om negen uur ging het mis. Je weet dat we een personeelscommissie hebben – vijftien vennoten, grotendeels jonge kerels. Het volledige comité heeft een aantal subcommissies voor het aannemen van nieuwe mensen,

het toezicht op de discipline, het regelen van geschillen, noem maar op. En natuurlijk is er ook een subcommissie voor ontslag. Die subcommissie heeft vanochtend om negen uur vergaderd en wie denk je dat het woord voerde?'
'Daniel Rosen.'
'Juist, Daniel Rosen. Kennelijk heeft hij de subcommissie al tien dagen lang bestookt om genoeg stemmen te verzamelen om jou te kunnen ontslaan.'
Adam liet zich in een stoel aan de tafel vallen. Goodman ging tegenover hem zitten.
'De subcommissie heeft zeven leden en is vanochtend op verzoek van Rosen bijeengekomen. Er waren vijf leden aanwezig, dus ze hadden een quorum. Rosen had niemand anders gewaarschuwd. De vergaderingen van de ontslagcommissie zijn natuurlijk strikt vertrouwelijk. Ze hoeven niemand van tevoren in te lichten.'
'Zelfs mij niet?'
'Nee, zelfs jou niet. Jij was het enige punt op de agenda en de vergadering duurde nog geen uur. Rosen had de kaarten van tevoren al geschud en hij heeft zijn argumenten goed gebracht. Vergeet niet dat hij dertig jaar ervaring in de rechtszaal heeft. Alle vergaderingen van de ontslagcommissie worden genotuleerd, voor het geval er juridische procedures uit voortvloeien. Rosen beweerde natuurlijk dat jij je onder valse voorwendsels bij ons had binnengedrongen, dat Kravitz & Bane daardoor met een belangentegenstelling is geconfronteerd, enzovoort. Bovendien had hij een stapeltje kranteberichten bij zich over jou en je grootvader. Hij vond dat je de firma in diskrediet had gebracht. Hij had zijn zaak goed voorbereid. Ik denk dat we hem afgelopen maandag hebben onderschat.'
'En de stemming?'
'Vier tegen één voor ontslag.'
'De klootzakken!'
'Ik weet het. Ik heb Rosen wel eens vaker in het nauw gezien en hij kan hard om zich heen slaan. Meestal krijgt hij zijn zin. Hij mag niet meer in de rechtszaal komen, daarom zoekt hij nu ruzie op kantoor. Binnen zes maanden ligt hij eruit.'
'Daar heb ik nu weinig aan.'
'Er is nog hoop. Om een uur of elf kreeg ik het te horen en

gelukkig was Emmitt Wycoff ook op kantoor. Hij is naar Rosens kantoor gestormd en heeft een geweldige scène getrapt. Daarna zijn we gaan bellen. Het resultaat is als volgt: morgenochtend om acht uur vergadert de voltallige personeelscommissie om een oordeel uit te spreken over jouw ontslag. En daar moet je bij aanwezig zijn.'

'Om acht uur 's ochtends?'

'Ja. Die jongens hebben het druk. De meesten moeten om negen uur al op de rechtbank zijn. Sommigen zijn de hele dag bezig. We mogen blij zijn als we het quorum halen.'

'Wat is het quorum?'

'Tweederde. Tien van de vijftien. Als er minder komen, hebben we een probleem.'

'Een probleem! Hoe noemt u dit dan?'

'Het kan nog veel erger. Als we morgen geen quorum halen, kun je over een maand een nieuwe zitting aanvragen.'

'Over een maand is Sam al dood.'

'Misschien niet. Maar ik denk dat we morgen wel genoeg mensen hebben. Emmitt en ik hebben al toezeggingen van negen van de vijftien leden.'

'En de vier die vanochtend tegen mij hebben gestemd?'

Goodman grijnsde en keek opzij. 'Dat kun je wel raden. Die zijn natuurlijk door Rosen opgetrommeld.'

Opeens sloeg Adam met twee vuisten op tafel. 'Ik neem ontslag, verdomme!'

'Dat kan niet. Wij hebben je zojuist ontslagen.'

'Dan zal ik me niet verzetten. Stelletje tuig!'

'Luister nou, Adam...'

'De klootzakken!'

Goodman zweeg even om Adam de tijd te gunnen tot zichzelf te komen. Hij trok zijn vlinderdas recht en betastte zijn baard. Ten slotte begon hij met zijn vingers op de tafel te trommelen en zei: 'Hoor eens, Adam, het zal morgen best lukken. Dat denken we allebei, Emmitt en ik. De firma staat achter je. Wij geloven in wat je doet en eerlijk gezegd is de publiciteit ook welkom. In de kranten in Chicago hebben al een paar positieve artikelen gestaan.'

'De firma staat achter me? Daar merk ik weinig van.'

'Luister nou even. We redden het morgen wel. Ik zal het woord voeren en Wycoff en andere mensen zijn al aan het lobbyen.'

'Rosen is niet achterlijk. Hij wil winnen, dat is alles. Hij is niet geïnteresseerd in mij, in Sam, in u of in wie dan ook. Hij wil alleen maar winnen. Het is een wedstrijd en ik durf te wedden dat hij nu al aan de telefoon hangt om zoveel mogelijk stemmen te verzamelen.'

'Dan moeten we hem dus stevig aanpakken, oké? Dan zullen we hem morgenochtend alle hoeken van de kamer laten zien. Dan breken we hem tot de grond toe af. Eerlijk gezegd, Adam, de man heeft niet veel vrienden.'

Adam liep naar het raam en keek door de spleten van de zonwering. Beneden in het winkelcentrum was het druk. Het was bijna vijf uur. Hij had ongeveer vijfduizend dollar in beleggingen. Als hij zuinig was en zijn uitgaven aanpaste, zou hij het zes maanden kunnen uitzingen. Hij verdiende tweeënzestigduizend dollar en het zou niet eenvoudig zijn om ergens anders hetzelfde salaris te krijgen, maar hij had zich nooit zorgen gemaakt over geld en daar ging hij nu niet mee beginnen. De komende drie weken waren veel belangrijker. Na tien dagen als Sams raadsman wist hij al dat hij deskundige hulp nodig had.

'Hoe loopt het af?' vroeg hij na een gespannen stilte.

Goodman kwam langzaam overeind en liep naar een ander raam. 'De laatste vier dagen wordt het een gekkenhuis. Je doet geen oog meer dicht en je bent vierentwintig uur per dag in touw om nog van alles te proberen. De rechters zijn onvoorspelbaar. Het systeem is onvoorspelbaar. Je dient het ene verzoek na het andere in, ook al weet je dat het zinloos is. De pers zit je voortdurend op de hielen. Maar het belangrijkste is dat je zoveel mogelijk tijd met je cliënt doorbrengt. Het is een krankzinnige toestand en je wordt er niet eens voor betaald.'

'Dus zal ik hulp nodig hebben.'

'Zeker. In je eentje red je het niet. Toen Maynard Tole werd geëxecuteerd, hadden we een advocaat uit Jackson naar het kantoor van de gouverneur gestuurd, iemand anders naar het Hooggerechtshof in Jackson, één man naar Washington en twee mensen naar de dodengang. Daarom moet je morgenochtend verschijnen, Adam. Je hebt de firma en de steun hard nodig. Je kunt het niet alleen. Het is teamwerk.'

'Het is wel een stoot onder de gordel.'

'Dat weet ik. Een jaar geleden studeerde je nog, nu ben je al ontslagen. Ik weet dat het pijn doet. Maar geloof me, Adam, het is maar een incident. Dat ontslag gaat heus niet door. Over tien jaar ben je zelf vennoot bij dit kantoor en knijp je de nieuwelingen af.'
'Reken daar maar niet op.'
'Ga mee naar Chicago. Ik heb twee tickets voor het vliegtuig van kwart over zeven. Dan zijn we om half negen in Chicago en gaan we ergens eten.'
'Ik moet nog wat kleren inpakken.'
'Goed. Dan zie ik je om half zeven op het vliegveld.'

De zaak was in feite al beslist voordat de vergadering begon. Elf leden van de personeelscommissie waren aanwezig, voldoende voor een quorum. Ze zaten in een bibliotheek op de zestigste verdieping, aan een lange tafel met liters koffie, en ze hadden dikke dossiers, dictafoons en elektronische zakagenda's bij zich. Een van de advocaten had zelfs zijn secretaresse meegenomen, die zat te werken op de gang. Het waren drukbezette mensen, die over een uur weer aan een enerverende dag van eindeloze besprekingen, vergaderingen, eisen, rechtszaken, telefoontjes en lunches moesten beginnen. Tien mannen en één vrouw, allemaal achter in de dertig of voor in de veertig, allemaal vennoten van Kravitz & Bane en allemaal popelend om weer aan het werk te gaan.
De kwestie Adam Hall was een vervelende bijkomstigheid voor hen, zoals al het commissiewerk. Het was geen prettige verplichting, maar ze waren nu eenmaal gekozen en niemand had durven weigeren. Het belang van de firma ging voor alles.
Adam was om half acht op kantoor gekomen. Hij was acht dagen weg geweest, zijn langste afwezigheid tot nu toe. Emmitt Wycoff had zijn werk aan een andere jonge advocaat overgedragen. Er was nooit gebrek aan nieuwelingen bij Kravitz & Bane.
Om acht uur trok hij zich terug in een kleine, ongebruikte spreekkamer naast de bibliotheek op de zestigste verdieping. Hij was zenuwachtig, maar probeerde dat te verbergen. Hij dronk koffie en las de ochtendkranten. Parchman leek opeens een andere wereld. Hij bekeek de namenlijst van de vijf-

tien leden van de personeelscommissie, van wie hij niemand kende. Vijftien onbekenden die het komende uur over zijn toekomst zouden discussiëren en na een haastige stemming weer tot de orde van de dag zouden overgaan. Een paar minuten voor acht stak Wycoff zijn hoofd om de hoek van de deur om hem te begroeten. Adam bedankte hem voor alles en verontschuldigde zich dat hij zoveel problemen had veroorzaakt. Emmitt beloofde hem een snelle en bevredigende afloop.

Vijf minuten over acht kwam Garner Goodman binnen. 'Het ziet er goed uit,' zei hij bijna fluisterend. 'Er zijn al elf mensen binnen. We hebben de steun van minstens vijf. Drie van Rosens aanhangers in de subcommissie zijn er ook, maar ik denk dat hij een paar stemmen te kort komt.'

'Is Rosen er zelf?' vroeg Adam. Hij wist het antwoord al, maar misschien was de ouwe zak wel in zijn slaap gestorven.

'Ja, natuurlijk. En hij lijkt nerveus. Emmitt zat gisteravond om tien uur nog te telefoneren. Wij hebben de meerderheid en Rosen weet het.' Goodman glipte weer naar buiten en verdween.

Om kwart over acht werd de vergadering geopend en stelde de voorzitter vast dat het quorum aanwezig was. Het ontslag van Adam Hall was het enige punt op de agenda en de enige reden voor deze bijzondere vergadering. Emmitt Wycoff kreeg het eerst het woord en gaf in tien minuten een uitstekende beschrijving van Adams kwaliteiten. Hij stond aan één kant van de tafel voor een boekenkast en gaf een volleerde show, alsof hij een jury toesprak. Minstens de helft van de elf advocaten luisterde niet eens. Ze lazen hun eigen stukken en raadpleegden hun agenda's.

Garner Goodman was de volgende. Hij gaf een beknopte samenvatting van de zaak Cayhall, met zijn oprechte overtuiging dat Sam over drie weken zou worden terechtgesteld. Daarna zei hij een paar positieve dingen over Adam, gaf toe dat Adam zijn relatie met Sam niet had moeten verzwijgen, maar hield vol dat het niet meer was dan een vergissing. Zand erover. Dat was van geen enkel belang als je een cliënt verdedigde die nog maar drie weken te leven had.

Niemand stelde vragen aan Wycoff of Goodman. Die werden bewaard voor Rosen.

Advocaten hebben een lang geheugen. Als je iemand een streek levert, zal hij jaren wachten tot hij je die betaald kan zetten. Daniel Rosen had in de loop der jaren heel wat klappen uitgedeeld en als manager van het kantoor dreigde hij nu zijn trekken thuis te krijgen. Jarenlang had hij zijn eigen mensen tegen zich in het harnas gejaagd. Hij was een bullebak, een leugenaar en een tiran. In zijn gloriedagen was hij het hart en de ziel van het kantoor geweest en dat wist hij. Niemand had hem toen een strobreed in de weg durven leggen. Hij had jonge advocaten uitgescholden en zijn collega's beledigd. Hij had commissies gemanipuleerd, de richtlijnen van de firma aan zijn laars gelapt en cliënten van andere advocaten bij Kravitz & Bane gestolen. Nu, in de nadagen van zijn carrière, zou hij daarvoor de prijs betalen.
Hij was nog maar twee minuten aan het woord toen hij in de rede werd gevallen door een jonge vennoot die samen met Emmitt Wycoff motor reed. Rosen liep te ijsberen, zoals hij in zijn beste dagen een uitpuilende rechtszaal had bespeeld. De onverwachte interruptie bracht hem van zijn stuk. Voordat hij een sarcastisch antwoord had kunnen bedenken, werd de volgende vraag al op hem afgevuurd. Tegen de tijd dat hij zich had hersteld, mengde een derde advocaat zich in de discussie. Het gevecht was begonnen.
De drie vragenstellers opereerden als een meute wolven en hadden duidelijk geoefend. Om beurten vuurden ze hun insinuerende opmerkingen op Rosen af en binnen een minuut was de oude strafpleiter in de verdediging gedrongen en begon hij te schelden. De anderen bleven beheerst. Ze hadden allemaal een notitieblok voor zich liggen met een lange lijst met vragen.
'Wat bedoelt u met een belangentegenstelling, meneer Rosen?'
'Een advocaat mag toch zeker wel een familielid verdedigen, meneer Rosen?'
'Is meneer Hall bij zijn sollicitatie expliciet gevraagd of deze firma een van zijn familieleden vertegenwoordigde?'
'Hebt u iets tegen publiciteit, meneer Rosen?'
'Waarom vindt u die publiciteit zo negatief?'
'Zou ú niet proberen een familielid in de dodencel te helpen?'
'Hoe staat u tegenover de doodstraf, meneer Rosen?'

'Vindt u soms heimelijk dat Sam Cayhall moet worden geëxecuteerd omdat hij joden heeft vermoord?'
'Vindt u niet dat u meneer Hall in een hinderlaag hebt gelokt?'
Het was geen prettige aanblik. Daniel Rosen had enkele van de grootste overwinningen uit de recente juridische historie behaald, maar hier werd hij volledig afgemaakt in een zinloos gevecht voor een interne commissie. Geen jury of rechter, maar een commissie.
De gedachte om eieren voor zijn geld te kiezen kwam geen moment bij hem op. Hij ging door, hij werd steeds venijniger en hij begon steeds harder te schreeuwen. Zijn aanvallen werden persoonlijk en hij maakte een paar onaangename opmerkingen over Adam.
Dat was een vergissing. Andere advocaten gingen zich er nu ook mee bemoeien en al spoedig begon Rosen om zich heen te slaan als een gewond dier, op zijn hielen gezeten door de meute. Toen hij begreep dat hij nooit een meerderheid van de commissie achter zich zou krijgen, liet hij zijn stem dalen en hervond hij zijn zelfbeheersing.
Hij kwam sterk terug met een rustige opsomming van ethische bezwaren en de noodzaak om een correcte indruk te maken – dingen die juristen tijdens hun opleiding leren, maar waar ze zich zelden iets van aantrekken, behalve als ze ruzie hebben met collega's.
Toen Rosen uitgesproken was, stormde hij de kamer uit. Hij had de namen van zijn tegenstanders goed in zijn geheugen geprent. Zodra hij achter zijn bureau zat, zou hij ze noteren, en ooit... ooit zou hij hen nog eens te grazen nemen.
Papieren, notitieblokken en elektronische agenda's verdwenen van de tafel, die opeens weer leeg was, op de koffiekan en de kopjes na. De voorzitter vroeg om een stemming. Rosen kreeg vijf stemmen, Adam zes. De vergadering werd gesloten en de leden van de personeelscommissie gingen er haastig vandoor.
'Zes tegen vijf?' herhaalde Adam toen Goodman en Wycoff hem opgelucht maar ernstig de uitslag kwamen melden.
'Een aardverschuiving,' zei Wycoff luchtig.
'Het had slechter kunnen aflopen,' meende Goodman. 'Dan had je nu een ander baantje moeten zoeken.'

'Waarom sta ik dan niet te juichen? Ik bedoel, het scheelde maar één stem. Een dubbeltje op zijn kant.'
'Niet echt,' antwoordde Wycoff. 'De neuzen waren al vóór de vergadering geteld. Rosen had misschien twee mensen op wie hij echt kon rekenen, de rest heeft hem gesteund omdat ze wisten dat jij toch zou winnen. Je hebt geen idee hoeveel druk er gisteravond is uitgeoefend. Rosen is nu toch echt te ver gegaan. Over drie maanden is hij hier weg.'
'Misschien nog wel eerder,' zei Goodman. 'Hij reageert volslagen onbeheerst. Iedereen heeft genoeg van hem.'
'Ik ook,' zei Adam.
Wycoff keek op zijn horloge. Het was kwart voor negen en hij moest om negen uur op de rechtbank zijn. 'Hoor eens, Adam, ik moet ervandoor,' zei hij, terwijl hij zijn jasje dichtknoopte. 'Wanneer ga je terug naar Memphis?'
'Vandaag nog, denk ik.'
'Kunnen we samen lunchen? Ik wil graag met je praten.'
'Natuurlijk.'
Wycoff opende de deur en zei: 'Geweldig. Mijn secretaresse belt je wel. Ik moet nu weg. Tot ziens.' En hij verdween.
Goodman keek ook op zijn horloge. Hij lette minder op zijn uren dan de 'echte' advocaten van het kantoor, maar toch had hij ook afspraken. 'Er zit iemand op me te wachten. Ik ga straks wel met jullie lunchen.'
'Maar één stem, verdomme,' herhaalde Adam, starend naar de muur.
'Toe nou, Adam, je liep geen enkel gevaar.'
'Zo voelde het wel.'
'Hoor eens, we moeten nog wel een paar uur praten voordat je vertrekt. Ik wil alles horen over Sam, oké? Ik zie je bij de lunch.' Hij deed de deur open en vertrok.
Adam bleef hoofdschuddend aan de tafel zitten.

25

Als Baker Cooley en de andere advocaten van het kantoor in Memphis al iets wisten over Adams plotselinge ontslag en de intrekking daarvan, lieten ze daar niets van blijken. Ze behandelden hem nog steeds hetzelfde – dat wil zeggen dat ze hem met rust lieten en zich met hun eigen zaken bemoeiden. Ze waren niet onbeleefd, want hij kwam tenslotte uit Chicago. Ze glimlachten als het niet anders kon en soms wisselden ze op de gang een paar woorden met hem als Adam in de stemming was. Maar het waren bedrijfsjuristen met gesteven overhemden en zachte handen, niet gewend aan het vuile werk van het criminele strafrecht. Ze kwamen niet in politiecellen of gevangenissen om met hun cliënten te overleggen, en ze bonden nooit de strijd aan met politiemensen, officieren van justitie of norse rechters. Ze zaten voornamelijk achter bureaus en aan mahoniehouten vergadertafels. Daar spraken ze met cliënten die genoeg geld hadden om hun een paar honderd dollar per uur te betalen voor hun adviezen. En als ze niet met cliënten spraken, zaten ze te telefoneren of te lunchen met andere advocaten, bankiers en verzekeringsmensen.

Er had al genoeg in de krant gestaan om een vijandige stemming te kweken op het kantoor. De meeste advocaten vonden het bijzonder pijnlijk dat de naam van de firma in verband werd gebracht met een figuur als Sam Cayhall. De meesten wisten niet eens dat hij al zeven jaar door Chicago was bijgestaan. Maar nu begonnen hun vrienden vragen te stellen. Andere advocaten maakten er grappen over en echtgenotes werden op tuinfeestjes voor schut gezet. Schoonfamilies waren opeens geïnteresseerd in hun juridische werk.

Sam Cayhall en zijn kleinzoon waren al snel een steen des aanstoots geworden voor het kantoor in Memphis, maar daar was niets aan te doen.

Adam voelde dat wel aan, maar het kon hem weinig schelen. Hij zat hier maar tijdelijk, hopelijk geen dag langer dan drie

weken. En hij was tevreden met zijn kamer. Op vrijdagochtend stapte hij uit de lift en negeerde de receptioniste, die het opeens heel druk had met een stapeltje tijdschriften. Hij sprak met zijn secretaresse, een jongedame die Darlene heette. Ze gaf hem een telefonische boodschap van Todd Marks van de *The Memphis Press*.
Hij nam het briefje mee naar zijn kamer en gooide het weg. Toen hing hij zijn jasje op een hanger en spreidde zijn papieren uit. In het vliegtuig had hij aantekeningen gemaakt. Hij had stukken over vergelijkbare zaken uit het archief van Garner Goodman geleend en kopieën laten maken van tientallen recente federale uitspraken.
Al snel was hij verdiept in de wereld van juridische theorieën en strategieën. Chicago was niet meer dan een herinnering.

Rollie Wedge kwam het gebouw aan de Brinkley Plaza binnen via de ingang aan de kant van het winkelcentrum. Hij had geduldig aan een tafeltje op een café-terras zitten wachten tot de zwarte Saab was aangekomen en in een naburige parkeergarage verdween. Hij droeg een wit overhemd met een das, een cloqué broek en instappers. Hij nam een slok van zijn ijsthee toen hij Adam over de stoep in het gebouw zag verdwijnen.
De hal was verlaten. Rollie Wedge bekeek de lijst met firma's. Kravitz & Bane zat op de tweede en derde verdieping. Er waren vier identieke liften en Wedge liet zich naar de zevende etage brengen. Hij kwam uit in een smalle foyer. Rechts was een deur met een koperen naambordje van een beleggingsmaatschappij, links een andere hal met de deuren van allerlei bedrijven. Naast een fonteintje zag hij de trap. Nonchalant daalde hij af en bekeek de deuren die hij onderweg passeerde. Hij kwam niemand tegen. Beneden gekomen stapte hij de hal weer in en nam een andere lift naar de tweede verdieping. Hij glimlachte naar de receptioniste, die nog steeds met haar tijdschriften bezig was, en wilde juist de weg vragen naar de beleggingsmaatschappij toen de telefoon ging. De receptioniste nam op. Een dubbele glazen deur scheidde de receptie van de liften. Wedge nam de lift naar de derde etage, met dezelfde glazen deuren maar zonder receptioniste. De deuren zaten op slot. Aan de rechtermuur zat

een codepaneel met negen genummerde toetsen.
Hij hoorde stemmen en liep naar de deur van de trap, die niet op slot zat. Hij wachtte even, stapte toen de hal weer in en nam een slok water uit het fonteintje. Een van de liftdeuren ging open en een jongeman in een kaki broek en een blauwe blazer kwam naar buiten met een kartonnen doos onder zijn arm en een dik boek in zijn rechterhand. Hij liep naar de deur van Kravitz & Bane. Daar bleef hij staan, legde het juridische boek op de doos en maakte zijn rechterhand vrij om de code in te toetsen. Zeven, zeven, drie. Het paneel gaf een toon bij ieder cijfer. Wedge stond vlak achter hem en prentte de code in zijn geheugen.
Haastig greep de jongeman het boek en wilde zich omdraaien toen Wedge bijna tegen hem opbotste. 'O, sorry. Ik wilde niet...' Wedge deed een stap naar achteren en keek naar het opschrift boven de deur. 'Is dit niet de Riverbend Trust?' vroeg hij verbaasd.
'Nee. Dit is Kravitz & Bane.'
'Welke verdieping is dit dan?' vroeg Wedge. Hij hoorde een klik en de deur ging open.
'De derde. De Riverbend Trust is op de zevende.'
'Sorry,' zei Wedge nog eens, overdreven beleefd en verward. 'Dan ben ik op de verkeerde verdieping uitgestapt.'
De jongeman fronste, schudde zijn hoofd en opende de deur.
'Sorry,' zei Wedge voor de derde keer terwijl hij achteruitliep. De deur ging dicht en de jongen was verdwenen. Wedge nam de lift naar beneden en verliet het gebouw.
Vanuit het centrum reed hij eerst naar het oosten en toen naar het noorden. Tien minuten later kwam hij in een van de arme buurten. Hij stopte naast het Auburn House, waar hij werd aangehouden door een bewaker in uniform. Hij wilde alleen maar keren, zei hij. Hij was weer eens verdwaald. Sorry. Toen hij terugreed door de straat, zag hij de wijnrode Jaguar van Lee Booth tussen twee kleine autootjes staan.
Hij reed langs de rivier terug naar het centrum, en parkeerde twintig minuten later bij een verlaten bakstenen pakhuis op een heuvel aan de oever. In zijn auto verkleedde hij zich haastig in een lichtbruin overhemd met blauw stiksel op de korte mouwen en de naam Rusty boven het borstzakje geborduurd. Snel maar onopvallend liep hij om het gebouw heen

en daalde door het onkruid de helling af tot hij bij het struikgewas kwam. Een kleine boom bood beschutting tegen de brandende zon. Voor hem uit lag een goed onderhouden veldje met taai groen gras. Daarachter zag hij een rij van twintig luxe appartementen die op de rand van de heuvel waren gebouwd. Ze werden omgeven door een omheining van ijzer en steen. Wedge bestudeerde de afrastering geduldig vanachter de beschutting van het struikgewas.
Aan één kant van de appartementen lag een parkeerterrein met een gesloten hek dat de enige toegang vormde. In een klein, geventileerd poortgebouw zat een bewaker in uniform. Op het parkeerterrein stonden een paar auto's. Het was bijna tien uur in de ochtend. Wedge zag het silhouet van de bewaker door het getinte glas.
Hij negeerde het hek en richtte zijn aandacht op de heuvel zelf. Voorzichtig sloop hij langs een bosje met kreupelhout, zich vastgrijpend aan het stugge gras om niet omlaag te glijden naar de kade, vijfentwintig meter lager. Hij kroop onder de patio's door, waarvan sommige drie meter naar voren staken, boven de steil aflopende helling. Bij het zevende appartement hield hij halt en trok zichzelf omhoog aan het terras. Hij rustte even uit in een rieten stoel en prutste wat aan een kabel alsof hij een servicemonteur was. Niemand lette op hem. Privacy was heel belangrijk voor deze rijke mensen. Ze betaalden er goed voor en alle terrassen waren van elkaar gescheiden door decoratieve houten schuttingen met allerlei hangplanten. Zijn overhemd was doorweekt van het zweet en plakte aan zijn rug.
De glazen schuifdeur van het terras naar de keuken was natuurlijk afgesloten, maar het was een eenvoudig slot, dat hij binnen een minuut open had zonder sporen na te laten. Voordat hij naar binnen stapte, keek hij nog eens om zich heen. Nu werd het echt riskant. Hij nam aan dat er een alarminstallatie was, waarschijnlijk met sensors bij alle deuren en ramen. Er was niemand thuis, dus moest het alarm zijn ingeschakeld. De vraag was hoeveel herrie het systeem zou maken als hij de deur opende. Was het een stil alarm of zouden er sirenes gaan loeien?
Hij haalde diep adem en schoof voorzichtig de deur open. Geen sirenes. Hij wierp een snelle blik op de sensor boven de

deur en stapte naar binnen.
Willis, de bewaker bij de poort, werd gewaarschuwd door een doordringend maar niet te luid signaal vanaf zijn monitor. Het rode lampje boven nummer 7, het appartement van Lee Booth, begon te knipperen. Willis wachtte tot het weer zou doven. Mevrouw Booth activeerde haar eigen alarm minstens twee keer per maand. Dat was zo'n beetje het gemiddelde voor de bewoners die Willis hier bewaakte. Hij keek op zijn klembord en zag dat mevrouw Booth om kwart over negen was vertrokken. Maar ze had zo nu en dan gasten die bleven slapen, meestal mannen, en Willis wist dat haar neef bij haar logeerde. Hij hield het rode lampje in de gaten. Na driekwart minuut hield het op met knipperen, maar in plaats van te doven bleef het branden, een teken dat het alarm niet was uitgeschakeld.
Dat was vreemd, maar geen reden tot paniek. Deze mensen woonden achter hoge muren en betaalden veel geld voor een permanente bewaking, daarom sprongen ze soms slordig met hun alarminstallaties om. Snel draaide hij het nummer van mevrouw Booth, maar er werd niet opgenomen. Hij drukte een knop in om een bandje te starten dat automatisch om politieassistentie vroeg. Toen opende hij een la en pakte de sleutel van nummer 7. Hij stak het parkeerterrein over naar de appartementen en maakte de flap van zijn pistoolholster los om onmiddellijk zijn wapen te kunnen trekken als dat nodig mocht zijn.
Rollie Wedge stapte het wachthokje binnen en zag de open la met sleutels. Hij pakte de reservesleutels van nummer 7 en een kaartje waarop de alarmcodes en de instructies stonden vermeld. Voor de goede orde nam hij ook de sleutels van nummer 8 en 13 mee, om de politie en die oude Willis op een dwaalspoor te brengen.

26

Eerst gingen ze naar het kerkhof om eer te bewijzen aan de doden. De begraafplaats lag verspreid over twee kleine heuvels aan de rand van Clanton. Aan één kant stonden mooie grafstenen en kleine monumenten. Daar hadden de gegoede families hun doden begraven en hun namen in zwaar graniet laten uithakken. De andere heuvel was voor de nieuwere graven. De laatste jaren waren de grafstenen steeds kleiner geworden. Statige eiken en iepen wierpen hun schaduwen over het grootste deel van de begraafplaats. De grasvelden waren gemaaid en de struiken keurig bijgehouden. In alle hoeken groeiden azalea's. Clanton koesterde zijn herinneringen.

Het was een prachtige zaterdag, met een strakblauwe lucht en een lichte bries die in de loop van de nacht was opgestoken en de vochtigheid had verdreven. Het had al een tijdje niet geregend en de heuvels waren stralend groen, met de kleurige accenten van wilde bloemen. Lee knielde bij het graf van haar moeder en legde een boeketje bloemen onder haar naam. Ze sloot haar ogen toen Adam achter haar kwam staan en het graf bekeek: Anna Gates Cayhall, 3 sept. 1922 – 18 sept. 1977. Ze was vijfenvijftig geweest toen ze stierf, rekende Adam uit. Hij was toen pas dertien en woonde nog in zalige onwetendheid ergens in het zuiden van Californië.

Ze was apart begraven, onder een eigen steen, wat een uitzondering was. In het zuiden van Amerika worden echtparen meestal naast elkaar begraven, waarbij degene die als eerste overlijdt de eerste plek onder een dubbele grafsteen krijgt. Bij ieder bezoek aan het graf ziet de ander zijn of haar eigen naam al op de steen, in afwachting van de dood.

'Vader was zesenvijftig toen moeder stierf,' zei Lee. Ze pakte Adams hand en deed een paar passen achteruit. 'Ik had graag gewild dat hij voor een dubbel graf had gekozen, zodat hij ooit naast haar begraven had kunnen worden, maar dat wilde hij niet. Hij was nog niet zo oud en ik denk dat hij plannen had om opnieuw te trouwen.'

'Je hebt me eens gezegd dat ze Sam niet erg mocht.'
'O, op een bepaalde manier hield ze wel van hem. Ze zijn immers veertig jaar getrouwd geweest. Maar het was nooit een hechte band. Toen ik ouder werd, besefte ik dat ze liever uit zijn buurt bleef. Dat zei ze ook wel eens tegen me. Ze was een eenvoudig meisje van het platteland, dat heel jong was getrouwd, haar kinderen had grootgebracht en haar man gehoorzaamde. Zo ging dat in die tijd. Ik denk dat ze erg gefrustreerd was.'
'Had zíj Sam wel voor eeuwig naast zich willen hebben?'
'Dat heb ik me ook afgevraagd. Eddie wilde dat ze apart zouden worden begraven, aan verschillende kanten van het kerkhof.'
'Zo. Die Eddie.'
'Hij meende het serieus.'
'Hoeveel wist zij eigenlijk over Sam en de Klan?'
'Geen idee. Daar praatten we nooit over. Ik weet wel dat ze het heel vernederend vond dat hij werd gearresteerd. Ze heeft zelfs een tijdje bij Eddie en jullie gelogeerd omdat de journalisten haar steeds lastig vielen.'
'En ze is nooit bij zijn processen geweest?'
'Nee. Hij wilde niet dat ze erbij was. Ze had hoge bloeddruk en dat gebruikte hij als excuus om haar uit de rechtszaal te houden.'
Ze draaiden zich om en liepen door een smal laantje in het oude gedeelte van het kerkhof. Ze hielden elkaars hand vast en keken naar de grafstenen. Lee wees naar een rij bomen aan de overkant op een andere heuvel. 'Daar worden de zwarten begraven,' zei ze. 'Onder die bomen. Een kleine begraafplaats.'
'Meen je dat? Nog steeds?'
'Natuurlijk. Om ze hun plaats te wijzen, begrijp je? Het is voor deze mensen een onverdraaglijke gedachte dat er een neger tussen hun voorouders zou liggen.'
Adam schudde ongelovig zijn hoofd. Ze beklommen de heuvel en gingen onder een eik zitten. Beneden hen strekten de graven zich vredig uit. De koepel van het gerechtshof van Ford County, een paar straten verderop, glinsterde in de zon.
'Ik heb hier als klein meisje wel gespeeld,' zei Lee zacht. Ze wees naar rechts, naar het noorden. 'Op de 4e juli werd er al-

tijd een groot vuurwerk afgestoken en de beste plek om het te zien was hier, vanaf het kerkhof. Daar beneden in het park was het vuurwerk. We fietsten hiernaartoe om de optocht te zien, naar het zwembad te gaan en met onze vriendjes te spelen. En als het donker werd, verzamelden we ons hier, tussen de doden, en gingen op de grafstenen zitten om naar het vuurwerk te kijken. De mannen bleven bij hun trucks, waar ze hun bier en whisky hadden verborgen, en de vrouwen lagen op plaids en zorgden voor de baby's. Niemand lette op ons. Wij fietsten overal heen en hadden het grootste plezier.'
'Eddie ook?'
'Natuurlijk. Hij was gewoon mijn kleine broertje. Hij kon me vreselijk pesten. Echt een vervelend knulletje. Ik mis hem erg. Echt waar. We waren uit elkaar gegroeid, maar als ik hier terugkom denk ik altijd aan mijn kleine broertje.'
'Ik mis hem ook.'
'De avond van zijn eindexamen zijn we samen hiernaartoe gegaan. Ik woonde toen al twee jaar in Nashville, maar hij had me gevraagd of ik bij de uitreiking van de diploma's wilde zijn. We hadden een fles goedkope wijn bij ons en volgens mij was dat de eerste keer dat hij sterkedrank dronk. Ik zal het nooit vergeten. We zaten hier op de grafsteen van Emil Jacob en dronken samen die hele fles leeg.'
'Wanneer was dat?'
'In 1960, geloof ik. Hij wilde dienst nemen om uit Clanton weg te komen, bij Sam vandaan. Maar ik wilde niet dat mijn broertje soldaat zou worden. We hebben hier zitten praten tot de zon opkwam.'
'Had hij grote problemen?'
'Hij was achttien en hij had dezelfde problemen als iedere jongen die van school komt. Maar Eddie dacht dat hij erfelijk was belast. Hij was bang dat hij net als Sam zou worden als hij in Clanton bleef. Ook een Klucker. Daarom wilde hij weg.'
'Je bent zelf ook meteen uit huis gegaan toen je de kans kreeg.'
'Jawel, maar ik was veel volwassener dan Eddie op die leeftijd. Ik vond hem nog te jong. Daarom zaten we wijn te drinken en probeerden we greep te krijgen op het leven.'
'Heeft mijn vader ooit greep gekregen op het leven?'

'Ik denk het niet, Adam. We waren allebei verknipt door het gedrag van onze vader en de haat van zijn familie. Er zijn dingen die jij hopelijk nooit zult ontdekken, verhalen die geheim moeten blijven. Ik heb ze kunnen verdringen, min of meer, maar Eddie niet.'
Ze pakte weer zijn hand. In de zon liepen ze het zandpad af naar het nieuwere gedeelte van de begraafplaats. Lee bleef staan en wees naar een rij kleine grafstenen. 'Daar liggen je overgrootouders, met nog een stel ooms, tantes en andere Cayhalls.'
Adam telde acht graven. Hij zag de namen en data en las hardop de gedichten en afscheidswoorden die in het graniet waren gebeiteld.
'Buiten de stad liggen nog meer graven,' zei Lee. 'De meeste Cayhalls komen uit de omgeving van Karaway, vijfentwintig kilometer hiervandaan. Het waren mensen van het platteland, die bij dorpskerkjes zijn begraven.'
'Ben jij teruggekomen voor die begrafenissen?'
'Soms. Het is geen hechte familie, Adam. Sommigen van deze mensen waren al jaren dood toen ik het hoorde.'
'Waarom is je moeder hier niet begraven?'
'Omdat ze dat niet wilde. Toen ze wist dat ze ging sterven, heeft ze zelf een plek uitgekozen. Ze heeft zich nooit als een Cayhall beschouwd. Ze was een Gates.'
'Heel verstandig.'
Lee trok wat onkruid van het graf van haar grootmoeder en wreef met haar vingers over de naam van Lydia Newsome Cayhall, die in 1961 op tweeënzeventigjarige leeftijd was gestorven. 'Ik kan me haar nog goed herinneren,' zei Lee. Ze knielde in het gras. 'Een fijne, christelijke vrouw. Ze zou zich in haar graf omdraaien als ze wist dat haar derde zoon in de dodencel zat.'
'En hij?' vroeg Adam, wijzend naar het graf van Lydia's echtgenoot, Nathaniel Lucas Cayhall, die in 1952 was overleden, vierenzestig jaar oud.
De glimlach verdween van Lee's gezicht. 'Een gemene ouwe kerel,' zei ze. 'Die zou wel trots zijn geweest op Sam. Iedereen noemde hem Nat. Hij werd gedood bij een begrafenis.'
'Bij een begrafenis?'
'Ja. Begrafenissen waren per traditie sociale gebeurtenissen.

Er ging een lange wake aan vooraf, iedereen kwam op bezoek en er werd veel gegeten en gedronken. Het leven was hard op het platteland en begrafenissen liepen vaak uit op vechtpartijen. Nat was heel gewelddadig en na een van die begrafenissen zocht hij ruzie met de verkeerde mannen. Ze hebben hem doodgeslagen met een eind hout.'
'Waar was Sam toen?'
'Die zat er middenin. Hij werd ook geslagen, maar hij heeft het overleefd. Ik was nog een klein kind, maar ik kan me Nats begrafenis wel herinneren. Sam lag in het ziekenhuis en kon er zelf niet bij zijn.'
'Heeft hij wraak genomen?'
'Natuurlijk.'
'Hoe dan?'
'Het is nooit bewezen. De mannen die Nat hadden doodgeknuppeld hebben een paar jaar in de gevangenis gezeten. Toen ze vrijkwamen, verdwenen ze bijna meteen. Een van die kerels is maanden later in Milburn County teruggevonden. Doodgeslagen, natuurlijk. De andere man hebben ze nooit gevonden. De politie heeft Sam en zijn broer ondervraagd, maar ze konden niets bewijzen.'
'Denk je dat hij het heeft gedaan?'
'Natuurlijk. De Cayhalls lieten in die tijd niet met zich spotten. Ze stonden bekend als gevaarlijke gekken.'
Ze keerden de familiegraven de rug toe en liepen verder over het pad. 'De vraag is dus, Adam,' zei Lee, 'waar we Sam moeten begraven.'
'Aan de overkant, zou ik denken, tussen de zwarten. Dat is zijn verdiende loon.'
'Zouden de zwarten daar blij mee zijn?'
'Nee, daar heb je gelijk in.'
'Maar serieus?'
'Ik heb er nog niet met Sam over gesproken.'
'Denk je dat hij hier begraven wil worden, in Ford County?'
'Dat weet ik niet. We hebben het er nog niet over gehad – je begrijpt wel waarom. Er is nog hoop.'
'Hoeveel?'
'Niet veel, maar genoeg om door te vechten.'
Ze verlieten de begraafplaats en liepen door een rustige straat met uitgesleten stoepen en bejaarde eiken. Er stonden oude

huizen, keurig geschilderd, met lange veranda's en katten op de trap. Kinderen stoven voorbij op fietsen en skateboards. Oude mensen zaten op schommelstoelen op de veranda's en staken loom hun hand op. 'Dit is de omgeving uit mijn jeugd, Adam,' zei Lee toen ze door de buurt slenterden. Ze had haar handen diep in de zakken van haar spijkerbroek gestoken en ze kreeg tranen in haar ogen toen ze werd bestormd door al die droevige maar ook plezierige herinneringen. Ze keek oplettend naar ieder huis om te zien of ze er als kind ooit had gelogeerd en of ze zich de vriendinnetjes nog kon herinneren die er hadden gewoond. Ze hoorde weer hun lach en ze dacht terug aan de dwaze spelletjes en heftige ruzies uit haar kinderjaren.
'Was je gelukkig toen?' vroeg Adam.
'Dat weet ik niet. We hebben nooit in de stad gewoond. We kwamen van buiten. Ik heb altijd naar zo'n huis verlangd, met vriendinnetjes om je heen en winkels in de buurt. De kinderen uit de stad voelden zich boven ons verheven, maar toch speelden we met elkaar. Mijn beste vriendinnen woonden hier en ik heb heel wat uren in deze straten gespeeld en in die bomen geklommen. Het was een leuke tijd, geloof ik. Ik denk er met meer plezier aan terug dan aan ons eigen huis buiten de stad.'
'Vanwege Sam?'
Een oudere dame met een bloemetjesjurk en een grote strohoed stond haar veranda te vegen toen ze voorbijliepen. Ze keek even op en verstijfde. Lee bleef bij het tuinhek staan. De oude vrouw staarde haar aan. 'Morgen, mevrouw Langston,' zei Lee vriendelijk, met een zwaar zuidelijk accent.
Mevrouw Langston greep haar bezem nog steviger vast en bleef zwijgend staan staren.
'Ik ben Lee Cayhall. Kent u me nog?' teemde Lee.
Bij het horen van de naam Cayhall keek Adam snel om zich heen om te zien of iemand het had gehoord. Hij had liever niet dat andere mensen die naam opvingen. Als mevrouw Langston zich Lee nog kon herinneren, liet ze dat niet blijken. Ze knikte kort maar beleefd, alsof ze wilde zeggen: 'Goedemorgen. En loop nou maar weer door.'
'Leuk dat ik u weer eens heb gezien,' zei Lee en ze liep verder.
Mevrouw Langston klom haastig het trapje op en verdween

naar binnen. Lee schudde ongelovig haar hoofd. 'Ik had verkering met haar zoon toen we nog op school zaten,' zei ze.
'Nou, ze was dolblij om je te zien.'
'Ach, ze was altijd al vreemd,' zei Lee zonder veel overtuiging.
'Of misschien is ze bang om met een Cayhall te praten. Bang wat de buren zullen zeggen.'
'Het lijkt me beter dat we de rest van de dag incognito blijven.'
'Goed.'
Ze passeerden nog andere mensen die in de tuin bezig waren of op de post zaten te wachten, maar ze zeiden niets. Lee zette een zonnebril op. Ze liepen doelloos door de buurt, in de richting van het plein. Lee vertelde over haar oude vrienden en wat die nu deden. Ze had nog contact met twee van hen, één in Clanton en één in Texas. Ze spraken bewust niet over de familie tot ze bij een straat kwamen met kleinere, houten huizen, dicht tegen elkaar aan gebouwd. Op de hoek bleef Lee staan en knikte naar de overkant.
'Zie je dat derde huis van rechts, dat kleine huis met die bruine muren?'
'Ja.'
'Daar heb jij gewoond. We kunnen erheen lopen, maar ik zie mensen.'
In de voortuin renden twee kleine kinderen elkaar met speelgoedgeweertjes achterna. Op de veranda zat iemand in een schommelstoel. Het was een vierkant huis, klein en netjes, ideaal voor een jong echtpaar met kinderen.
Adam was bijna drie geweest toen Eddie en Evelyn verhuisden. Terwijl hij daar op die hoek stond, probeerde hij zich wanhopig iets van het huis te herinneren. Tevergeefs.
'Het was toen nog wit geschilderd en de bomen waren natuurlijk kleiner. Eddie had het van een plaatselijke makelaar gehuurd.'
'Was het mooi?'
'Ja hoor. Ze waren nog niet lang getrouwd. Een jong stel met een pasgeboren kind. Eddie werkte eerst bij een zaak in auto-onderdelen, toen bij de wegenbouw en daarna had hij weer een ander baantje.'
'Dat klinkt bekend.'
'Evelyn werkte parttime bij een juwelier op het plein. Ik ge-

loof dat ze wel gelukkig waren. Ze kwam hier niet vandaan en ze kende niet veel mensen. Ze waren nogal op zichzelf.'
Ze liepen langs het huis en een van de kinderen richtte een oranje machinegeweertje op Adam. Hij kon zich nog steeds niets van het huis herinneren. Hij grijnsde tegen het kind en keek weer voor zich. Even later kwamen ze bij een andere straat. In de verte zagen ze het plein.
Opeens ontpopte Lee zich als historische gids. De Yankees hadden Clanton in 1863 platgebrand, de schoften. Na de Burgeroorlog was generaal Clanton, een zuidelijke held uit een familie van grootgrondbezitters, met één been teruggekeerd. Het andere had hij verloren op het slagveld van Shiloh. Na zijn thuiskomst had hij het nieuwe gerechtshof ontworpen, met de straten eromheen. Zijn oorspronkelijke tekeningen hingen nog aan de muur op de eerste verdieping van de rechtbank. De generaal wilde veel schaduw, daarom had hij een groot aantal eiken in rechte rijen om het nieuwe gebouw laten planten. Hij was een man met een visie. Hij had voorzien dat het kleine stadje uit zijn as zou herrijzen en opbloeien, daarom had hij de straten in een exact vierkant rondom het plein ontworpen. Ze waren langs het graf van de generaal gekomen, zei Lee. Ze zou het hem later nog wel aanwijzen.
Ten noorden van de stad lag een zieltogend winkelcentrum en naar het oosten was een rij goedkope supermarkten verrezen, maar de mensen van Ford County deden nog steeds op zaterdagochtend hun boodschappen op het plein, vertelde Lee toen ze over de stoep van Washington Street slenterden. Er was niet veel verkeer en de voorbijgangers hadden geen haast. De oude gebouwen stonden dicht tegen elkaar – advocaten- en verzekeringskantoren, banken en cafés, ijzerwinkels en kledingzaken. De winkels en kantoren hadden markiezen, zonneschermen en veranda's. Laaghangende ventilatoren draaiden loom en zwaar.
Ze bleven staan voor een oude drogisterij en Lee zette haar zonnebril af. 'Vroeger kwamen we hier vaak. Achterin had je een frisdrankautomaat met een jukebox en een kast met stripboeken. Voor een stuiver kon je een enorme sorbet kopen, waar je wel een uur mee zoet was. Langer nog, als er jongens in de zaak waren.'

Het klonk als een film, dacht Adam. Even later stonden ze voor de ijzerwinkel en keken naar de spaden, harken en schoffels die tegen het raam stonden geleund. Lee staarde naar de versleten dubbele deur, die openstond en met een paar bakstenen op zijn plaats werd gehouden. Blijkbaar dacht ze aan iets uit haar jeugd, maar ze zei er niets over.
Ze staken de straat over, hand in hand, en liepen langs een groepje oude mannen bij het oorlogsmonument. Ze kauwden pruimtabak en waren bezig met houtsnijwerk. Lee knikte naar een van de beelden en zei zachtjes tegen Adam dat dit de beroemde generaal Clanton was, maar nog met allebei zijn benen. Het gerechtsgebouw was op zaterdag niet open. Ze haalden twee blikjes cola uit een automaat op de stoep en dronken ze leeg onder een pergola op het gras voor het gebouw. Lee vertelde het verhaal van het beroemdste proces uit de geschiedenis van Ford County: de zaak tegen de moordenaar Carl Lee Hailey in 1984. Hij was een zwarte die twee racisten had doodgeschoten die zijn dochtertje hadden verkracht. Aan de ene kant van het grasveld werd gedemonstreerd door zwarten, aan de andere kant door Klan-leden, en de National Guard kampeerde ertussenin om de vrede te bewaren. Lee was een keer uit Memphis naar Clanton gereden om het spektakel te zien. Hailey was ten slotte vrijgesproken door een jury die geheel uit blanken bestond.
Adam herinnerde zich het proces. Hij studeerde toen nog aan Pepperdine en had het verhaal in de krant gevolgd omdat het zich afspeelde in zijn geboortestad.
Toen Lee nog een kind was, viel er niet veel te beleven in het stadje. Een rechtszaak was een heel evenement. Sam had haar en Eddie een keer meegenomen naar het proces tegen een man die een jachthond zou hebben gedood. Hij werd schuldig bevonden en tot een jaar gevangenisstraf veroordeeld. Het publiek was verdeeld. De mensen uit de stad vonden het onzin om iemand voor zoiets onnozels te veroordelen, maar de plattelanders wisten een goede jachthond op waarde te schatten. Sam was heel voldaan geweest dat de man een celstraf had gekregen.
Lee wilde Adam iets laten zien. Ze liepen om het gerechtshof heen naar de achterdeur, waar twee fonteintjes stonden, drie meter uit elkaar. Ze waren al in geen jaren meer gebruikt. Het

ene was bestemd voor blanken, het andere voor zwarten. Lee herinnerde zich de geschiedenis van Rosia Alfie Gatewood. Miss Alfie, zoals ze werd genoemd, was de eerste zwarte geweest die ongestraft uit het blanke fonteintje had gedronken. Spoedig daarna waren de waterleidingen afgesneden.
Ze vonden een tafeltje in een druk eethuisje met de simpele naam The Tea Shoppe, aan de westkant van het plein. Lee vertelde allerlei interessante en vaak grappige verhalen, terwijl ze hun sandwiches met patat naar binnen werkten. Ze hield haar zonnebril op en Adam zag dat ze iedereen scherp in de gaten hield.

Na de lunch liepen ze op hun gemak naar de begraafplaats terug en stapten weer in de auto. Adam reed en Lee gaf aanwijzingen tot ze op een landweggetje kwamen dat zich langs kleine, goed verzorgde boerderijen slingerde, met grazende koeien op de hellingen. Zo nu en dan passeerden ze een armoedige blanke enclave – aftandse stacaravans met autowrakken eromheen – en vervallen hutjes die nog steeds door arme zwarten werden bewoond. Maar verder was het een mooie omgeving en een prachtige dag.
Lee wees opzij en Adam nam de afslag naar een smalle, geplaveide weg, die diep het binnenland in leidde. Ten slotte stopten ze voor een wit houten huis. Het stond al een hele tijd leeg. Onkruid groeide door de veranda heen en klimop was door de ramen naar binnen gedrongen. Het huis stond vijftig meter van de weg en het grindpad ernaartoe zat vol met kuilen en was niet meer berijdbaar. De voortuin was overwoekerd door kweekgras en klissen. De brievenbus was nauwelijks meer te zien in de greppel naast de weg.
'Huize Cayhall,' mompelde Lee. Ze bleven in de auto zitten en keken naar het trieste kleine huis.
'Wat is ermee gebeurd?' vroeg Adam ten slotte.
'O, het was wel een goed huis. Maar het had niet veel kans, want de bewoners deugden niet.' Langzaam zette ze haar zonnebril af en wreef in haar ogen. 'Ik heb er achttien jaar gewoond en ik was blij dat ik weg kon.'
'Waarom staat het leeg?'
Lee haalde diep adem en probeerde haar gedachten te verzamelen. 'Ik geloof dat het al lang geleden was afbetaald, maar

vader heeft er bij zijn derde proces een hypotheek op genomen om zijn advocaat te kunnen betalen. Hij is nooit meer thuisgekomen en op een gegeven moment heeft de bank het huis opgeëist. Er ligt ruim dertig hectare grond omheen. Alles kwijt. Ik ben er nooit meer geweest. Ik heb Phelps gevraagd of hij het wilde kopen, maar daar voelde hij niets voor. Ik kan het hem niet kwalijk nemen. Ik wilde het eigenlijk ook niet hebben. Later hoorde ik van vrienden dat het nog een paar keer is verhuurd, en sindsdien is het in verval geraakt. Ik wist niet eens of het er nog stond.'

'Wat is er met de persoonlijke spullen gebeurd?'

'De dag voordat de bank het opeiste mocht ik erheen om alles in te pakken wat ik wilde hebben. Ik heb wel wat meegenomen: fotoalbums, herinneringen, jaarboeken, bijbels, wat sieraden van mijn moeder. Dat ligt nu allemaal in Memphis.'

'Ik zou het graag zien.'

'De meubels waren de moeite niet waard. Oude rommel. Mijn moeder was dood, mijn broer had juist zelfmoord gepleegd, mijn vader was ter dood veroordeeld en ik was niet in de stemming om veel te bewaren. Het was een afschuwelijke ervaring om dat smerige huisje door te werken, op zoek naar dingen die ik nog wilde koesteren. Verdomme, het liefst had ik alles in de fik gestoken. Dat heb ik ook bijna gedaan.'

'Dat meen je niet.'

'Jazeker. Toen ik er een paar uur was, besloot ik het hele zaakje plat te branden. Er branden zoveel huizen af. Ik vond een oude lamp met wat petroleum erin. Die heb ik op de keukentafel gezet en ertegen gepraat terwijl ik de spullen inpakte. Fluitje van een cent.'

'Waarom heb je het niet gedaan?'

'Dat weet ik niet. Ik wou dat ik het lef had gehad, maar ik maakte me toch ongerust over de bank en de overdracht van het huis, en... nou ja, brandstichting is een misdrijf. Ik weet nog dat ik moest lachen bij de gedachte dat ik samen met Sam in de gevangenis zou zitten. Daarom heb ik het toch maar niet gedaan. Ik was bang voor problemen, bang voor de gevangenis.'

Het werd warm in de auto en Adam opende het portier. 'Ik wil even rondkijken,' zei hij en stapte uit. Voorzichtig liepen ze over het grindpad, waar kuilen in zaten van meer dan een

halve meter breed. Bij de veranda bleven ze staan en keken naar de rottende planken.
'Ik ga niet naar binnen,' verklaarde Lee ferm en trok haar hand uit de zijne. Adam wierp nog een kritische blik op de vervallen veranda en waagde zich er niet op. Hij liep langs de voorkant van het huis en keek naar de kapotte ramen waar de klimop doorheen groeide. Hij volgde het pad om het huis heen, met Lee in zijn kielzog.
De achtertuin werd overschaduwd door oude eiken en esdoorns. Waar geen zon kwam, groeide niets. De tuin liep tot aan een bosje, ongeveer tweehonderd meter verderop. Het hele terrein werd omzoomd door bomen.
Lee pakte zijn hand weer en ze liepen naar een boom naast een houten schuurtje dat om de een of andere reden in veel betere staat verkeerde dan het huis. 'Dit was mijn boom,' zei ze en tuurde omhoog naar de takken. 'Mijn eigen walnoot.' Haar stem trilde.
'Het is een prachtige boom.'
'Heerlijk om in te klimmen. Ik zat er soms uren, met mijn kin op een tak, terwijl ik mijn voeten liet bungelen. In het voorjaar en in de zomer klom ik tot halverwege, en niemand kon me zien. Ik had mijn eigen kleine wereldje daarboven.'
Opeens sloot ze haar ogen en sloeg haar hand tegen haar mond. Haar schouders begonnen te schokken. Adam legde een arm om haar heen en zocht naar woorden.
'Hier is het gebeurd,' zei ze na een paar seconden. Ze beet op haar lip en vocht tegen de tranen. Adam zei niets.
'Je hebt me eens naar een gerucht gevraagd,' zei ze met opeengeklemde tanden, terwijl ze met de rug van haar handen over over haar wangen veegde. 'Het gerucht dat vader een zwarte man zou hebben gedood.' Ze knikte in de richting van het huis. Haar handen trilden zo hevig dat ze ze in haar zakken stak.
Een minuut verstreek terwijl ze naar het huis staarden. Geen van beiden wilden ze de stilte verbreken. De enige achterdeur kwam uit op een kleine vierkante veranda met een hekje eromheen. Een zachte bries deed de bladeren ritselen. Verder was er niets te horen.
Lee haalde diep adem en zei: 'Zijn naam was Joe Lincoln en hij woonde een eindje verderop met zijn gezin.' Ze wees naar

een overwoekerd zandpad dat langs de rand van een veld liep en in het bos verdween. 'Hij had twaalf kinderen.'
'Quince Lincoln?' vroeg Adam.
'Ja. Hoe weet je dat?'
'Sam noemde zijn naam toen we het over Eddie hadden. Hij zei dat Quince en Eddie dikke vrienden waren.'
'Maar hij zei niets over Quince's vader?'
'Nee.'
'Dat had ik ook niet verwacht. Joe werkte voor ons op de boerderij en hij woonde in een hutje dat op ons terrein stond. Hij was een brave man met een groot gezin. Zoals de meeste arme zwarten kon hij nauwelijks het hoofd boven water houden. Ik kende een paar van zijn kinderen, maar we waren niet bevriend, zoals Quince en Eddie. Op een dag waren de jongens hier in de achtertuin aan het spelen. Het was zomervakantie. Ze kregen ruzie over een stuk speelgoed, een soldaatje van het Zuidelijke leger, en Eddie beweerde dat Quince het had gestolen. Gewoon twee jochies die ruziemaakten, je kent dat wel. Ik denk dat ze toen acht of negen waren. Vader kwam toevallig voorbij en Eddie rende naar hem toe en riep dat Quince zijn soldaatje had gestolen. Quince ontkende heftig. De jongens waren echt kwaad en stonden allebei op het punt in tranen uit te barsten. Sam werd natuurlijk woedend, begon Quince uit te schelden, noemde hem een "smerige kleine nikkerdief" en een "vuil zwart schoffie". Sam eiste dat hij het soldaatje onmiddellijk terug zou geven, en Quince begon te huilen. Hij riep maar steeds dat hij het niet had, maar Eddie beweerde van wel. Sam greep het jochie, rammelde hem door elkaar en gaf hem een pak slaag. Hij stond te vloeken en te schelden, en Quince huilde om genade. Sam sleepte hem een paar keer de tuin door, totdat Quince zich wist los te rukken en naar huis rende. Eddie stormde naar binnen en vader liep achter hem aan. Even later kwam hij weer terug met een wandelstok, die hij rustig op de veranda legde. Daarna ging hij op het trapje zitten en wachtte geduldig af. Hij stak een sigaret op en keek naar het zandpad. Het huis van de Lincolns was niet ver weg en na een paar minuten kwam Joe het bos uit rennen, met Quince achter zich aan. Toen hij dichterbij kwam, zag hij dat vader op hem zat te wachten en vertraagde zijn pas. "Eddie!" riep vader over zijn schouder. "Kom hier!

Dan kun je zien hoe ik die nikker een pak slaag geef!"'
Lee liep heel langzaam naar het huis. Een paar meter van de veranda draaide ze zich om. 'Ongeveer op dit punt bleef Joe staan en keek naar Sam. "Quince zegt dat u hem hebt geslagen, meneer Sam," zei hij. Waarop mijn vader zoiets antwoordde als: "Quince is een smerige kleine nikkerdief, Joe. Je moet je kinderen leren dat ze niet mogen stelen." Ze kregen ruzie en het was duidelijk dat het op vechten uit zou draaien. Sam sprong opeens van de veranda en deelde de eerste klap uit. Ze vielen op de grond, ongeveer hier, en vochten als een stel wilde katten. Joe was een paar jaar jonger en sterker, maar vader was zo kwaad en gemeen dat ze goed tegen elkaar waren opgewassen. Ze sloegen elkaar in het gezicht en scholden en schopten als een stel beesten.' Lee wachtte even en keek de tuin rond. Toen wees ze naar de achterdeur. 'Op een gegeven moment verscheen Eddie op de veranda om toe te kijken. Quince stond een paar meter bij de mannen vandaan en gilde tegen zijn vader. Sam rende naar de veranda, greep de wandelstok en toen liep de zaak uit de hand. Hij mepte Joe in zijn gezicht en op zijn hoofd tot Joe op zijn knieën zakte. Toen sloeg Sam hem in zijn maag en zijn onderbuik, zodat Joe zich nauwelijks meer kon bewegen. Joe keek naar Quince en riep dat hij het geweer moest halen. Quince rende weg. Sam hield op met slaan, draaide zich om naar Eddie en zei: "Pak mijn buks." Eddie verstijfde en Sam schreeuwde nog eens tegen hem. Joe zat op handen en voeten. Op het moment dat hij overeind wilde komen sloeg Sam hem weer tegen de grond. Eddie verdween naar binnen en Sam liep naar de veranda. Even later kwam Eddie terug met het geweer. Vader gaf hem bevel om naar binnen te gaan en de deur dicht te doen.'
Lee liep naar de veranda en ging op de rand zitten. Ze begroef haar gezicht in haar handen en begon te huilen. Adam stond een paar meter verder, starend naar de grond. Hij luisterde naar haar snikken en vroeg zich af hoe ze alles zo precies wist. Toen Lee hem na een paar minuten weer aankeek, stonden haar ogen glazig. Haar mascara was doorgelopen en er hing een druppel aan haar neus. Ze streek met haar handen over haar gezicht en veegde ze af aan haar jeans. 'Sorry,' fluisterde ze.

'Ga door, alsjeblieft,' zei hij snel.
Ze haalde even diep adem en wreef nog eens in haar ogen. 'Joe lag hier,' zei ze, wijzend naar een plek in het gras, niet ver van Adam. 'Hij was weer overeind gekrabbeld. Toen hij zich omdraaide, zag hij vader met het geweer. Hij keek in de richting van zijn eigen huis, maar er was nog geen spoor te bekennen van Quince en zijn eigen geweer. Hij draaide zich om naar Sam, die hier stond, op de rand van de veranda. En toen richtte mijn lieve goede vader heel langzaam zijn geweer, aarzelde even, keek om zich heen of er niemand in de buurt was en haalde de trekker over. Zomaar. Joe sloeg tegen de grond en bleef roerloos liggen.'
'En jij hebt het zien gebeuren, of niet?'
'Ja.'
'Waar was je dan?'
'Daar.' Ze knikte, zonder te wijzen. 'In mijn walnoteboom. Verborgen voor de wereld.'
'En Sam kon je niet zien?'
'Niemand kon me zien. Maar ik heb alles zien gebeuren.' Ze sloeg haar handen weer voor haar ogen en bedwong haar tranen. Adam stapte voorzichtig de veranda op en ging naast haar zitten.
Ze schraapte haar keel en wendde zich af. 'Hij stond een minuut naar Joe te kijken, klaar om nog eens te schieten als dat nodig zou zijn. Maar Joe bewoog zich niet meer. Hij was morsdood. Er lag een plasje bloed rond zijn hoofd in het gras. Ik kon het zien vanuit mijn boom. Ik herinner me nog dat ik mijn nagels in de schors boorde om niet te vallen. Ik wilde huilen, maar ik was veel te bang dat Sam me zou horen. Na een paar minuten verscheen Quince. Hij had het schot gehoord en hij liep te huilen. Hij rende als een gek. Toen hij zijn vader op de grond zag liggen begon hij te gillen, zoals ieder kind zou hebben gedaan. Mijn vader richtte zijn geweer en heel even was ik ervan overtuigd dat hij de jongen zou doodschieten. Maar Quince smeet Joe's geweer op de grond en rende naar zijn vader toe, jankend en huilend. Hij droeg een lichtgekleurd hemd, dat al snel onder het bloed zat. Sam stapte opzij, raapte Joe's geweer op en verdween naar binnen met de twee wapens.'
Lee stond langzaam op en deed een paar afgemeten passen.

'Joe lag ongeveer hier,' zei ze, terwijl ze met haar hak de plaats aangaf. 'Quince hield het hoofd van zijn vader tegen zijn buik gedrukt. Overal zat bloed. En hij maakte een vreemd kreunend geluid, als het janken van een stervend dier.' Ze draaide zich om en keek naar haar boom. 'En daar zat ik, als een klein vogeltje, en ik begon ook te snikken. God, wat haatte ik mijn vader op dat moment.'
'Waar was Eddie?'
'Binnen. In zijn kamer, met de deur op slot.' Ze wees naar een raam met kapotte ruiten en een afgebroken luik. 'Dat was zijn kamer. Hij vertelde me later dat hij naar buiten had gekeken toen hij het schot hoorde en dat hij Quince had gezien, met zijn armen om zijn vader heen. Een paar minuten later kwam Ruby Lincoln aanrennen met een stel kinderen achter zich aan. Ze lieten zich allemaal naast Quince en Joe vallen. Het was afschuwelijk. Ze gilden en huilden en riepen dat Joe niet mocht sterven. Alsjeblieft, alsjeblieft.
Sam ging naar binnen en belde een ziekenwagen. Daarna belde hij een van zijn broers, Albert, en een paar buren. Al gauw stroomde de achtertuin vol. Sam en zijn bende stonden op de veranda met hun geweren en keken naar de treurende familie, die Joe's lichaam naar die boom daar sleepte.' Ze wees naar een grote eik. 'Het duurde een eeuwigheid voordat de ziekenwagen kwam om het lijk mee te nemen. Ruby en haar kinderen liepen terug naar huis en mijn vader en zijn makkers zaten te lachen op de veranda.'
'Hoe lang ben je in die boom gebleven?'
'Dat weet ik niet. Zodra iedereen was vertrokken, ben ik naar beneden geklommen en het bos in gevlucht. Eddie en ik hadden een geliefd plekje bij een beek en ik wist dat hij me daar wel zou zoeken. Dat deed hij ook. Hij was buiten adem en doodsbang. Hij vertelde me alles over de schietpartij en ik zei dat ik het zelf had gezien. Dat wilde hij eerst niet geloven, maar toen beschreef ik een paar details. We waren allebei vreselijk bang. Hij stak zijn hand in zijn zak en haalde er iets uit – dat speelgoedsoldaatje waarover hij en Quince ruzie hadden gekregen. Hij had het onder zijn bed gevonden en nu dacht hij dat alles zíjn schuld was. We beloofden elkaar plechtig dat we er nooit over zouden praten. Hij zou niet verraden dat ik de moord had gezien en ik zou niemand vertel-

len dat hij het soldaatje had gevonden. Hij gooide het in de beek.'
'Hebben jullie het echt geheimgehouden?'
Ze knikte een hele tijd.
'Heeft Sam nooit geweten dat jij in die boom zat?' vroeg Adam.
'Nee. Ik heb het mijn moeder nooit gezegd. Eddie en ik praatten er later nog wel eens over, maar ten slotte verdrongen we het maar. Toen we na de moord thuiskwamen, hadden onze ouders slaande ruzie. Moeder was hysterisch en vader door het dolle heen. Ik geloof dat hij haar zelfs geslagen heeft. Moeder sleurde ons mee naar de auto. Toen we wegreden, zagen we de sheriff aankomen. We reden een tijdje rond, moeder voorin en Eddie en ik op de achterbank, te bang om iets te zeggen. Moeder wist ook niet wat ze ermee aan moest. We dachten dat vader zou worden gearresteerd, maar toen we terugkwamen, zat hij rustig op de veranda alsof er niets gebeurd was.'
'Wat had de sheriff gedaan?'
'Eigenlijk niets. Hij had een tijdje met Sam zitten praten. Sam had hem Joe's geweer laten zien en gezegd dat het een simpel geval van zelfverdediging was geweest. Een dooie nikker, dat was alles.'
'En hij werd niet gearresteerd?'
'Nee, Adam. Het gebeurde in 1950, in Mississippi. Ik weet zeker dat de sheriff er hartelijk om heeft gelachen, Sam een klopje op zijn schouder heeft gegeven en hem heeft gezegd dat hij zich netjes moest gedragen. Meer niet. Sam mocht zelfs Joe's geweer houden.'
'Ongelooflijk.'
'We hadden gehoopt dat hij een paar jaar de gevangenis in zou draaien.'
'En wat deden de Lincolns?'
'Wat konden ze doen? Wie zou er naar hen luisteren? Sam verbood Eddie om nog met Quince om te gaan. Om ervoor te zorgen dat de jongens elkaar niet meer zouden zien heeft hij de familie het huis uitgezet.'
'Lieve god!'
'Hij gaf ze één week om te verdwijnen en daarna kwam de sheriff om zijn plicht te doen. Het was allemaal volgens de

wet, zei Sam tegen moeder. Dat was de enige keer dat ik echt dacht dat ze bij hem weg zou lopen. Had ze het maar gedaan.'

'Heeft Eddie Quince nog ooit gezien?'

'Jaren later. Toen Eddie kon autorijden, ging hij op zoek naar de Lincolns. Ze waren verhuisd naar een buurtje aan de andere kant van Clanton, en daar vond Eddie ze. Hij bood zijn verontschuldigingen aan en zei hoe het hem speet. Maar Quince en Eddie zijn nooit meer vrienden geworden. Ruby vroeg hem om weg te gaan. Hij vertelde me dat ze in een armoedig hutje woonden, zonder elektriciteit.'

Lee liep naar haar walnoteboom en ging tegen de stam zitten. Adam slenterde achter haar aan en leunde tegen de boom. Hij keek op haar neer en dacht aan alle jaren dat ze die last met zich mee had gedragen. En hij dacht aan zijn vader – de angst en de kwellingen, de littekens die Eddie nooit meer was kwijtgeraakt. Adam had wat meer inzicht gekregen in de zelfmoord van zijn vader. Hij vroeg zich af of hij ooit alle stukjes van de puzzel op hun plaats zou krijgen. Hij dacht aan Sam. Toen hij naar de veranda staarde, zag hij een jongere man met een geweer en een van haat verwrongen gezicht. Lee zat zachtjes te snikken.

'Wat deed Sam daarna?'

Ze probeerde zich te beheersen. 'Een week, misschien wel een maand, was het doodstil in huis. Het leek een eeuwigheid te duren voordat er onder het eten weer gesproken werd. Eddie bleef in zijn kamer met de deur op slot. 's Nachts hoorde ik hem huilen en hij vertelde me keer op keer hoe hij zijn vader haatte. Hij had hem het liefst dood gezien. Hij wilde van huis weglopen. Hij gaf zichzelf overal de schuld van. Moeder maakte zich ongerust en besteedde veel aandacht aan hem. Iedereen, behalve Eddie, dacht dat ik in het bos aan het spelen was toen het gebeurde. Kort nadat ik met Phelps was getrouwd, ging ik heimelijk naar een psychiater. Ik wilde in therapie om die herinneringen te verwerken en ik zei tegen Eddie dat hij hetzelfde moest doen. Maar hij luisterde niet. De laatste keer dat ik hem heb gesproken, zei hij nog iets over de moord. Hij is er nooit overheen gekomen.'

'Jij wel?'

'Dat zeg ik niet. De therapie heeft wel geholpen, maar ik

vraag me nog steeds af wat er zou zijn gebeurd als ik tegen mijn vader was gaan schreeuwen voordat hij de trekker overhaalde. Zou hij Joe hebben vermoord met zijn dochter als getuige? Ik denk het niet.'

'Toe nou, Lee. Dat was veertig jaar geleden. Dat kun je jezelf niet blijven verwijten.'

'Eddie verweet het me wel. En zichzelf. En we bleven het elkaar verwijten tot we volwassen waren. Toen het gebeurde, waren we nog kinderen, maar we konden er niet met onze ouders over praten. We voelden ons hulpeloos.'

Adam had nog veel meer vragen over de moord op Joe Lincoln. De kans dat Lee er nog eens over zou willen praten was niet groot, en Adam wilde precies weten hoe het was gegaan, tot in de kleinste details. Waar was Joe begraven? Wat was er met zijn geweer gebeurd? Had het in de krant gestaan? Had justitie zich er nog mee beziggehouden? Had Sam er ooit met zijn kinderen over gesproken? Waar was haar moeder tijdens de vechtpartij? Had ze de ruzie en het geweerschot gehoord? Hoe was het met Joe's familie afgelopen? Woonden ze nog in Ford County?

Lee veegde de tranen van haar gezicht en keek Adam doordringend aan. 'Laten we het in brand steken, Adam,' zei ze vastberaden.

'Dat meen je niet.'

'Jawel! Laten we de hele vervloekte rotzooi in de fik steken: het huis, de schuur, deze boom, het onkruid en het gras. Zo moeilijk is dat niet. Een paar lucifers en het is gebeurd. Vooruit.'

'Nee, Lee.'

'Toe nou.'

Adam boog zich naar haar toe en pakte haar zachtjes bij haar arm. 'Laten we maar gaan, Lee. Ik heb genoeg gehoord voor vandaag.'

Ze verzette zich niet. Ze had er zelf ook genoeg van. Hij nam haar mee. Ze liepen door het onkruid, om het huis heen, langs de kuilen van het oprijpad, terug naar de auto.

Zwijgend reden ze weg. De zandweg ging over in grind en even later bereikten ze de kruising met de hoofdweg. Lee wees naar links en sloot toen haar ogen alsof ze wilde slapen. Ze reden Clanton voorbij en stopten bij een winkeltje bij

Holy Springs. Lee zei dat ze een blikje cola wilde en stond erop het zelf te halen. Toen ze terugkwam had ze een kartonnetje met zes flesjes bier bij zich en gaf Adam een flesje.
'Wat moet dat?' vroeg hij.
'Een paar biertjes, meer niet,' zei ze. 'Ik ben op van de zenuwen. Maar let op hoeveel ik drink. Twee flesjes. Meer niet.'
'Ik vind het niet verstandig, Lee.'
'Ik beheers me wel,' beweerde ze met een frons en nam een slok.
Adam bedankte en reed weg. Lee dronk binnen een kwartier twee flesjes bier en viel toen in slaap. Adam legde de rest op de achterbank en concentreerde zich op de weg.
Opeens wilde hij uit Mississippi vandaan en verlangde hij naar de lichten van Memphis.

27

Precies een week geleden was hij wakker geworden met een zware kater, een opstandige maag en de vette eieren met spek die Irene Lettner hem had voorgezet. De afgelopen zeven dagen was hij overal geweest: op het kantoor van rechter Slattery, in Chicago, in Greenville, in Ford County en in Parchman. Hij had de gouverneur en de procureur ontmoet. Maar zijn cliënt had hij al zes dagen niet gesproken. Ach, wat kon hem zijn cliënt ook schelen?

Adam was tot twee uur 's nachts op het terras blijven zitten. Hij had naar de boten op de rivier gekeken, koffie gedronken en de vliegen weggeslagen. En al die tijd worstelde hij met de levendige beelden van Quince Lincoln die zijn vader in zijn armen hield en Sam Cayhall die op de veranda stond te genieten van de gevolgen van zijn daad. In gedachten hoorde hij het gedempte gelach van Sam en zijn makkers toen Ruby Lincoln en haar kinderen zich op het dode lichaam stortten en het ten slotte naar de schaduw onder de bomen sleepten. Hij zag Sam op het grasveld zitten, met de twee geweren, terwijl hij de sheriff beschreef hoe die gestoorde nikker hem had willen vermoorden, zodat hij geen andere keus had gehad dan zich te verdedigen. Natuurlijk had de sheriff dat begrepen. Adam hoorde het gefluister van de doodsbange kinderen, Eddie en Lee, die zichzelf de schuld gaven en hun afschuwelijke herinneringen probeerden te verwerken. En hij vervloekte een samenleving die het geweld tegen een onderklasse oogluikend had toegestaan.

Hij had onrustig geslapen. Op een gegeven moment ging hij op de rand van zijn bed zitten en besloot dat Sam maar een andere advocaat moest nemen, dat de gaskamer misschien wel de juiste straf was voor sommige mensen, met name zijn grootvader, en dat hij meteen naar Chicago zou teruggaan en zijn naam opnieuw zou veranderen. Maar die fase ging voorbij en toen hij voor de laatste keer wakker werd, viel het zonlicht door de luxaflex naar binnen en wierp rechte strepen op zijn bed. Een half uur lang staarde hij naar het plafond en de sierlijst langs de muren, terwijl hij de tocht naar Clanton opnieuw beleefde. Vandaag, hoopte hij, zou het een gewone zondag worden, met lang uitslapen, een dikke krant en sterke koffie. In de loop van de middag zou hij wel naar kantoor gaan. Zijn cliënt had nog zeventien dagen.

Lee had nog een biertje gedronken toen ze thuis waren gekomen en was daarna gaan slapen. Adam had haar scherp in de gaten gehouden, uit angst dat ze zich een stuk in de kraag zou zuipen, maar ze had zich rustig en beheerst gedragen en hij had haar de hele nacht niet meer gehoord.

Hij schoor zich niet maar nam wel een douche. Daarna liep hij naar de keuken waar de stroperige resten van de eerste pot koffie op hem stonden te wachten. Lee was blijkbaar al een tijdje op. Hij riep haar naam en liep naar haar slaapkamer. Snel keek hij op het terras en liep toen het appartement door. Ze was er niet. De zondagskrant lag netjes op het koffietafeltje in de huiskamer.

Hij zette verse koffie, maakte toost en nam zijn ontbijt mee naar het terras. Het was bijna half tien. Gelukkig was het een bewolkte dag met een draaglijke temperatuur. Heel geschikt om nog een paar uur op kantoor te zitten. Hij las de krant, te beginnen met het eerste katern.

Misschien was ze boodschappen aan het doen of zoiets. Of naar de kerk. Ze waren nog niet zo ver dat ze briefjes voor elkaar achterlieten. Maar ze had niet gezegd dat ze nog ergens heen moest.

Na zijn eerste sneetje toost met aardbeienjam had hij opeens geen trek meer. Op de eerste pagina van het stadskatern stond weer een verhaal over Sam Cayhall, met dezelfde foto van tien jaar terug. Het was een oppervlakkige samenvatting van de ontwikkelingen van de afgelopen week, met een chronologische lijst van de belangrijkste data in de zaak. De lijst eindigde met de datum 8 augustus 1990, voorzien van een olijk vraagteken. Zou de executie dan werkelijk plaatsvinden? Blijkbaar had Todd Marks de vrije hand gekregen, want het verhaal bevatte bijna niets nieuws. Maar wat Adam verontrustte waren een paar opmerkingen van een hoogleraar in de rechten aan de universiteit van Mississippi, een deskundige op het gebied van de grondwet, die veel ervaring had met

doodvonniszaken. De professor was scheutig met zijn opinies en besloot met de opmerking dat Sam geen schijn van kans meer had. Hij had het dossier uitvoerig bestudeerd en de zaak al jarenlang gevolgd. Sams mogelijkheden waren uitgeput. In veel zaken werd soms op het laatste moment nog een wonder verricht, maar meestal omdat de veroordeelde al die tijd door middelmatige advocaten was bijgestaan, ook tijdens de beroepsprocedures. In zo'n geval wist een expert zoals hijzelf nog wel eens iets briljants te bedenken wat de mindere goden was ontgaan. Bij Sam Cayhall lag dat helaas anders, omdat hij jarenlang de steun had gehad van een uitstekend kantoor in Chicago.
Sams advocaten hadden vakkundig alle beroepsmogelijkheden beproefd, en nu stonden ze machteloos. De professor, blijkbaar een gokker, wedde vijf tegen één dat het doodvonnis op 8 augustus inderdaad zou worden voltrokken. Als dank voor die weddenschap, en voor zijn mening, was zijn foto bij het artikel geplaatst.
Opeens werd Adam nerveus. Hij kende tientallen voorbeelden van zaken waarin advocaten zich op het laatste moment aan strohalmen hadden vastgeklampt en een rechter met nieuwe argumenten hadden overtuigd. Het strafrecht kende talloze anekdotes over juridische manoeuvres die pas werden toegepast toen een advocaat met een frisse blik zich met de zaak ging bemoeien. Maar de hoogleraar had gelijk. Sam mocht dan de pest hebben aan Kravitz & Bane, het was een goed kantoor dat hem uitstekend had vertegenwoordigd. En nu waren er geen andere mogelijkheden meer dan een paar wanhoopspogingen of 'schavotprocedures', zoals ze wel werden genoemd.
Adam smeet de krant op de houten vloer en liep naar binnen om nog een kop koffie te halen. De schuifdeur piepte – een nieuw geluid van een nieuw alarmsysteem dat twee dagen geleden was geïnstalleerd nadat het oude op tilt was geslagen en de sleuteltjes op geheimzinnige wijze waren verdwenen. Er waren geen sporen van inbraak gevonden. Het complex werd goed bewaakt en Willis wist niet precies hoeveel sleuteltjes hij van ieder appartement bezat. De politie van Memphis was tot de conclusie gekomen dat de schuifdeur niet op slot had gezeten en op de een of andere manier was opengegaan.

Adam en Lee maakten zich geen zorgen.
Hij stootte per ongeluk een glas van het aanrecht dat kapotviel op de grond. De scherven lagen om zijn blote voeten en hij liep op zijn tenen naar de bijkeuken om een stoffer en blik te pakken. Voorzichtig veegde hij de glassplinters op een keurig hoopje, zonder dat er bloed bij vloeide, en gooide ze weg in een afvalemmer onder het aanrecht. Iets trok zijn aandacht. Langzaam stak hij zijn hand in de zwarte plastic vuilniszak en tastte tussen de warme koffiedrab en het gebroken glas tot hij het gevonden had. Het was een lege wodkafles.
Hij veegde de koffieresten weg en bekeek het etiket. De afvalemmer was maar klein en werd om de twee dagen – en soms eens per dag – geleegd. Hij was nu maar halfvol. De fles kon er dus niet lang gelegen hebben. Adam opende de koelkast en zocht de drie overgebleven flesjes bier uit de verpakking van de vorige dag. Lee had er onderweg naar Memphis twee gedronken, en nog een toen ze thuis waren. Adam kon zich niet herinneren waar ze de rest had gelaten, maar niet in de koelkast. Ook niet in de afvalemmertjes in de keuken, de huiskamer, de badkamer, het toilet of de slaapkamers. Hoe langer hij zocht, des te fanatieker hij werd. Hij keek in de bijkeuken, de voorraadkast, de linnenkast en de keukenkastjes. Hij doorzocht Lee's kasten en laden. Hij voelde zich als een dief, maar hij ging toch door, omdat hij bang was.
Ze lagen onder haar bed, natuurlijk leeg, en zorgvuldig verborgen in een oude Nike-schoenendoos. Drie lege flesjes Heineken in een doos, als een soort geschenkverpakking. Adam ging op de grond zitten en bekeek de flesjes. Ze waren nieuw, met nog een paar druppels bier onderin.
Hij schatte Lee's gewicht op zo'n vijfenvijftig kilo en haar lengte op ongeveer een meter zevenenzestig. Ze was slank maar niet mager. In elk geval kon ze niet veel drank verwerken. Ze was vroeg naar bed gegaan, om een uur of negen, en was 's nachts weer opgestaan om het bier en de wodka te halen.
Adam leunde tegen de muur en dacht koortsachtig na. Ze had geprobeerd de groene flesjes te verstoppen, maar ze wist dat ze toch zou worden betrapt. Adam zou ernaar zoeken. Waarom was ze niet voorzichtiger geweest met de wodka? Waarom lag die fles gewoon in de afvalemmer en had ze de

bierflesjes onder haar bed verborgen?
Maar iemand die dronken was, handelde niet rationeel. Hij sloot zijn ogen en bonkte met zijn achterhoofd tegen de muur. Hij had haar meegenomen naar Ford County, waar Lee de graven had bezocht, een zonnebril had opgezet om niet herkend te worden en de nachtmerrie van de moord op Joe Lincoln opnieuw had doorleefd. Al twee weken lang vroeg hij haar naar de familiegeheimen en gisteren had hij er een paar te horen gekregen. Hij móest het weten, vond hij zelf. Hij wist niet waarom, maar hij wilde begrijpen waarom zijn familie zo vreemd, haatdragend en gewelddadig was geweest.
Maar nu kwam het voor het eerst bij hem op dat dit misschien iets anders was dan het vertellen van een simpel familieverhaal. Dat het misschien wel heel pijnlijk was voor iedereen. En dat zijn egoïstische nieuwsgierigheid naar familiegeheimen misschien minder belangrijk was dan het welzijn van Lee.
Hij zette de schoenendoos terug en gooide de wodkafles in de afvalemmer. Toen kleedde hij zich haastig aan en vertrok. Hij stopte bij het hokje van de bewaker. Volgens een papiertje op zijn klembord was mevrouw Booth bijna twee uur geleden vertrokken, om tien over acht.

Bij Kravitz & Bane in Chicago was het heel gewoon om zondags te werken, maar in Memphis dachten ze daar blijkbaar anders over. Adam had het kantoor voor zich alleen. Toch deed hij zijn deur op slot. Even later was hij verdiept in de troebele wereld van het habeas corpus.
Toch had hij moeite zijn aandacht bij zijn werk te houden. Hij maakte zich ongerust over Lee en hij haatte Sam. Het zou niet gemakkelijk zijn om hem morgen weer in de ogen te kijken door dat traliewerk. Sam was een zwakke, bleke, rimpelige oude man, die recht had op een beetje medeleven. De laatste keer hadden ze over Eddie gesproken en daarna had Sam hem gevraagd de familiegeschiedenis te laten rusten. Hij had al genoeg aan zijn hoofd. Het was niet eerlijk een stervende man met zijn oude zonden te confronteren.
Adam was geen biograaf of genealoog. Hij had geen sociologie of psychiatrie gestudeerd en eigenlijk had hij ook schoon

genoeg van de duistere achtergronden van de Cayhalls. Hij was een gewone advocaat, hoe onervaren ook – een advocaat die zijn cliënt moest helpen.
Het werd tijd om zijn vak uit te oefenen en de folklore te vergeten.
Om half twaalf belde hij Lee's nummer en hoorde het toestel overgaan. Toen het antwoordapparaat inschakelde, zei hij waar hij was en vroeg haar om hem terug te bellen. Om één uur belde hij nog eens, en om twee uur opnieuw, maar er werd niet opgenomen. Hij was juist bezig met de opstelling van een nieuw verzoek toen de telefoon ging.
In plaats van Lee's prettige stem hoorde hij de afgemeten toon van de edelachtbare F. Flynn Slattery. 'Meneer Hall, met rechter Slattery. Ik heb de zaak zorgvuldig overwogen en ik zal uw beroep moeten afwijzen – ook het verzoek om uitstel,' verklaarde hij, bijna voldaan. 'Daar zijn allerlei redenen voor, waar ik nu niet op in wil gaan. Mijn griffier zal u zo meteen de uitspraak faxen.'
'Jawel, Edelachtbare,' zei Adam.
'U dient zo snel mogelijk in beroep te gaan, dat begrijpt u. Ik stel voor dat u dat morgenochtend doet.'
'Ik ben er al mee bezig. De stukken zijn bijna klaar.'
'Mooi zo. Dus u verwachtte deze uitspraak al?'
'Inderdaad. Meteen na onze bespreking van dinsdag ben ik aan het beroep begonnen.' Het was verleidelijk om Slattery eens flink de waarheid te zeggen. De man was tenslotte driehonderd kilometer bij hem vandaan. Maar hij was ook een federale rechter. Adam besefte maar al te goed dat hij Zijne Edelachtbare nog wel eens nodig kon hebben.

'Goedendag, meneer Hall.' En daarmee hing Slattery op.
Adam liep een paar keer om de tafel, bleef voor het raam staan en keek naar de motregen op het winkelcentrum. Hij vloekte zachtjes over federale rechters in het algemeen en Slattery in het bijzonder en ging toen weer achter zijn computer zitten, wachtend op inspiratie.
Hij typte en las, raadpleegde zijn boeken en maakte een uitdraai, keek uit het raam en droomde van een wonder tot het donker werd. Hij had een paar uur verkwist met nietsdoen, maar een van de redenen waarom hij tot acht uur doorwerkte

was dat hij Lee genoeg tijd wilde geven om thuis te komen. Toen hij bij het appartement aankwam, was ze er nog niet. De bewaker had haar ook niet gezien. Er stonden geen berichten op het antwoordapparaat, behalve zijn eigen boodschap. Hij deed zijn avondmaal met popcorn uit de magnetron en keek naar twee videofilms. De gedachte om Phelps Booth te bellen stond hem tegen.
Hij overwoog om op de bank in de huiskamer te blijven slapen, zodat hij haar zou horen als ze thuiskwam. Maar na de laatste film klom hij de trap op naar zijn kamer en deed de deur achter zich dicht.

28

De verklaring voor haar verdwijning van de vorige dag kwam traag, maar klonk plausibel. Ze was met een van de kinderen van het Auburn House de hele dag in het ziekenhuis geweest, zei ze, terwijl ze zich langzaam door de keuken bewoog. De arme meid was pas dertien en het was haar eerste kind, maar natuurlijk zouden er nog meer volgen. De baby was een maand te vroeg geboren. Haar moeder zat in de gevangenis en haar tante handelde in drugs, dus had ze niemand anders om haar te helpen. Lee had haar hand vastgehouden tijdens de gecompliceerde bevalling. Het meisje en de baby maakten het goed. Weer was er een ongewenst kind geboren in de getto's van Memphis.

Lee's stem klonk rauw en haar ogen waren rood en opgezwollen. Ze zei dat ze een paar minuten over één was thuisgekomen. Ze had wel willen bellen, maar ze had acht uur in de kraamkamer gezeten. Het St. Peter's Charity Hospital was net een dierentuin, vooral de kraamafdeling, en ze had gewoon geen telefoon kunnen vinden.

Adam zat in zijn pyjama aan de keukentafel met een kop koffie en de krant. Hij had haar niet om uitleg gevraagd. Hij had zijn best gedaan om nonchalant te lijken. Ze had erop gestaan het ontbijt klaar te maken: roereieren en beschuit. Ze was druk bezig terwijl ze praatte en ze ontweek zijn blik.

'Wie is dat meisje?' vroeg hij ernstig, alsof hij echt geïnteresseerd was in haar verhaal.

'Eh... Natasha. Natasha Perkins.'

'En ze is pas dertien?'

'Ja. Haar moeder is negenentwintig. Denk je eens in, een grootmoeder van negenentwintig!'

Adam schudde ongelovig zijn hoofd. Toevallig had hij de pagina van *The Memphis Press* voor zich liggen met alle huwelijken, echtscheidingen, geboorten, arrestaties en sterfgevallen. Hij liep de lijst van geboorten door alsof het de sportuitslagen waren, maar nergens vond hij een jonge moe-

der die Natasha Perkins heette.
Lee won de strijd met de beschuitbus. Ze legde de beschuiten op twee bordjes, met de eieren, en ging aan het andere eind van de tafel zitten, zo ver mogelijk bij Adam vandaan. *'Bon appétit,'* zei ze met een geforceerd lachje. Haar kookkunst was al een bron van vermaak geworden.
Adam grijnsde alsof alles in orde was. Humor was nu het beste, maar ze konden geen van beiden iets geestigs bedenken. Adam nam een hap van de eieren. 'De Cubs hebben weer verloren,' zei hij met een blik naar de opgevouwen krant.
'De Cubs verliezen altijd, geloof ik.'
'Nou, dat is overdreven. Hou je van honkbal?'
'Ik heb er de pest aan. Phelps heeft me een diepe afkeer van alle sporten bijgebracht.'
Adam grijnsde weer, nam de krant en las verder. Een paar minuten zaten ze zwijgend te eten, tot de stilte benauwend werd. Lee pakte de afstandsbediening. De televisie op het aanrecht kwam tot leven en leidde de aandacht af. Opeens waren ze allebei geïnteresseerd in het weer. Het beloofde een droge, hete dag te worden, zoals gewoonlijk. Lee speelde met haar eten, knabbelde op een beschuit en schoof de eieren op haar bord heen en weer. Adam vermoedde dat haar maag op dat moment niet veel kon hebben.
Snel werkte hij zijn ontbijt naar binnen en zette zijn bord op het aanrecht. Toen ging hij weer zitten om de krant uit te lezen. Lee staarde naar de televisie – zolang ze haar neef maar niet hoefde aan te kijken.
'Ik ga vandaag weer naar Sam, denk ik,' zei hij. 'Ik ben er al een week niet geweest.'
Haar blik gleed naar een plek ergens midden op de tafel. 'Ik wou dat we zaterdag niet naar Clanton waren gegaan,' zei ze.
'Dat begrijp ik.'
'Het was geen goed idee.'
'Het spijt me, Lee. Ik heb je ertoe gedwongen; dat had ik niet moeten doen. Ik heb wel meer dingen van je gevraagd die niet zo verstandig waren.'
'Het is niet eerlijk...'
'Ik weet dat het niet eerlijk is. Ik begrijp nu pas dat het geen gewone familiegeschiedenis is.'

‘Het is niet eerlijk tegenover hèm, Adam. Het is eigenlijk wreed om hem met die dingen te confronteren nu hij nog maar twee weken te leven heeft.’
‘Dat is zo. En het is ook wreed om bij jou al die herinneringen op te roepen.’
‘Ik red me wel.’ Zo klonk het niet, maar misschien was er nog hoop voor de toekomst.
‘Het spijt me, Lee. Dat meen ik.’
‘Het geeft niet. Wat ga je vandaag met Sam doen?’
‘Praten, voornamelijk. Het plaatselijke federale hof heeft gisteren mijn verzoek afgewezen, dus gaan we vanochtend in beroep. Sam bespreekt graag onze strategie.’
‘Zeg hem dat ik aan hem denk.’
‘Dat zal ik doen.’
Ze duwde haar bord van zich af en legde haar handen om haar kopje. ‘En vraag hem of ik op bezoek mag komen.’
‘Wil je dat echt?’ vroeg Adam, niet in staat zijn verbazing te verbergen.
‘Ik heb het gevoel dat ik het moet doen. Ik heb hem al zoveel jaar niet gezien.’
‘Ik zal het vragen.’
‘En zeg niets over Joe Lincoln, oké? Ik heb vader nooit verteld wat ik heb gezien en hij zou het me niet vergeven dat ik het tegen jou heb gezegd.’
‘Heb je met Sam nooit over de moord gesproken?’
‘Nooit. Iedereen wist het. Eddie en ik zijn ermee opgegroeid en hebben het als een last met ons meegedragen. Maar eerlijk gezegd was het voor de buren niet zo’n punt, Adam. Mijn vader had een zwarte gedood. Het was 1950, in Mississippi. Niemand bij ons thuis praatte erover.’
‘Dus Sam kan het met zich meenemen in zijn graf zonder dat iemand hem ooit met die moord heeft geconfronteerd?’
‘Wat schiet je ermee op om er nu nog mee aan te komen? Het is veertig jaar geleden.’
‘Ik weet het niet. Misschien heeft hij spijt.’
‘Nou en? Als hij tegen jou zegt dat hij spijt heeft, is het dan in orde? Toe nou, Adam, je bent jong en je begrijpt het niet. Laat het maar rusten. Kwel die oude man niet meer. Jij bent nog het enige lichtpuntje in zijn zielige bestaan.’
‘Goed, goed.’

'Je hebt het recht niet om hem met de moord op Joe Lincoln te overvallen.'
'Je hebt gelijk, dat zal ik niet doen. Ik beloof het.'
Ze staarde hem met bloeddoorlopen ogen aan totdat hij weer naar de televisie keek. Daarna excuseerde ze zich en verdween haastig door de huiskamer. Adam hoorde de badkamerdeur dichtgaan. Zachtjes liep hij over het tapijt de gang door en luisterde. Hij hoorde haar kotsen. De wc werd doorgetrokken en Adam rende de trap op naar zijn kamer om te douchen en zich te verkleden.

Om tien uur had Adam beroep aangetekend bij het Vijfde Circuit in New Orleans. Rechter Slattery had al een kopie van zijn uitspraak naar de griffier van het Vijfde Circuit gefaxt. Adam faxte zijn appèl zodra hij op kantoor was aangekomen. Het origineel verstuurde hij per expresse.
Ook had hij zijn eerste gesprek met de 'death clerk', een griffier van het Amerikaanse Hooggerechtshof die niets anders doet dan de beroepszaken van alle ter dood veroordeelden bijhouden. Als er een executie nadert, is de death clerk vaak dag en nacht in touw. E. Garner Goodman had Adam geïnstrueerd over de rol van de death clerk en zijn kantoor. Het was met enige aarzeling dat Adam voor het eerst opbelde.
De griffier heette Richard Olander. Hij was een vrij efficiënte figuur, maar zijn stem klonk vermoeid, zo vroeg op de maandagochtend. 'Natuurlijk hadden we dit verwacht,' zei hij, alsof Adam al veel eerder had moeten reageren. Olander vroeg hem of dit zijn eerste executie was.
'Ik ben bang van wel,' zei Adam. 'En hopelijk ook mijn laatste.'
'Nou, u hebt wel een verloren zaak op u genomen,' vond Olander. En vervolgens legde hij omstandig uit hoe het Hooggerechtshof de laatste procedures afgehandeld wilde zien. Alle verzoeken vanaf dat moment tot aan het eind, ongeacht waar ze werden ingediend of wat ze behelsden, moesten ook aan zijn kantoor worden gestuurd, verklaarde hij toonloos, alsof hij het uit een boekje oplas. Hij zou Adam onmiddellijk een kopie van de regels faxen, die tot aan het eind nauwgezet moesten worden gevolgd. Zijn kantoor was dag en nacht bereikbaar, herhaalde hij meer dan eens, en het

was van het grootste belang dat hij overal kopieën van ontving – als Adam zijn cliënt tenminste een eerlijke behandeling wilde gunnen. Als het hem niets kon schelen, kon hij de regels aan zijn laars lappen en zijn cliënt de prijs laten betalen.

Adam beloofde zich aan de voorschriften te houden. Het Hooggerechtshof begon genoeg te krijgen van die eindeloze procedures rondom executies en wilde daarom alle eisen en verzoeken in eigen hand houden om de zaken te bespoedigen. Adams beroep bij het Vijfde Circuit zou door de rechters en griffiers grondig worden bestudeerd, lang voordat het hof de zaak daadwerkelijk vanuit New Orleans kreeg toegespeeld. Hetzelfde gold voor alle acties op het laatste moment. Dan kon het hof de verzoeken onmiddellijk toe- of afwijzen.

De death clerk werkte zo efficiënt dat het hof kort geleden nog een flater had geslagen door een beroep af te wijzen voordat het was aangetekend.

Daarna legde Olander uit dat zijn kantoor een lijst had van alle denkbare eisen en verzoeken die op het laatste moment nog kans van slagen hadden, en dat hij en zijn kundige staf alle zaken bijhielden om te zien of de juiste acties werden ondernomen. Als een advocaat een mogelijkheid over het hoofd zag, werd hij daarop gewezen. Wilde Adam een kopie van die lijst?

Nee, Adam had al een kopie. E. Garner Goodman had zelf het handboek geschreven over 'schavotprocedures'.

Goed, antwoordde Olander. Sam Cayhall had nog zestien dagen en in die tijd kon er natuurlijk veel gebeuren. Maar Sam Cayhall had goede juridische hulp gehad en naar Olanders bescheiden mening was de zaak volledig afgewikkeld. Het zou hem verbazen als er nog uitstel werd verleend.

Je wordt bedankt, dacht Adam.

Olander en zijn medewerkers waren op dat moment druk bezig met een zaak in Texas, legde hij uit. De executie zou een dag vóór die van Sam moeten plaatsvinden, maar in dit geval waren er nog mogelijkheden tot uitstel. Florida had een executie op het programma staan voor 10 augustus en Georgia twee executies voor 15 augustus, maar je kon nooit weten. Olander of een van zijn medewerkers was vierentwintig uur per etmaal beschikbaar en de laatste twaalf uur voor de terechtstelling zou Olander persoonlijk aan de telefoon zitten. U belt maar, besloot hij en beëindigde het gesprek met de barse belofte dat hij Adam en zijn cliënt zoveel mogelijk zou helpen.

Adam smeet de telefoon neer en begon nijdig te ijsberen. Zijn deur zat op slot, zoals gewoonlijk, en vanaf de gang drong het gebruikelijke geroddel van de maandagochtend tot hem door. Zijn foto had gisteren weer in de krant gestaan en hij wilde zich niet laten zien. Hij belde het Auburn House en vroeg naar Lee Booth, maar die was er niet. Hij belde het appartement, maar er werd niet opgenomen. Ten slotte belde hij Parchman en zei tegen de bewaker bij de poort dat hij zich om één uur zou melden.

Hij ging weer achter zijn computer zitten en vond een van zijn recente projecten, een beknopte, chronologische samenvatting van Sams zaak.

De jury van Lakehead County had Sam op 12 februari 1981 schuldig bevonden en twee dagen later het doodvonnis uitgesproken. Sam was onmiddellijk in beroep gegaan bij het Hooggerechtshof van Mississippi, op grond van allerlei bezwaren tegen het proces en de officier, maar vooral tegen het feit dat de rechtszaak bijna veertien jaar na de aanslag had plaatsgevonden. Zijn advocaat, Benjamin Keyes, verklaarde met klem dat Sam een tijdig proces was onthouden en dat hij onrechtmatig was behandeld door hem drie keer voor hetzelfde misdrijf te berechten. Het Hooggerechtshof van Mississippi was sterk verdeeld over de zaak, maar kwam op 23 juli 1982 met een meerderheidsbesluit dat Sams vonnis bekrachtigde. Vijf rechters waren voor, drie tegen, en één onthield zich.

Vervolgens diende Keyes bij het federale Hooggerechtshof een *certiorari* in, met het verzoek om Sams zaak te herzien. Omdat het Hooggerechtshof maar zelden een *certiorari* toewees, was het een verrassing dat het hof op 4 maart 1983 besloot Sams vonnis in heroverweging te nemen.

Het federale Hooggerechtshof was al evenzeer verdeeld over de kwestie van Sams dubbele berechting, maar kwam toch tot dezelfde conclusie als het Hooggerechtshof van Mississippi. Sams eerste twee jury's waren er niet uit gekomen, aan het twijfelen gebracht door de capriolen van Louis T. Brazelton, en daarom kon er in dit geval geen sprake zijn van een dubbele berechting zoals omschreven in het vijfde amendement. De eerste twee jury's hadden hem immers niet vrijgesproken. Ze hadden gewoon geen vonnis geveld en daarom waren de volgende processen niet in strijd met de grondwet. Op 21 september 1983 bepaalde het Amerikaanse Hooggerechtshof met een meerderheid van zes tegen drie dat Sams vonnis rechtmatig was. Keyes diende onmiddellijk een eis tot herziening in, maar tevergeefs.

Sam had Keyes ingehuurd om hem te verdedigen tijdens het proces en zo nodig tijdens het beroep bij het Hooggerechtshof van Mississippi. Tegen de tijd dat het federale Hooggerechtshof het vonnis bekrachtigde werkte Keyes dus gratis. Het contract was al beëindigd en Keyes schreef Sam een lange brief waarin hij uitlegde dat hij nu een andere regeling moest treffen. Sam had dat begrepen.

Keyes schreef een brief aan een oude studievriend in Washington, die op zijn beurt contact opnam met E. Garner Goodman van Kravitz & Bane in Chicago. De brief kwam op het juiste moment op Goodmans bureau terecht. De tijd begon te dringen en Sam was wanhopig. Goodman was juist op zoek naar een nieuwe pro-deozaak. Er kwam een briefwisseling op gang en op 18 december 1983 tekende Wallace Tyner – een vennoot van de sectie witte-boordencriminaliteit van Kravitz & Bane – bij het Hooggerechtshof van Mississippi beroep aan in de zaak Cayhall.

Tyner noemde een groot aantal fouten in het proces tegen Sam, waaronder het feit dat de bloederige foto's van Josh en John Kramer als bewijsmateriaal waren toegelaten. Tyner kritiseerde de selectie van de jury en beweerde dat McAllister systematisch zwarten had gekozen in plaats van blanken. Bovendien was een objectief proces na al die jaren onmogelijk, omdat het sociale klimaat in 1967 heel anders was geweest dan in 1981. Hij beweerde dat de rechter een onjuiste procedure had gevolgd. Opnieuw bracht hij de problemen van een dubbele berechting en een uitgesteld proces naar voren. In totaal beriepen Wallace Tyner en Garner Goodman zich in hun appel op acht verschillende punten. Maar ze beweerden niet dat Sams advocaat in gebreke was gebleven – het meest gebruikte argument van de gevangenen in de dodengang. Ze hadden dat punt wel willen aanvoeren, maar Sam had het niet goedgevonden en geweigerd het appèl te ondertekenen omdat hij heel tevreden was over Benjamin Keyes.

Op 1 juni 1985 wees het Hooggerechtshof van Mississippi alle eisen van Tyner en Goodman af. Tyner ging onmiddellijk in beroep bij het federale Hooggerechtshof, maar zonder succes. Daarna diende hij bij het federale gerechtshof Sams eerste *habeas corpus* in, met het verzoek tot uitstel van de executie. Het was een dik dossier, waarin opnieuw alle punten werden opgesomd die ook bij het hof van Mississippi naar voren waren gebracht.

Twee jaar later, op 3 mei 1987, wees het districtshof alle verzoeken af en ging Tyner in beroep bij het Vijfde Circuit in New Orleans, dat na enige tijd de uitspraak van het lagere hof bekrachtigde. Op 20 maart 1988 diende Tyner bij het Vijfde Circuit een verzoek tot een hoorzitting in, dat ook werd afgewezen. Op 3 september 1988 wendden Tyner en Goodman zich opnieuw tot het Hooggerechtshof met een *certiorari.*

Op 14 mei verleende het federale Hooggerechtshof voor de laatste keer uitstel van executie, op grond van een *certiorari* dat was toegewezen in een zaak in Florida waarover het hof uitspraak had gedaan. Tyner argumenteerde met succes dat de zaak in Florida veel overeenkomsten vertoonde, en het Hooggerechtshof verleende vervolgens uitstel in een stuk of twaalf doodvonniszaken in heel het land.

Zolang het Hooggerechtshof delibereerde over de zaak in Florida werd er geen nieuw beroep aangetekend namens Sam, die voorlopig nog uitstel had. Maar inmiddels was Sam begonnen met zijn pogingen om zich van Kravitz & Bane te ontdoen. Hij diende zelf een paar onhandige verzoeken in, die meteen werden verworpen. Maar hij wist wel een uitspraak van het Vijfde Circuit te krijgen die een eind maakte aan de pro-deodiensten van zijn advocaten. Op 29 juni 1990 gaf het Vijfde Circuit hem toestemming zichzelf te verdedigen en kon Garner Goodman het dossier sluiten. Maar niet voor lang.

Op 9 juli 1990 hief het Hooggerechtshof Sams uitstel op. Een dag later deed het Vijfde Circuit hetzelfde en nog dezelfde

dag bepaalde het Hooggerechtshof van Mississippi de executiedatum op 8 augustus, vier weken daarna.
Na negen jaar van beroepsprocedures had Sam nu nog zestien dagen te leven.

29

Het was stil in de dodengang toen de zoveelste dag zich voortsleepte naar de middag. De bonte collectie ventilatoren piepte en rammelde in de kleine cellen en probeerde dapper de lucht in beweging te houden die met de minuut klammer werd.

De vroege tv-journaals hadden opgewonden gemeld dat Sam Cayhall weer een juridisch gevecht verloren had. Slattery's uitspraak werd rondgebazuind alsof het de laatste nagel aan Sams doodskist was. Een station in Jackson ging verder met aftellen: nog maar zestien dagen te gaan. 'Zestiende dag!' stond er in vette letters onder dezelfde oude foto van Sam. Opgewonden verslaggeefsters met zware make-up en geen enkel benul van de wet riepen de camera's zelfverzekerd hun voorspellingen toe: 'Volgens onze bronnen zijn Sam Cayhalls juridische mogelijkheden praktisch uitgeput. Veel mensen gaan ervan uit dat zijn vonnis volgens plan zal worden voltrokken op 8 augustus.' Daarna volgden de sport en het weer.

Er werd nu veel minder gepraat en geschreeuwd in de dodengang. Er werden zelfs minder 'vliegers' doorgegeven. Er dreigde een executie.

Brigadier Packer glimlachte bij zichzelf toen hij door Gang A slenterde. Het gegriep en gekanker dat zo onverbrekelijk bij zijn dagelijkse werk hoorde was bijna verstomd. De gevangenen waren meer geïnteresseerd in hun juridische problemen. Het meest voorkomende verzoek van de afgelopen twee weken was of ze hun advocaat mochten bellen.

Packer verheugde zich niet op de executie, maar hij was blij met de rust. Hij wist dat die maar tijdelijk zou zijn. Als Sam morgen uitstel kreeg, zou het pandemonium weer losbarsten.

Hij bleef staan voor Sams cel. 'Tijd om te luchten, Sam.'

Sam zat op zijn bed te typen en te roken, zoals gewoonlijk. Hij zette de schrijfmachine weg en stond op. 'Hoe laat is het?' vroeg hij.

'Elf uur.'

Sam draaide zijn rug naar Packer toe en stak zijn armen door de opening in de deur. Packer legde hem zorgvuldig de handboeien om. 'Wil je alleen naar buiten?' vroeg hij.
Sam draaide zich weer om, met zijn armen op zijn rug. 'Nee, Henshaw wil mee.'
'Ik zal hem halen,' zei Packer. Hij knikte naar Sam en wees naar het einde van de gang. De deur ging open en ze liepen rustig langs de andere cellen. De gevangenen leunden tegen de tralies, met hun armen naar buiten, en keken Sam strak aan toen hij voorbijkwam.
Na nog een paar deuren en gangen kwamen ze bij een ongeschilderde metalen deur. Packer stak de sleutel in het slot, de deur ging open en het zonlicht viel naar binnen. Sam vond dit altijd het vervelendste moment van het luchten. Packer bevrijdde hem van de handboeien. Sam stapte op het gras en kneep zijn ogen stijf dicht. Ten slotte deed hij ze weer open om aan het felle licht te wennen.
Packer verdween zwijgend naar binnen en Sam bleef een volle minuut op dezelfde plaats staan. Zijn hoofd bonsde. De hitte deerde hem niet, daar was hij wel aan gewend, maar het zonlicht was als een bundel laserstralen die hem een felle hoofdpijn bezorgde, elke keer dat hij zijn kerker mocht verlaten. Natuurlijk zou hij wel een goedkope zonnebril kunnen betalen, net als Packer, maar dat mocht niet. Zonnebrillen stonden niet op de lijst van artikelen die een gevangene mocht bezitten.
Hij liep aarzelend over het gemaaide gras en tuurde door het hek naar de katoenvelden erachter. De luchtplaats was niets anders dan een omheind stuk gras en zand, met twee houten banken en een basketbalbord voor de Afrikanen. Iedereen noemde het 'het stierenweitje'. Sam had al duizend keer de maat genomen en zijn berekeningen met die van zijn makkers vergeleken. Het veldje was zeventien meter lang en twaalf meter breed. Het hek was drie meter hoog, met een halve meter prikkeldraad aan de bovenkant. Achter de omheining lag een strook gras van ongeveer dertig meter breed, tot aan het grote hek met de wachttorens.
Sam liep in een rechte lijn naar het hek, draaide zich toen negentig graden om en liep verder, terwijl hij zijn stappen telde. Zeventien bij twaalf meter. Zijn cel was een meter tachtig bij

twee meter zeventig, de bibliotheek zes bij vijf meter en zijn gedeelte van de spreekkamer ongeveer zes meter bij een meter tachtig. Hij had gehoord dat de Isoleerkamer vijf bij vier meter mat, en de gaskamer zelf was een klein hokje van nauwelijks een meter twintig breed.

Het eerste jaar dat hij hier zat had hij nog langs de rand van het veldje gejogd om het luie zweet eruit te werken en in conditie te blijven. Hij had zelfs met een bal op het basketbalbord geschoten, maar daar was hij mee opgehouden toen er dagen voorbijgingen dat hij niet één keer scoorde. Ten slotte was hij ook gestopt met joggen, en al jarenlang deed hij niets anders meer dan simpel genieten van zijn vrijheid buiten de cel. Een tijdlang had hij de gewoonte gehad om voor het hek te staan en over de velden naar de bomen in de verte te staren, waar hij zich van alles voorstelde: vrijheid, snelwegen, vissen, eten, zo nu en dan seks. Hij kon zijn kleine boerderij in Ford County bijna zien, niet ver van het hek, daar tussen die twee bosjes. Hij droomde van Brazilië of Argentinië of een ander ver land waar hij had kunnen onderduiken met een nieuwe identiteit.

Maar ook die dromen had hij opgegeven. Hij had niet langer door het hek staan staren alsof een wonder hem ooit zou bevrijden. Nu liep hij wat rond en rookte een sigaret, bijna altijd in zijn eentje. Zijn meest inspannende bezigheid was zo nu en dan een partijtje dammen.

De deur ging weer open en Hank Henshaw kwam naar buiten. Packer deed hem de handboeien af. Henshaw kneep zijn ogen tot spleetjes en tuurde naar de grond. Hij masseerde zijn polsen, rekte zich uit en strekte zijn benen. Packer liep naar een van de banken en zette een oude kartonnen doos neer.

De twee gevangenen keken Packer na tot hij verdwenen was. Toen liepen ze naar de houten bank en gingen schrijlings tegenover elkaar zitten met de doos tussen hen in. Sam legde zorgvuldig het dambord neer, terwijl Henshaw de stenen telde.

'Ik heb weer wit,' zei Sam.

Henshaw keek hem scherp aan. 'Jij had de vorige keer al wit.'

'Vorige keer had ik zwart.'

'Nee, toen had ik zwart. Het is mijn beurt om met wit te spelen.'

'Luister, Hank, ik heb nog zestien dagen te leven en als ik met wit wil spelen, dan speel ik met wit.'
Henshaw haalde zijn schouders op en gaf toe. Zorgvuldig zetten ze hun stenen op het bord.
'Dan mag jij zeker ook beginnen?' zei Henshaw.
'Natuurlijk.' Sam deed een zet en de partij was begonnen. De omgeving lag te bakken in de middagzon en binnen een paar minuten kleefden hun rode trainingspakken tegen hun rug. Ze droegen allebei rubberen badslippers zonder sokken.
Hank Henshaw was eenenveertig en zat al zeven jaar in de dodencel, maar hij verwachtte niet dat hij ooit zou worden vergast. Er waren bij zijn proces twee grote fouten gemaakt en Henshaw had een redelijke kans op herziening van het vonnis, zodat hij uit de dodengang vandaan kon komen.
'Slecht nieuws gisteren,' zei hij, terwijl Sam over de volgende zet nadacht.
'Ja, het ziet er niet best uit.'
'Nee. Wat vindt je advocaat ervan?' Ze bleven allebei naar het dambord kijken.
'Hij denkt dat we nog een sportieve kans hebben.'
'Wat betekent dat, verdomme?' vroeg Henshaw en hij deed een zet.
'Ik denk dat hij bedoelt dat ik wel naar de gaskamer ga, maar met een dansje.'
'Weet die jongen wel wat hij doet?'
'Ja. Hij is slim. Dat zit in de familie.'
'Maar hij is wel erg jong.'
'Hij is een intelligente knul. Een goede opleiding. Op één na de beste van zijn studiejaar aan Michigan. Redacteur van het juridisch tijdschrift.'
'Wat betekent dat?'
'Dat hij briljant is. Hij verzint wel wat.'
'Meen je dat nou, Sam? Denk je echt dat je uitstel krijgt?'
Sam sloeg twee zwarte stenen en Henshaw vloekte. 'Je kunt er niks van,' zei Sam grijnzend. 'Wanneer heb je voor het laatst van me gewonnen?'
'Twee weken geleden.'
'Leugenaar. Je hebt me al in geen drie jaar verslagen.'
Henshaw deed een aarzelende zet en Sam sloeg weer een steen. Vijf minuten later had hij gewonnen. Ze zetten de

stenen weer terug en begonnen opnieuw.

Om twaalf uur verschenen Packer en een collega met de handboeien en was het uit met de pret. Ze werden naar hun cellen teruggebracht, waar de lunch werd uitgedeeld: bonen, erwten, aardappelpuree en een paar sneetjes droge toost. Sam liet meer dan de helft van het smakeloze eten staan en wachtte tot een bewaarder hem kwam halen. Hij had een schone boxershort en een stuk zeep klaarliggen. Tijd om te douchen.

De bewaarder bracht Sam naar een kleine douche aan het eind van de gang. Volgens de wet hadden de ter dood veroordeelden recht op vijf korte douches per week, of het nu nodig was of niet, zoals de bewaarders vaak zeiden.

Sam douchte snel, waste twee keer zijn haar met zeep en spoelde zich met het warme water af. De douche zelf was schoon genoeg, maar werd door alle veertien gevangenen in de gang gebruikt. Daarom hielden ze hun rubberen badslippers aan. Na vijf minuten werd de kraan dichtgedraaid. Sam bleef nog even staan druipen terwijl hij naar de schimmelige tegelwand keek. Sommige dingen van de dodengang zou hij bepaald niet missen.

Twintig minuten later werd hij in een busje gezet en naar de bibliotheek gereden, achthonderd meter verderop.

Adam zat al te wachten. Hij trok zijn jasje uit en stroopte zijn mouwen op toen de bewaarders Sam van zijn handboeien ontdeden en vertrokken. Ze zeiden hallo en gaven elkaar een hand. Sam ging snel zitten en stak een sigaret op. 'Waar heb je gezeten?' vroeg hij.

'Ik heb het druk gehad,' zei Adam vanaf de andere kant van de tafel. 'Woensdag en donderdag moest ik onverwachts naar Chicago.'

'Had dat iets met mij te maken?'

'Dat kun je wel zeggen. Goodman wilde de zaak nog eens doornemen en er waren een paar andere kwesties.'

'Dus Goodman bemoeit zich er weer mee?'

'Goodman is nu mijn baas, Sam. Ik moet aan hem rapporteren als ik mijn baan wil houden. Ik weet dat je de pest aan hem hebt, maar hij is echt betrokken bij jou en bij de zaak. Geloof het of niet, maar hij wil niet dat je wordt vergast.'

‘Ik heb niet langer de pest aan hem.’
‘O nee? Hoe komt dat zo opeens?’
‘Dat weet ik niet. Als je zo dicht bij de dood komt, ga je veel nadenken.’
Adam wilde nog wat meer weten, maar Sam zweeg erover en trok aan zijn sigaret. Adam keek naar hem en probeerde de beelden van Joe Lincoln te verdringen, het verhaal over Sams vader die bij een dronken vechtpartij na een begrafenis was doodgeslagen, en al die andere ellendige verhalen die Lee hem in Ford County had verteld. Hij probeerde het, maar het lukte niet.
Hij had Lee beloofd dat hij niet op die nachtmerries uit het verleden zou terugkomen. ‘Je bent zeker al op de hoogte van onze laatste nederlaag?’ vroeg hij terwijl hij zijn papieren uit zijn koffertje haalde.
‘Ja. Dat duurde niet lang.’
‘Nee. Ze hebben de eis meteen afgewezen, maar ik ben al in beroep gegaan bij het Vijfde Circuit.’
‘Ik heb nog nooit gewonnen voor het Vijfde Circuit.’
‘Dat weet ik, maar op dit moment kunnen we niet onze eigen rechtbank kiezen.’
‘Wat kunnen we nog wel?’
‘Een paar dingen. Dinsdag liep ik de gouverneur tegen het lijf na een vergadering met de federale rechter. Hij wilde me onder vier ogen spreken. Hij heeft me zijn privé-nummer gegeven en gevraagd of ik hem wilde bellen om over de zaak te praten. Hij heeft twijfels over je schuld.’
Sam keek hem nijdig aan. ‘Twijfels? Hij is de enige reden dat ik hier zit. Hij kan nauwelijks wachten tot ik word geëxecuteerd.’
‘Je zult wel gelijk hebben, maar...’
‘Je had beloofd dat je niet met hem zou praten. Je hebt een overeenkomst met me getekend waarin ieder contact met die idioot nadrukkelijk wordt verboden.’
‘Rustig nou maar, Sam. Hij schoot me aan toen we uit de rechtbank kwamen.’
‘Het verbaast me dat hij niet meteen een persconferentie heeft gegeven.’
‘Ik heb hem gedreigd. Hij moest beloven dat hij er niets over zou zeggen.’

'Dan ben jij de eerste in de geschiedenis die die klootzak het zwijgen heeft opgelegd.'
'Hij staat open voor een verzoek om clementie.'
'Zei hij dat?'
'Ja.'
'Waarom? Dat geloof ik niet.'
'Ik weet niet waarom, Sam. En het kan me ook niet schelen. Maar het kan toch geen kwaad? Wat is het risico van een verzoek om clementie? Goed, dan krijgt hij veel aandacht in de media. Maar als er een kans is dat hij wil luisteren, wat kan het jou dan schelen dat hij er publiciteit aan overhoudt?'
'Nee. Het antwoord blijft nee. Ik geef je geen toestemming om een verzoek tot clementie in te dienen. Nee, verdomme! Duizendmaal nee! Ik ken hem, Adam. Hij zal je belazeren. Het is allemaal show, een manier om de kiezers te bespelen. Hij trekt een verdrietig smoel, dat is alles. Als je hem de kans geeft, zal hij nog meer aandacht krijgen dan ik, en het is míjn executie.'
'Maar wat geeft het?'
Sam sloeg met zijn vlakke hand op de tafel. 'We schieten er niets mee op, Adam! Hij verandert toch niet van gedachten.'
Adam noteerde iets op zijn schrijfblok en dacht na. Sam liet zich terugzakken in zijn stoel en stak weer een sigaret op. Zijn haar was nog nat en hij kamde het met zijn vingers naar achteren.
Adam legde zijn pen neer en keek zijn cliënt aan. 'Wat wil je dan, Sam? Ermee nokken? De handdoek in de ring gooien? Je kent de wet toch zo goed? Vertel mij dan maar wat ik moet doen.'
'Ik heb er goed over nagedacht.'
'Dat verbaast me niets.'
'Dat beroep bij het Vijfde Circuit is wel zinvol, maar je moet er niet te veel van verwachten. En verder zijn er niet veel mogelijkheden meer.'
'Behalve Benjamin Keyes.'
'Precies, behalve Keyes. Hij heeft me goed verdedigd tijdens het proces en het hoger beroep. Hij was bijna een vriend van me. Ik wil hem niet afvallen.'
'Het is een bekende strategie in dit soort zaken, Sam. Iedereen beweert dat zijn advocaat tekort is geschoten. Goodman

zei dat hij dat ook heeft voorgesteld, maar dat jij het niet wilde. Het had al jaren geleden moeten gebeuren.'
'Dat is zo. Goodman heeft het me bijna gesmeekt, maar ik zei nee. Dat was misschien niet verstandig.'
Adam zat op het puntje van zijn stoel en maakte druk aantekeningen. 'Ik heb het dossier bestudeerd en ik denk dat Keyes een fout heeft gemaakt toen hij je niet heeft laten getuigen.'
'Ik wilde wel met de jury praten. Dat had ik je al gezegd, geloof ik. Toen Dogan had getuigd, wilde ik de jury uitleggen dat ik wel die bom had gelegd maar niemand had willen doden. Dat is de zuivere waarheid, Adam. Ik wilde niemand doden.'
'Jij wilde wel getuigen, maar je advocaat vond het niet goed.'
Sam glimlachte en staarde naar de grond. 'Is dat wat je wilt horen?'
'Ja.'
'Ik heb niet veel keus, is het wel?'
'Nee.'
'Goed, dan is het zo gegaan. Ik wilde wel getuigen, maar het mocht niet van mijn advocaat.'
'Ik zal morgenochtend meteen een eis indienen.'
'Het is nu toch veel te laat?'
'Het is wel laat en dit punt had al veel eerder aan de orde moeten komen, maar wat hebben we te verliezen?'
'Wil je Keyes bellen om het hem te zeggen?'
'Als ik er tijd voor heb. Zijn gevoelens kunnen me op dit moment weinig schelen.'
'Mij ook niet. Hij bekijkt het maar. Wie kunnen we verder nog aanpakken?'
'Het is maar een kort lijstje.'
Sam sprong overeind en begon met afgemeten passen te ijsberen. De kamer was zes meter lang. Hij liep om de tafel heen, achter Adam langs, en daarna langs de vier muren, terwijl hij zijn passen telde. Ten slotte bleef hij staan en leunde tegen een boekenkast.
Adam maakte nog een paar aantekeningen en keek hem scherp aan. 'Lee vroeg of ze op bezoek mocht komen,' zei hij.
Sam staarde hem aan en ging langzaam zitten. 'Wil ze dat?'
'Ik geloof het wel.'

'Ik zal erover denken.'
'Als je maar opschiet.'
'Hoe gaat het met haar?'
'Redelijk, geloof ik. Ik moest je de groeten doen en zeggen dat ze voor je bidt. Ze denkt heel veel aan je.'
'Weten ze in Memphis dat ze mijn dochter is?'
'Dat geloof ik niet. Het heeft nog niet in de krant gestaan.'
'Ik hoop dat ze het stilhouden.'
'Zaterdag zijn we samen naar Clanton geweest.'
Sam keek hem verdrietig aan en staarde toen naar het plafond. 'Wat heb je gezien?' vroeg hij.
'Heel veel. Het graf van mijn grootmoeder en de graven van de andere Cayhalls.'
'Ze wilde niet bij de Cayhalls worden begraven, heeft Lee je dat verteld?'
'Ja. En Lee wilde weten waar jij begraven wilt worden.'
'Dat heb ik nog niet besloten.'
'Geeft niet. Laat het me maar weten als het zover is. We hebben een wandeling door de stad gemaakt en ze heeft me het huis laten zien waar wij vroeger woonden. We zijn naar het plein gelopen en hebben onder de pergola op het gras voor de rechtbank gezeten. Het was druk in de stad, vooral rond het plein.'
'We keken altijd naar het vuurwerk vanaf de begraafplaats.'
'Dat heeft Lee me verteld. We hebben geluncht in The Tea Shoppe en toen zijn we de stad uit gereden naar het huis uit haar jeugd.'
'Staat het er nog?'
'Ja, maar er woont niemand meer. Het is vervallen en overwoekerd. We hebben wat rondgelopen. Ze heeft me allerlei verhalen uit haar jeugd verteld. En ze praatte veel over Eddie.'
'Heeft ze nog goede herinneringen?'
'Niet echt.'
Sam sloeg zijn armen over elkaar en staarde naar de tafel. Een minuut verstreek zonder dat ze iets zeiden. Ten slotte vroeg Sam: 'Heeft ze je verteld over Eddies Afrikaanse vriendje, Quince?'
Adam knikte langzaam en ze keken elkaar doordringend aan. 'Ja.'

'En over zijn vader, Joe?'
'Ze heeft me het hele verhaal verteld.'
'En geloof je haar?'
'Ja. Is dat terecht?'
'Het is waar. Alles.'
'Dat dacht ik al.'
'Wat voelde je toen je het hoorde? Ik bedoel, wat was je reactie?'
'Ik had de pest aan je.'
'En nu?'
'Nu is het weer anders.'
Sam kwam langzaam overeind en liep naar het eind van de tafel, waar hij bleef staan, met zijn rug naar Adam toe. 'Het is veertig jaar geleden,' mompelde hij, nauwelijks verstaanbaar.
'Ik ben hier niet gekomen om daarover te praten,' zei Adam, die zich al schuldig voelde.
Sam draaide zich om en leunde weer tegen dezelfde boekenkast. Hij sloeg zijn armen over elkaar en staarde naar de muur. 'Ik heb wel duizend keer gewild dat het anders was gegaan.'
'Ik had Lee beloofd dat ik er niet over zou beginnen, Sam. Het spijt me.'
'Joe Lincoln was een goede vent. Ik heb me vaak afgevraagd hoe het Ruby en Quince en de rest van de kinderen is vergaan.'
'Vergeet het nou maar, Sam. Laten we ergens anders over praten.'
'Ik hoop dat ze tevreden zijn als ik dood ben.'

30

Toen Adam langs het wachthuisje bij de poort reed, wuifde de bewaker alsof hij een oude bekende was. Adam wuifde terug, remde af en drukte op een knop om zijn kofferbak te openen. Bij het vertrek hoefden geen papieren te worden ingevuld. Alleen de kofferbak werd gecontroleerd om te zien of er geen gevangenen naar buiten werden gesmokkeld. Even later draaide Adam de hoofdweg op naar het zuiden, bij Memphis vandaan. Dit was zijn vijfde bezoek aan Parchman geweest. Vijf bezoeken in twee weken. Hij had zo'n vermoeden dat de gevangenis de komende zestien dagen zijn tweede thuis zou worden. Een akelig vooruitzicht.

Hij had geen zin om Lee die avond op te vangen. Hij voelde zich enigszins schuldig dat ze weer aan de drank was geraakt, maar ze had zelf gezegd dat het al jaren zo ging. Ze was alcoholiste en als ze wilde drinken, kon niemand daar iets aan doen. Morgenavond zou hij wel teruggaan om koffie te zetten en met haar te praten. Vanavond had hij behoefte aan een andere omgeving.

Het was halverwege de middag, de hitte steeg op van het asfalt, de velden waren stoffig en droog, de landbouwmachines reden traag over de akkers en het verkeer was rustig. Adam stopte in de berm en liet de kap van de cabrio zakken. In Ruleville kocht hij een blikje ijsthee bij een Chinese kruidenier. Daarna reed hij over de verlaten weg in de richting van Greenville. Hij had een missie, geen prettige opgave, maar hij kon er niet onderuit. Hij hoopte dat hij de moed had om door te zetten.

Hij volgde de toeristische route over de kleine wegen en zigzagde bijna doelloos door de delta. Twee keer verdwaalde hij, maar hij vond de weg weer terug. Een paar minuten voor vijf kwam hij in Greenville aan en reed het centrum door, op zoek naar het juiste adres. Hij kwam twee keer langs het Kramer Park. Ten slotte vond hij de synagoge, tegenover de Eerste Doopsgezinde Kerk. Hij parkeerde aan het eind van Main

Street, bij de rivier, waar een kleine wal de stad beschermde. Hij trok zijn das recht en liep een paar honderd meter door Washington Street tot aan een oud bakstenen gebouw met het bordje Kramers Groothandel boven de veranda aan de straatkant. De zware glazen deur ging naar binnen open en de oude houten vloeren kraakten. Het voorste gedeelte van de zaak was in stand gehouden als een oude winkel, met glazen vitrines en brede kasten van de vloer tot aan het plafond. Ze stonden vol met dozen en verpakkingen van levensmiddelen die al jaren niet meer in de handel waren. Adam zag zelfs een antieke kassa. Achter het kleine museum lag een modern bedrijf. De rest van het grote gebouw was gerenoveerd en ademde een efficiënte sfeer. Een wand met glazen ruiten vormde de scheiding met de foyer en een brede, met tapijt beklede hal leidde naar het midden van het gebouw. Daar bevonden zich de kantoren met het secretariaat. Ergens achterin moest het pakhuis zijn.
Adam bewonderde de tentoongestelde artikelen in de foyer. Een jongeman in een spijkerbroek dook achter de toonbank op en vroeg: 'Kan ik u helpen?'
Adam glimlachte, opeens nerveus. 'Ja. Ik zou graag meneer Elliot Kramer spreken.'
'Bent u vertegenwoordiger?'
'Nee.'
'Een klant?'
'Nee.'
De jongeman had een potlood in zijn hand en was met andere zaken bezig. 'Mag ik dan vragen waarvoor u komt?'
'Om meneer Kramer te spreken. Is hij aanwezig?'
'Hij is meestal in het grote depot aan de zuidkant van de stad.'
Adam deed drie stappen naar de jongeman toe en gaf hem zijn kaartje. 'Ik ben Adam Hall, advocaat uit Chicago. Ik moet meneer Kramer dringend spreken.'
De jongen pakte het kaartje aan, bestudeerde het en keek Adam toen achterdochtig aan. 'Als u even wilt wachten?' zei hij toen en verdween naar achteren.
Adam leunde op de toonbank en bewonderde de oude kassa. Ergens in zijn vele dossiers had hij gelezen dat de Kramers een welvarende familie van handelaren waren die al enkele

generaties in de delta woonde. Een van hun voorouders was in de haven van Greenville haastig van een stoomboot gestapt en nooit meer weggegaan. Hij was er een kleine manufacturenzaak begonnen, en van het één kwam het ander. In de verslagen over Sams processen was de familie Kramer herhaaldelijk als rijk beschreven.
Na twintig minuten wachten besloot Adam te vertrekken. In zijn hart was hij opgelucht. Hij had zijn best gedaan. Als Kramer hem niet wilde ontvangen, kon hij er ook niets aan doen.
Hij hoorde voetstappen op de houten vloer en draaide zich om. Een oudere heer stond in de deuropening met Adams kaartje in zijn hand. Hij was lang en mager, met golvend grijs haar, donkerbruine ogen met wallen eronder, en een mager, krachtig gezicht dat op dit moment bepaald niet vriendelijk stond. Zijn houding was kaarsrecht, hij liep niet met een stok en hij droeg geen bril. Hij keek Adam nors en zwijgend aan.
Even had Adam spijt dat hij niet was weggegaan. Hij vroeg zich af waarom hij eigenlijk gekomen was. Maar ten slotte waagde hij de sprong: 'Goedemiddag,' zei hij, toen duidelijk was dat de oudere heer bleef zwijgen. 'Meneer Elliot Kramer?'
Kramer knikte, maar heel langzaam, alsof de vraag een uitdaging was.
'Mijn naam is Adam Hall, ik ben advocaat in Chicago. Sam Cayhall is mijn grootvader en ik vertegenwoordig hem.' Dat had Kramer al begrepen, want hij vertrok geen spier. 'Ik zou graag met u praten.'
'Waarover?' vroeg Kramer temerig.
'Over Sam.'
'Ik hoop dat hij zal branden in de hel,' zei Kramer alsof hij al zeker wist waar Sam de eeuwigheid zou doorbrengen. Zijn ogen waren zo donkerbruin dat ze haast zwart leken.
Adam ontweek zijn blik, keek naar de grond en probeerde iets te vinden dat het ijs kon breken. 'Natuurlijk,' zei hij, zich ervan bewust dat hij in het diepe zuiden was, waar hoffelijkheid hoog in het vaandel stond. 'Ik begrijp hoe u zich voelt. Dat kan ik u niet kwalijk nemen. Ik vraag maar een paar minuten van uw tijd.'

'Heeft Sam spijt gekregen?' vroeg Kramer. Vreemd dat hij hem Sam noemde, vond Adam. Niet meneer Cayhall of Cayhall, maar gewoon Sam, alsof ze oude vrienden waren die ruzie hadden gekregen maar het nu tijd vonden om zich te verzoenen. Zeg maar dat het je spijt, Sam, dan is alles in orde.
Adam overwoog een snelle leugen. Hij zou het er dik bovenop kunnen leggen – dat Sam vreselijk berouw had, dat hij zich ellendig voelde en om Kramers vergiffenis smeekte nu zijn laatste uur geslagen had. Maar Adam kon zich er niet toe brengen. 'Zou dat enig verschil maken?' vroeg hij.
Kramer stak het kaartje zorgvuldig in het borstzakje van zijn overhemd en staarde langs Adam door het raam aan de voorkant. Zo zou hij een hele tijd blijven staan. 'Nee,' zei hij, 'geen enkel verschil. Dat zou veel te laat zijn.' Hij had de lome tongval van de delta en hoewel zijn woorden weinig geruststellend klonken, was zijn toon dat wel. Hij sprak rustig en bedachtzaam, alsof de tijd geen enkele rol speelde. Maar uit zijn stem sprak ook het jarenlange verdriet, en de suggestie dat het leven voor hem al lang geleden was geëindigd.
'Nee, meneer Kramer. Sam weet niet dat ik hier ben en dus kan hij ook geen spijt betuigen. Maar ik wel.'
Nog steeds staarde Kramer strak naar buiten. Maar hij luisterde wel.
Adam vervolgde: 'Ik voel me verplicht om u te zeggen, in elk geval uit naam van mijzelf en Sams dochter, dat wij het verschrikkelijk vinden wat er allemaal is gebeurd.'
'Waarom heeft Sam dat jaren geleden niet gezegd?'
'Daar heb ik geen antwoord op.'
'Dat weet ik. U bent nieuw.'
Aha, de macht van de pers. Natuurlijk had Kramer de krant gelezen, zoals iedereen.
'Inderdaad. En ik probeer zijn leven te redden.'
'Waarom?'
'Om allerlei redenen. Zijn dood zal uw kleinzoons en uw zoon niet terugbrengen. Hij heeft een misdaad begaan, maar het is ook verkeerd van de regering om hem te doden.'
'Juist. En u dacht dat ik die argumenten nooit eerder had gehoord?'
'Nee, ik neem aan dat u alles al hebt gehoord. En gezien. En gevoeld. Ik kan me nauwelijks voorstellen wat u hebt moeten

doorstaan. Ik probeer te voorkomen dat mij hetzelfde overkomt.'
'Wat wilt u verder nog?'
'Hebt u vijf minuten tijd voor me?'
'We praten al drie minuten. U hebt er nog twee.' Hij keek op zijn horloge alsof hij een stopwatch indrukte, stak zijn lange handen in zijn broekzakken en staarde weer door het raam naar buiten.
'De krant in Memphis schreef dat u erbij wilde zijn als ze Sam Cayhall naar de gaskamer brachten. Dat u hem in de ogen wilde kijken.'
'Dat citaat klopt. Maar ik denk niet dat het ooit zal gebeuren.'
'Waarom niet?'
'Vanwege ons waardeloze rechtsstelsel. Hij wordt nu al bijna tien jaar in de gevangenis vertroeteld. Zijn beroepsprocedures gaan eindeloos door. U bent nog steeds bezig met nieuwe verzoeken om hem in leven te houden. Het systeem is verziekt. Wij verwachten geen gerechtigheid meer.'
'Ik verzeker u dat hij niet wordt vertroeteld. De dodengang is een afschuwelijke plek. Ik kom er net vandaan.'
'Jawel, maar hij leeft nog. Hij leeft, hij ademt, hij kijkt televisie en hij leest boeken. Hij praat met u. Hij heeft zichzelf verdedigd. En als hij toch wordt geëxecuteerd, heeft hij alle tijd zich daarop voor te bereiden. Hij kan afscheid nemen en zijn gebeden zeggen. Mijn kleinzoons hebben die kans niet gekregen, meneer Hall. Zij konden hun ouders niet omhelzen en ze een afscheidszoen geven. Zij zijn aan flarden gereten terwijl ze zaten te spelen.'
'Dat begrijp ik, meneer Kramer, maar door Sam te doden krijgen we uw kleinzoons niet terug.'
'Nee, dat is zo. Maar het zou ons een grote voldoening geven en de pijn verzachten. Ik heb een miljoen keer gebeden dat ik lang genoeg zou leven om hem te zien sterven. Vijf jaar geleden kreeg ik een hartaanval. Twee weken lang lag ik aan allerlei apparaten gekoppeld, maar het enige dat me kracht gaf was mijn verlangen om Sam Cayhall te overleven. Ik zal erbij zijn, meneer Hall, als mijn artsen het goedvinden. Ik zal erbij zijn om hem te zien sterven. En daarna ga ik naar huis om mijn eigen tijd af te wachten.'

'Het spijt me dat u er zo over denkt.'
'Het spijt mij ook. Het spijt me dat ik de naam Sam Cayhall ooit heb gehoord.'
Adam deed een stap terug en leunde tegen de toonbank naast de kassa. Hij keek naar de grond. Kramer staarde naar buiten. De zon ging onder in het westen, achter het gebouw, en het werd schemerig in het vreemde kleine museum.
'Ik heb hierdoor mijn vader verloren,' zei Adam zacht.
'Dat spijt me. Na het laatste proces heb ik gelezen dat hij zelfmoord had gepleegd.'
'En Sam heeft ook geleden, meneer Kramer. Hij heeft uw familie geruïneerd, maar ook zijn eigen gezin. En hij draagt meer schuld met zich mee dan u en ik ons ooit zullen kunnen voorstellen.'
'Misschien wordt hij van die last verlost als hij dood is.'
'Misschien. Maar waarom zouden we de executie niet tegenhouden?'
'We? Hoe dacht u dat ìk dat zou kunnen?'
'Ik heb ergens gelezen dat u goed bevriend bent met de gouverneur.'
'Wat hebt u daarmee te maken?'
'Het is toch zo?'
'Hij komt hier uit de buurt. Ik ken hem al jaren.'
'Ik heb hem vorige week voor het eerst ontmoet. Hij kan gratie verlenen, zoals u weet.'
'Daar zou ik maar niet op rekenen.'
'Dat doe ik ook niet, maar ik ben wanhopig, meneer Kramer. Ik heb niets meer te verliezen, behalve mijn grootvader. Als u en uw familie aandringen op een executie, zal dat invloed hebben op de gouverneur.'
'Dat is zo.'
'En in het omgekeerde geval zal hij ook naar u luisteren.'
'Dus nu ligt de beslissing bij míj?' vroeg Kramer. Eindelijk bewoog hij zich. Hij liep voor Adam langs en bleef bij het raam staan. 'U bent niet alleen wanhopig, meneer Hall, maar ook naïef.'
'Dat zal ik niet bestrijden.'
'Het is prettig te horen dat ik zoveel macht heb. Als ik dat eerder had geweten, was uw grootvader allang dood geweest.'
'Hij verdient het niet te sterven, meneer Kramer,' zei Adam

terwijl hij naar de deur liep. Hij had niet verwacht dat hij hier begrip zou vinden. Maar Kramer wist nu dat er ook andere mensen onder deze zaak hadden geleden. Dat was het belangrijkste.
'Mijn kleinzoons ook niet. Of mijn zoon.'
Adam opende de deur en zei: 'Het spijt me dat ik u heb gestoord en ik dank u voor uw tijd. Ik heb een zus, een neef en een tante, Sams dochter. Ik wilde u alleen laten weten dat Sam familie heeft, hoe je daar ook over mag denken. Wij zullen verdriet hebben als hij sterft. Zelfs als hij niet wordt geëxecuteerd, zal hij nooit meer uit de gevangenis komen. Dan kwijnt hij weg en sterft hij binnenkort een natuurlijke dood.'
'U zult daar verdriet van hebben?'
'Ja. Het is een zielige familie, meneer Kramer, een tragische familie. Ik probeer een nieuwe tragedie te voorkomen.'
Kramer draaide zich om en keek hem aan. Zijn gezicht stond uitdrukkingsloos. 'Dan heb ik met u te doen.'
'Nogmaals bedankt,' zei Adam.
'Goedendag meneer,' zei Kramer zonder een spoor van een glimlach.
Adam verliet het gebouw en liep door een schaduwrijke straat naar het centrum van de stad. Hij vond het herdenkingspark en ging op hetzelfde bankje zitten, niet ver van de bronzen beelden van de twee jongetjes. Maar na een paar minuten kreeg hij genoeg van de herinneringen en het schuldgevoel en stond hij op.
Hij liep naar hetzelfde drukke eethuisje, een straat verderop, dronk een kop koffie en speelde met zijn gegrilde kaas. Een paar tafeltjes verderop hoorde hij mensen over Sam Cayhall praten, maar hij kon niet verstaan wat er werd gezegd.
Hij nam een kamer in een motel en belde Lee. Ze klonk nuchter, en enigszins opgelucht dat hij die avond niet zou komen. Hij beloofde de volgende morgen terug te zijn. Toen de duisternis viel, was Adam al een uur in slaap.

31

Bij het eerste ochtendlicht reed Adam al naar Memphis en om zeven uur zat hij op kantoor. Om acht uur had hij al drie keer met Garner Goodman gebeld. Goodman maakte ook een gespannen indruk en had slecht geslapen. Ze overlegden uitvoerig over Keyes' aandeel in het proces. Het dossier Cayhall puilde uit van memo's en analyses over wat er was misgegaan tijdens de rechtszaak, maar Benjamin Keyes trof weinig blaam. Hij was een uitstekende strafpleiter en had zijn werk goed gedaan. Toch hadden Goodman en Tyner de advocaat al in de eerste ronde van het habeas corpus-gevecht in gebreke willen stellen, maar daar had Sam zich tegen verzet. Ze hadden hem uitgelegd dat dit bijna altijd werd gedaan, maar Sam had er niet van willen horen. Hij had waardering voor Keyes en hij had hun zwart op wit verboden zijn voormalige raadsman aan te vallen.

Maar dat was jaren geleden, toen de gaskamer nog maar een verre mogelijkheid was. Goodman was blij te horen dat Sam nu vond dat hij tijdens het proces had moeten getuigen en dat Keyes dat had verhinderd. Hij betwijfelde of Sam wel volledig de waarheid sprak, maar ze zouden hem moeten geloven. Goodman en Adam wisten heel goed dat dit punt al veel eerder aan de orde had moeten komen en dat het nu waarschijnlijk van tafel zou worden geveegd. De stapels jurisprudentie werden met de dag dikker omdat het Hooggerechtshof allerlei legitieme eisen verwierp die niet tijdig waren ingediend. Maar het was een serieus argument, waar de rechter altijd aandacht aan besteedde, en Adam ging er steeds meer in geloven toen hij de stukken opstelde, nieuwe versies schreef en faxen uitwisselde met Garner Goodman.

Ook nu moest het verzoek eerst bij het hof van Mississippi worden ingediend. Hij hoopte op een snelle afwijzing, zodat hij onmiddellijk naar een federaal hof kon gaan.

Om tien uur faxte hij de definitieve versie naar de griffier van het Hooggerechtshof van Mississippi, met kopieën aan Breck

Jefferson op het kantoor van rechter Slattery en aan de griffier van het Vijfde Circuit in New Orleans. Daarna belde hij de death clerk van het federale Hooggerechtshof om hem persoonlijk in te lichten. Olander instrueerde hem meteen een kopie naar Washington te faxen.

Darlene klopte en Adam deed de deur open. Er zat een bezoeker op hem te wachten, een zekere Wyn Lettner. Adam bedankte haar en liep een paar minuten later naar de hal om Lettner te begroeten. De voormalige FBI-agent was alleen. Hij had geen concessies gedaan aan de grote stad en droeg gewone gymschoenen en een vispetje. Ze wisselden een paar beleefdheden uit: de forel beet goed, Irene maakte het uitstekend, en wanneer kwam Adam nog eens naar Calico Rock?

'Ik ben in de stad voor zaken en ik wilde je even spreken,' zei Lettner zachtjes, met zijn rug naar de receptioniste.

'Natuurlijk,' fluisterde Adam terug. 'Mijn kantoor is aan het eind van de gang.'

'Nee. Laten we maar een eindje gaan wandelen.'

Ze namen de lift naar de lobby en even later liepen ze over de winkelpromenade. Lettner kocht een zak gebrande pinda's bij een karretje en bood Adam een handjevol aan. Adam bedankte. Ze slenterden naar het noorden, in de richting van het gemeentehuis en het federale kantoor. Lettner at de pinda's en voerde de duiven.

'Hoe gaat het met Sam?' vroeg hij ten slotte.

'Hij heeft nog veertien dagen. Hoe zou jij je voelen als je nog veertien dagen had?'

'Ik denk dat ik veel zou bidden.'

'Dat punt heeft hij nog niet bereikt, maar dat zal niet lang meer duren.'

'Gaat het echt gebeuren?'

'Alle voorbereidingen zijn getroffen. We hebben nog geen uitstel.'

Lettner wierp een handje pinda's in zijn mond. 'Nou, veel succes. Sinds je bezoek heb ik steeds geduimd voor jou en die ouwe Sam.'

'Bedankt. En je bent naar Memphis gekomen om me succes te wensen?'

'Niet helemaal. Toen je was vertrokken, heb ik nog een hele

tijd nagedacht over Sam en die bomaanslag. Ik heb mijn persoonlijke dossiers en aantekeningen weer eens doorgelezen. Dat had ik al jaren niet gedaan en er kwamen heel wat herinneringen naar boven. Ik heb een paar oude collega's gebeld en we hebben oorlogsverhalen uitgewisseld over de Klan. Dat was nog eens een tijd.'

'Jammer dat ik er niet bij ben geweest.'

'Hoe dan ook, er schoten me nog een paar dingen te binnen die ik je had moeten vertellen.'

'Zoals?'

'Het verhaal over Dogan is niet compleet. Je weet dat hij precies een jaar na zijn getuigenverklaring is overleden?'

'Ja, dat heeft Sam me verteld.'

'Hij en zijn vrouw kwamen om toen hun huis afbrandde. Een gaslek in de verwarming. Er stroomde gas naar binnen en dat ontplofte. Het leek wel een zware bom. Ze konden de Dogans in boterhamzakjes begraven.'

'Heel triest, maar wat wil je ermee zeggen?'

'Wij hebben nooit geloofd dat het een ongeluk was. Het laboratorium heeft geprobeerd die verwarming te reconstrueren. Een groot deel was vernietigd, maar toch dachten ze dat ermee geknoeid was.'

'Is dat van belang voor Sam?'

'Nee.'

'Waarom praten we er dan over?'

'Omdat het misschien van belang is voor jou.'

'Ik kan je niet volgen.'

'Dogan had een zoon, die in 1979 bij het leger ging en naar Duitsland werd gestuurd. Ergens in de zomer van 1980 werden Dogan en Sam opnieuw aangeklaagd door het hof van Greenville en al snel werd bekend dat Dogan tegen Sam zou getuigen. Alle kranten schreven erover. In oktober 1980 verdween Dogans zoon in Duitsland. Spoorloos.' Hij kauwde op een paar pinda's en gooide de doppen naar een groepje duiven. 'Hij is nooit gevonden. Het leger heeft overal gezocht. Maanden verstreken, toen een jaar. Dogan is gestorven zonder dat hij wist wat er met zijn zoon was gebeurd.'

'Enig idee?'

'Nee. Er is nooit meer iets van hem vernomen.'

'Is hij dood?'

'Waarschijnlijk wel.'
'Maar wie heeft hem dan vermoord?'
'Misschien dezelfde man die zijn ouders heeft gedood.'
'En wie mag dat zijn?'
'We hadden een theorie, maar geen verdachte. We vermoedden indertijd dat de jongen was gegrepen om Dogan onder druk te zetten. Misschien kende Dogan bepaalde geheimen.'
'Maar waarom hebben ze hem dan pas vermoord ná het proces?'
Ze bleven staan in de schaduw van een boom op Court Square en gingen op een bankje zitten. Adam nam toch een paar pinda's aan.
'Wie kende de details van de aanslag?' vroeg Lettner. 'Alle details?'
'Sam. En Jeremiah Dogan.'
'Precies. En wie was hun advocaat tijdens de eerste twee processen?'
'Louis Brazelton.'
'Ben je daar zeker van?'
'Ik neem aan van wel. Hij was toch actief binnen de Klan?'
'Ja, hij was een Klucker. Dat zijn er dus drie: Sam, Dogan en Brazelton. Wie verder nog?'
Adam dacht even na. 'Misschien die mysterieuze medeplichtige.'
'Misschien. Dogan is dood, Sam wilde niets zeggen en Brazelton is jaren geleden omgekomen.'
'Omgekomen?'
'Ja, bij een vliegtuigongeluk. De zaak Kramer had een held van hem gemaakt en op basis van die roem had hij een zeer succesvol advocatenkantoor opgebouwd. Hij hield van vliegen, daarom had hij een eigen toestel gekocht waarin hij overal naartoe vloog waar hij cliënten moest verdedigen. Hij had het helemaal gemaakt. Maar toen hij op een avond terugkwam van de kust, verdween zijn vliegtuig van de radar. Ze hebben zijn lichaam in een boom gevonden. Het was een heldere nacht. Volgens het onderzoek moet het een motorstoring zijn geweest.'
'Weer een mysterieus sterfgeval.'
'Ja. Dus iedereen is nu dood, behalve Sam. En dat zal niet lang meer duren.'

'Was er een aantoonbaar verband tussen Dogans dood en die van Brazelton?'
'Nee. Er lag jaren tussen. Maar toch hadden we de theorie dat het één en dezelfde dader moet zijn geweest.'
'Wie?'
'Iemand die erg bang was voor geheimen. Sams geheimzinnige medeplichtige, Mister X.'
'Dat lijkt me nogal vergezocht.'
'Dat is het ook. En we hadden geen enkel bewijs. Maar in Calico Rock zei ik je al dat wij er altijd rekening mee hielden dat Sam hulp had gehad. Of misschien was Sam zelf de medeplichtige. Toen Sam een fout maakte en werd gegrepen, is Mister X ervandoor gegaan. En mogelijk heeft hij daarna alle getuigen uit de weg geruimd.'
'Maar waarom heeft hij Dogans vrouw vermoord?'
'Omdat ze toevallig met Dogan in bed lag toen het huis de lucht in ging.'
'En Dogans zoon?'
'Om Dogan te waarschuwen. Vergeet niet dat zijn zoon al vijf maanden werd vermist toen Dogan moest getuigen.'
'Ik heb nooit iets gelezen over die zoon.'
'Het was niet algemeen bekend. Het gebeurde in Duitsland en wij raadden Dogan aan het stil te houden.'
'Toch begrijp ik het niet. Dogan heeft niemand anders beschuldigd tijdens het proces. Alleen Sam. Waarom zou Mister X hem dan achteraf hebben vermoord?'
'Omdat hij nog steeds geheimen kende. En omdat hij tegen een ander Klan-lid had getuigd.'
Adam kraakte twee doppen en gooide de pinda's naar een eenzame dikke duif. Lettner at de zak leeg en gooide de doppen op de stoep bij een fontein. Het was bijna twaalf uur en de mensen van de kantoren uit de buurt kwamen naar buiten om een schaduwplekje te zoeken voor hun half uurtje lunchpauze in het park.
'Heb je honger?' vroeg Lettner met een blik op zijn horloge.
'Nee.'
'Dorst? Ik lust wel een biertje.'
'Nee. Maar wat heeft Mister X met mij te maken?'
'Sam is de enig overgebleven getuige, maar hij zal over twee weken voor altijd zwijgen. Als hij sterft zonder iets te zeggen,

hoeft Mister X zich niet meer ongerust te maken. Maar als hij wel zijn mond opendoet, kunnen er slachtoffers vallen.'
'Ik?'
'Jij probeert de waarheid te achterhalen.'
'Denk je dat hij op me loert?'
'Dat zou kunnen. Of misschien is hij taxichauffeur in Montreal. Of misschien heeft hij nooit bestaan.'
Adam keek overdreven angstig over allebei zijn schouders.
'Ik weet dat het krankzinnig klinkt,' zei Lettner.
'Mister X hoeft zich geen zorgen te maken. Sam zegt niets.'
'Toch is het een risico, Adam. Ik vond dat je het moest weten.'
'Ik ben niet bang. Als Sam me nu de naam van Mister X zou noemen, zou ik die van de daken schreeuwen en het ene geding na het andere aanspannen. Maar het zou niets helpen. Het is te laat voor nieuwe theorieën over schuld of onschuld.'
'En de gouverneur?'
'Ik betwijfel het.'
'Als je maar voorzichtig bent.'
'In elk geval bedankt.'
'Laten we een biertje gaan drinken.'
Ik moet die vent bij Lee vandaan houden, dacht Adam. 'Het is pas vijf voor twaalf. Zo vroeg begin je toch niet?'
'O, soms begin ik al voor het ontbijt.'

Mister X zat op een bankje met een krant voor zijn gezicht en een paar duiven om zijn voeten. Hij zat vijfentwintig meter bij Adam en Lettner vandaan, dus hij kon niet horen wat ze zeiden. Hij meende de man naast Adam te herkennen als een FBI-agent die jaren geleden met zijn foto in de kranten had gestaan. Hij zou hem volgen om erachter te komen wie hij was en waar hij woonde.
Wedge kreeg genoeg van Memphis. Hij wilde wel weer eens wat anders. Die jonge advocaat werkte op kantoor, reed heen en weer naar Parchman, sliep in het appartement en was druk bezig. Wedge volgde het nieuws op de voet. Zijn naam was niet genoemd. Niemand wist van zijn bestaan.

Het briefje op het aanrecht was correct gedateerd. Ze had zelfs de tijd erbij gezet: kwart over zeven 's avonds. Het was

Lee's handschrift, dat al niet erg fraai was, maar nu nog moeilijker leesbaar. Ze zei dat ze in bed lag, waarschijnlijk met griep. Of hij haar niet wilde storen. Ze was naar de dokter geweest, die had gezegd dat ze het moest uitzieken. Voor het effect stond er nog een buisje pillen van de apotheek met een halfleeg glas water naast het briefje. Op het etiket stond de datum van vandaag.
Adam keek snel in de afvalemmer onder de gootsteen. Geen flessen.
Zachtjes zette hij een diepvriespizza in de magnetron en liep naar het terras om naar de boten op de rivier te kijken.

32

De eerste 'vlieger' van die ochtend arriveerde kort na het ontbijt toen Sam in zijn wijde boxershort met een sigaretje tegen de tralies stond geleund. Het was een briefje van Preacher Boy, met slecht nieuws. De tekst luidde:

> Beste Sam,
>
> De droom is voltooid. De Heer heeft de afgelopen nacht in mij gewerkt en mij eindelijk de rest ook laten zien. Ik wilde dat het niet zo was. Het is heel groots en ik zal het je allemaal uitleggen als je wilt. Het komt erop neer dat je spoedig bij Hem zult zijn. Hij zei dat ik je moest opwekken om met Hem in het reine te komen. Hij wacht op je. De reis zal niet gemakkelijk zijn, maar de beloning is het waard. Ik hou van je,
>
> broeder Randy

'Bon voyage', mompelde Sam bij zichzelf toen hij het briefje verfrommelde en op de grond liet vallen. Die jongen werd steeds vreemder en niemand kon hem helpen. Sam had al een paar verzoeken klaarliggen die moesten worden ingediend zodra broeder Randy volledig was geflipt.

Hij zag dat Gullitt zijn handen naar voren stak tussen de tralies van de cel naast hem.

'Hoe gaat het, Sam?' vroeg Gullitt na een tijdje.

'God is boos op me,' zei Sam.

'Meen je dat nou?'

'Ja. Preacher Boy heeft gisteren zijn droom begrepen.'

'God zij dank.'

'Het was meer een nachtmerrie.'

'Maak je maar niet druk. Die gestoorde mongool droomt nog als hij klaarwakker is. Ze zeiden gisteren dat hij een week heeft zitten huilen.'

'Kun jij hem horen?'
'Nee, gelukkig niet.'
'De arme klootzak. Ik zal een paar petities voor hem opstellen, voor het geval ik hier wegga. Wil jij ze bewaren?'
'Ik weet niet wat ik ermee moet.'
'Ik doe er wel een instructie bij. Stuur ze maar naar zijn advocaat.'
Gullitt floot zacht. 'O, verdomme, Sam. Wat moet ik beginnen als jij weggaat? Ik heb mijn advocaat al in geen jaar meer gesproken.'
'Je advocaat is een lul.'
'Zeg me dan hoe ik hem moet ontslaan, Sam. Alsjeblieft. Je hebt jouw advocaten toch ook ontslagen? Ik weet niet hoe dat moet.'
'Wie moet je dan verdedigen?'
'Jouw kleinzoon. Zeg maar dat hij mijn zaak kan overnemen.'
Sam grinnikte en lachte toen hardop bij de gedachte om al zijn maten in de dodengang te ronselen en hun hopeloze zaken aan Adam over te dragen.
'Wat is er zo grappig?' wilde Gullitt weten.
'Jij. Waarom denk je dat hij jouw zaak zou willen overnemen?'
'Toe nou, Sam. Doe een goed woordje voor me. Hij moet een slim joch zijn, als hij jouw kleinzoon is.'
'En als ze mij vergassen? Wil je een advocaat die juist zijn eerste cliënt in de dodengang heeft verloren?'
'Verdomme, ik heb weinig te kiezen.'
'Rustig nou maar, J.B. Je hebt nog jaren de tijd.'
'Hoeveel jaar dan?'
'Minstens vijf, misschien nog meer.'
'Zweer je dat?'
'Ik geef je mijn woord. Ik zal het opschrijven. Als ik me vergis, kun je me aanklagen.'
'Heel geestig, Sam. Heel geestig.'
Aan het eind van de gang ging een deur open en zware voetstappen kwamen hun kant op. Het was Packer. Hij bleef staan voor nummer 6. 'Morgen, Sam,' zei hij.
'Morgen, Packer.'
'Kleed je maar aan. Je hebt bezoek.'

'Wie?'
'Iemand die je wil spreken.'
'Wie dan?' vroeg Sam nog eens, terwijl hij haastig zijn rode trainingspak aantrok. Hij pakte zijn sigaretten. Het kon hem niets schelen wie de bezoeker was of waar hij voor kwam. Ieder bezoek was een kans om uit zijn cel vandaan te komen.
'Schiet op, Sam,' zei Packer.
'Is het mijn advocaat?' vroeg Sam. Hij stak zijn voeten in de rubberen badslippers.
'Nee.' Packer legde hem door de gleuf in de deur de handboeien om en opende het slot. Ze liepen Gang A door naar de spreekkamer waar de advocaten altijd wachtten.
Packer bevrijdde hem van de handboeien en sloeg de deur achter hem dicht. Aan de andere kant van het traliewerk zat een zwaargebouwde vrouw. Sam masseerde zijn polsen om indruk te maken en slenterde naar de stoel tegenover haar. Hij kende de vrouw niet. Hij ging zitten, stak een sigaret op en keek haar aan.
Ze schoof naar het puntje van haar stoel en zei nerveus: 'Meneer Cayhall, ik ben dokter Stegall.' Ze schoof een kaartje naar hem toe. 'Ik ben psychiater bij het gevangeniswezen van Mississippi.'
Sam keek naar het kaartje, pakte het toen op en bestudeerde het wantrouwig. 'Hier staat dat u N. Stegall heet. Dokter N. Stegall.'
'Dat klopt.'
'Wat een rare naam, N. Ik heb nog nooit een vrouw ontmoet die N heette.'
Het zenuwachtige lachje verdween van haar gezicht en ze verstrakte. 'Het is gewoon een voorletter, oké? Ik heb mijn redenen.'
'Maar waar staat die N voor?'
'Dat gaat u niets aan.'
'Nancy? Nelda? Nona?'
'Als ik zou willen dat iedereen dat wist, had ik het wel op het kaartje gezet, nietwaar?'
'Ik weet het niet. Het moet wel heel erg zijn. Nick? Ned? Ik kan me niet voorstellen dat iemand zich achter een voorletter verschuilt.'
'Ik verschuil me niet, meneer Cayhall.'

'Zeg maar S, oké?'
Ze stak haar kin naar voren en keek hem door het traliewerk nijdig aan. 'Ik ben hier om u te helpen.'
'Dat is een beetje laat, N.'
'Wilt u me dokter Stegall noemen?'
'Noem mij dan maar advocaat Cayhall.'
'Advocaat Cayhall?'
'Ja. Ik weet meer van de wet dan de meeste jokers die zitten waar u nu zit.'
Ze glimlachte neerbuigend en zei: 'Ik moet in dit stadium met u praten om te horen of ik u kan helpen. Maar u hoeft niet mee te werken als u niet wilt.'
'O, dank u.'
'Als u behoefte hebt aan een gesprek of als u nu of later medicijnen nodig hebt, laat het me dan weten.'
'Een fles whisky misschien?'
'Die kan ik u niet voorschrijven.'
'Waarom niet?'
'Dat is tegen de voorschriften, neem ik aan.'
'Wat kunt u me dan wel voorschrijven?'
'Kalmerende middelen, valium, slaaptabletten, dat soort dingen.'
'Waarvoor?'
'Voor uw gemoedsrust.'
'Mijn gemoedsrust is prima.'
'Kunt u goed slapen?'
Sam dacht lang na. 'Eerlijk gezegd heb ik wat problemen. Gisteren heb ik hooguit twaalf uur geslapen. Meestal kom ik tot vijftien of zestien uur.'
'Twaalf uur?'
'Ja. Hoe vaak komt u hier in de dodengang?'
'Niet zo vaak.'
'Dat dacht ik al. Als u wat vaker kwam, zou u wel ontdekken dat wij gemiddeld zestien uur per dag liggen te pitten.'
'Juist. En wat zou ik nog meer ontdekken?'
'O, van alles. Bijvoorbeeld dat Randy Dupree langzaam krankzinnig begint te worden zonder dat iemand zich om hem bekommert. Waarom praat u niet met hèm?'
'Er zitten hier vijfduizend gevangenen, meneer Cayhall. Ik...'
'Ga dan weg. Sodemieter op. Ga met die anderen praten. Ik

zit hier al negen jaar en ik heb u nog nooit gezien. Nu ze me willen vergassen, komt u opeens met een zak pillen om me rustig te houden, zodat ik geen last zal veroorzaken als jullie me naar de gaskamer slepen. Wat kan het u schelen hoe lang ik slaap of dat ik nerveus ben? U werkt voor de staat en de staat wil me doden.'
'Ik doe gewoon mijn werk, meneer Cayhall.'
'Dat werk deugt niet, Ned. Waarom zoek je geen fatsoenlijke baan waarin je mensen kunt helpen? Je bent hier alleen omdat ik nog maar dertien dagen heb en jij de rimpels moet gladstrijken. Je wordt gewoon gestuurd.'
'Ik ben hier niet gekomen om me te laten beledigen.'
'Verdwijn dan maar met die dikke reet van je. Lazer op. Ga en zondig niet meer.'
Ze sprong overeind en greep haar koffertje. 'U hebt mijn kaartje. Als u iets nodig hebt, laat het me dan weten.'
'Natuurlijk, Ned. Maar ik zou er niet voor thuisblijven.' Sam stond op en liep naar de deur aan zijn kant. Met zijn vlakke hand gaf hij er twee klappen op en wachtte met zijn rug naar zijn bezoekster tot Packer de deur opende.

Adam was juist bezig zijn koffertje in te pakken voor een snel bezoek aan Parchman toen de telefoon ging. Darlene zei dat het dringend was. En ze had gelijk.
Het was de griffier van het Vijfde Circuit in New Orleans. De man was opvallend vriendelijk. Op maandag had hij de petitie ontvangen waarin de rechtmatigheid van de gaskamer werd aangevochten, zei hij. Een commissie van drie rechters had zich erover gebogen en wilde nu graag een mondelinge toelichting van beide partijen. Zou meneer Hall om één uur morgenmiddag in New Orleans kunnen zijn voor de zitting?
Adam liet de telefoon bijna uit zijn hand vallen. Morgen al. Natuurlijk, antwoordde hij na een korte aarzeling. Stipt om één uur, herhaalde de griffier. Het hof had 's middags geen zitting, maar omdat het een dringende zaak betrof, was er een uitzondering gemaakt. Hij vroeg of Adam ooit eerder een zaak voor het Vijfde Circuit had bepleit.
Klets toch niet, dacht Adam. Een jaar geleden studeerde ik nog voor het rechtbankexamen. Nee, antwoordde hij, dit was

de eerste keer. De griffier zou hem onmiddellijk een kopie van de regels voor een hoorzitting faxen. Adam bedankte hem uitvoerig en legde neer.
Hij ging op de rand van zijn tafel zitten en probeerde zijn gedachten op een rijtje te zetten. Darlene bracht hem de fax en hij vroeg haar een plaats te boeken in een vliegtuig naar New Orleans.
Had hij toch een serieuze kans met dit argument? Was het goed nieuws of gewoon een formaliteit? In zijn korte carrière had hij nog maar één keer alleen voor een rechter gestaan om een bezwaarschrift te verdedigen. En toen had Emmitt Wycoff nog in de buurt gezeten om te kunnen inspringen als het nodig was. Hij kende de rechter en het was een gerechtshof in Chicago, niet ver van het kantoor. Morgen zou hij een vreemde rechtszaal binnenstappen, in een vreemde stad, om voor een paar onbekende rechters een verzoek te verdedigen dat hij pas op het allerlaatste moment had ingediend.
Hij belde E. Garner Goodman met het nieuws. Goodman had voldoende ervaring met het Vijfde Circuit en hij wist Adam gerust te stellen. Volgens Goodman was het goed noch slecht nieuws. Het hof was duidelijk geïnteresseerd in het argument, maar ze hadden het al eens eerder gehoord. De afgelopen jaren hadden Texas en Louisiana soortgelijke zaken bij het Vijfde Circuit aangespannen.
Goodman verzekerde hem dat hij zijn mannetje zou staan. Als je je maar goed voorbereidt, zei hij. En je niet zenuwachtig maakt. Misschien kon hij zelf ook naar New Orleans komen. Nee, antwoordde Adam, hij ging liever alleen. Laat me horen hoe het afloopt, besloot Goodman.
Adam belde Darlene en sloot zich weer op in zijn kantoor. Hij stampte de regels voor de hoorzitting in zijn hoofd, bestudeerde de vorige zaken waarin de gaskamer was aangevallen en belde toen met Parchman om Sam te laten weten dat hij die dag niet zou komen.

Hij werkte tot het donker was en reed toen met lood in zijn schoenen naar Lee's appartement. Hetzelfde briefje lag nog op het aanrecht. Ze lag dus nog in bed met 'griep'. Voorzichtig liep hij het appartement door. Nergens zag hij tekenen dat ze vandaag al uit bed was geweest.

Haar slaapkamerdeur stond op een kier. Hij klopte aan en duwde hem open. 'Lee,' riep hij zachtjes in het donker. 'Lee, is alles in orde?'
Er bewoog iets in het bed, maar zijn ogen waren nog niet aan de duisternis gewend. 'Ja hoor,' zei ze. 'Kom maar binnen.'
Adam ging voorzichtig op de rand van het bed zitten en probeerde iets te zien. Het enige licht was het schijnsel dat uit de gang naar binnen viel. Ze hees zich overeind in de kussens. 'Het gaat alweer beter,' zei ze schor. 'En hoe is het met jou?'
'Goed, Lee. Maar ik maakte me ongerust over je.'
'Ik red me wel. Het is een vervelend virus.'
Een doordringende geur wapperde uit het beddegoed naar hem toe. De tranen sprongen in Adams ogen. Het was de walm van wodka, gin, whisky of misschien een mengeling daarvan. In de troebele duisternis kon hij haar ogen niet zien, alleen de vage omtrekken van haar gezicht. Ze droeg een donker hemd.
'Wat voor medicijnen krijg je?' vroeg hij.
'Dat weet ik niet. Een buisje pillen. De dokter zei dat het een paar dagen zou duren en dan snel weer overging. Ik voel me nu al beter.'
Adam wilde opmerken dat griep in juli nogal vreemd was, maar hij bedacht zich. 'Wil je wat eten?'
'Nee, ik heb geen honger.'
'Kan ik verder iets voor je doen?'
'Nee, jongen. Hoe gaat het? Wat voor dag is het?'
'Donderdag.'
'Ik voel me alsof ik een week in een donker hol heb gelegen.'
Adam kon twee dingen doen. Hij zou de klucht van het griepvirus kunnen meespelen, in de hoop dat ze met drinken zou stoppen voordat het nog erger werd. Of hij kon haar de waarheid zeggen – dat hij haar niet geloofde. Dan zouden ze ruzie krijgen, maar misschien was dat wel de beste aanpak van alcoholisten die weer aan hun zwakte hadden toegegeven. Hij had geen idee wat hij moest doen.
'Weet je dokter dat je drinkt?' vroeg hij ten slotte, met ingehouden adem.
Het bleef heel lang stil. 'Ik heb niet gedronken,' zei ze toen, bijna onhoorbaar.

'Toe nou, Lee. Ik heb de fles in de afvalemmer gevonden en ik weet dat er zaterdagavond nog drie flesjes bier verdwenen zijn. Je stinkt als een brouwerij. Mij maak je niets wijs. Je bent weer aan de drank en ik wil je helpen.'
Ze ging wat rechter zitten en trok haar benen op. Ze zweeg een hele tijd. Adam keek zo nu en dan eens naar haar silhouet. Minuten verstreken. Het was doodstil in het appartement.
'Hoe gaat het met mijn lieve vader?' mompelde ze. Ze sprak met dubbele tong, maar haar woorden klonken bitter.
'Ik heb hem vandaag niet gesproken.'
'Denk je niet dat we beter af zijn als hij dood is?'
Adam keek naar haar silhouet. 'Nee, Lee. Dat denk ik niet. Jij wel?'
Ze zweeg minstens een minuut. 'Je hebt medelijden met hem, is het niet?' vroeg ze ten slotte.
'Ja.'
'Is hij zielig?'
'Ja, dat is hij.'
'Hoe ziet hij eruit?'
'Als een heel oude man, met een flinke bos grijs haar, dat hij achterover kamt en dat altijd vettig is. Hij heeft een korte grijze baard, veel rimpels en een bleke huid.'
'Wat heeft hij aan?'
'Een rood trainingspak. Alle veroordeelden in de dodencellen dragen hetzelfde.'
Nog een lange pauze toen ze daarover nadacht. 'Het zal wel makkelijk zijn om medelijden met hem te hebben,' zei ze toen.
'Voor mij wel.'
'Maar ik heb hem nooit zo gezien als jij, Adam. Ik ken een heel andere man.'
'Wat voor een man?'
Ze trok de deken om haar benen heen en zweeg weer een tijd.
'Mijn vader was iemand die ik verachtte.'
'Nog steeds?'
'Ja. Heel erg. Ik vind dat hij moet sterven. God weet dat hij het verdient.'
'Waarom?'
Het bleef weer stil. Lee schoof wat naar links en pakte een

glas of een kopje van het nachtkastje. Ze nam langzaam een slok en Adam keek naar haar schaduw. Hij vroeg niet wat ze dronk.
'Praat hij met jou over het verleden?'
'Alleen als ik ernaar vraag. We hebben het over Eddie gehad, maar ik heb beloofd dat ik daar niet meer op terug zou komen.'
'Hij was de reden voor Eddies zelfmoord. Beseft hij dat wel?'
'Misschien.'
'Heb je hem dat gezegd? Heb je hem de schuld gegeven van Eddies dood?'
'Nee.'
'Dat had je wel moeten doen. Je bent veel te mild voor hem. Hij moet beseffen wat hij heeft gedaan.'
'Dat beseft hij wel, volgens mij. Maar je zei zelf dat het niet eerlijk is om hem nu nog met zulke dingen te kwellen.'
'En Joe Lincoln? Heb je met hem gesproken over Joe Lincoln?'
'Ik heb Sam verteld dat wij samen naar het oude huis waren geweest. Hij vroeg me of ik het van Joe Lincoln wist. Ik heb ja gezegd.'
'Ontkende hij het?'
'Nee. Hij had berouw.'
'Hij liegt.'
'Nee, ik geloof dat hij het meende.'
Weer bleef ze roerloos zitten. Toen: 'Heeft hij je over die lynchpartij verteld?'
Adam sloot zijn ogen en steunde met zijn ellebogen op zijn knieën. 'Nee,' mompelde hij.
'Dat dacht ik al.'
'Ik wil het niet weten, Lee.'
'Jawel. Je had toch zoveel vragen over je familie en je wortels? Twee weken geleden wilde je nog alles weten over de ellendige historie van de Cayhalls. Met alle bloederige details.'
'Ik heb wel genoeg gehoord,' zei hij.
'Wat is het vandaag?' vroeg ze.
'Donderdag. Dat heb je al gevraagd.'
'Een van mijn meisjes moest vandaag bevallen. Van haar tweede kind. Ik ben vergeten het kantoor te bellen. Dat zal wel door de medicijnen komen.'

'En de alcohol.'
'Goed dan, verdomme! Ik ben aan de drank. Wie zal het me kwalijk nemen? Soms wou ik dat ik genoeg lef had om Eddies voorbeeld te volgen.'
'Toe nou, Lee. Ik wil je helpen.'
'O, je hebt me geweldig geholpen, Adam. Voordat jij kwam voelde ik me goed en dronk ik geen druppel meer.'
'Oké, ik heb het fout gedaan. Dat spijt me. Ik besefte gewoon niet...' De woorden bleven steken en hij zweeg.
Ze bewoog zich weer en Adam zag dat ze nog een slok nam. Een diepe stilte daalde neer en de minuten verstreken. Nog steeds rook Adam die ranzige lucht aan Lee's kant van het bed.
'Moeder heeft het me verteld,' zei ze zacht, bijna fluisterend. 'Ze kende de geruchten al jaren. Ze wist dat Sam lang vóór hun huwelijk had meegeholpen een jonge zwarte man te lynchen.'
'Alsjeblieft, Lee...'
'Ik heb hem er nooit naar gevraagd, maar Eddie wel. We hadden er al jaren over gefluisterd en ten slotte confronteerde Eddie hem ermee. Ze kregen ruzie, maar Sam gaf toe dat het waar was. Hij zat er niet mee, beweerde hij. Die zwarte jongen zou een blank meisje hebben verkracht, maar het meisje had een bedenkelijke reputatie en veel mensen vroegen zich af of ze wel de waarheid sprak. Zo vertelde moeder het, tenminste. Sam was een jaar of vijftien en hij ging mee met een groepje mannen die die zwarte jongen uit de gevangenis haalden en meenamen naar het bos. Sams vader was natuurlijk de leider van de bende en zijn broers waren er ook bij.'
'Zo is het genoeg, Lee.'
'Ze gaven hem een pak slaag met een bullepees en knoopten hem toen op aan een boom. Mijn lieve vader deed braaf mee. Hij kon het ook moeilijk ontkennen, want er is een foto van.'
'Een foto?'
'Ja. Een paar jaar later werd die afgedrukt in een boek over het lot van de negers in het diepe zuiden. Dat boek verscheen in 1947. Mijn moeder heeft het nog jarenlang bewaard. Eddie vond het op zolder.'
'En Sam staat op die foto?'
'Ja hoor. Grijnzend van oor tot oor. Ze staan onder de boom

en de voeten van die zwarte jongen bungelen vlak boven hun hoofd. Iedereen amuseert zich kostelijk. Gewoon een lynchpartij. Een nikker die is opgeknoopt. Er staan geen namen bij de foto. Hij spreekt voor zich. Volgens het onderschrift is het een lynchpartij op het platteland van Mississippi in 1936.'
'Waar is dat boek?'
'Daar in die la. Ik heb het bewaard met de andere familieschatten die ik uit het huis heb meegenomen toen het door de bank werd opgeëist. Een paar dagen geleden heb ik het tevoorschijn gehaald omdat ik dacht dat je het misschien zou willen zien.'
'Nee, dat wil ik niet.'
'Doe het maar. Je wilde toch alles over je familie weten? Nou, ze staan er allemaal op: je grootvader, je overgrootvader en nog een heel stel andere Cayhalls op hun paasbest. Op heterdaad betrapt en nog trots ook.'
'Hou op, Lee.'
'En dat was niet de enige lynchpartij.'
'Hou op, wil je? Ik hoef het niet te weten.'
Ze leunde opzij en tastte naar het nachtkastje.
'Wat drink je, Lee?'
'Hoestdrank.'
'Klets toch niet!' Adam sprong overeind en liep in het donker naar het nachtkastje. Lee dronk haastig het glas leeg. Hij griste het uit haar hand en rook eraan. 'Dit is whisky.'
'De fles staat in de bijkeuken. Wil je hem voor me halen?'
'Nee! Je hebt meer dan genoeg gehad.'
'Dan haal ik hem zelf wel.'
'Nee, Lee, daar komt niets van in. Je krijgt vanavond geen druppel meer. Morgen ga ik met je naar de dokter en zal ik ervoor zorgen dat je hulp krijgt.'
'Ik hoef geen hulp. Ik wil een pistool.'
Adam zette het glas op de toilettafel en deed een lamp aan. Lee hield even haar hand voor haar gezicht en keek hem toen aan. Haar ogen waren rood en dik, haar haar was vuil en piekerig.
'Geen fraai gezicht, hè?' zei ze met dubbele tong. Toen wendde ze zich af.
'Nee, maar morgen krijg je hulp.'
'Haal nog een borrel voor me, Adam. Alsjeblieft.'

'Nee.'
'Laat me dan maar met rust. Dit is allemaal jouw schuld. Ga weg. Ga maar slapen.'
Adam pakte een kussen van het bed en smeet het tegen de deur. 'Ik slaap vannacht hier,' zei hij, wijzend op het kussen. 'Ik doe de deur op slot en jij komt de kamer niet uit.'
Ze staarde hem woedend aan, maar zei niets. Adam deed de lamp uit. De kamer was pikdonker. Toen deed hij de deur op slot en strekte zich uit op het kleed, met het kussen onder zijn hoofd. 'Slaap nu je roes maar uit, Lee.'
'Ga naar bed, Adam. Ik beloof je dat ik in mijn kamer zal blijven.'
'Nee. Je bent dronken en ik blijf hier. Als je probeert die deur open te maken, smijt ik je persoonlijk weer op bed.'
'Dat klinkt wel romantisch.'
'Hou op, Lee. Ga slapen.'
'Ik kan niet slapen.'
'Probeer het maar.'
'Zullen we nog wat Cayhall-verhalen vertellen, Adam? Ik weet nog een paar lynchpartijen.'
'Kop dicht, Lee!' brulde Adam en opeens was ze stil. Het bed kraakte toen ze zich omdraaide en een gemakkelijke houding zocht. Na een kwartier was ze in slaap.
De vloer was hard en na een half uurtje begon Adam kramp te krijgen. Zo nu en dan viel hij in slaap, maar een groot deel van de nacht lag hij naar het plafond te staren en dacht hij na over Lee en het Vijfde Circuit. Op een gegeven moment ging hij met zijn rug tegen de deur zitten en tuurde in het donker naar de ladenkast. Lag dat boek daar echt? Hij kwam in de verleiding om het stiekem mee te nemen naar de badkamer om de foto te bekijken. Maar hij wilde haar niet wakker maken. En eigenlijk wilde hij die foto ook niet zien.

33

Hij vond een halve liter whisky achter een doos zoutjes in de bijkeuken en goot de fles in de gootsteen leeg. Buiten was het nog donker. Over een uur zou de zon opgaan. Hij zette sterke koffie en ging op de sofa zitten terwijl hij de argumenten repeteerde die hij over een paar uur in New Orleans naar voren wilde brengen.

Bij het eerste ochtendlicht nam hij op het terras zijn aantekeningen nog eens door en om zeven uur liep hij naar de keuken om toost te maken. Nog steeds geen teken van Lee. Hij was niet uit op een confrontatie, maar die leek onvermijdelijk. Hij wilde haar zeggen waar het op stond en zij moest zich verontschuldigen. Hij rammelde met de borden en de vorken op het aanrecht. Daarna zette hij luid de televisie aan voor het ochtendnieuws. Maar er kwam geen reactie uit Lee's slaapkamer. Adam nam een douche, kleedde zich aan en probeerde voorzichtig de deurknop van haar slaapkamer. De deur zat op slot. Ze had zichzelf in haar donkere hol opgesloten om een pijnlijk gesprek uit de weg te gaan. Hij schreef een briefje dat hij naar New Orleans moest en daar zou overnachten. De volgende morgen zou hij terug zijn. Het speet hem erg, maar ze zouden er later wel over praten. Hij drukte haar op het hart niet meer te drinken.

Hij liet het briefje op het aanrecht achter, waar ze het wel moest vinden, en vertrok toen naar het vliegveld.

De rechtstreekse vlucht naar New Orleans duurde vijfenvijftig minuten. Adam dronk vruchtesap en probeerde zich te ontspannen om zijn stijve rug te ontzien. Hij had nog geen drie uur geslapen op de vloer bij de deur en hij nam zich voor nooit meer zoiets te doen. Lee had zelf gezegd dat ze in de loop der jaren drie keer een ontwenningskuur had ondergaan. Als ze zelf niet van de drank kon afblijven, kon hij haar niet helpen. Hij zou in Memphis blijven tot deze ellendige zaak achter de rug was. Als zijn tante niet nuchter bleef, zou hij desnoods naar een hotelkamer verhuizen.

Hij dwong zichzelf de komende uren aan iets anders te denken. Hij moest zich concentreren op de zitting, niet op lynchpartijen, foto's en gruwelverhalen uit het verleden – niet op zijn lieve tante en haar problemen.
Het vliegtuig landde in New Orleans en opeens was hij geconcentreerd. In gedachten somde hij de namen op van de tientallen recente zaken die het Vijfde Circuit en het Amerikaanse Hooggerechtshof in verband met de doodstraf hadden behandeld.
Zijn huurauto was een Cadillac sedan, die Darlene voor hem had geregeld, op rekening van Kravitz & Bane. Er was een chauffeur bij en Adam installeerde zich op de achterbank. Als advocaat bij een groot kantoor had je toch bepaalde voorrechten. Hij was nog nooit in New Orleans geweest, maar de rit vanaf het vliegveld was niet erg bijzonder. Snelwegen en verkeer, zoals in iedere stad. De chauffeur sloeg af naar Poydras Street, bij de Superdome, en opeens waren ze in het centrum. Hij zei tegen zijn passagier dat de Franse wijk maar een paar straten verderop lag, niet ver van Adams hotel. De auto stopte in Camp Street en Adam stapte uit voor het gebouw van het Vijfde Circuit, het hof van appèl. Het was een indrukwekkend bouwwerk met Griekse zuilen en een brede stenen trap naar de hoofdingang.
Op de begane grond vond hij het kantoor van de griffier en vroeg naar de man met wie hij gesproken had, een zekere Feriday. Feriday bleek in werkelijkheid net zo oprecht en hoffelijk te zijn als via de telefoon. Hij schreef Adam in en legde nog een paar reglementen uit. Toen vroeg hij Adam of hij prijs stelde op een korte rondleiding. Het was bijna twaalf uur en het was niet druk – het ideale moment om even rond te kijken. Ze liepen naar de rechtszalen. Onderweg kwamen ze langs de kantoren van de rechters en hun medewerkers.
'Het Vijfde Circuit heeft vijftien rechters,' zei Feriday toen ze rustig over de marmeren vloeren wandelden. 'Hun kantoren liggen allemaal langs deze gangen. Er zijn op dit moment drie vacatures, maar Washington is verdeeld over de geschiktste kandidaten.' Het was donker in de gangen en rustig achter de brede houten deuren, alsof er grote geesten aan het werk waren.
Feriday ging eerst naar de En Banc-rechtszaal, een grote, in-

drukwekkende ruimte met vijftien stoelen in een strakke halve cirkel op een podium. 'Het meeste werk wordt hier gedaan door commissies van drie rechters, maar zo nu en dan houdt het hele comité een zitting *en banc*,' legde hij zachtjes uit, alsof hij zelf nog onder de indruk was van de spectaculaire zaal. Het podium lag veel hoger dan de rest van de ruimte, zodat de advocaten omhoog moesten kijken tijdens hun pleidooi. De zaal was afgewerkt met marmer en ingericht met donker hout, zware gordijnen en een grote kroonluchter. Het was stijlvol, maar niet overdreven, oud maar keurig onderhouden, en Adam voelde zijn hart in zijn keel bonzen toen hij om zich heen keek. Een zitting *en banc* was een uitzondering, herhaalde Feriday, alsof hij het tegen een eerstejaars rechtenstudent had. De belangrijke besluiten over de burgerrechten in de jaren zestig en zeventig waren hier genomen, zei hij met duidelijke trots. Achter het podium hingen portretten van overleden rechters.

Hoe stijlvol en statig de zaal ook was, toch hoopte Adam dat hij hier nooit zou terugkomen, althans niet om een cliënt te moeten verdedigen. Ze liepen de gang door naar de West Courtroom, die wat kleiner was maar niet minder indrukwekkend. Hier werd zitting gehouden door de commissies van drie, zoals Feriday uitlegde toen ze langs de publieke tribune en de balie naar het podium liepen, dat ook vrij hoog was, maar niet zo hoog als in de En Banc-rechtszaal.

'Bijna alle zittingen vinden 's ochtends plaats, vanaf negen uur,' vervolgde Feriday. 'Uw geval is een uitzondering, omdat het om een naderende executie gaat.' Hij wees met een kromme vinger naar de stoelen achterin. 'Als u daar gaat zitten, om een paar minuten voor één, dan zal de griffier de zitting afkondigen. Dan komt u naar beneden, langs de balie, en gaat aan de tafel van de verdediging zitten. U mag als eerste spreken. U hebt twintig minuten.'

Dat wist Adam al, maar het was prettig om het nog eens te repeteren.

Feriday wees naar een apparaat op het podium dat aan een verkeerslicht deed denken. 'Dat is de tijdklok,' zei hij ernstig. 'Die is heel belangrijk. Twintig minuten, langer niet. Er zijn huiveringwekkende anekdotes bekend over advocaten die de tijdklok hebben genegeerd. Het is niet best met ze afgelopen.

Als u spreekt, brandt het groene licht. Het oranje licht gaat aan op het moment dat u gewaarschuwd wilt worden – twee minuten van tevoren, of vijf minuten, of een halve minuut, wat u maar wilt. Zodra het licht op rood springt, houdt u uw mond, desnoods midden in een zin, en gaat u weer zitten. Zo simpel is het. Hebt u nog vragen?'
'Wie zijn de rechters?'
'McNeely, Robichaux en Judy.' Hij zei het alsof Adam hen alledrie persoonlijk kende. 'Aan de overkant is een wachtkamer en op de tweede verdieping hebben we een bibliotheek. Zorg dat u om tien voor een hier terug bent. Verder nog vragen?'
'Nee. Dank u.'
'Als u me nodig hebt, ben ik in mijn kantoor. Veel succes.' Ze schudden elkaar de hand en Feriday liet Adam bij het podium achter.

Om tien voor een stapte Adam voor de tweede keer door de zware eikehouten deuren de West Courtroom binnen en zag de andere advocaten die zich gereedmaakten voor de strijd. Op de eerste rij achter de balie bespraken procureur Steve Roxburgh en zijn medewerkers hun tactiek. Ze zwegen toen Adam binnenkwam. Een paar mensen knikten naar hem en waagden een glimlach. Adam ging in zijn eentje aan de andere kant zitten en negeerde hen.
Lucas Mann zat aan hun kant van de zaal, maar een paar rijen achter Roxburgh en zijn bende. Hij las nonchalant de krant en wuifde naar Adam toen hun blikken elkaar kruisten. Adam was blij hem te zien. Hij was van hoofd tot voeten in kreukvrij kaki gehuld, met een felgekleurde das die vermoedelijk oplichtte in het donker. Het was duidelijk dat Mann zich niet liet imponeren door het Vijfde Circuit en de omgeving, en even duidelijk dat hij afstand hield van Roxburgh. Hij was de advocaat van het gevangeniswezen, die gewoon zijn werk deed. Als het Vijfde Circuit uitstel verleende en Sam niet zou hoeven sterven, zou Lucas Mann daar blij om zijn. Adam knikte en glimlachte tegen hem.
Roxburgh en zijn mensen staken de koppen weer bij elkaar. Morris Henry, 'Dr. Death', zat in het midden en gaf college aan de lagere goden.

Adam haalde diep adem en probeerde zich te ontspannen. Dat viel niet mee. Zijn maag protesteerde en zijn benen trilden, maar hij hield zichzelf voor dat het nog geen half uur zou duren. De drie rechters konden hem niet opvreten. Ze zouden hem hooguit voor schut kunnen zetten, en niet langer dan twintig minuten. Dat zou hij wel overleven. Hij wierp nog een blik op zijn aantekeningen. Om wat rustiger te worden probeerde hij aan Sam te denken – niet aan Sam de racist, de moordenaar, de lyncher, maar aan Sam de cliënt, de oude man die wegkwijnde in de dodencel en die recht had op een rustige, waardige dood. Sam mocht beslag leggen op twintig minuten van de kostbare tijd van dit hof, en zijn raadsman moest daar zo goed mogelijk gebruik van maken.
Ergens werd een zware deur dichtgeslagen en Adam schoot overeind. Een gerechtsdienaar verscheen van achter het podium en verklaarde dat het hof in zitting was. Hij werd gevolgd door drie mensen in lange zwarte toga's: McNeely, Robichaux en Judy. Ze waren gewapend met dossiers en leken gespeend van ieder gevoel voor humor of goede wil. Ze namen plaats op hun zware leren stoelen op het hoge, donkere, met glanzend hout betimmerde podium en keken op de rechtszaal neer. De zaak van Sam Cayhall versus de staat Mississippi werd afgekondigd en de advocaten werden van achter uit de zaal naar voren ontboden. Adam stapte nerveus door het klaphekje van de balie, gevolgd door Steve Roxburgh. Zijn medewerkers bleven zitten, evenals Lucas Mann en een handvol toeschouwers – voornamelijk journalisten, zoals Adam later hoorde.
De voorzitter van het rechterlijke drietal was Judy, de edelachtbare T. Eileen Judy, een jonge vrouw uit Texas. Robichaux kwam uit Louisiana en was achter in de vijftig. McNeely leek honderdtwintig en kwam ook uit Texas. Judy gaf een korte samenvatting van de zaak en vroeg of raadsman Adam Hall uit Chicago klaar was om te beginnen. Adam ging zenuwachtig staan, met knikkende knieën en slappe ingewanden. Jawel, Edelachtbare, antwoordde hij met een hoog, nerveus stemmetje, hij was gereed. Hij liep naar het podium in het midden van de zaal en keek op naar het hoogverheven drietal achter de tafel.
Het groene licht ging aan en Adam vatte dat terecht als het

startsein op. Het werd stil in de zaal. De rechters keken streng op hem neer. Adam schraapte zijn keel, keek naar de portretten van de dode Edelachtbaren aan de muur en begon aan een heftige aanval op de gaskamer als middel van executie.

Hij vermeed ieder oogcontact met de rechters en kreeg ongeveer vijf minuten de kans om te herhalen wat hij al in zijn stukken uiteen had gezet. Het was warm, iedereen had geluncht, en het duurde even voordat de rechters bij de les waren.

'Meneer Hall, ik geloof dat u dit allemaal al op papier hebt gezet,' zei Judy geïrriteerd. 'We kunnen lezen, meneer Hall.'

Meneer Hall liet zich niet van zijn stuk brengen. Dit waren zíjn twintig minuten en als hij in die tijd het alfabet wilde opzeggen of uit zijn neus wilde vreten, dan was dat zijn zaak. Twintig minuten lang. Hoe onervaren hij ook was, die opmerking had hij al eens van een appèlrechter gehoord toen hij als student een zaak had bijgewoond. Het was een bekend argument in hoorzittingen.

'Jawel, Edelachtbare,' zei Adam, zorgvuldig iedere verwijzing naar sekse vermijdend. Hij beschreef het effect van cyanidegas op laboratoriumratten, een studie die hij niet in zijn stukken had vermeld. Het experiment was een jaar geleden verricht door een paar Zweedse scheikundigen om te bewijzen dat mensen niet onmiddellijk stierven als ze het gas inhaleerden. Het onderzoek was gefinancierd door een Europese organisatie die zich verzette tegen de doodstraf in Amerika.

De ratten vertoonden stuiptrekkingen en hun longen en hun hart begonnen onregelmatig te functioneren. Dat duurde een paar minuten. Overal in hun lichaam barstten bloedvaten, ook in hun hersenen. Hun spieren begonnen ongecontroleerd te trillen, en de diertjes kwijlden en piepten.

Het onderzoek was gedaan om aan te tonen dat de ratten niet meteen stierven, maar wel hevige pijnen leden. De proeven waren wetenschappelijk verantwoord uitgevoerd. De diertjes hadden verhoudingsgewijs dezelfde dosis toegediend gekregen als een mens. Gemiddeld duurde het ongeveer tien minuten voordat de dood intrad. Adam beschreef uitvoerig de details. Hij kwam steeds beter in zijn verhaal en voelde zich wat meer op zijn gemak. De rechters luisterden niet alleen, maar

leken zelfs geïnteresseerd in zijn beschrijving van de stervende ratten.
Adam had de studie gevonden in een voetnoot bij een recente zaak in North Carolina. Het stond bij de kleine lettertjes en was nooit algemeen bekend geworden.
'Begrijp ik het nu goed?' onderbrak Robichaux met een hoge stem. 'U wilt niet dat uw cliënt in de gaskamer sterft omdat dat een wrede methode is, maar u hebt geen bezwaar tegen een dodelijke injectie?'
'Nee, Edelachtbare. Dat zeg ik niet. Ik wil helemaal niet dat mijn cliënt wordt geëxecuteerd.'
'Maar een dodelijke injectie is het minst bezwaarlijk?'
'Alle methoden zijn bezwaarlijk, maar een dodelijke injectie lijkt het minst wreed. Het staat wel vast dat de gaskamer een gruwelijke manier is om te sterven.'
'Nog gruwelijker dan een bomaanslag? Een explosie met dynamiet?'
Er daalde een doodse stilte over de rechtszaal neer bij deze opmerking van Robichaux. Hij had het woord 'dynamiet' benadrukt. Adam zocht wanhopig naar een antwoord. McNeely wierp zijn collega een vernietigende blik toe.
Het was een goedkope truc en Adam werd kwaad. Maar hij wist zich te beheersen en antwoordde ferm: 'We hebben het over methoden van executie, Edelachtbare, niet over de misdrijven van mensen in de dodencel.'
'Waarom wilt u daar niet over praten?'
'Omdat het misdrijf hier niet ter discussie staat. Omdat ik maar twintig minuten spreektijd heb en mijn cliënt nog maar twaalf dagen te leven heeft.'
'Misschien had uw cliënt dan geen bomaanslag moeten plegen.'
'Natuurlijk niet. Maar hij is veroordeeld en nu wacht hem de dood in de gaskamer. Ons argument is dat de gaskamer een wrede methode is om mensen te executeren.'
'En de elektrische stoel?'
'Daarvoor geldt hetzelfde. Er zijn afschuwelijke voorbeelden bekend van mensen die ernstig hebben geleden op de elektrische stoel voordat de dood intrad.'
'En een vuurpeloton?'
'Dat lijkt me ook nogal wreed.'

'Of de strop?'
'Ik weet niet veel over verhanging, maar het klinkt heel akelig.'
'Maar een dodelijke injectie spreekt u wel aan.'
'Dat zeg ik niet. Ik zei dat het minder wreed is dan andere methoden.'
Rechter McNeely kwam tussenbeide en zei: 'Meneer Hall, waarom is Mississippi overgegaan van de gaskamer op een dodelijke injectie?'
Dat stond uitvoerig in de stukken, en Adam besefte meteen dat McNeely aan zijn kant stond. 'Ik heb een schriftelijke samenvatting gegeven van de juridische achtergronden, Edelachtbare, maar de belangrijkste reden was het vereenvoudigen van de executies. De wetgevende macht gaf toe dat het een minder wrede manier was om te sterven en daarom is de overstap gemaakt – ook om dit soort constitutionele discussies te voorkomen.'
'Dus de staat heeft in feite erkend dat er een betere manier bestaat om mensen te doden?'
'Inderdaad. Maar die wet is in 1984 van kracht geworden en geldt alleen voor mensen die pas daarna zijn veroordeeld. Dus niet voor Sam Cayhall.'
'Dat begrijp ik. U vraagt ons de gaskamer te veroordelen als middel van executie. Wat zou het gevolg zijn? Wat zou er gebeuren met uw cliënt en anderen die vóór 1984 zijn veroordeeld? Kruipen die door de mazen van de wet? Want de wet bevat geen clausule om hèn met een dodelijke injectie te executeren.'
Adam had die vraag voorzien. Sam had hem al gesteld. 'Daar heb ik geen antwoord op, Edelachtbare, behalve dat ik ervan uitga dat de wetgevende macht in Mississippi wel in staat zal zijn een nieuwe wet aan te nemen die op mijn cliënt en anderen van toepassing is.'
Rechter Judy mengde zich nu ook in de discussie. 'Aangenomen dat u gelijk hebt, meneer Hall, met welk argument kunnen we u hier dan over drie jaar terugverwachten?'
Gelukkig ging het oranje licht branden en had Adam nog maar één minuut spreektijd over. 'Ik bedenk wel wat,' zei hij grijnzend. 'Als ik tijd genoeg heb.'
'We hebben dit onderwerp al eens eerder behandeld, meneer

Hall,' zei Robichaux. 'U hebt het zelf in de stukken genoemd. Een zaak in Texas.'
'Jawel, Edelachtbare. En ik vraag het hof om op die uitspraak terug te komen. Bijna alle staten met een gaskamer en een elektrische stoel zijn overgegaan op een dodelijke injectie. De reden is duidelijk.'
Hij had nog een paar seconden over, maar dit leek hem een goed moment om te stoppen. Hij wilde geen vragen meer. 'Dank u,' zei hij en liep zelfverzekerd naar zijn plaats terug. Het was voorbij. Hij had zijn ontbijt binnengehouden en het er heel redelijk afgebracht voor een beginner. De volgende keer zou het gemakkelijker gaan.
Roxburgh had zich uitstekend voorbereid. Hij was efficiënt en toonde geen enkele emotie. Hij waagde een paar geestigheden over ratten als misdadigers, maar niemand kon erom lachen. McNeely bestookte hem met vragen over de reden waarom de meeste staten op een dodelijke injectie waren overgestapt. Roxburgh liet zich niet overdonderen en noemde een hele reeks gevallen waarin federale gerechtshoven een executie door middel van de gaskamer, de elektrische stoel, de strop of het vuurpeloton wel hadden goedgekeurd. De traditionele praktijk stond aan zijn kant en daar maakte hij goed gebruik van. Zijn twintig minuten waren zo voorbij, en hij liep even snel naar zijn plaats terug als Adam had gedaan. Rechter Judy sprak nog even over de haast van deze zaak en beloofde binnen enkele dagen uitspraak te zullen doen. Iedereen stond op en de drie rechters verdwenen. De gerechtsdienaar verklaarde dat de zaak geschorst was tot maandagochtend.
Adam schudde Roxburgh de hand en wilde vertrekken. Een journalist schoot hem aan. Hij werkte voor een krant uit Jackson en wilde hem een paar vragen stellen. Adam bleef beleefd maar weigerde ieder commentaar. Daarna schudde hij nog twee reporters af. Roxburgh had natuurlijk van alles te melden. Toen Adam vertrok hadden de verslaggevers zich al rond de procureur verzameld en hielden hun microfoons onder zijn neus.
Adam liep het gebouw uit. Toen hij de tropische hitte binnenstapte, zette hij snel een zonnebril op. 'Heb je al geluncht?' vroeg een stem achter hem. Het was Lucas Mann, die een

vliegeniersbril droeg. Ze gaven elkaar een hand tussen de Griekse zuilen.
'Nee. Ik kon geen hap door mijn keel krijgen,' gaf Adam toe.
'Je hebt het goed gedaan. Het is een nerveuze toestand, niet?'
'Zeg dat wel. Waarom ben jij hier?'
'Het hoort bij mijn werk. De directeur vroeg of ik bij de zitting aanwezig wilde zijn. We wachten eerst op de uitspraak voordat we met de voorbereidingen beginnen. Laten we een hapje gaan eten.'
Adams chauffeur stopte bij de stoeprand en ze stapten in.
'Ken je de stad?' vroeg Lucas Mann.
'Nee, ik ben hier voor het eerst.'
'Het Bon Ton Café,' zei Mann tegen de chauffeur. 'Dat is een mooie oude zaak, hier vlak om de hoek. Fraaie auto, trouwens.'
'Het voordeel als je bij een rijk kantoor werkt.'

De lunch begon met een nouveauté, rauwe oesters op een halve schelp. Adam had er wel eens van gehoord, maar was nog nooit in de verleiding gekomen. Mann demonstreerde hem de juiste mix van mierikswortel, citroensap, tabasco en cocktailsaus en doopte de eerste oester erin, die daarna op een cracker werd gelegd en in één hap naar binnen ging. Adams eerste oester viel van de cracker op tafel, maar de tweede gleed keurig door zijn keelgat.
'Niet kauwen,' instrueerde Mann. 'Laat hem gewoon naar binnen glijden.' Daarna volgden er nog tien, maar Adam was blij toen zijn bord leeg was. Ze dronken Dixie-bier en wachtten op hun garnalenschotel.
'Ik zag dat je ook beroep had aangetekend wegens verwijtbare fouten van de verdediging,' zei Mann, knabbelend op een cracker.
'We doen alles wat nog mogelijk is.'
'Het Hooggerechtshof heeft het meteen verworpen.'
'Ja. Ik denk dat ze genoeg hebben van Sam Cayhall. Ik zal het vandaag nog bij het arrondissement aanhangig maken, maar van Slattery verwacht ik ook niet veel.'
'Nee, gelijk heb je.'
'Hoe liggen mijn kansen, met nog twaalf dagen te gaan?'
'Ze worden met de dag kleiner, maar het blijft een onvoor-

spelbare zaak. Volgens mij is het fifty-fifty. Een paar jaar geleden, met Stockholm Turner, scheelde het ook niet veel. Twee weken voor de vastgestelde datum waren we er zeker van dat het door zou gaan. Een week voor de executie waren al zijn mogelijkheden uitgeput. Hij had een redelijke advocaat, maar alles was al geprobeerd. Hij kreeg zijn laatste maal, en...'
'En zijn echtelijke bezoekje, met twee prostituées.'
'Hoe weet jij dat?'
'Sam heeft het me uitgebreid verteld.'
'Het is waar. Op het laatste moment kreeg hij toch uitstel en nu is hij weer jaren van de gaskamer verwijderd. Je weet het nooit.'
'Maar wat denk je zelf?'
Mann nam een flinke slok bier en leunde naar achteren toen de twee grote borden met garnalenremoulade voor hen werden neergezet. 'Ik weet het gewoon niet bij executies. Alles is mogelijk. Ga in elk geval door met je eisen en verzoeken. Het wordt een marathon. Je mag het niet opgeven. Jumbo Parris' advocaat stortte in toen er nog twaalf uur te gaan was. Hij lag in het ziekenhuis op het moment dat zijn cliënt werd vergast.'
Adam kauwde op een gekookte garnaal en spoelde hem weg met bier. 'De gouverneur wil met me praten. Is dat verstandig?'
'Wat vindt je cliënt ervan?'
'Wat denk je? Hij heeft de pest aan McAllister. Hij heeft me verboden om met hem te praten.'
'Je moet toch een verzoek om clementie indienen. Dat is de vaste procedure.'
'Hoe goed ken je de gouverneur?'
'Niet zo goed. Hij is een politiek dier met grote ambities en ik vertrouw hem voor geen cent. Maar hij heeft nu eenmaal de macht om gratie te verlenen. Hij kan de doodstraf omzetten in levenslang en hij kan iemand zelfs vrijlaten. De gouverneur heeft grote bevoegdheden op dat gebied. Waarschijnlijk is hij je laatste hoop.'
'God sta ons bij.'
'Hoe is de remoulade?' vroeg Mann met zijn mond vol.
'Heerlijk.'
Ze aten een tijd in stilte. Adam was dankbaar voor het gezel-

schap en de conversatie, maar hij wilde niet te veel over de zaak praten. Hij mocht Lucas Mann wel, maar Sam niet. Zoals Sam zou zeggen: Mann werkte voor de overheid en de overheid wilde hem doden.

Als hij 's middags het vliegtuig had genomen zou hij om half zeven, ruim voor het donker, weer in Memphis zijn geweest. Dan had hij nog een uurtje op kantoor kunnen werken voordat hij naar Lee terugging. Maar hij voelde zich er niet toe in staat. Hij had een mooie kamer in een modern hotel aan de rivier, die Kravitz & Bane zonder morren had betaald. Hij kon alles declareren en hij was nog nooit in de Franse wijk geweest.

Daarom werd hij om zes uur wakker, na een tukje van drie uur dat hard nodig was geweest na de slapeloze nacht en de Dixies bij de lunch. Hij lag dwars op het bed, met zijn schoenen nog aan, en staarde een half uur naar de ventilator aan het plafond voordat hij eindelijk in beweging kwam. Hij had diep geslapen.

Lee nam niet op toen hij belde. Hij sprak een boodschap op het antwoordapparaat in en hoopte dat ze niet meer had gedronken. En als ze toch dronk, dan hopelijk in haar kamer, waar ze geen brokken kon maken. Hij poetste zijn tanden, kamde zijn haar en nam de lift naar de ruime lobby waar een jazzband zat te spelen. Het was happy hour. De bar in de hoek serveerde goedkope oesters.

Hij liep in de verstikkende hitte door Canal Street tot aan Royal Street, waar hij rechtsaf sloeg en al snel opging in de mensenmassa. De vrijdagavond kwam langzaam op gang in de Franse wijk. Hij keek verbaasd naar alle stripclubs en probeerde een blik naar binnen te werpen. Als aan de grond genageld bleef hij voor een open deur staan waarachter een toneel te zien was met een rij mannelijke strippers – mannen die eruitzagen als prachtige vrouwen. Hij at een loempia bij een Chinees afhaalcentrum. Hij ontweek een dronken zwerver die lag te kotsen op straat. Hij zat een uurtje aan een tafeltje in een jazzclub, dronk een pilsje van vier dollar en luisterde naar een uitstekend combo. Toen het donker was, liep hij naar Jackson Square waar de kunstenaars juist hun ezels hadden ingepakt en vertrokken. Straatmuzikanten en dansers gaven een voorstelling voor een oude kathedraal en hij applaudisseerde voor een verbazingwekkend vioolkwartet van studenten aan Tulane. Overal waren mensen die aten, dronken, dansten en genoten van de feestelijke sfeer in de Franse wijk.

Hij kocht een vanilleijsje en wandelde naar Canal Street. Een andere avond, onder heel andere omstandigheden, zou hij misschien in een striptent hebben gezeten – achterin, natuurlijk, waar hij niet opviel – of in een trendy bar, op zoek naar eenzame, mooie vrouwen. Maar vanavond niet. De drinkers deden hem denken aan Lee. Hij wilde dat hij toch naar Memphis was gegaan om haar te helpen. De muziek en de vrolijkheid herinnerden hem aan Sam, die op dit moment in een vochtige oven zat, starend naar de tralies terwijl hij de dagen telde, hopend en misschien wel biddend dat zijn advocaat een wonder zou verrichten.

Sam zou New Orleans nooit meer zien, nooit oesters eten of bonen met rijst, nooit meer een koud pilsje of een lekkere kop koffie drinken. Hij zou nooit meer een jazzband horen of een kunstenaar zien schilderen. Hij zou nooit in een vliegtuig stappen of in een mooi hotel logeren. Hij zou nooit meer vissen, autorijden of die duizenden andere dingen doen die vrije mensen heel normaal vinden.

Zelfs als Sam de fatale datum zou overleven, zou hij gewoon doorgaan met het proces van elke dag een beetje sterven.

Adam verliet de Franse wijk en liep haastig terug naar zijn hotel. Hij had zijn slaap hard nodig. De marathon ging beginnen.

34

Tiny, een van de bewaarders, deed Sam de handboeien om en liep met hem naar het einde van Gang A. Sam had een plastic tasje bij zich dat uitpuilde van de fanmail van de afgelopen twee weken. Zolang als hij in de dodengang zat kreeg hij bijna iedere maand een handvol brieven van aanhangers: Klan-leden en hun sympathisanten, racisten, antisemieten en allerlei andere bedenkelijke figuren. Een paar jaar had hij nog de moeite genomen om terug te schrijven, maar na een tijdje had hij er genoeg van gekregen. Wat schoot hij ermee op? Voor sommigen was hij een held, maar hoe meer hij over zijn bewonderaars te weten kwam, des te krankzinniger ze leken. Er liepen heel wat gekken rond. Soms dacht hij wel eens dat hij in de dodengang veiliger was dan in de buitenwereld.
Het ontvangen van post was door het federale hof als een recht van de gevangenen aangemerkt, niet als een voorrecht. Het kon dus niet worden ingetrokken. Maar er konden wel regels voor worden vastgesteld. Daarom werden alle brieven geopend, behalve de enveloppen van advocatenkantoren. Als de gevangene niet onder censuur was gesteld, werden de brieven ongelezen doorgegeven. Ook dozen en pakketjes werden geïnspecteerd.
Het vooruitzicht dat ze Sam zouden verliezen was voor veel fanatici een angstige gedachte. Daarom had hij opeens veel meer post gekregen nadat het Vijfde Circuit zijn uitstel had opgeheven. Ze verzekerden hem van hun niet-aflatende steun en hun gebeden. Sommigen boden geld aan. Het waren meestal lange brieven, met uitvoerige scheldkanonnades tegen joden, zwarten, links tuig en andere samenzweerders. Verder werd er gekankerd op de belastingen, vuurwapenwetten en de nationale schuldenlast. Soms zat er een preek bij.
Sam had genoeg van al die brieven. Hij kreeg er nu gemiddeld zes per dag. Hij legde ze op de balie toen hij van zijn handboeien was bevrijd en vroeg de bewaarder het kleine deurtje in het traliewerk open te maken. De bewaarder

schoof de plastic zak door het hek naar Adam toe. Daarna vertrok hij en deed de deur achter zich op slot.
'Wat is dit?' Adam hield de zak omhoog.
'Fanmail.' Sam ging op zijn vaste plaats zitten en stak een sigaret op.
'Wat moet ik daarmee?'
'Lees ze maar. Of gooi ze in de kachel. Het kan mij niet schelen. Ik heb vanochtend mijn cel opgeruimd en ze lagen in de weg. Ik heb gehoord dat je gisteren in New Orleans was. Hoe is het afgelopen?'
Adam legde de zak met brieven op een stoel en ging tegenover Sam zitten. Buiten was het bijna veertig graden en in de spreekkamer niet veel koeler. Het was zaterdag en Adam droeg een spijkerbroek, instappers en een heel dun katoenen poloshirt. 'Het Vijfde Circuit belde donderdag en zei dat ze op vrijdag mijn argumenten wilden horen. Ik ben ernaartoe gegaan, heb diepe indruk gemaakt met een briljant betoog en ben vanochtend weer naar Memphis teruggevlogen.'
'Wanneer is de uitspraak?'
'Zo snel mogelijk.'
'Een commissie van drie?'
'Ja.'
'Wie?'
'Judy, Robichaux en McNeely.'
Sam dacht even over die namen na. 'McNeely is een oude ijzervreter die ons zal helpen. Judy is een conservatief wijf... O, sorry, ik bedoel een behoudende dame die door de Republikeinen is benoemd. Die staat niet aan onze kant. Robichaux ken ik niet. Waar komt hij vandaan?'
'Het zuiden van Louisiana.'
'Aha, een Cajun.'
'Ik neem aan van wel. Iemand van de harde lijn. Daar hebben we niets aan.'
'Dan verliezen we dus met twee tegen een. Ik dacht dat je zo'n briljant betoog had gehouden?'
'We hebben nog niet verloren.' Adam was verbaasd dat Sam de rechters kende. Maar hij volgde het hof natuurlijk al negen jaar.
'En onze eis dat Keyes verwijtbare fouten heeft gemaakt?'
'Die ligt nog bij het arrondissement. Die uitspraak verwacht

ik een paar dagen later.'
'Zullen we nog wat anders indienen?'
'Ik ben ermee bezig.'
'Schiet dan op. Ik heb nog maar elf dagen. Er hangt een kalender aan mijn muur en ik zit er iedere dag minstens drie uur naar te staren. Als ik 's ochtends wakker word, zet ik een groot kruis over de vorige dag. Ik heb een cirkel om 8 augustus getrokken. Mijn kruisen komen steeds dichter bij de cirkel. Doe iets.'
'Er wordt aan gewerkt, oké? Ik heb weer een nieuwe strategie bedacht.'
'Goed zo.'
'Ik denk dat we kunnen aantonen dat je psychisch labiel bent.'
'Daar heb ik ook over gedacht.'
'Je bent oud. Je bent seniel. Je reageert veel te rustig. Dat is niet normaal. Je bent niet in staat de reden voor je executie te bevatten.'
'We hebben ons in dezelfde zaken verdiept.'
'Goodman kent een expert die tegen betaling iedere verklaring wil afleggen. We overwegen hem hierheen te laten komen om je te onderzoeken.'
'Geweldig. Dan zal ik me de haren uit mijn kop rukken en op vlinders jagen in mijn cel.'
'Volgens mij hebben we een redelijke kans op een verklaring van ontoerekeningsvatbaarheid.'
'Goed. Doe het maar. Probeer elk argument dat je kunt bedenken.'
'Ik zal maandag meteen een verzoek indienen.'
Sam trok aan zijn sigaret en dacht even na. Ze zaten allebei te zweten en Adam had frisse lucht nodig. Hij zou het liefst weer in zijn auto zitten met de raampjes open en de airco op volle toeren.
'Wanneer kom je terug?' vroeg Sam.
'Maandag. Hoor eens, Sam, dit is geen prettig onderwerp, maar we moeten erover praten. Je zult een keer sterven, op 8 augustus of over vijf jaar. Als ik zie hoeveel je rookt, kan het niet lang meer duren.'
'Roken is niet het grootste gevaar voor mijn gezondheid.'
'Dat weet ik. Maar je familie, Lee en ik, moet een regeling

treffen voor de begrafenis. Dat kan niet van de ene op de andere dag.'
Sam staarde naar de kleine driehoekjes in het traliewerk. Adam krabbelde iets op zijn schrijfblok. De ventilator siste en spuwde, zonder veel resultaat.
'Je grootmoeder was een fijne vrouw, Adam. Het is jammer dat je haar nooit hebt gekend. Ze verdiende een betere vent dan ik.'
'Lee heeft me haar graf laten zien.'
'Ik heb haar veel ellende bezorgd, maar ze heeft het dapper gedragen. Als je me naast haar laat begraven, kan ik haar misschien zeggen dat het me spijt.'
'Ik zal ervoor zorgen.'
'Doe dat. En hoe wil je het graf betalen?'
'Laat dat maar aan mij over, Sam.'
'Ik heb geen geld, Adam. Dat ben ik jaren geleden kwijtgeraakt, je begrijpt wel waarom. Ik heb het land en het huis verloren, dus ik kan je niets nalaten.'
'Heb je een testament?'
'Ja. Ik heb het zelf opgesteld.'
'We zullen het volgende week bekijken.'
'Beloof je me dat je maandag komt?'
'Dat beloof ik, Sam. Kan ik nog iets meebrengen?'
Sam aarzelde even en keek toen bijna verlegen. 'Weet je waar ik zin in heb?' vroeg hij met een kinderlijke grijns.
'Wat? Zeg het maar, Sam.'
'Toen ik klein was, kregen we soms een Eskimo Pie. Dat was het lekkerste wat er bestond.'
'Een Eskimo Pie?'
'Ja. Dat is een klein ijsje op een stokje. Vanille met chocola eromheen. Later heb ik ze ook nog gegeten, voordat ik hier kwam. Volgens mij zijn ze nog te krijgen.'
'Een Eskimo Pie?' herhaalde Adam.
'Ja. Ik kan ze nog proeven. Het lekkerste ijsje ter wereld. Kun je je voorstellen hoe dat nu zou smaken, in deze oven?'
'Goed, Sam, je krijgt je Eskimo Pie.'
'Meer dan één, als het kan.'
'Ik zal een doos meenemen. Dan kunnen we ze opeten terwijl we zitten te zweten.'

Die zaterdag kreeg Sam nog een onverwachte bezoeker. De man stopte bij het wachthuisje en liet een rijbewijs uit North Carolina zien, met zijn foto erop. Hij verklaarde dat hij een broer was van Sam Cayhall en dat hij had gehoord dat hij tot aan de executie het recht had om Sam te bezoeken wanneer hij wilde. Gisteren had hij met een meneer Holland van de administratie gebeld en die had hem verteld dat Sam nu speciale voorrechten had. Hij mocht iedere werkdag bezoek ontvangen, tussen negen en vijf. De bewaarster stapte naar binnen en belde het hoofdgebouw.

Vijf minuten verstreken terwijl de bezoeker geduldig zat te wachten in zijn huurauto. De bewaarster belde met nog twee andere mensen en noteerde het kenteken van de auto op haar klembord. Ze gaf de bezoeker opdracht zijn auto verderop te parkeren en bij de poort te wachten. Dat deed hij. Een paar minuten later verscheen een wit gevangenisbusje. Een gewapende, geüniformeerde bewaarder zat achter het stuur en gebaarde naar de bezoeker dat hij kon instappen.

Even later passeerde het busje het dubbele hek van de Maximaal Beveiligde Afdeling en stopte bij de ingang, waar twee andere bewaarders stonden te wachten. Ze fouilleerden de bezoeker voor de deur. Hij had geen pakjes of tassen bij zich.

'Waar wilt u Sam spreken?' vroeg een van de bewaarders.

'Hoe bedoelt u?' vroeg de bezoeker.

'Normaal worden bezoekers ontvangen in de spreekkamer om de hoek, maar Sam mag nu een kantoortje gebruiken in het gebouw zelf. Dat is een speciale regeling als de executie nadert.'

Dat had de bezoeker niet verwacht. 'Heeft dat kantoortje ook een hek tussen de gevangenen en het bezoek?' vroeg hij nerveus.

'Nee.'

'Dan zie ik hem liever in de spreekkamer.'

De bewaarders wisselden een blik. Het leek een vreemd verzoek voor een familielid, maar met Sam kon je alles verwachten.

Ze brachten hem naar de spreekkamer om de hoek. De bezoeker nam een stoel halverwege het traliewerk. 'We zullen Sam voor u halen,' zei een van de bewaarders. 'Over een minuut of vijf zijn we terug.'

Sam zat een brief te typen toen de bewaarders voor zijn celdeur verschenen. 'Kom mee, Sam. Je hebt bezoek.'
Hij hield op met typen en keek hen aan. Zijn ventilator draaide op volle toeren en zijn televisie stond op een honkbalwedstrijd afgestemd. 'Wie dan? vroeg hij bits.
'Je broer.'
Sam zette de schrijfmachine voorzichtig op de boekenplank en pakte zijn trainingspak. 'Welke broer?'
'Dat hebben we hem niet gevraagd, Sam. Gewoon je broer. Kom maar mee.'
Ze legden hem de handboeien om en hij liep met hen mee door de gang. Sam had ooit drie broers gehad, maar de oudste was al jong aan een hartaanval gestorven, nog voordat Sam in de gevangenis was gekomen. Donnie, de jongste, die nu eenenzestig was, woonde bij Durham in North Carolina. Albert was zevenenzestig. Hij had een zwakke gezondheid en woonde diep in de bossen op het platteland van Ford County. Donnie stuurde hem iedere maand sigaretten, een paar dollar en soms een briefje. Albert had al zeven jaar niets van zich laten horen. Een ongetrouwde tante had hem regelmatig brieven gestuurd tot ze in 1985 was overleden. De andere Cayhalls waren Sam vergeten.
Het zou Donnie wel zijn, dacht Sam. Donnie was de enige die genoeg belangstelling toonde om langs te komen. Sam had hem al twee jaar niet gezien en zijn stap werd lichter toen hij naar de spreekkamer liep. Wat een leuke verrassing.
Sam stapte de kamer binnen en keek naar de man aan de andere kant van het traliewerk. Hij herkende hem niet. Snel wierp hij een blik door de spreekkamer, maar verder was er niemand. De bezoeker keek Sam strak en koeltjes aan. De bewaarders letten scherp op toen ze Sam van de handboeien ontdeden, daarom grijnsde Sam en knikte tegen de man. Daarna keek hij naar de bewaarders, tot ze vertrokken en de deur achter hen dichtviel. Sam ging tegenover zijn bezoeker zitten en stak zwijgend een sigaret op.
De man kwam hem vaag bekend voor, maar hij kon hem niet plaatsen. Ze namen elkaar op door de opening in het hek.
'Ken ik u?' vroeg Sam ten slotte.
'Ja,' antwoordde de man.
'Waarvan?'

'Van vroeger, Sam. Van Greenville en Jackson en Vicksburg. Van de synagoge en het makelaarskantoor en de Pinders en Marvin Kramer.'
'Wedge?'
De man knikte langzaam. Sam sloot zijn ogen en blies de rook naar het plafond. Toen liet hij zijn sigaret vallen en zakte onderuit in zijn stoel. 'God, ik hoopte dat je dood was.'
'Helaas.'
Sam keek hem woedend aan. 'Klootzak,' zei hij met opeengeklemde tanden. 'Smerige klootzak. Drieëntwintig jaar heb ik gehoopt en gedroomd dat je dood zou zijn. Ik heb je in gedachten al duizend keer vermoord, met mijn blote handen, met stokken en messen en alle andere wapens die je kunt verzinnen. Ik heb je zien bloeden en om genade horen schreeuwen.'
'Heel jammer. Hier ben ik dan, Sam.'
'Ik haat jou meer dan íemand ooit is gehaat. Als ik nu een pistool had, zou ik je door je kop schieten. Ik zou je vol lood pompen en lachen tot de tranen over mijn wangen liepen. God, wat haat ik jou.'
'Gedraag je je zo tegen al je bezoekers, Sam?'
'Wat wil je van me, Wedge?'
'Kunnen ze ons hier horen?'
'Het kan ze geen ruk schelen wat we zeggen.'
'Maar misschien is er een microfoon verborgen.'
'Lazer dan op, man. Verdwijn.'
'Dat doe ik ook. Zo meteen. Maar eerst wilde ik je zeggen dat ik in de buurt ben en alles op de voet heb gevolgd. Ik ben blij dat mijn naam nog niet is genoemd en ik hoop dat dat zo blijft. Ik weet hoe ik mensen de mond moet snoeren.'
'Ja, je bent heel subtiel.'
'Draag het als een man, Sam. Dan kun je waardig sterven. Je bent erbij geweest. Je was medeplichtig en volgens de wet ben je dus net zo schuldig als ik. Goed, ik ben nog steeds op vrije voeten, maar wie zegt dat het leven rechtvaardig is? Zorg dat je het geheim meeneemt in je graf, dan hoeven er geen slachtoffers meer te vallen. Oké?'
'Waar heb je gezeten?'
'Overal. En mijn naam is niet Wedge, dus haal je maar niets in je hoofd. Ik heb nooit Wedge geheten. Zelfs Dogan kende

mijn echte naam niet. Ik moest in 1966 in dienst, maar ik wilde niet naar Vietnam. Daarom ben ik naar Canada gevlucht en ondergedoken toen ik terugkwam. En dat is altijd zo gebleven, Sam. Officieel besta ik niet.'
'Jij had hier horen te zitten.'
'Nee, je vergist je. We hadden hier geen van beiden hoeven te zitten. Jij bent zo stom geweest om naar Greenville terug te gaan. De FBI had geen enkel spoor. Ze zouden ons nooit te pakken hebben gekregen. Ik was veel te slim en Dogan ook. Maar jij was de zwakke schakel. Het zou de laatste aanslag zijn geweest, omdat er doden waren gevallen. Het was tijd om ermee te stoppen. Ik ben naar het buitenland gevlucht en ik zou hier nooit meer teruggekomen zijn. Jij had rustig op je boerderijtje kunnen blijven, met je koeien en je kippen. Wie weet wat Dogan zou hebben gedaan. Maar nu zit je hier, Sam, omdat je zo'n stomme klootzak bent geweest.'
'Net zo stom als jij, omdat je hierheen gekomen bent.'
'Nee hoor. Niemand zou je geloven als je nu begon te gillen. Ze denken toch al dat je gek bent. Maar ik houd de dingen liever zoals ze zijn. Ik heb geen zin in problemen. Aanvaard nou maar wat er gaat gebeuren, Sam, en blijf kalm.'
Sam stak zorgvuldig nog een sigaret op en tikte de as op de grond. 'Verdwijn, Wedge. En kom nooit meer terug.'
'Goed. Ik zeg het niet graag, Sam, maar ik hoop dat ze je vergassen.'
Sam stond op en liep naar de deur achter hem. Een bewaarder deed open en nam hem mee.

Ze zaten achter in de bioscoop en aten popcorn als twee tieners. Het was Adams idee geweest om naar de film te gaan. Lee was drie dagen in haar kamer gebleven, met het virus, maar op zaterdagmorgen was ze eroverheen. Hij had een familierestaurant gekozen om te gaan eten, met een snel menu en geen alcohol op de kaart. Ze had goed gegeten, met wafels en slagroom toe.
De film was een 'politiek correcte' western met de Indianen als de helden en de cowboys als de schurken. Alle bleekgezichten deugden niet en werden uiteindelijk gedood. Lee dronk twee grote Dr. Peppers. Ze had haar haar gewassen en naar achteren gekamd. Haar ogen waren weer helder en

mooi. Ze had zich opgemaakt en de sporen van de afgelopen week verborgen. Ze was *cool* als altijd, in haar spijkerbroek en haar katoenen button-down shirt. En ze was nuchter.

Ze hadden niet veel gezegd over donderdagnacht, toen Adam op de grond voor haar deur had geslapen. Lee wilde er later pas over praten, als ze er klaar voor was. Adam vond het best. Ze balanceerde nu op de rand van een diepe afgrond, een nieuwe terugval in haar verslaving. Adam wilde haar zoveel mogelijk helpen en beschermen. Hij zou proberen het leven wat aangenamer voor haar te maken. Geen woord meer over Sam en zijn moordpartijen. Geen woord meer over Eddie of de rest van de Cayhalls.

Lee was zijn tante en hij hield van haar. Ze was kwetsbaar en ziek. Ze had nu zijn krachtige stem en zijn brede schouders nodig.

35

Phillip Naifeh werd op zondagochtend heel vroeg wakker met hevige pijn in zijn borst. Hij werd meteen naar het ziekenhuis van Cleveland gebracht. Samen met zijn vrouw, met wie hij al eenenveertig jaar was getrouwd, woonde hij in een modern huis op het terrein van Parchman. De ambulance was binnen twintig minuten bij het ziekenhuis en zijn toestand was stabiel toen ze hem op een brancard de afdeling Eerste hulp binnenreden.

Zijn vrouw wachtte zenuwachtig op de gang terwijl de verpleegsters heen en weer renden. Ze had daar al eens eerder gezeten, drie jaar geleden, toen Phillip voor het eerst een hartaanval had gekregen. Een sombere jonge dokter verklaarde dat het maar een licht infarct was, dat ze alles onder controle hadden en dat hij medicijnen had gekregen waardoor hij nu rustig sliep. De komende vierentwintig uur moest hij aan de monitor blijven liggen, maar als alles volgens verwachting verliep, zou hij binnen een week weer thuis kunnen zijn.

Onder geen beding mocht hij voorlopig weer gaan werken of zich met de executie van Sam Cayhall bemoeien. Zelfs niet telefonisch.

Adam kon steeds moeilijker de slaap vatten. Normaal las hij nog een uurtje in bed en als student had hij al ontdekt dat juridische teksten een ideaal slaapmiddel vormden. Maar hoe meer hij nu las, des te groter zijn ongerustheid werd. De gebeurtenissen van de afgelopen twee weken spookten voortdurend door zijn hoofd: de mensen die hij had ontmoet, de dingen die hij had geleerd, de plekken waar hij was geweest. En hij zag de toekomst met angst en beven tegemoet.

Die zaterdagnacht sliep hij onrustig en lag hij vaak wakker. Toen hij voor de laatste keer zijn ogen opende, was de zon al op en liep het tegen achten. Lee had de mogelijkheid van ontbijt geopperd. Ooit was ze heel goed geweest met worstjes en

eieren, zei ze, en iedereen kon een paar beschuiten uit een bus halen, maar toen Adam zijn jeans en een T-shirt aantrok, was er nog niets te ruiken.
De keuken was verlaten. Hij riep haar naam en wierp een blik in de koffiepot. Halfleeg. Haar slaapkamerdeur stond open en er brandde geen licht. Snel keek hij in de andere kamers. Niemand. Ze zat ook niet op het terras met de koffie en de krant. Hij kreeg een angstig voorgevoel dat met iedere lege kamer sterker werd. Hij rende naar het parkeerterrein. Geen spoor van haar auto. Op blote voeten liep hij over het hete asfalt en vroeg de bewaker wanneer ze was vertrokken. De man keek op zijn klembord. Bijna twee uur geleden, antwoordde hij. En ze zag er goed uit, zei hij erbij.
Hij vond het op de sofa in de huiskamer, een dikke stapel nieuws en advertenties, beter bekend als de zondagseditie van *The Memphis Press*. Het stadskatern lag bovenop. Het portret van Lee stond op de eerste pagina. Het was een foto van de heer en mevrouw Phelps Booth, op een liefdadigheidsbal van een paar jaar geleden. Ze glimlachten naar de camera. Lee zag er fantastisch uit in een zwarte strapless jurk. Phelps droeg een modieuze smoking. Ze leken een stralend en gelukkig paar.
Todd Marks had de achtergronden van de zaak Cayhall nog verder uitgespit. Met elk artikel werd zijn toon sensationeler. Hij begon vriendelijk genoeg, met een wekelijkse samenvatting van de ontwikkelingen rondom de executie. De bekende mensen werden geciteerd: McAllister, Roxburgh, Lucas Mann – en Phillip Naifeh, die ieder commentaar weigerde. Maar daarna werd het venijnig, toen Marks met veel genoegen de aandacht vestigde op Lee Cayhall Booth, een bekende society-figuur in Memphis, echtgenote van de vooraanstaande bankier Phelps Booth uit het rijke en vermaarde geslacht Booth. Lee Cayhall Booth, actief in het vrijwilligerswerk, tante van Adam Hall en – geloof het of niet – de dochter van de beruchte Sam Cayhall!
Het verhaal was geschreven alsof Lee zelf een afschuwelijk misdrijf had gepleegd. Er werden zogenaamde vrienden geciteerd, natuurlijk anoniem, die 'geschokt' waren toen ze van haar ware identiteit hadden gehoord. Todd Marks schreef over de familie Booth met al haar geld en vroeg zich af hoe

een aristocraat als Phelps zo'n bedenkelijk huwelijk had kunnen sluiten. Hij noemde hun zoon Walt en citeerde opnieuw anonieme bronnen die speculeerden over zijn weigering om naar Memphis terug te keren. Walt was nooit getrouwd, meldde Marks suggestief, en woonde nu in Amsterdam.
Maar het ergste van alles was een andere anonieme bron die een verhaal vertelde over een liefdadigheidsbal van enkele jaren geleden, toen Lee en Phelps Booth aan hetzelfde tafeltje hadden gezeten als Ruth Kramer. De anonieme bron was er zelf bij geweest en kon zich nog goed herinneren waar iedereen zat. Ze was een vriendin van Ruth en een kennis van Lee, en ze was hevig geschokt dat Lee zo'n vader bleek te hebben. Er was ook een kleine foto van Ruth Kramer bij het stuk geplaatst. Ze was een aantrekkelijke vrouw van voor in de vijftig.
Na de sensationele identificatie van Lee gaf Marks nog een samenvatting van de hoorzitting van vrijdag in New Orleans en de laatste manoeuvres van Sam Cayhalls verdediger.
Al met al was het een sensationeel verhaal met weinig nieuws, maar het had de dagelijkse moordverslagen naar de tweede pagina verdrongen.
Adam smeet de krant op de grond en nam een slok koffie. Eindelijk was Lee op deze warme zondagmorgen weer nuchter wakker geworden, voor het eerst sinds dagen. Ze had zich op de sofa geïnstalleerd met een verse kop koffie en de krant. Een paar minuten later had ze een klap in haar gezicht en een schop in haar maag gekregen en was ze er weer vandoor gegaan. Waar ging ze eigenlijk heen als ze vluchtte? Waar verschool ze zich? In elk geval niet bij Phelps. Misschien had ze ergens een vriend die haar onderdak en troost bood, maar dat betwijfelde Adam. Hij bad dat ze niet doelloos door de stad reed met een fles onder handbereik.
Bij de familie Booth was inmiddels de hel losgebroken, veronderstelde hij. Hun geheim was eindelijk uitgekomen en stond breeduit in de krant. Hoe zouden zij die vernedering verwerken? Een Booth die met een vrouw van zo'n laag allooi was getrouwd en zelfs een kind bij haar had gekregen! Het was de vraag of de familie die schande ooit te boven zou komen. Moeder Booth zou wel in bed liggen, geveld door de schok.

Mooi zo, dacht Adam. Hij nam een douche en kleedde zich aan. Buiten gekomen liep hij naar de Saab en liet de kap zakken. Hij verwachtte niet dat hij Lee's rode Jaguar in de stille straten van Memphis zou tegenkomen, maar toch reed hij een tijdje rond. Hij begon in Front Street bij de rivier en zigzagde toen, met Springsteen op de radio, naar het oosten, langs de ziekenhuizen in Union Street, via de statige huizen in het oude centrum, naar de arme buurten rondom het Auburn House. Natuurlijk zag hij haar nergens, maar het ritje was verfrissend. Tegen de middag werd het weer drukker op straat en reed Adam naar kantoor.

Sams enige bezoeker die zondag was weer een onverwachte gast. Sam masseerde zijn polsen toen de handboeien waren verwijderd en ging achter het traliewerk zitten tegenover een man met grijs haar, een vrolijk gezicht en een warme glimlach.
'Meneer Cayhall, mijn naam is Ralph Griffin en ik ben de geestelijk raadsman hier in Parchman. Ik werk hier pas, daarom hebben we elkaar nog niet ontmoet.'
Sam knikte en zei: 'Hoe maakt u het?'
'Goed, dank u. Ik neem aan dat u mijn voorganger kende?'
'Ja, dominee Rucker. Waar is hij nu?'
'Met pensioen.'
'Mooi zo. Ik mocht hem niet. Ik betwijfel of hij in de hemel komt.'
'Ja, ik heb gehoord dat hij niet erg geliefd was.'
'Geliefd? Iedereen had de pest aan hem. We vertrouwden hem gewoon niet, ik weet niet waarom. Misschien wel omdat hij voor de doodstraf was. Stel je voor. Hij was door God geroepen om ons bij te staan, maar hij vond dat we moesten sterven. Dat stond in de bijbel, zei hij. Oog om oog, u weet wel.'
'Ik ken de tekst, ja.'
'Vast wel. Wat voor een dominee bent u? Van welke richting?'
'Ik ben eigenlijk doopsgezind, maar daar trek ik me niet zoveel van aan. Volgens mij heeft de Heer ook genoeg van al die hokjes.'
'En Hij heeft genoeg van mij.'
'O ja?'

'Kent u Randy Dupree, een van de andere gevangenen, verderop in de gang? Hij zit voor verkrachting en moord.'
'Ja. Ik heb zijn dossier gelezen. Hij is ooit predikant geweest.'
'We noemen hem Preacher Boy, en hij heeft pas de gave gekregen om dromen uit te leggen. Hij zingt hymnen en hij is gebedsgenezer. Waarschijnlijk zou hij ook slangen bezweren als dat zou mogen hier. U weet wel, Markus 16:18: "slangen zullen zij opnemen". Hij heeft pas een heel lange droom gehad, die meer dan een maand duurde, een soort miniserie, en ten slotte werd hem geopenbaard dat ik toch zal worden vergast en dat God nu zit te wachten tot ik berouw krijg van mijn zonden.'
'Dat lijkt me geen gek idee – om met God in het reine te komen.'
'Waarom zoveel haast? Ik heb nog tien dagen.'
'Dus u gelooft wel in God?'
'Jawel. Gelooft u in de doodstraf?'
'Nee.'
Sam keek hem doordringend aan en vroeg toen: 'Meent u dat serieus?'
'Doden is verkeerd, meneer Cayhall. Als u inderdaad schuldig bent, hebt u een zonde begaan door te doden. Maar het is ook zondig van de regering om u te executeren.'
'Halleluja, broeder.'
'Ik heb nooit geloofd dat Jezus de doodstraf goedkeurde. Dat paste niet bij hem. Hij verkondigde liefde en vergiffenis.'
'Zo heb ik de bijbel ook begrepen, ja. Maar hoe hebt u dit baantje dan gekregen?'
'Ik heb een neef in de senaat.'
Sam grinnikte om dat antwoord. 'U redt het hier niet lang. U bent veel te eerlijk.'
'Ik maak me geen zorgen. Mijn neef is voorzitter van de Commissie voor het Gevangeniswezen. Hij heeft genoeg invloed.'
'Bid dan maar dat hij herkozen wordt.'
'Dat doe ik elke ochtend. Ik kwam alleen even langs om kennis te maken. Ik wil binnenkort graag wat langer met u praten. En samen bidden, als u dat wilt. Ik heb nog nooit een executie meegemaakt.'
'Ik ook niet.'

'Bent u bang?'
'Ik ben een oude man, dominee. Over vier maanden word ik zeventig, als ik het haal. Soms denk ik met vreugde aan de dood. Ik zal blij zijn als ik dit godvergeten oord kan verlaten.'
'Maar toch verzet u zich nog.'
'Natuurlijk, hoewel ik soms niet weet waarom. Het is net een lang gevecht tegen kanker. Je wordt steeds zwakker. Iedere dag sterf je een beetje, tot het punt waarop de dood een verlossing lijkt. Maar niemand wil echt sterven. Ik ook niet.'
'Ik heb over uw kleinzoon gelezen. Dat moet hartverwarmend zijn. Ik weet dat u trots op hem bent.'
Sam glimlachte en keek naar de grond.
'Hoe dan ook,' besloot de dominee, 'ik ben beschikbaar. Zal ik morgen terugkomen?'
'Dat zou prettig zijn. Mag ik erover nadenken?'
'Natuurlijk. U kent toch de procedure? De laatste uren mag u maar twee mensen bij u hebben. Uw advocaat en uw geestelijk raadsman. Ik zou het een eer vinden om bij u te blijven.'
'Dank u. En wilt u ook eens met Randy Dupree gaan praten? Die arme jongen begint in te storten en hij heeft echt hulp nodig.'
'Ik ga morgen naar hem toe.'
'Bedankt.'

Adam keek in zijn eentje naar een videofilm, met de telefoon binnen handbereik. Hij had nog niets van Lee gehoord. Om tien uur belde hij twee keer met de Westkust. Het eerste gesprek was met zijn moeder in Portland. Ze klonk nogal mat, maar ze was blij iets van hem te horen, zei ze. Ze vroeg niet naar Sam en Adam begon er zelf niet over. Hij vertelde dat hij hard werkte, dat hij goede hoop had en dat hij waarschijnlijk over een paar weken naar Chicago terug zou gaan. Zijn moeder had een paar stukken in de krant gelezen en ze dacht aan hem. Met Lee ging alles goed, zei Adam.
Daarna belde hij zijn jongere zusje, Carmen, in Berkeley. Een man nam op, Kevin en nog wat, als Adam het zich goed herinnerde. Hij was al een paar jaar haar vriend. Carmen kwam aan de telefoon en leek geïnteresseerd in de gebeurtenissen in Mississippi. Ze had het nieuws aandachtig gevolgd en Adam gaf een optimistische voorstelling van zaken.

Carmen maakte zich ongerust over hem, daar in het zuiden, tussen al die Kluckers en racisten. Adam wuifde haar bezorgdheid weg. Het ging allemaal heel rustig, zei hij. De mensen waren opvallend vriendelijk en ontspannen. Hij logeerde bij Lee en ze probeerden er het beste van te maken. Tot Adams verbazing wilde ze alles weten over Sam: hoe hij eruitzag, hoe hij zich gedroeg, wat hij over Eddie vertelde. Ze vroeg of ze voor 8 augustus nog bij Sam op bezoek mocht komen, een ontmoeting waar Adam totaal geen rekening mee had gehouden. Adam zei dat hij erover zou denken en het aan Sam zou vragen.
Hij viel in slaap op de sofa, met de televisie nog aan.
Maandagnacht om half vier werd hij gewekt door de telefoon. Een onbekende stem. De man stelde zich zakelijk voor als Phelps Booth. 'Jij bent Adam, neem ik aan,' zei hij.
Adam ging overeind zitten en wreef in zijn ogen. 'Ja, dat klopt.'
'Heb je Lee gezien?' vroeg Phelps, niet echt rustig, maar ook niet in paniek.
Adam keek naar de klok aan de muur boven de televisie. 'Nee. Wat is er dan?'
'Ze zit in moeilijkheden. De politie heeft me een uur geleden gebeld. Ze hebben haar gisteravond om tien voor half negen aangehouden wegens rijden onder invloed.'
'O nee,' zei Adam.
'Dit is niet de eerste keer. Ze heeft natuurlijk de ademtest geweigerd en dus hebben ze haar vijf uur opgesloten. Ze heeft mijn naam op de papieren ingevuld, daarom heeft de politie mij gebeld. Ik ben naar het bureau gereden, maar ze had de borgsom al betaald en was vertrokken. Ik dacht dat ze jou misschien had gebeld.'
'Nee. Ze was niet hier toen ik gisterochtend wakker werd en dit is het eerste wat ik hoor. Wie zou ze verder nog kunnen bellen?'
'Geen idee. Ik voel er weinig voor om nu haar kennissen uit bed te bellen. Misschien moeten we maar gewoon afwachten.'
Adam was niet blij dat hij nu bij de beslissingen werd betrokken. Deze mensen waren, hoe je het ook bekeek, al bijna dertig jaar getrouwd en ze hadden dit blijkbaar al eerder meege-

maakt. Wat moest hij ervan zeggen? 'Ze is toch niet met de auto bij het bureau weggereden?' vroeg hij timide, zeker van het antwoord.
'Natuurlijk niet. Iemand heeft haar opgehaald. En daarmee kom ik op een ander probleem. We moeten haar auto daar weghalen. Die staat op een parkeerterrein bij het bureau. Ik heb de wegsleepkosten al betaald.'
'Heb je een sleuteltje?'
'Ja. Wil jij met me meegaan?'
Adam herinnerde zich opeens de krant met de lachende foto van Phelps en Lee. Hij had zich toen afgevraagd hoe de familie Booth zou reageren. Hij was ervan overtuigd dat een groot deel van hun woede zich op hèm zou richten. Als hij in Chicago was gebleven, zou dit allemaal niet zijn gebeurd.
'Natuurlijk. Zeg maar wat ik...'
'Loop maar naar de straat. Over tien minuten ben ik bij je.'
Adam poetste zijn tanden, trok zijn Nikes aan en praatte een kwartiertje met Willis, de bewaker bij het hek. Een zwarte Mercedes, het langste model uit de geschiedenis, kwam aanrijden en stopte. Adam nam afscheid van Willis en stapte in. Ze gaven elkaar een hand omdat de beleefdheid dat vereiste. Phelps droeg een wit joggingpak en een petje van de Cubs. Langzaam reed hij de lege straat uit. 'Ik neem aan dat Lee je het een en ander over mij heeft verteld,' zei hij zonder een spoor van ongerustheid of spijt.
'Een paar dingen,' zei Adam voorzichtig.
'Er valt heel wat te vertellen, dus ik zal je niet vragen waar ze het over heeft gehad.'
Goed idee, dacht Adam. 'Het is waarschijnlijk het beste als we over honkbal praten of zoiets. Ik neem aan dat je een Cubs-supporter bent.'
'Mijn hele leven al. En jij?'
'Ik ook. Dit is mijn eerste jaar in Chicago en ik heb iets van twaalf wedstrijden gezien. Ik woon vrij dicht bij het stadion.'
'O ja? Ik ga er drie of vier keer per jaar naartoe. Ik heb een vriend die een loge heeft. Ik kom er al jaren. Wie is jouw favoriete speler?'
'Sandberg, denk ik. En de jouwe?'
'Ik ben een fan van die oudere jongens. Ernie Banks en Ron Santo. Dat waren nog eens tijden, toen de spelers nog club-

trouw kenden en je voor het seizoen al wist wie er zouden spelen. Nu is het maar afwachten. Ik hou van het spel, maar het is verziekt door geld.'
Adam vond het merkwaardig dat Phelps Booth iets tegen geld zou hebben. 'Misschien, maar dat komt door de eigenaren. Die hebben het zelf in de hand gewerkt. Geen wonder dat de spelers er zoveel mogelijk uit proberen te slepen.'
'Maar wie is nou vijf miljoen per jaar waard?'
'Niemand. Maar als popsterren vijftig miljoen verdienen, waarom zouden sportmensen dan niet een paar miljoen mogen krijgen? Het is amusement. De spelers maken het spel, niet de eigenaren. Ik ga naar het stadion om de wedstrijd te zien, niet omdat de *Tribune* toevallig de huidige eigenaar is.'
'Ja, maar moet je de prijzen van de kaartjes zien. Vijftien dollar voor een wedstrijd.'
'Toch komen er steeds meer mensen. De supporters hebben het ervoor over.'
Ze reden door het centrum, dat verlaten was om vier uur 's nachts, en een paar minuten later naderden ze het politiebureau. 'Hoor eens, Adam, ik weet niet hoeveel Lee je over haar drankprobleem heeft verteld.'
'Ze heeft me gezegd dat ze alcoholiste is.'
'Dat is zo. Dit is al de tweede keer dat ze is aangehouden omdat ze dronken achter het stuur zat. De eerste keer heb ik het uit de krant kunnen houden, maar nu weet ik het niet. Ze is opeens interessant geworden voor de pers. Goddank heeft ze geen ongeluk veroorzaakt.' Phelps stopte langs de stoep, niet ver van een omheind parkeerterrein. 'Ze heeft al een keer of zes een ontwenningskuur gevolgd.'
'Zes keer? Tegen mij zei ze drie keer.'
'Je kunt alcoholisten niet geloven. Ik weet van minstens vijf keer in de afgelopen vijftien jaar. Haar favoriete plek is Spring Creek, een chique kleine kliniek aan een rivier, een paar kilometer ten noorden van de stad. Heel mooi en rustig. Uitsluitend voor rijke cliënten. Ze worden goed verzorgd maar krijgen geen druppel drank. Goed eten, veel lichaamsbeweging, sauna's, noem maar op. Het is er zo aangenaam dat je er voor je plezier naartoe zou gaan. Ik heb het vermoeden dat ze daar in de loop van de dag wel zal opduiken. Ze heeft een paar kennissen die haar kunnen helpen bij de in-

schrijving. Ze kennen haar daar al. Het is een soort tweede thuis voor haar.'
'Hoe lang zal ze daar blijven, denk je?'
'Dat varieert. Het minimum is een week, maar ze is wel eens een maand gebleven. Het kost tweeduizend dollar per dag en ik kan natuurlijk de rekening betalen. Dat geeft niet. Ik wil alles wel betalen om haar te helpen.'
'Wat wil je dat ik doe?'
'Eerst zullen we proberen haar te vinden. Over een paar uur zet ik mijn secretaressen aan het bellen en dan zullen we haar wel vinden. Haar gedrag is redelijk voorspelbaar en ik weet zeker dat ze naar een ontwenningskliniek zal gaan, waarschijnlijk Spring Creek. Ik zal zoveel mogelijk invloed aanwenden om het uit de krant te houden, maar dat zal niet meevallen, als je ziet wat ze gisteren hebben geschreven.'
'Het spijt me.'
'Als we haar hebben gevonden, moet jij haar maar opzoeken. Neem wat bloemen en snoep voor haar mee. Ik weet dat je het druk hebt met wat er nog gaat gebeuren de komende eh...'
'Negen dagen.'
'Precies. Negen dagen. Nou ja, probeer wat tijd te vinden om haar op te zoeken. En als die zaak in Parchman achter de rug is, kun je maar beter weer naar Chicago gaan en haar met rust laten.'
'Met rust laten?'
'Ja. Dat klinkt hard, maar dat is nodig. Ze heeft allerlei problemen met allerlei oorzaken. Ik ben er één van, dat geef ik toe, maar er is nog van alles wat ze je niet heeft verteld. Haar familie is ook een reden. Ze is dol op je, maar je brengt ook alle herinneringen en ellende weer bij haar boven. Begrijp me niet verkeerd. Ik wil je niet kwetsen, maar zo is het nu eenmaal.'
Adam staarde naar de ketting langs de stoep, naast het portier.
'Eén keer is ze vijf jaar nuchter geweest,' vervolgde Phelps. 'Toen dachten we dat het eindelijk goed zou gaan. Maar daarna werd Sam veroordeeld en pleegde Eddie zelfmoord. Toen ze van de begrafenis terugkwam, viel ze in een zwart gat. Ik heb vaak gedacht dat ze er nooit meer uit zou komen. Het is voor haar het beste als je haar met rust laat.'

'Maar ik hou van Lee.'
'En zij houdt van jou. Maar je zult van een afstand van haar moeten houden. Stuur haar maar brieven en kaarten uit Chicago. En bloemen op haar verjaardag. Bel haar eens in de maand op en praat over films en boeken, maar niet over de familie.'
'En wie zorgt er dan voor haar?'
'Ze is een vrouw van vijftig, Adam, en ze is heel zelfstandig. Ze is al bijna twintig jaar aan de drank. Daar kunnen jij en ik niets meer aan doen. Ze kent de verschijnselen. Ze blijft nuchter als ze nuchter wil blijven. Jij hebt geen goede invloed op haar. Ik ook niet. Het spijt me.'
Adam haalde diep adem en legde zijn hand op de kruk van het portier. 'Het spijt me als ik jou en je familie in moeilijkheden heb gebracht, Phelps. Dat was niet de bedoeling.'
Phelps glimlachte en legde een hand op zijn schouder. 'Geloof het of niet, maar mijn familie heeft in zekere zin nog meer problemen dan die van jou. We hebben wel ergere dingen meegemaakt.'
'Dat lijkt me moeilijk te geloven.'
'Toch is het zo.' Phelps gaf hem een sleutelring en wees naar een gebouwtje achter het hek. 'Daar kun je je melden, dan krijg je de auto mee.'
Adam opende het portier en stapte uit. Hij keek de Mercedes na toen die verdween. Adam liep door het hek naar binnen. Hij kon het gevoel niet van zich afzetten dat Phelps Booth nog steeds van zijn vrouw hield.

36

Kolonel b.d. George Nugent was niet echt geschokt door het nieuws van Naifehs hartaanval. Op maandagochtend maakte de oude directeur het weer redelijk goed. Hij was buiten gevaar, hij lag rustig te slapen en hij was nog maar een paar maanden van zijn pensioen verwijderd. Naifeh was een goede vent, maar hij had zijn tijd uitgediend en maakte alleen nog zijn dagen vol. Nugent overwoog zich kandidaat te stellen voor de hoogste post als hij voldoende politieke steun kon krijgen.

Maar op dit moment had hij dringender zaken aan zijn hoofd. Er waren nog maar negen dagen te gaan tot aan de executie van Sam Cayhall – in feite nog maar acht, omdat de terechtstelling was gepland om één minuut na dinsdag middernacht. De woensdag kon dus niet meer worden meegeteld. Dinsdag was de laatste dag.

Op zijn bureau lag een in glanzend leer gebonden boekje met de tekst 'Mississippi Protocol' professioneel op het omslag afgedrukt. Het was zijn meesterwerk, het resultaat van twee weken ploeteren. Hij was geschrokken van de onsamenhangende richtlijnen, regels en checklists die Naifeh bij vorige executies had gebruikt. Het was een wonder dat het met zo'n warrige organisatie was gelukt om iemand te executeren. Maar nu lag er een gedetailleerde blauwdruk waarin alle aspecten zorgvuldig waren verwerkt. Het boekje was vijf centimeter dik, telde honderdtachtig pagina's en was uiteraard van zijn eigen naam voorzien.

Maandagochtend om kwart over acht stapte Lucas Mann zijn kantoor binnen. 'Je bent laat,' snauwde Nugent, nu een man van gezag. Mann was maar een gewone advocaat, Nugent had de leiding over het executieteam. Mann was tevreden met zijn positie, Nugent had hogere ambities, die de afgelopen vierentwintig uur duidelijk waren aangewakkerd.

'Nou en?' Mann bleef bij een stoel tegenover het bureau staan. Zoals altijd droeg Nugent een donkergroene broek

met een onberispelijke vouw en een gesteven olijfgroen overhemd met een grijs T-shirt eronder. Zijn schoenen waren glanzend gepoetst. Hij liep naar een punt achter zijn bureau. Mann had de pest aan hem.
'We hebben nog acht dagen,' zei Nugent, alsof hij de enige was die dat wist.
'Negen dagen, dacht ik,' zei Mann. De twee mannen bleven staan.
'De woensdag telt niet mee. We hebben nog maar acht werkdagen de tijd.'
'Je zegt het maar.'
Nugent ging stijf op zijn stoel zitten. 'Twee dingen. Om te beginnen heb ik een nieuw handboek opgesteld voor de executies. Een protocol, van A tot Z. Volledig georganiseerd, met verwijzingen en een index. Ik zou je willen vragen de juridische aspecten te controleren.'
Mann keek naar het zwarte boekje maar pakte het niet op.
'In de tweede plaats wil ik iedere dag een rapport over de status van alle beroepsprocedures. Zoals ik het begrijp, zijn er op dit moment geen juridische belemmeringen om vanochtend al met de voorbereidingen te beginnen.'
'Dat klopt,' antwoordde Mann.
'Ik zou graag iedere morgen een schriftelijk overzicht krijgen van de stand van zaken.'
'Huur dan maar een advocaat in. Je bent niet mijn baas en ik verdom het om elke ochtend voor jouw plezier een rapportje bij de koffie in te dienen.'
Ach, de frustraties van het burgerleven. Nugent verlangde terug naar de discipline van het leger. Die vervloekte juristen.
'Goed. Maar wil je wel het protocol bekijken?'
Mann sloeg het boekje open en bladerde het door. 'We hebben al vier executies uitgevoerd zonder dat gedoe.'
'Ja, en dat verbaast me nogal, moet ik eerlijk zeggen.'
'Mij niet. We zijn er heel efficiënt in geworden, moet ik helaas zeggen.'
'Hoor eens, Lucas, ik doe dit ook niet voor mijn lol,' verklaarde Nugent onwaarachtig. 'Phillip heeft het me gevraagd. Ik hoop dat er uitstel komt. Dat meen ik. Maar als dat niet zo is, moeten we goed voorbereid zijn. Ik wil dat de hele operatie soepel verloopt.'

Mann reageerde niet op die leugen en bladerde nog eens in het boekje. Zelf had Nugent nog geen enkele executie meegemaakt en hij telde de uren. Hij kon nauwelijks wachten om Sam op die stoel te zien, met de gaskraan open.
Lucas knikte en vertrok. Op de gang zag hij Bill Monday, de officiële beul, ongetwijfeld op weg naar Nugents kantoor voor een opwekkend gesprek.

Een paar minuten voor drie kwam Adam bij de bibliotheek aan. De dag was begonnen met de paniek over Lee's aanhouding wegens rijden onder invloed, en daarna was het er niet beter op geworden.
Hij was met hoofdpijn naar kantoor gegaan. Toen hij koffie zat te drinken aan zijn bureau en wat werk probeerde te doen, bracht Darlene binnen tien minuten een fax uit New Orleans en een fax van het arrondissement. Beide eisen waren afgewezen. Het Vijfde Circuit bevestigde de uitspraak van het federale hof, dat de constitutionele bezwaren tegen de gaskamer ongegrond had verklaard, en het arrondissement bepaalde dat Benjamin Keyes bij de verdediging van Sam Cayhall geen verwijtbare fouten had gemaakt. Opeens was Adams hoofdpijn vergeten. Nog geen uur later belde de death clerk uit Washington. Richard Olander wilde weten of Adam nog in beroep ging en welke andere verzoeken hij in gedachten had. Hij waarschuwde Adam dat er nog maar acht dagen te gaan waren, alsof Adam dat niet wist. Een half uur na Olanders telefoontje belde een griffier van het Vijfde Circuit om te vragen of Adam beroep wilde aantekenen tegen de uitspraak van het arrondissement.
Adam antwoordde in beide gevallen dat hij zo snel mogelijk een beroep zou indienen, misschien nog voor het einde van de dag. Hij vond het een onrustig idee om zijn werk te moeten doen terwijl er zoveel mensen over zijn schouder meekeken. Allerlei hoven en rechters zaten op dit moment te wachten op zijn volgende zet. Griffiers belden op om te vragen wat zijn plannen waren. De reden lag voor de hand en was niet erg geruststellend. Ze waren niet geïnteresseerd in de juridische vondsten die Adam nog zou bedenken, maar uitsluitend in de logistiek. De rechtbanken wilden snel uitspraak kunnen doen, meestal tégen Sam. Daarom moesten de griffiers de

zaak in de gaten houden. De rechters hadden geen zin om tot drie uur 's nachts allerlei stukken te moeten lezen, daarom wilden ze kopieën van alle eisen en verzoeken, lang voordat die officieel bij hen werden ingediend.

Tegen twaalven had Phelps Booth hem gebeld met de mededeling dat Lee nog steeds niet gevonden was. Hij had navraag gedaan bij alle ontwenningsklinieken binnen een straal van honderdvijftig kilometer, maar nergens had een Lee Booth zich ingeschreven. Hij zocht nog steeds, maar hij had het druk met vergaderingen en zo.

Een half uur later kwam Sam in een sombere stemming bij de bibliotheek aan. Hij had het slechte nieuws al op de televisie gezien, bij het station in Jackson dat zo nadrukkelijk de dagen aftelde. Nog maar negen. Hij ging aan de tafel zitten en keek Adam uitdrukkingsloos aan. 'Waar zijn mijn Eskimo Pies?' vroeg hij triest, als een klein kind dat om snoep bedelde.

Adam stak zijn hand onder de tafel en haalde een kleine koelbox van schuimplastic tevoorschijn. Hij zette hem op tafel en opende het deksel. 'Ze werden bijna in beslag genomen bij de poort. En daarna dreigden de bewaarders ze achter te houden. Geniet er dus maar van.'

Sam pakte er een, keek er verlekkerd naar en haalde voorzichtig de wikkel eraf. Hij likte aan de chocolade en nam een flinke hap. Met gesloten ogen begon hij langzaam te kauwen. Een paar minuten later was de eerste Eskimo Pie soldaat gemaakt en pakte Sam de volgende. 'Geen beste dag,' zei hij, zijn vingers aflikkend.

Adam schoof hem een paar papieren toe. 'Hier heb je de twee uitspraken. Kort, zakelijk en in ons nadeel. Je hebt niet veel vrienden bij die rechtbanken, Sam.'

'Dat weet ik. Gelukkig is de rest van de wereld dol op me. Ik wil dat gezeik niet lezen. Wat doen we nu?'

'We gaan bewijzen dat je psychisch te labiel bent om te worden terechtgesteld. Dat je vanwege je hoge leeftijd de aard van je straf niet kunt bevatten.'

'Dat lukt nooit.'

'Zaterdag vond je het nog een goed idee. Waarom nu niet meer?'

'Omdat het geen zin heeft.'

'Waarom niet?'
'Omdat ik bij mijn volle verstand ben. Ik weet heel goed waarom ik word geëxecuteerd. Jij doet waar advocaten goed in zijn: rare theorieën verzinnen en een gestoorde rechter zoeken die erin trapt.' Hij nam een grote hap van zijn ijsje en likte zijn lippen.
'Moet ik er dan mee ophouden?' vroeg Adam bits.
Sam staarde naar zijn gele nagels. 'Misschien wel,' zei hij, terwijl hij snel zijn tong langs een vinger liet glijden.
Adam ging naast hem zitten, wat hij niet vaak deed, en nam hem scherp op. 'Wat is er gebeurd, Sam?'
'Ik weet het niet. Ik heb nagedacht.'
'Ik luister.'
'Toen ik nog heel jong was, is mijn beste vriend bij een verkeersongeluk omgekomen. Hij was zesentwintig, pas getrouwd, had net een baby gekregen, woonde in een nieuw huis en had zijn hele leven nog voor zich. Opeens was hij dood. Ik heb hem al drieënveertig jaar overleefd. Mijn oudste broer is gestorven toen hij zesenvijftig was. Ik ben al dertien jaar ouder. Ik ben een oude man, Adam. Heel oud. En ik ben moe. Voor mij hoeft het niet meer.'
'Toe nou, Sam.'
'Bekijk het eens van de positieve kant. Jij staat niet langer onder druk, je hoeft de volgende week niet van hot naar her te rennen om allerlei zinloze eisen in te dienen. Je hoeft je geen mislukkeling te voelen als het achter de rug is. Ik hoef mijn laatste dagen niet om een wonder te bidden en kan me rustig voorbereiden. We kunnen meer tijd samen doorbrengen. Een heleboel mensen zullen tevreden zijn: de Kramers, McAllister, Roxburgh en de tachtig procent van het Amerikaanse volk die voor de doodstraf is. Een glorieus moment voor de aanhangers van orde en gezag. Ik kan sterven met enige waardigheid, niet als een wanhopig man die bang is voor de dood. Het is echt een heel goed idee.'
'Wat is er met je gebeurd, Sam? Vorige week zaterdag was je nog bereid tot het bittere eind door te vechten.'
'Ik heb genoeg van vechten. Ik ben een oude man. Ik heb een lang leven achter me. Stel dat het je lukt mijn huid te redden? Wat moet ik dan? Ik kom hier nooit meer vandaan, Adam. Jij gaat terug naar Chicago om je carrière op te pakken. O, je

zult nog wel eens op bezoek komen. We zullen elkaar brieven en kaartjes schrijven. Maar ik moet verder leven in de dodencel. Jij niet. Je hebt geen idee wat dat betekent.'
'We stoppen er niet mee, Sam. We hebben nog steeds een kans.'
'Dat is jouw beslissing niet.' Hij had de tweede Eskimo Pie op en veegde zijn mond af met zijn mouw.
'Zo ken ik je niet, Sam. Ik zie je liever vechtlustig en agressief.'
'Ik ben moe, oké?'
'Je kunt je niet zomaar naar de slachtbank laten leiden. Je moet doorgaan tot het eind, Sam.'
'Waarom?'
'Omdat het verkeerd is. Het is moreel verwerpelijk dat de overheid jou wil doden, en daarom mogen we niet opgeven.'
'Maar we verliezen het toch.'
'Misschien. Misschien ook niet. Maar je vecht nu al tien jaar. Waarom zou je het opgeven met nog maar een week te gaan?'
'Omdat het voorbij is, Adam. Het is definitief afgelopen.'
'Dat weet ik nog niet. We moeten doorgaan. Gooi alsjeblieft nu niet de handdoek in de ring. Verdomme, er zit schot in. Ik heb die lui behoorlijk nerveus gemaakt.'
Sam glimlachte minzaam.
Adam schoof wat dichter naar hem toe en legde zijn hand op Sams arm. 'Ik heb weer een paar nieuwe mogelijkheden bedacht,' zei hij ernstig. 'Morgen komt er al een deskundige om met je te praten.'
Sam keek hem verbaasd aan. 'Wat voor een deskundige?'
'Een psychiater.'
'Een psychiater?'
'Ja. Uit Chicago.'
'Ik heb al met een psychiater gesproken. Dat ging niet goed.'
'Deze man is anders. Hij werkt voor ons en hij zal getuigen dat je je verstand verloren hebt.'
'Jij gaat ervan uit dat ik mijn verstand nog had toen ik hier kwam.'
'Ja, daar ga ik van uit. Morgen zal die psychiater je onderzoeken en een rapport opstellen met de conclusie dat je een seniele idioot bent – en wat hij verder nog kan bedenken.'
'Hoe weet je dat hij dat zal schrijven?'

'Omdat wij hem ervoor betalen.'
'Wie zijn wij?'
'Kravitz & Bane, die joodse Amerikanen uit Chicago aan wie jij zo'n hekel hebt maar die heel betrokken zijn bij jouw zaak en hun uiterste best doen om je in leven te houden. Het was Goodmans idee.'
'Dat moet een vreemde deskundige zijn.'
'We kunnen nu niet kieskeurig zijn. Een paar andere advocaten van het kantoor hebben hem al eens gebruikt en hij zal zeggen wat wij willen dat hij zegt. Stel je maar een beetje aan als je met hem praat.'
'Dat lijkt me niet zo moeilijk.'
'Vertel hem alle gruwelverhalen over de dodencellen. Maak er een griezelfilm van.'
'Geen probleem.'
'Zeg dat je gezondheid in de loop der jaren sterk achteruit is gegaan en dat deze situatie niet vol te houden is voor iemand van jouw leeftijd. Je bent verreweg de oudste hier, Sam, dus vertel hem al je problemen maar. Dik ze nog een beetje aan. Dan stelt hij een overtuigend rapport op dat ik aan een federaal hof kan voorleggen.'
'Het lukt toch niet.'
'We kunnen het proberen.'
'Het Hooggerechtshof heeft Texas toestemming gegeven een achterlijke jongen te executeren.'
'Dit is Texas niet, Sam. Iedere zaak is weer anders. Werk nou maar met ons mee.'
'Ons? Wie zijn ons?'
'Goodman en ik. Je zei dat je niet meer de pest aan hem had, daarom heb ik gevraagd of hij wilde meedoen met de pret. Maar serieus, ik heb hulp nodig. Het is te veel werk voor één advocaat.'
Sam schoof zijn stoel naar achteren en stond op. Hij strekte zijn armen en benen en begon langs de tafel te ijsberen, terwijl hij zijn passen telde.
'Morgen zal ik een verzoek om certiorari bij het Hooggerechtshof indienen,' zei Adam, met een blik op het lijstje op zijn schrijfblok. 'Waarschijnlijk zullen ze het niet-ontvankelijk verklaren, maar ik doe het toch. En ik teken beroep aan bij het Vijfde Circuit in die zaak over verwijtbare fouten van

de verdediging. Morgenmiddag komt de psychiater, dan kan ik woensdagochtend een petitie wegens ontoerekeningsvatbaarheid indienen.'
'Toch ga ik liever in alle rust, Adam.'
'Vergeet het maar, Sam. We geven de strijd niet op. Ik heb gisteravond met Carmen gesproken en ze wil graag op bezoek komen.'
Sam ging op de rand van de tafel zitten en staarde naar de grond. Zijn ogen waren klein en triest. Hij blies een rookwolk naar zijn voeten. 'Waarom?'
'Dat heb ik niet gevraagd. Het was niet mijn idee. Ze kwam er zelf mee. Ik heb haar beloofd dat ik het je zou vragen.'
'Ik heb haar nog nooit ontmoet.'
'Dat weet ik. Maar ze is je enige kleindochter, Sam, en ze wil je zien.'
'Maar niet zoals ik er nu bij loop,' zei hij, met een gebaar naar zijn rode trainingspak.
'Dat kan haar niet schelen.'
Sam pakte nog een Eskimo Pie uit de koelbox. 'Wil jij er ook een?' vroeg hij.
'Nee. Mag Carmen komen?'
'Ik zal erover nadenken. Wil Lee ook nog komen?'
'Eh, ja. Ik heb haar al een paar dagen niet gesproken, maar ik weet zeker dat ze je wil zien.'
'Ik dacht dat je bij haar logeerde.'
'Dat is ook zo. Maar ze is de stad uit.'
'Ik zal erover denken. Nu voel ik er nog niet veel voor. Ik heb Lee al tien jaar niet gezien en ik wil niet dat ze me zich zo herinnert. Zeg maar dat ik erover denk maar dat ik het nu nog niet wil.'
'Ik zal het doorgeven,' beloofde Adam, die niet wist of hij haar voorlopig nog zou zien. Als ze inderdaad onder behandeling was, zou ze minstens een paar weken wegblijven.
'Ik zal blij zijn als het afgelopen is, Adam. Ik heb er schoon genoeg van.' Hij nam een grote hap ijs.
'Dat begrijp ik. Maar laten we de moed nog niet opgeven.'
'Hoezo?'
'Dat lijkt me wel duidelijk. Ik wil niet de rest van mijn carrière worden achtervolgd door het feit dat ik mijn eerste zaak verloren heb.'

'Oké, dat is een goede reden.'
'Geweldig. Dus we geven het niet op?'
'Ach nee. Laat die zieleknijper maar komen. Ik zal me zo gestoord mogelijk gedragen.'
'Dat klinkt al beter.'

Lucas Mann stond bij de poort op Adam te wachten. Het was bijna vijf uur en het was nog vochtig en warm. 'Heb je even?' vroeg hij door het raampje van Adams auto.
'Ja. Wat is er?'
'Zet je auto maar even neer, dan gaan we in de schaduw zitten.'
Ze liepen naar een picknicktafeltje bij het Bezoekerscentrum, onder een reusachtige eik met uitzicht op de autoweg. 'Een paar dingen,' zei Mann. 'Hoe is het met Sam? Houdt hij zich goed?'
'Zo goed als je kunt verwachten. Hoezo?'
'Ik maak me zorgen, dat is alles. Volgens de laatste telling zijn er vandaag al vijftien aanvragen voor een interview binnengekomen. Het gaat er nu om spannen. De pers komt eraan.'
'Sam praat met niemand.'
'Maar ze willen ook met jou praten.'
'Ik zeg ook geen woord.'
'Mooi zo. We hebben een formulier dat Sam moet tekenen. Dat geeft ons het recht de journalisten weg te sturen. Heb je het gehoord van Naifeh?'
'Ik las het vanochtend in de krant.'
'Hij redt het wel, maar hij kan de executie niet organiseren. Dat heeft hij overgedragen aan zijn assistent, George Nugent, een malloot. Hij is een ex-militair, een echte ijzervreter.'
'Het maakt mij allemaal niets uit. Hij kan het vonnis pas voltrekken als de rechters het sein geven.'
'Precies. Ik wilde je alleen laten weten wie hij was.'
'Ik sta te popelen om hem te ontmoeten.'
'Nog één ding. Ik heb een oude studievriend die nu op het kantoor van de gouverneur werkt. Hij belde vanochtend op en het schijnt dat McAllister zich toch ongerust maakt over Sams executie. Volgens mijn vriend, die ongetwijfeld opdracht had van de gouverneur om via mij contact met jou op te nemen, zouden ze graag een gesprek hebben over clemen-

tie, bij voorkeur binnen twee dagen.'
'Ben je bevriend met de gouverneur?'
'Nee, ik heb een hekel aan die man.'
'Ik ook. Net als mijn cliënt.'
'Daarom heeft mijn vriend gebeld om druk uit te oefenen. Het schijnt dat McAllister ernstige twijfels heeft of Sam wel moet worden terechtgesteld.'
'En geloof je dat?'
'Het klinkt niet waarschijnlijk. De gouverneur heeft carrière gemaakt over de rug van Sam Cayhall en ik weet zeker dat hij bezig is met een mediacampagne voor de komende acht dagen. Maar wat hebben we te verliezen?'
'Niets.'
'Het is geen slecht idee.'
'Ik ben er wel voor, maar mijn cliënt heeft het uitdrukkelijk verboden.'
Mann haalde zijn schouders op alsof het hem weinig kon schelen wat Sam ervan vond. 'Nou ja, dan moet hij het zelf maar weten. Heeft hij een testament?'
'Ja.'
'Hoe wordt de begrafenis geregeld?'
'Daar ben ik nog mee bezig. Hij wil in Clanton worden begraven.'
Ze liepen naar de poort. 'Het lichaam wordt naar een rouwcentrum in Indianola gebracht, niet ver hiervandaan. Daar wordt het vrijgegeven aan de familie. Alle bezoekers moeten vier uur voor de executie zijn vertrokken. Vanaf dat moment mag Sam nog maar twee mensen bij zich hebben: zijn advocaat en zijn geestelijk raadsman. Bovendien mag hij nog twee getuigen kiezen als hij dat wil.'
'Ik zal met hem praten.'
'We hebben een lijstje van goedgekeurde bezoekers nodig – meestal vrienden en familie.'
'Dat wordt dan een hele korte lijst.'
'Ik weet het.'

37

Alle gevangenen in de dodengang kenden de procedure, hoewel die nooit op schrift was gesteld. De veteranen, zoals Sam, hadden in de afgelopen acht jaar vier executies meegemaakt en in alle gevallen was dezelfde werkwijze gevolgd, met kleine variaties. De oudgedienden praatten er fluisterend over en lichtten de nieuwkomers in, die meestal voorzichtig informeerden hoe het in zijn werk ging. Ook de bewaarders vertelden er graag over.

Het laatste maal werd opgediend in een kleine kamer aan de voorkant van de dodengang, het 'kantoortje', zoals het werd genoemd. Er stonden een bureau en een paar stoelen, en er was telefoon en airconditioning. Hier bracht de veroordeelde het grootste deel van zijn laatste twee dagen door. Hij ontving er zijn laatste bezoekers en hij luisterde naar de berichten van zijn advocaten die hem moesten uitleggen waarom hun pogingen hadden gefaald. Het was een simpele kamer met gesloten ramen. Het laatste echtelijke bezoek vond hier ook plaats – als de veroordeelde daar nog toe in staat was. De bewaarders en de directie bleven in de buurt.

Het kantoortje had oorspronkelijk een andere functie, maar toen Teddy Doyle Meeks in 1982 als eerste gevangene in vele jaren daadwerkelijk zou worden geëxecuteerd, was er opeens een kamertje nodig voor al deze dingen. Ooit werd het kantoortje gebruikt door een politie-inspecteur die aan de gevangenis was verbonden. Het had nooit een andere naam gekregen dan 'het kantoortje'. De telefoon op het bureau was de laatste die door de advocaat werd gebruikt als hij de definitieve bevestiging kreeg dat er geen uitstel meer mogelijk was. Daarna maakte hij de lange wandeling naar Gang A, aan het eind waarvan zijn cliënt zat te wachten in de Observatiecel.

De Observatiecel was niets anders dan een gewone cel in Gang A, acht deuren bij die van Sam vandaan. Hij mat een meter tachtig bij twee meter zeventig en hij had een bed, een wastafel en een toilet, net als die van Sam en de anderen. Het was de laatste cel in de gang, het dichtst bij de Isoleerkamer, die naast de gaskamer lag. De dag voor de executie werd de veroordeelde voor het laatst uit zijn cel naar de Observatiecel gebracht. Zijn persoonlijke bezittingen – veel was dat nooit – werden meeverhuisd. Daar bleef hij zitten wachten. Meestal keek hij naar zijn eigen persoonlijke drama op de televisie, terwijl de plaatselijke tv-stations de laatste uitspraken van de rechters op de voet volgden. Zijn raadsman zat bij hem, op de dunne matras in de donkere cel, en staarde naar het scherm. Zo nu en dan liep hij heen en weer naar het kantoortje. Meestal was er ook een dominee of een andere geestelijke aanwezig.

In de dodengang was het dan donker en doodstil. Sommige gevangenen zaten voor hun televisie, anderen hielden elkaars hand vast door de tralies en zeiden hun gebeden. Weer anderen lagen op hun bed en vroegen zich af wanneer hun tijd zou komen. De ramen boven de gang waren vergrendeld. De hele gang was afgesloten. Maar van buiten drongen stemmen en lichten door. Voor mannen die urenlang in een kleine cel moesten zitten, was het zenuwslopend om al die vreemde activiteiten van een afstand te moeten horen en zien.

Om elf uur kwamen de directeur en zijn mensen Gang A binnen en liepen naar de Observatiecel. Inmiddels was de hoop op gratie wel vervlogen. De veroordeelde zat op zijn bed, terwijl zijn advocaat en de geestelijke zijn hand vasthielden. De directeur kondigde aan dat het tijd werd om naar de Isoleerkamer te gaan. De celdeur ging open en dicht en de veroordeelde stapte de gang in. De andere gevangenen riepen hem bemoedigende woorden toe. De meesten stonden te huilen. De Isoleerkamer lag nog geen zes meter van de Observatiecel. De veroordeelde liep tussen een kordon van zwaargebouwde, gewapende bewaarders door – de grootste kerels die de directeur had kunnen vinden. Er was nooit verzet. Dat had ook geen enkele zin.

De directeur bracht de veroordeelde naar een kleine kamer van drie bij drie meter, waar alleen een opklapbaar bed in stond. De gevangene ging op het bed zitten, weer geflankeerd door zijn advocaat en zijn geestelijk raadsman. Op dit punt besloot de directeur meestal om onduidelijke redenen een paar minuten met de veroordeelde door te brengen, alsof de

gevangene enige behoefte had aan een gesprek met hèm. Ten slotte vertrok hij weer. Het bleef stil in de kamer, afgezien van de geluiden uit de aangrenzende kamer. Meestal werd er gebeden. Over een paar minuten zou het gebeuren.
Naast de Isoleerkamer lag de executieruimte, vier bij vijf meter groot, met de gaskamer in het midden. De beul was al aan het werk, terwijl de veroordeelde in afzondering zijn gebeden zei. De directeur, de gevangenisadvocaat, de arts en een handjevol bewaarders troffen voorbereidingen. Aan de muur hingen twee telefoons, voor het geval er op het laatste moment toch uitstel kwam. Links was een klein kamertje waar de beul zijn mengsel gereedmaakte. Achter de gaskamer zaten drie ramen van vijfenveertig bij vijfenzeventig centimeter, die met zwarte gordijnen werden afgedekt. Aan de andere kant van die ramen bevond zich de getuigenkamer.
Om tien minuten voor middernacht kwam de arts de Isoleerkamer binnen en bevestigde een stethoscoop op de borst van de gevangene. Daarna vertrok hij en kwam de directeur binnen om de veroordeelde naar de executieruimte te brengen.
Daar liepen altijd mensen rond die allemaal wilden helpen en allemaal wilden zien hoe een mens zou sterven. Zij brachten hem naar de gaskamer, bonden hem op de stoel, deden de deur dicht en doodden hem.
Het was een vrij simpele procedure, met kleine aanpassingen die van geval tot geval verschilden. Zo zat Buster Moac al half op de stoel vastgesnoerd toen de telefoon ging. Hij werd weer losgemaakt en naar de Isoleerkamer gebracht, waar hij zes ellendige uren moest wachten tot ze hem opnieuw kwamen halen. Jumbo Parris was de slimste van het viertal geweest. Hij had ooit drugs gebruikt en een paar dagen voor de executie begon hij de psychiater om valium te vragen. Hij wilde zijn laatste uren in afzondering doorbrengen, zonder advocaat of geestelijke, en toen ze hem uit de Observatiecel haalden was hij stoned. Hij had de valium opgespaard en hij moest naar de Isoleerkamer worden gedragen, waar hij meteen in slaap viel. Daarna werd hij naar de gaskamer gesleept voor zijn laatste dosis.
Het was een humane, zorgvuldige procedure. De gevangene mocht tot het laatste moment in zijn cel blijven, bij zijn makkers. In Louisiana werd de veroordeelde uit de dodengang

weggehaald en naar een klein gebouwtje overgebracht dat het Dodenhuis werd genoemd. Daar bracht hij zijn laatste drie dagen door, onder voortdurend toezicht. In Virginia werden ze zelfs naar een andere stad vervoerd.
Sam zat acht deuren – ongeveer zestien meter – van de Observatiecel verwijderd. Vandaar was het nog zes meter naar de Isoleerkamer en nog eens vier meter tot de gaskamer. Op zijn bed lag hij ongeveer vijfentwintig meter bij de gaskamer vandaan, had hij eens uitgerekend.
Die berekening maakte hij opnieuw op dinsdagochtend, toen hij zorgvuldig het zoveelste kruisje op zijn kalender zette. Nog acht dagen. Het was donker en warm. Hij had onrustig geslapen en een deel van de nacht voor zijn ventilator gezeten. Over een uur kwamen de koffie en het ontbijt. Dit was zijn 3449e dag in de cel, de tijd die hij in de gevangenis van Greenville in voorarrest had gezeten niet meegerekend. Nog maar acht dagen.
Zijn lakens waren nat van het zweet. Toen hij zich op zijn bed uitstrekte en voor de miljoenste keer naar het plafond lag te staren, gingen zijn gedachten naar de dood. Het sterven zelf zou niet zo vreselijk zijn. Niemand kende natuurlijk uit eigen ervaring de uitwerking van het gas, maar het werkte redelijk snel. Misschien zouden ze hem een extra dosis geven, zodat de dood intrad voordat hij begon te stuiptrekken. Misschien zou hij meteen al bewusteloos zijn. In elk geval zou het niet lang duren. Hij had zijn vrouw zien lijden toen ze langzaam aan kanker was bezweken. Hij had familieleden oud zien worden en wegkwijnen. Dit was een betere manier.
‘Sam,’ fluisterde J.B. Gullitt, ‘ben je al wakker?’
Sam liep naar zijn deur en stak zijn armen door de tralies. Hij zag Gullitts handen en onderarmen. ‘Ja, ik ben al op. Ik kan niet slapen.’ Hij stak zijn eerste sigaret van de dag op.
‘Ik ook niet. Zeg me dat het niet zal gebeuren, Sam.’
‘Het zal niet gebeuren.’
‘Meen je dat?’
‘Ja, dat meen ik. Mijn advocaat brengt nu het zware geschut in stelling. Over een paar weken heeft hij me hiervandaan, denk ik.’
‘Waarom kun je dan niet slapen?’
‘Ik ben zo opgewonden bij het vooruitzicht dat ik hier straks

weg mag.'
'Heb je nog met hem over mijn zaak gepraat?'
'Nog niet. Hij heeft nu te veel aan zijn hoofd. Zodra ik vrij ben, zullen we aan jouw zaak beginnen. Maak je maar geen zorgen. Probeer wat te slapen.'
Gullitt trok zijn handen langzaam terug. Even later hoorde Sam zijn bed kraken. Hij schudde zijn hoofd over de onnozelheid van de jongen. Hij rookte zijn sigaret op en smeet hem door de gang, een overtreding van de regels die hem een berisping zou opleveren. Alsof hem dat iets kon schelen.
Voorzichtig tilde hij zijn schrijfmachine van de plank. Hij had brieven te schrijven. Er waren mensen daarbuiten die hij nog iets wilde zeggen.

George Nugent stapte als een vijfsterrengeneraal de Maximaal Beveiligde Afdeling binnen en wierp een afkeurende blik op het haar en de ongepoetste schoenen van een blanke bewaarder. 'Ga naar de kapper,' gromde hij, 'anders slinger ik je op rapport. En doe iets aan die schoenen.'
'Jawel, meneer,' zei de jongen. Hij salueerde bijna.
Nugent knikte naar Packer, die hem voorging naar Gang A.
'Nummer zes,' zei Packer toen hij de deur opende.
'Blijf hier,' beval Nugent. Zijn hakken tikten over de vloer toen hij door de gang marcheerde en een verachtelijke blik in de cellen wierp. Bij Sams deur bleef hij staan en keek naar binnen. Sam zat te typen. Hij droeg alleen zijn boxershort en zijn magere, gerimpelde lijf glom van het zweet. Hij keek even op naar de vreemdeling die door de tralies naar hem stond te staren en ging toen weer verder met zijn werk.
'Sam, mijn naam is George Nugent.'
Sam typte verder. Hij kende de naam niet, maar hij veronderstelde dat de man iets hoogs moest zijn, omdat hij tot de gang was toegelaten. 'Wat moet je?' vroeg hij zonder op te kijken.
'Ik wilde eens kennismaken.'
'Aangenaam. En lazer nou maar op.'
Gullitt aan zijn linkerkant en Henshaw rechts stonden opeens tegen de tralies geleund, een meter bij Nugent vandaan. Ze grinnikten om Sams antwoord.
Nugent keek hen nijdig aan en schraapte zijn keel. 'Ik ben de assistent-opzichter. Phillip Naifeh heeft me met de leiding

van jouw executie belast. We moeten een paar dingen bespreken.'
Sam concentreerde zich op zijn brief en vloekte toen hij een typefout maakte. Nugent wachtte. 'Sam, mag ik beslag leggen op een paar minuten van je kostbare tijd?'
'Noem hem maar meneer Cayhall,' adviseerde Henshaw behulpzaam. 'Hij is ouder dan jij en hij stelt er prijs op.'
'Waar heb je die schoenen vandaan?' vroeg Gullitt, die naar Nugents voeten staarde.
'Gaan jullie eens wat achteruit,' zei Nugent streng. 'Ik moet met Sam praten.'
'Meneer Cayhall is bezig,' zei Henshaw. 'Misschien kun je later terugkomen. Ik kan wel een afspraak regelen.'
'Ben je soms zo'n militaire klootzak?' vroeg Gullitt.
Nugent rechtte zijn rug en keek snel naar links en rechts. 'Ik beveel jullie je er niet mee te bemoeien, oké? Ik moet met Sam spreken.'
'Wij laten ons niet bevelen,' zei Henshaw.
'Wat wou je trouwens doen?' vroeg Gullitt. 'Ons eenzaam opsluiten, met een ketting aan de muur en alleen wortels en bessen als eten? Of wou je ons vermoorden?'
Sam zette zijn schrijfmachine op het bed en liep naar de tralies. Hij nam een lange haal van zijn sigaret en blies de rook naar Nugent toe. 'Wat wil je?' vroeg hij.
'Ik heb een paar dingen van je nodig.'
'Zoals?'
'Heb je een testament?'
'Dat gaat je geen bliksem aan. Een testament is privé. Het wordt pas openbaar gemaakt als iemand dood is. Dat is de wet.'
'Wat een eikel,' lachte Henshaw.
'Niet te geloven,' vulde Gullitt aan. 'Waar heeft Naifeh die oetlul vandaan?'
'En verder?' vroeg Sam.
Nugent liep rood aan. 'We willen weten wat er met je bezittingen moet gebeuren.'
'Dat staat in mijn testament, oké?'
'Ik hoop dat je niet moeilijk gaat doen, Sam.'
'Menéér Cayhall,' herhaalde Henshaw.
'Moeilijk?' vroeg Sam. 'Waarom zou ik moeilijk doen? Ik zal

van harte met de overheid meewerken als jullie me willen doden. Ik ben een goede vaderlander. Ik zou gaan stemmen en belasting betalen als ik kon. Ik ben er trots op Amerikaan te zijn, een Ierse Amerikaan, en ik hou zielsveel van mijn regering, ook al wil die me vergassen. Ik ben een modelgevangene, George. Van mij zul je geen last hebben.'
Packer, die vanaf de andere kant van de gang stond toe te kijken, amuseerde zich kostelijk.
'Ik heb een lijst nodig van de mensen die je als getuigen wilt bij je executie,' zei Nugent. 'Je mag er twee kiezen.'
'Ik geef het nog niet op, George. Laten we nog even wachten.'
'Goed. En ik wil een lijst van de bezoekers die je de komende twee dagen verwacht.'
'Nou, vanmiddag komt er een dokter uit Chicago, een psychiater, om te zien hoe gestoord ik ben. Daarna lopen mijn advocaten naar de rechter om aan te tonen dat jij, George, me niet kan executeren omdat ik krankzinnig ben. Hij heeft vast nog wel even tijd om jou ook te onderzoeken, als je wilt. Dat hoeft niet lang te duren.'
Henshaw en Gullitt brulden van het lachen en even later klonk er een hoongelach uit de meeste cellen in de gang. Nugent deed een stap terug en keek woest om zich heen. 'Stilte!' riep hij, maar het gelach werd alleen maar luider. Sam blies nog een rookwolk door de tralies. Hier en daar werd gefloten en gescholden.
'Maar ik kom terug!' riep Nugent nijdig tegen Sam.
'Hij komt terug!' gilde Henshaw en het kabaal zwol aan. De ex-commandant stormde de gang uit, begeleid door kreten als 'Heil Hitler!'
Sam grijnsde nog even tegen de tralies van zijn cel terwijl het tumult weer bedaarde. Toen ging hij op de rand van zijn bed zitten, at een sneetje droge toost, nam een slok koude koffie en ging verder met zijn typewerk.

De middagrit naar Parchman was niet bepaald aangenaam. Garner Goodman zat naast Adam, die reed, en ze bespraken hun strategie voor de verzoeken en eisen die ze op het laatste moment nog konden indienen. Goodman wilde in het weekend naar Memphis terugkomen om de laatste drie dagen beschikbaar te zijn. De psychiater, dr. Swinn, was een kille, serieuze man in een zwart pak. Hij had een woeste, warrige haardos en donkere ogen achter dikke brilleglazen. Tot een gesprek over koetjes en kalfjes was hij niet in staat. Zijn aanwezigheid op de achterbank was enigszins verontrustend. De hele rit van Memphis naar Parchman sprak hij geen woord.

Adam en Lucas Mann hadden ervoor gezorgd dat het onderzoek kon plaatsvinden in de kliniek van de gevangenis, een opmerkelijk moderne inrichting. Dr. Swinn had Adam te verstaan gegeven dat hij en Goodman niet bij het onderzoek aanwezig konden zijn. De advocaten vonden het best. Een gevangenisbusje stond bij de poort te wachten en bracht dr. Swinn naar de kliniek, in het hart van het complex.

Goodman had Lucas Mann al een paar jaar niet gezien. Ze begroetten elkaar als oude vrienden en begonnen onmiddellijk herinneringen op te halen aan vorige executies. Niemand sprak over Sam en daar was Adam blij om.

Van Manns kantoor liepen ze over de parkeerplaats naar een klein gebouw achter de administratie. Het was een restaurant, ontworpen als een soort buurtkroeg. Het heette The Place en het serveerde een simpel menu voor het kantoorpersoneel en de bewaarders. Geen alcohol. Het was overheidsterrein.

Ze dronken ijsthee en praatten over de toekomst van de doodstraf. Goodman en Mann waren het erover eens dat executies steeds vaker zouden voorkomen. Het Amerikaanse Hooggerechtshof werd steeds rechtser en had genoeg van die eindeloze beroepsprocedures. Voor de lagere rechtbanken gold hetzelfde. Bovendien lieten de jury's zich beïnvloeden door de toenemende maatschappelijke onrust over geweldmisdrijven. Er was minder sympathie voor de gevangenen in de dodencellen en de roep om die klootzakken te executeren werd steeds luider. Groepen die zich tegen de doodstraf verzetten, kregen steeds minder subsidie en advocatenkantoren waren minder geneigd hoge kosten te maken om de veroordeelden pro Deo te verdedigen. De bevolking van de dodencellen nam sneller toe dan het aantal advocaten dat hen wilde bijstaan.

Adam begon zich al gauw te vervelen. Het gesprek kon hem

niet boeien. Hij had de argumenten al honderd keer gehoord. Hij excuseerde zich en liep naar een telefooncel in de hoek. Phelps was er niet, antwoordde een jonge secretaresse, maar hij had een boodschap voor Adam achtergelaten: geen bericht van Lee. Ze moest over twee weken voor de rechter verschijnen. Misschien zou ze dan weer opduiken.

Darlene, die tegen haar zin moest overwerken, typte het rapport van dr. Swinn uit, terwijl Adam en Garner Goodman de bijbehorende petitie opstelden. De ruwe versie van het rapport was twintig bladzijden lang en klonk Adam als muziek in de oren. Swinn was een huurling, een hoer die zijn professionele opinie aan de hoogste bieder verkocht. Adam verachtte hem en zijn soort. Swinn stroopte het hele land af als getuige-deskundige. De ene dag beweerde hij dit, de volgende dag weer dat, afhankelijk van wie hem betaalde. Maar op dit moment was hij hùn hoer, en hij deed zijn werk goed. Sam leed aan een vorm van vergevorderde seniliteit. Zijn geestelijke vermogens waren aangetast tot het punt waarop hij de aard van zijn straf niet meer kon bevatten. Hij had geen besef van het doel van de executie en dus zou de executie geen enkel doel dienen.

Het was geen nieuw juridisch argument en de rechters hielden er niet van, maar zoals Adam iedere keer zei: wat hadden ze te verliezen? Goodman was redelijk optimistisch, vanwege Sams leeftijd. Hij kon zich niet herinneren dat er ooit iemand van boven de vijftig was geëxecuteerd.

Adam, Goodman en Darlene zaten tot bijna elf uur op kantoor.

38

Garner Goodman vloog op woensdagmorgen niet naar Chicago terug maar nam het vliegtuig naar Jackson, Mississippi. De vlucht duurde een half uur, nauwelijks lang genoeg voor een kop koffie en een ontdooide croissant. Op het vliegveld huurde hij een auto waarmee hij rechtstreeks naar de hoofdstad reed. Het Huis was niet in zitting en er waren voldoende parkeerplaatsen. Net als veel landelijke gerechtshoven van na de Burgeroorlog stond ook het nieuwe Capitool uitdagend naar het zuiden gekeerd. Goodman bleef even staan om het oorlogsmonument voor de vrouwen van het Zuiden te bewonderen, maar hij had nog meer waardering voor de prachtige Japanse magnolia's aan de voet van het bordes.
Vier jaar geleden, vlak voor de executie van Maynard Tole, had Goodman twee keer dezelfde reis gemaakt. Toen ging het om een andere gouverneur, een andere cliënt en een ander misdrijf. Tole had verscheidene mensen vermoord in een uitbarsting van gewelddadigheid die twee dagen had geduurd, en het was heel moeilijk geweest om enige sympathie voor hem te wekken. Hij hoopte dat het bij Sam Cayhall anders zou zijn. Sam was een oude man die waarschijnlijk toch binnen vijf jaar zou sterven. In de ogen van veel mensen in Mississippi was zijn misdrijf al verjaard. En er waren nog meer verschillen.
Goodman had zijn verhaal de hele morgen geoefend. Hij stapte het Capitool binnen en verbaasde zich opnieuw over de schoonheid ervan. Het was een kleinere versie van het federale Capitool in Washington. Kosten noch moeite waren gespaard. Het was in 1910 door gevangenen gebouwd en bekostigd uit de opbrengst van een geslaagd proces dat de staat Mississippi tegen een spoorwegmaatschappij had gevoerd.
Hij stapte het kantoor van de gouverneur op de eerste verdieping binnen en gaf zijn kaartje aan de knappe receptioniste. De gouverneur was er vanochtend niet, zei ze. Had hij een afspraak? Nee, antwoordde Goodman vriendelijk, maar het

was erg dringend. Zou hij dan misschien Andy Larramore kunnen spreken, de belangrijkste juridische adviseur van de gouverneur?
Hij wachtte terwijl ze een paar nummers belde en na een half uurtje verscheen Larramore bij de balie. Ze stelden zich aan elkaar voor en liepen door een smalle gang langs een labyrint van kleine kamertjes. Larramores kantoortje maakte een rommelige indruk, net als de man zelf. Hij was klein, hij had geen nek en hij liep krom. Zijn lange kin rustte bijna op zijn borst en als hij praatte leken zijn ogen, zijn neus en zijn mond te worden samengeknepen. Het was een akelig gezicht. Goodman zou niet kunnen zeggen of hij dertig of vijftig was. De man moest een genie zijn, dat kon niet anders.
'De gouverneur spreekt vanochtend een conventie van verzekeringsagenten toe,' zei Larramore. Voorzichtig pakte hij een rooster op, alsof het een duur sieraad was. 'En daarna moet hij naar een openbare school in de binnenstad.'
'Ik wacht wel,' zei Goodman. 'Het is heel belangrijk en ik heb de tijd.'
Larramore legde het rooster neer en vouwde zijn handen op de tafel. 'Hoe gaat het met die jonge knaap, Sams kleinzoon?'
'O, hij is nog steeds Sams raadsman. Ik ben hoofd van de pro-deo-afdeling van Kravitz & Bane, daarom ben ik hierheen gekomen om hem te assisteren.'
'We volgen de zaak op de voet,' zei Larramore. Zijn gezicht kneep samen en ontspande zich na iedere zin. 'Het ziet ernaar uit dat de executie zal doorgaan.'
'Daar ziet het altijd naar uit,' zei Goodman. 'Hoe serieus is de gouverneur over een verzoek om gratie?'
'Ik weet zeker dat hij een hoorzitting wil houden. Maar gratie is een andere zaak. Zijn bevoegdheden zijn heel ruim, zoals u weet. Hij kan de doodstraf in levenslang of in een kortere straf omzetten, maar ook tot vrijspraak overgaan.'
Goodman knikte en plukte aan zijn strikje. 'Zou ik hem kunnen spreken?'
'Om elf uur moet hij terug zijn. Dan zal ik hem polsen. Ik denk dat hij op kantoor blijft lunchen, dus dat is misschien een mogelijkheid. Bent u er dan nog?'
'Ja. Maar wilt u dit wel geheim houden? Onze cliënt heeft grote bezwaren tegen deze ontmoeting.'

'Heeft hij bezwaren tegen een gratieverzoek?'
'We hebben nog maar zeven dagen, meneer Larramore. Wij zijn bereid alles te proberen.'
Larramore rimpelde zijn neus, ontblootte zijn boventanden en pakte het rooster weer op. 'Komt u om één uur maar terug. Ik zal zien wat ik doen kan.'
'Bedankt.' Ze praatten nog vijf minuten, totdat Larramore door de telefoon werd opgeëist. Goodman excuseerde zich en verliet het Capitool. Hij bleef weer bij de magnolia's staan en trok zijn jasje uit. Het was pas half tien, maar zijn overhemd was al nat onder de oksels en plakte tegen zijn rug.
Hij liep naar het zuiden, in de richting van Capitol Street – de hoofdstraat van Jackson, een paar honderd meter verderop. Tussen de gebouwen en het verkeer in het centrum stond de ambtswoning van de gouverneur statig te midden van de goed onderhouden grasvelden tegenover het Capitool. Het was een groot, vooroorlogs huis, omringd door hekken. De nacht dat Tole was terechtgesteld had een handvol tegenstanders van de doodstraf zich op de stoep verzameld en leuzen geroepen naar de gouverneur. Hij had ze niet gehoord. Goodman bleef staan en dacht terug aan die gelegenheid. Hij en Peter Wiesenberg waren haastig naar binnen gestapt door een poort aan de linkerkant van de oprijlaan om nog één poging te doen, een paar uur voordat Tole zou worden vergast. De toenmalige gouverneur zat te eten met een stel belangrijke gasten en was geïrriteerd geweest door de interruptie. Hij had hun laatste verzoek om clementie verworpen en hen toen, geheel volgens zuidelijke traditie, voor het eten uitgenodigd.
Ze hadden beleefd bedankt. Goodman zei dat ze snel terug moesten om nog bij hun cliënt te kunnen zijn als hij werd geëxecuteerd. 'Wees voorzichtig,' had de gouverneur gezegd voordat hij weer terugging naar zijn gasten.
Goodman vroeg zich af hoeveel demonstranten over een paar dagen op deze plek zouden staan om leuzen te roepen, te bidden, kaarsen te branden, met spandoeken te zwaaien en McAllister te smeken om Sam te sparen. Waarschijnlijk niet veel.
Er was zelden gebrek aan kantoorruimte in de zakenwijk van Jackson en Goodman had weinig moeite iets te vinden. Een bordje vestigde zijn aandacht op een leegstaand kantoor op

de tweede verdieping van een lelijk gebouw. Hij vroeg inlichtingen bij de balie van een financieringsmaatschappij op de begane grond. Een uur later arriveerde de eigenaar van het gebouw, die hem de ruimte liet zien. Het was een klein kantoor van twee kamers, met een versleten tapijt op de vloer en gaten in de muren. Goodman liep naar het enige raam dat uitkeek op de gevel van het Capitool, drie straten verder.
'Perfect,' zei hij.
'Het is driehonderd dollar per maand, plus elektra. Het toilet is op de gang. De minimumhuur is zes maanden.'
'Ik heb het maar twee maanden nodig,' zei Goodman. Hij stak zijn hand in zijn zak en haalde er een keurig stapeltje bankbiljetten uit.
De eigenaar keek naar het geld en vroeg: 'In wat voor branche zit u?'
'Marktanalyse.'
'En waar komt u vandaan?'
'Detroit. We denken erover een filiaal in Mississippi te openen en we hebben een ruimte nodig om te kunnen beginnen. Maar niet langer dan twee maanden. Contant. Niets op schrift. We zijn weer vertrokken voordat u het weet. Zonder problemen.'
De eigenaar nam het geld aan en gaf Goodman twee sleutels, een van het kantoor en een van de ingang van het gebouw aan Congress Street. Ze bezegelden de afspraak met een handdruk.
Goodman verliet het haveloze gebouw en liep terug naar zijn auto bij het Capitool. Onderweg moest hij grijnzen om het plannetje waar ze mee bezig waren. Adam had het bedacht. Gewoon een gok, net als hun andere wanhoopspogingen om Sam te redden. Het was niet illegaal, het kostte niet veel en die paar dollars maakten hem niet uit. Hij was immers Mister Pro Deo van Kravitz & Bane, het geweten en het sociale excuus van zijn collega's. Niemand, zelfs Daniel Rosen niet, zou bezwaar maken tegen een paar honderd dollar huur en wat telefoonkosten.

Na drie weken als Sams raadsman begon Adam terug te verlangen naar de voorspelbaarheid van zijn werk in Chicago – àls hij daar nog werk had, tenminste. Woensdagochtend voor tien uur had hij weer een nieuw beroep ingediend bij het Hooggerechtshof van Mississippi. Hij had vier keer met de griffier gesproken en daarna met de hulpgriffier. Hij had twee keer overlegd met Richard Olander in Washington over de habeas corpus-eis tegen de gaskamer en met de griffier van het Vijfde Circuit in New Orleans over de ingebrekestelling van Sams vroegere advocaat.

De petitie over Sams zogenaamde ontoerekeningsvatbaarheid was al naar Jackson gefaxt. Het origineel zou per expressepost volgen en Adam had de hulpgriffier beleefd gevraagd om er spoed achter te zetten. Verwerp die eis nou maar, en snel, had hij gezegd, maar niet in die bewoordingen. Als ze uitstel zouden krijgen, dan vermoedelijk van een federale rechter.

Iedere nieuwe eis betekende een straaltje hoop maar ook, zoals Adam al gauw ontdekte, de kans op nieuwe teleurstellingen. Er moesten vier obstakels worden overwonnen: het Hooggerechtshof van Mississippi, het federale arrondissementsgerecht, het Vijfde Circuit en het federale Hooggerechtshof. De kans op succes was dus klein, zeker in dit stadium. De kansrijke verzoeken waren al jaren geleden door Wallace Tyner en Garner Goodman ingediend. Adams pogingen waren gerommel in de marge.

De griffier van het Vijfde Circuit betwijfelde of het hof nog een hoorzitting zou willen houden, zeker omdat het ernaar uitzag dat Adam iedere dag opnieuw beroep zou aantekenen. Het rechterlijke driemanschap zou zich vermoedelijk beperken tot de stukken. Pas als een mondelinge toelichting echt noodzakelijk was, zou Adam worden opgetrommeld.

Richard Olander belde nog eens met de mededeling dat het Hooggerechtshof Adams petitie tot certiorari – een verzoek om de zaak te bezien – had ontvangen en op de rol gezet. Nee, hij vermoedde niet dat het tot een hoorzitting zou komen. Daar was het al te laat voor. Hij meldde dat hij per fax ook een kopie van de nieuwe eis – Sams ontoerekeningsvatbaarheid – had gekregen en dat hij het verloop via de plaatselijke rechtbanken zou volgen. Interessant, zei hij. Hij vroeg opnieuw welke andere verzoeken Adam nog in gedachten had, maar Adam liet niets los.

Breck Jefferson, de griffier van rechter Slattery, de man met

de permanente frons, belde Adam om te zeggen dat Zijne Edelachtbare een fax had ontvangen van de nieuwe eis die bij het Hooggerechtshof van Mississippi was ingediend. Slattery zag er niet veel in, maar hij zou er toch aandacht aan besteden als de zaak tot zijn hof zou doordringen.
Adam putte enige voldoening uit het feit dat hij vier rechtbanken tegelijk wist bezig te houden.
Om elf uur belde Morris Henry, de beruchte Dr. Death van het kantoor van de procureur, met de mededeling dat ze de laatste serie 'schavotprocedures' – zoals hij ze graag noemde – hadden binnengekregen en dat Roxburgh zelf een stuk of tien juristen aan het werk had gezet om erop te reageren. Henry klonk vriendelijk genoeg via de telefoon, maar de boodschap was duidelijk: wij hebben een heel leger van advocaten, Adam, en jij bent in je eentje.
Er werden nu kilo's papier geproduceerd en de kleine vergadertafel lag vol met keurige stapels. Darlene liep in en uit om kopieën te maken, telefonische boodschappen door te geven, koffie te halen en stukken te corrigeren. Ze had ervaring op het saaie terrein van obligaties, dus liet ze zich niet afschrikken door dikke, gedetailleerde dossiers. Ze verklaarde meer dan eens dat dit een welkome afwisseling was van haar normale eentonige werk. 'Wat is er nou spannender dan een dreigende executie?' vroeg Adam.
Zelfs Baker Cooley wist zich uit zijn wereldje van financiële reglementen los te rukken om even te komen kijken.
Phelps belde om een uur of elf om te vragen of Adam met hem wilde lunchen. Adam had geen zin en zei dat hij het te druk had met lastige rechters. Ze hadden geen van beiden al iets van Lee gehoord. Phelps zei dat ze wel eens eerder was verdwenen, maar nooit langer dan twee dagen. Hij maakte zich ongerust en dacht erover een privé-detective in te huren. Hij zou Adam op de hoogte houden.
'Er is een journaliste om je te spreken,' zei Darlene en gaf hem een kaartje van Anne L. Piazza, correspondente van *Newsweek*. Ze was al de derde verslaggeefster die op die dag naar het kantoor was gekomen. 'Zeg maar dat het me spijt,' zei Adam, wie het helemaal niet speet.
'Dat heb ik al gedaan, maar ik zeg het je toch, omdat het *Newsweek* is.'

'Het kan me niet schelen wie het is. En zeg erbij dat mijn cliënt ook niets te zeggen heeft.'
Ze vertrok haastig en de telefoon ging weer. Het was Goodman, die in Jackson zat en hoopte dat hij de gouverneur om één uur zou kunnen spreken. Adam bracht hem op de hoogte van de stand van zaken en de laatste telefoontjes.
Om half één bracht Darlene een paar sandwiches van een broodjeszaak. Adam werkte ze snel naar binnen en deed toen een tukje in een stoel terwijl de printer een volgend verzoek produceerde.

Goodman bladerde een autotijdschrift door terwijl hij in zijn eentje bij de receptie naast het kantoor van de gouverneur zat te wachten. Dezelfde knappe secretaresse werkte aan haar nagels en beantwoordde de telefoon. Het werd één uur zonder dat er iets gebeurde. Toen half twee. De receptioniste had haar nagels in een fraaie perzikkleur gelakt. Om twee uur maakte ze haar excuses. Geen punt, zei Goodman met een warme glimlach. Het voordeel van pro-deowerk was dat je niet op de klok hoefde te letten. De beloning lag in het helpen van mensen, hoeveel tijd het ook kostte.
Om kwart over twee dook een energieke jonge vrouw in een donker pakje op en kwam naar Goodman toe. 'Meneer Goodman, ik ben Mona Stark, de stafchef van de gouverneur. Hij kan u nu ontvangen.' Ze glimlachte beleefd en Goodman liep met haar mee. Door een dubbele deur kwamen ze in een lange, officiële kamer met een bureau aan de ene kant en een vergadertafel aan de andere.
McAllister stond bij het raam, zonder jasje, met zijn stropdas los en zijn mouwen opgerold – het toonbeeld van een drukbezette, overwerkte dienaar van het volk. 'Hallo, meneer Goodman,' zei hij met uitgestoken hand en glinsterende tanden.
'Gouverneur, hoe maakt u het,' zei Goodman. Hij had geen koffertje of andere attributen van zijn beroep bij zich. Het leek alsof hij zo binnen was komen lopen voor een gesprekje met de gouverneur.
'U kent meneer Larramore en mevrouw Stark,' zei McAllister, met een snel gebaar naar de twee anderen.
'Ja, we hebben elkaar al ontmoet. Ik stel het op prijs dat u me op zo'n korte termijn kunt ontvangen.' Goodman probeerde

McAllisters verblindende glimlach te evenaren, maar dat was onmogelijk. In elk geval liet hij blijken dat hij bijzonder blij was dat hij tot dit heiligdom werd toegelaten.
'Laten we hier gaan zitten,' zei de gouverneur, wijzend naar de vergadertafel. Hij ging hen voor. Even later zaten ze met hun vieren tegenover elkaar aan de tafel. Larramore en Mona pakten een pen en hielden zich gereed om aantekeningen te maken. Goodman had niets anders voor zich liggen dan zijn handen.
'Ik heb begrepen dat er de afgelopen dagen een hele reeks verzoeken is ingediend,' zei McAllister.
'Dat klopt. Als ik vragen mag, hebt u al eerder een executie meegemaakt?' vroeg Goodman.
'Nee, gelukkig niet.'
'Nou, zo gaat het altijd. We blijven het tot het laatste moment proberen.'
'Mag ik u iets vragen, meneer Goodman?' vroeg de gouverneur oprecht.
'Natuurlijk.'
'Ik weet dat u veel ervaring hebt met dit soort zaken. Wat is uw indruk op dit moment? Hoe zal het aflopen?'
'Dat is moeilijk te voorspellen. Sam is anders dan de meeste veroordeelden in de dodengang omdat hij goede advocaten heeft gehad, niet alleen tijdens zijn proces, maar vooral bij de beroepsprocedures.'
'Uzelf, heb ik begrepen.'
Goodman glimlachte. McAllister lachte terug en Mona grijnsde. Larramore zat geconcentreerd over zijn schrijfblok gebogen.
'Inderdaad. Sams belangrijkste eisen zijn dus al afgehandeld. Wat overblijft zijn de wanhoopspogingen, maar die hebben vaak succes. Ik schat de kansen op vijftig procent. We hebben nog zeven dagen te gaan.'
Mona noteerde dat meteen, alsof het van groot belang was. Larramore had bijna ieder woord opgeschreven.
McAllister dacht een paar seconden na. 'Ik begrijp het niet helemaal, meneer Goodman. Uw cliënt is niet van dit gesprek op de hoogte. Hij verzet zich tegen een verzoek om gratie. U wilt deze ontmoeting geheim houden. Wat is dan de zin ervan?'

'De dingen kunnen snel veranderen, gouverneur. Ik heb dit al vaker meegemaakt. Ik ben erbij geweest als mensen hun laatste dagen aftelden. Dat heeft soms een vreemde invloed op hun houding. Ze veranderen van mening. Als advocaat moet ik met alle mogelijkheden rekening houden.'
'Dus u wilt een gratieverzoek indienen?'
'Inderdaad. In een besloten zitting.'
'Wanneer?'
'Wat dacht u van vrijdag?'
'Over twee dagen,' zei McAllister. Hij tuurde uit het raam. Larramore schraapte zijn keel en vroeg: 'Wat voor getuigen denkt u mee te brengen?'
'Een goede vraag. Als ik namen wist, zou ik ze u geven, maar ik heb geen idee. Ons betoog zal maar kort zijn.'
'En wie getuigt er voor de staat?' vroeg McAllister aan Larramore, die even nadacht met zijn mond half open. Zijn tanden glinsterden vochtig. Goodman keek een andere kant op.
'Ik neem aan dat de familie van de slachtoffers iets zal willen zeggen. Meestal wordt het misdrijf besproken. Misschien komt er iemand van de gevangenis om te verklaren hoe hij zich als gevangene heeft gedragen. De regels voor deze zittingen zijn heel ruim.'
'Ik weet meer over het misdrijf dan wie ook,' zei McAllister, bijna in zichzelf.
'Het is een vreemde situatie,' gaf Goodman toe. 'Ik heb al een aantal gratieverzoeken meegemaakt. De officier is meestal de eerste die tegen de beklaagde getuigt. In dit geval was u zelf de officier.'
'Waarom wilt u een besloten zitting?'
'De gouverneur is een voorstander van openheid,' voegde Mona eraan toe.
'Het lijkt me beter voor iedereen,' zei Goodman, op de toon van een professor. 'Het legt minder druk op u, gouverneur, omdat de pers niet over uw schouder meekijkt en u niet allerlei ongevraagde adviezen krijgt. En voor ons is het natuurlijk ook prettiger.'
'Waarom?' vroeg McAllister.
'Eerlijk gezegd willen wij liever niet dat het grote publiek wordt geconfronteerd met Ruth Kramer die over haar kleine jongens vertelt.' Goodman keek hoe dat viel. Ze trapten er al-

lemaal in. De werkelijke reden was heel anders. Adam was ervan overtuigd dat Sam alleen met een gratieverzoek zou instemmen als de zitting geen publiek schouwspel zou worden. In dat geval kon Adam hem er misschien van overtuigen dat McAllister er geen politieke munt uit wilde slaan.

Goodman kende tientallen mensen in het hele land die graag naar Jackson zouden komen om voor Sam te getuigen – mensen die uitstekende argumenten tegen de doodstraf naar voren hadden gebracht: nonnen, priesters, dominees, psychologen, maatschappelijk werkers, schrijvers, professoren en een paar voormalige ter dood veroordeelden. Dr. Swinn zou getuigen hoe slecht het met Sam ging en de gouverneur ervan overtuigen dat de overheid op het punt stond iemand te doden die bijna zijn verstand verloren had.

In de meeste staten had de veroordeelde het recht om te worden gehoord, meestal door de gouverneur. In Mississippi werd het karakter van de zitting aan de gouverneur overgelaten.

'Dat klinkt redelijk,' verklaarde McAllister.

'Er is al genoeg publiciteit,' vervolgde Goodman, in het besef dat de gouverneur nu al aan zijn persconferentie dacht. 'Niemand heeft iets aan een openbare zitting.'

Mona, een groot voorvechter van openheid, fronste diep en noteerde iets in blokletters. McAllister zat in gedachten verzonken.

'Los van de vraag of het een besloten of een openbare zitting moet worden,' zei hij, 'is er geen enkele aanleiding voor zo'n bijeenkomst als u en uw cliënt niets nieuws te melden hebben. Ik ken deze zaak, meneer Goodman. Ik heb de rook opgesnoven. Ik heb de lijken gezien. Ik zal niet van mening veranderen als er geen nieuwe argumenten zijn.'

'Zoals?'

'Zoals een naam. Als u mij de naam van Sams medeplichtige kunt noemen, ga ik akkoord met een zitting. Ik beloof u geen gratie, begrijp me goed, maar wel een bijeenkomst. Anders is het zonde van de tijd.'

'Denkt u dat hij een medeplichtige had?' vroeg Goodman.

'We hebben altijd twijfels gehouden. Wat denkt u zelf?'

'Waarom is dat zo belangrijk?'

'Omdat ik de beslissing moet nemen, meneer Goodman. Als

de rechters hun zegje hebben gedaan en de klok de laatste uren wegtikt, ben ik de enige in de wereld die de executie nog kan tegenhouden. Als Sam de doodstraf verdient, heb ik geen moeite met een terechtstelling. Maar zo niet, dan moet hij gratie krijgen. Ik ben nog jong. Ik wil dit niet de rest van mijn leven hoeven meedragen. Ik wil het juiste besluit nemen.'

'Maar als u denkt dat hij een medeplichtige had – en blijkbaar denkt u dat – waarom houdt u de executie dan niet tegen?'

'Omdat ik het zeker wil weten. U bent al jaren zijn raadsman. Denkt u dat hij een medeplichtige heeft gehad?'

'Ja, ik heb altijd vermoed dat ze het met hun tweeën hebben gedaan. Ik weet niet wie de dader en wie de medeplichtige was, maar Sam heeft hulp gehad.'

McAllister boog zich naar hem toe en keek hem strak aan. 'Meneer Goodman, als Sam me de waarheid wil vertellen, zal ik een besloten zitting houden en serieus over gratie denken. Ik beloof helemaal niets, dat begrijpt u, alleen dat we erover kunnen praten. Zo niet, dan heeft dit geen enkele zin.'

Mona en Larramore zaten nog sneller te schrijven dan een rechtbankjournalist.

'Sam beweert dat hij de waarheid heeft verteld.'

'Dan komt er geen zitting. Ik ben een drukbezet man.'

Goodman zuchtte gefrustreerd, maar bleef glimlachen. 'Goed, dan zullen we nog eens met hem praten. Kunnen we hier morgen weer bijeenkomen?'

De gouverneur keek naar Mona, die een elektronische agenda raadpleegde en haar hoofd schudde alsof de volgende dag al geheel was volgeboekt met speeches, vergaderingen en afspraken. 'Alles zit vol,' zei ze met gezag.

'En de lunch?'

Nee, dat ging ook niet. 'Dan spreekt u de NRA-conventie toe.'

'U kunt mij wel bellen,' stelde Larramore voor.

'Goed idee,' zei de gouverneur. Hij stond op en knoopte zijn manchetten dicht.

Goodman kwam overeind en schudde de andere drie de hand. 'Ik zal u bellen zodra we iets nieuws weten. Maar toch dring ik op een zitting aan.'

'Het verzoek is geweigerd tenzij Sam zijn mond opendoet,' antwoordde de gouverneur.

'Wilt u het verzoek op schrift stellen?' vroeg Larramore.
'Natuurlijk.'
Ze brachten Goodman naar de deur. Toen hij was vertrokken, ging McAllister op de officiële stoel achter zijn bureau zitten en knoopte zijn mouwen weer los. Larramore excuseerde zich en verdween naar zijn kantoortje in de gang.
Mona Stark bestudeerde een uitdraai terwijl de gouverneur naar de rij knipperende lichtjes van zijn telefoon keek. 'Hoeveel van die telefoontjes over Sam Cayhall zijn er nu binnengekomen?' vroeg hij. Stark liet haar vinger langs een reeks cijfers glijden.
'Gisteren waren het er eenentwintig. Veertien vóór de executie, vijf tegen. Twee bellers wisten het niet.'
'Dus het aantal neemt toe.'
'Ja, maar in de krant stond een artikel over Sams juridische gevecht. Daarin werd de mogelijkheid van clementie genoemd.'
'En de opiniepeilingen?'
'Geen verandering. Negentig procent van de blanken en ongeveer de helft van de zwarten in Mississippi is nog steeds voor de doodstraf. In totaal dus zo'n vierentachtig procent.'
'En mijn steun?'
'Tweeënzestig procent. Maar als u Sam Cayhall gratie verleent, zal dat cijfer tot onder de tien procent zakken, daar kunt u op rekenen.'
'Dus jij bent tegen het idee.'
'We hebben er niets mee te winnen en veel te verliezen. En afgezien van de peilingen – als u een van die boeven gratie verleent, krijgt u de advocaten, de grootmoeders en de dominees van de andere vijftig op uw nek, die allemaal hetzelfde willen. U hebt al genoeg aan uw hoofd. Het is een onzinnige gedachte.'
'Ja, je hebt gelijk. Waar is de mediacampagne?'
'Die is over een half uur klaar.'
'Ik wil hem zien.'
'Nagel legt er de laatste hand aan. Ik vind wel dat u een hoorzitting over dat gratieverzoek moet houden. Maar dan op maandag. En kondig het morgen aan. Dan kan het in het weekend tot iedereen doordringen.'
'Ik wil geen besloten zitting.'

'Nee, natuurlijk niet! We moeten Ruth Kramer hebben, huilend voor de camera.'
'Het is mijn zitting. Ik laat Sam en zijn advocaten niet de voorwaarden dicteren. Als ze het willen, dan op mijn manier.'
'Precies. Maar laten we het doen. Het levert enorm veel publiciteit op.'

Goodman tekende een contract van drie maanden voor de huur van vier mobiele telefoons. Hij gebruikte een creditcard van Kravitz & Bane en wist alle vragen van de opgewekte jonge verkoper handig te omzeilen. Daarna ging hij naar een openbare bibliotheek in State Street en vond een kast met telefoongidsen. Op basis van hun dikte koos hij de gidsen van de grotere steden in Mississippi, zoals Laurel, Hattiesburg, Tupelo, Vicksburg, Biloxi en Meridian. Daarna pakte hij een stapel dunnere: Tunica, Calhoun City, Bude, Long Beach en West Point. Bij de informatiebalie wisselde hij wat papiergeld voor kwartjes om kopieën te kunnen maken van pagina's uit de gidsen. Daar was hij twee uur mee bezig.
Hij deed zijn werk met plezier. Niemand zou hebben geloofd dat die keurige kleine man met zijn volle witte haardos en zijn vlinderdasje een vennoot was van een groot advocatenkantoor in Chicago met tientallen secretaressen en medewerkers tot zijn beschikking. Niemand zou hebben geloofd dat hij meer dan vierhonderdduizend dollar per jaar verdiende. Maar dat kon E. Garner Goodman weinig schelen. Hij was gelukkig met zijn werk. Hij deed zijn uiterste best om te voorkomen dat een ander mens legaal zou worden vermoord.
Hij verliet de bibliotheek en reed naar de juridische faculteit van Mississippi, een paar straten verderop. Een van de professoren daar, John Bryan Glass, gaf college in strafrecht en criminalistiek en had onlangs een reeks wetenschappelijke artikelen tegen de doodstraf gepubliceerd. Goodman wilde graag kennismaken en informeren of de professor misschien een paar slimme studenten had die wel belangstelling hadden voor een onderzoeksproject.
De professor was niet aanwezig. Op donderdagmorgen om negen uur had hij weer college. Goodman bracht een bezoekje aan de bibliotheek van de faculteit en vertrok toen

weer. Hij reed een paar straten verder, naar het oude Capitool, en nam deel aan een rondleiding om de tijd te doden. De rondleiding duurde een half uur, waarvan de helft werd besteed aan de tentoonstelling over de burgerrechtenbeweging op de benedenverdieping. Hij vroeg de dame in de souvenirwinkel naar een kamer met ontbijt en ze verwees hem naar het Millsaps-Buie House, ongeveer anderhalve kilometer verderop. Even later had hij het mooie Victoriaanse huis gevonden. Er was nog één kamer vrij. Het huis was prachtig gerestaureerd en in stijl ingericht. De butler bracht hem een whisky met water en hij nam het glas mee naar zijn kamer.

39

Om acht uur opende het Auburn House zijn deuren. Een weinig indrukwekkende bewaker in een slecht zittend uniform deed somber het hek open en Adam was de eerste die zijn auto parkeerde. Hij bleef tien minuten zitten wachten tot er iemand anders kwam. Hij herkende de vrouw als de consulente die hij twee weken eerder in Lee's kantoor had ontmoet. Hij haalde haar in toen ze door een zijdeur naar binnen wilde stappen. 'Neem me niet kwalijk,' zei hij. 'We hebben elkaar al eens eerder gezien. Ik ben Adam Hall, een neef van Lee. Het spijt me, maar ik weet uw naam niet meer.'
De dame had een versleten koffertje in haar ene hand en een bruine papieren lunchzak in de andere. Ze glimlachte en zei: 'Joyce Cobb. Ja, ik weet het nog. Waar is Lee?'
'Dat weet ik niet. Ik hoopte dat u misschien iets wist. U hebt niets van haar gehoord?'
'Nee, al sinds dinsdag niet meer.'
'Sinds dinsdag? Ik heb haar zaterdag voor het laatst gezien. Dus u hebt haar dinsdag nog gesproken?'
'Ja, ze heeft gebeld, maar niet met mij. Dat was de dag dat er in de krant stond dat ze was aangehouden wegens rijden onder invloed.'
'Waar was ze?'
'Dat zei ze niet. Ze vroeg naar de manager en zei dat ze een tijdje weg moest om hulp te krijgen en zo. Maar ze vertelde niet waar ze was of wanneer ze terug zou komen.'
'En haar cliënten dan?'
'Die vangen wij wel op. Het valt natuurlijk niet mee, maar we redden ons wel.'
'Lee zou die meisjes nooit in de steek laten. Zou ze van de week misschien nog met hen hebben gepraat?'
'Hoor eens, Adam, de meesten van die meisjes hebben geen telefoon en Lee zou zich zeker niet in die achterbuurten wagen. Wij hebben haar cliënten overgenomen en we weten dat ze met niemand heeft gepraat.'

Adam deed een stap naar achteren en keek naar het hek. 'Ik begrijp het. Maar ik moet haar vinden. Ik maak me echt ongerust.'
'Ze duikt wel weer op. Het is al eens eerder gebeurd en ze komt er altijd weer bovenop.' Opeens had Joyce haast. 'Als ik iets hoor, laat ik het je weten.'
'Graag. Ik logeer in haar appartement.'
'Dat weet ik.'
Adam bedankte haar en reed weg. Om negen uur zat hij op kantoor, begraven tussen de papieren.

Kolonel Nugent zat aan het eind van een lange tafel tegenover een kamer vol met bewaarders en ander personeel. De tafel stond op een verhoging van dertig centimeter en aan de muur erachter hing een groot schoolbord. In de hoek stond een verrijdbaar podium. De stoelen rechts van hem waren leeg, zodat het personeel op de klapstoeltjes de gezichten van Nugents belangrijke gasten aan de linkerkant goed kon zien. Morris Henry van het kantoor van de procureur was een van hen. Hij had een dik dossier voor zich liggen. Lucas Mann zat aan het andere eind en maakte aantekeningen. Naast Henry zaten twee assistent-opzichters. Tussen hen en Lucas Mann zat een ambtenaar van het kantoor van de gouverneur.
Nugent keek op zijn horloge, raadpleegde zijn aantekeningen en richtte zich toen tot het personeel. 'Vanaf vanochtend 15 juli zijn alle juridische belemmeringen opgeheven en is er niets meer wat de executie in de weg kan staan. Wij gaan er dus van uit dat het vonnis aanstaande woensdag, één minuut na middernacht, zal worden voltrokken. Dat betekent dat we nog zes werkdagen hebben voor de voorbereidingen. Ik ben vast van plan de hele operatie soepel te laten verlopen, zonder problemen.
De veroordeelde heeft nog minstens drie eisen aanhangig gemaakt waarover de verschillende rechtbanken uitspraak moeten doen, en uiteraard kunnen we niet voorspellen hoe dat zal aflopen. We houden voortdurend contact met het kantoor van de procureur. De heer Morris Henry is vandaag hier aanwezig. Naar zijn mening en die van de heer Lucas Mann zal de executie doorgang vinden. In theorie kan er ieder moment uitstel worden verleend, maar dat lijkt niet

waarschijnlijk. Daarom moeten we gereed zijn. De veroordeelde zal vermoedelijk de gouverneur nog om clementie vragen, maar ook dat verzoek zal vermoedelijk niet worden gehonoreerd. Vanaf dit moment beginnen we dus met de voorbereidingen alsof de executie op 8 augustus daadwerkelijk zal plaatsvinden.'

Nugents woorden waren helder en krachtig. Hij had de volledige aandacht en hij genoot met volle teugen. Hij keek nog eens naar zijn aantekeningen en vervolgde: 'De gaskamer zelf wordt nu gereedgemaakt. Hij is oud en hij is al tweeënhalf jaar niet meer gebruikt, dus we moeten heel voorzichtig zijn. Vanochtend is een vertegenwoordiger van de fabrikant gekomen die vandaag en vanavond een reeks controles zal uitvoeren. In het weekend, waarschijnlijk op zondag, zullen we de hele executie repeteren, aangenomen dat er voor die tijd geen uitstel is verleend. Ik heb de lijsten met vrijwilligers voor het executieteam verzameld en ik zal vanmiddag een keuze doen. We worden overstelpt met verzoeken van de media. Ze willen interviews met de heer Cayhall, zijn advocaat, onze advocaat, de directeur, de bewaarders, andere gevangenen in de dodencellen, de beul, noem maar op. Ze willen bij de executie zijn. Ze willen foto's van zijn cel en de gaskamer. De bekende waanzin van de media. Dus moeten we een afspraak maken. Niemand mag contact hebben met de pers tenzij hij dat met mij heeft overlegd. Dat geldt voor alle werknemers van deze instelling, zonder één uitzondering. De meesten van die verslaggevers komen hier niet uit de buurt en vinden het leuk om ons als een stel domme boeren af te schilderen. We praten dus niet met hen. Onder geen voorwaarde. Als het nodig is, zal ik zelf wel een verklaring uitgeven. Wees voorzichtig met die mensen. Het zijn aasgieren.

We verwachten ook andere problemen. Tien minuten geleden zijn de eerste leden van de Ku-Klux-Klan al bij de poort gearriveerd. Ze zijn naar de gebruikelijke plaats tussen de autoweg en de administratie verwezen, waar ze mogen demonstreren. We hebben al gehoord dat er ook andere groepen onderweg zijn, en vermoedelijk gaan die demonstraties door tot de hele zaak achter de rug is. We zullen ze scherp in de gaten houden. Ze hebben het recht om te protesteren, zolang het maar vreedzaam gebeurt. Ik heb de laatste vier executies

zelf niet meegemaakt, maar ik heb gehoord dat er meestal ook voorstanders van de doodstraf komen opdraven die de boel verstoren. We moeten die groepen uiteraard uit elkaar zien te houden.'
Nugent kon niet langer stil blijven zitten. Hij kwam stram overeind. Alle ogen waren op hem gericht. Hij las weer zijn aantekeningen door.
'Deze executie zal anders zijn, omdat de heer Cayhall een beruchte gevangene is. De pers zal er veel aandacht aan besteden en allerlei gekken zullen zich ermee bemoeien. We moeten ons professioneel blijven gedragen. Overtredingen van de regels worden niet getolereerd. De heer Cayhall en zijn familie hebben deze laatste dagen recht op ons respect. Dus geen flauwe grappen over de gaskamer of de executie. Dat accepteer ik niet. Heeft iemand nog vragen?'
Nugent liet zijn blik door het zaaltje glijden en was heel tevreden over zichzelf. Geen vragen. 'Goed dan. Morgenochtend om negen uur komen we weer bij elkaar.' Hij sloot de bijeenkomst en het zaaltje stroomde snel leeg.

Garner Goodman trof professor John Bryan Glass toen hij uit zijn kantoor kwam, op weg naar college. Zijn studenten waren onmiddellijk vergeten. De twee mannen stelden zich aan elkaar voor en wisselden complimenten uit. Glass had alle boeken van Goodman gelezen en Goodman de meeste van Glass' recente artikelen tegen de doodstraf. Het gesprek kwam al gauw op de zaak Cayhall en op Goodmans dringende behoefte aan een handjevol betrouwbare rechtenstudenten die hem in het weekend bij een onderzoekje konden assisteren. Glass bood zijn hulp aan en ze spraken af dat ze over een paar uur zouden gaan lunchen om de zaak te bespreken.
Drie straten van de juridische faculteit vond Goodman het kleine, uitpuilende kantoor van de Southern Capital Defense Group, een quasi-federaal bureau met kantoortjes in alle staten waar de doodstraf nog bestond. De directeur, Hez Kerry, was een jonge, zwarte advocaat van Yale, die een dik salaris bij een van de grote kantoren had opgegeven om zich te wijden aan de strijd tegen de doodstraf. Goodman had hem al twee keer tijdens een congres ontmoet. Hoewel Kerry's

Groep, zoals ze in de wandeling werden genoemd, niet alle ter dood veroordeelden rechtstreeks vertegenwoordigde, hielden ze wel iedere zaak nauwkeurig bij. Hez was eenendertig en werd snel oud. Zijn grijze haar was het zichtbare bewijs van zijn zorgen om de zevenenveertig mannen in de dodencellen.

Aan een muur boven het bureau van de secretaresse in de hal hing een kleine kalender waarop iemand had geschreven: 'Verjaardagen in de dodengang'. Iedereen kreeg een kaartje, meer niet. De begroting was krap en de kaarten werden meestal betaald uit een collecte onder de medewerkers van het kantoor.

Behalve Kerry telde de groep nog twee advocaten en een fulltime secretaresse. Een paar studenten van de juridische faculteit werkten een paar uur per week als vrijwilliger.

Goodman zat meer dan een uur met Kerry te praten. Ze bespraken hun strategie voor de volgende week dinsdag. Kerry zelf zou de wacht houden bij de griffie van het Hooggerechtshof van Mississippi. Goodman zou in de buurt blijven van het kantoor van de gouverneur. John Bryan Glass had aangeboden om zich bij het Vijfde Circuit te installeren, dat ook een klein kantoor had in het federale gerechtshof in Jackson. Een van Goodmans ex-collega's bij Kravitz & Bane werkte nu in Washington en zou zich bij het bureau van de death clerk posteren. Adam bleef in de dodengang bij de cliënt om de laatste telefoontjes te coördineren.

Kerry was meteen bereid om in het weekend aan Goodmans 'onderzoekje' mee te doen.

Om elf uur liep Goodman terug naar het kantoor van de gouverneur in het Capitool, waar hij Larramore een schriftelijk verzoek om een hoorzitting met de gouverneur overhandigde, waarin het gratieverzoek kon worden behandeld. De gouverneur was er niet – hij had het erg druk deze dagen – maar Larramore zou hem na de lunch wel spreken. Goodman liet het telefoonnummer van het Millsaps-Buie House achter en zei dat hij zelf zo nu en dan zou bellen.

Daarna reed hij naar zijn nieuwe kantoor, inmiddels ingericht met de beste spullen die hij voor twee maanden had kunnen huren – contant, uiteraard. Volgens de opschriften aan de onderkant kwamen de klapstoelen uit een oud pa-

rochiegebouw, en ook de wankele tafels hadden menige communiemaaltijd en bruiloftsreceptie meegemaakt.
Goodman bewonderde zijn haastig ingerichte hoofdkwartier, ging zitten en pakte een van de nieuwe mobiele telefoons. Eerst belde hij zijn secretaresse in Chicago, Adams kantoor in Memphis en zijn vrouw thuis. Daarna de hotline van de gouverneur.

Donderdagmiddag om vier uur had het Hooggerechtshof van Mississippi nog steeds niet afwijzend beschikt over het argument dat Sam niet toerekeningsvatbaar zou zijn. Er was bijna dertig uur verstreken sinds Adam de petitie had ingediend. Hij belde voortdurend de griffier en kreeg er genoeg van om steeds hetzelfde te moeten uitleggen: dat hij haast had. Hij koesterde geen enkele illusie dat het hof de eis serieus in overweging zou nemen. Ze probeerden de zaak gewoon te rekken, zodat Adam niet onmiddellijk in beroep kon gaan bij het federale hof. In dit stadium had hij van het hof van Mississippi niets meer te verwachten.
Maar ook bij de federale rechtbanken ging het hem niet voor de wind. Het Amerikaanse Hooggerechtshof had nog geen uitspraak gedaan over zijn bewering dat het gebruik van de gaskamer tegen de grondwet indruiste. En het Vijfde Circuit schoot maar niet op met het appèl wegens verwijtbare fouten van Sams vroegere advocaat.
Die hele donderdag zat alles muurvast. De rechtbanken gedroegen zich alsof het om gewone zaken ging, die soms wel jaren konden slepen. Maar Adam wilde actie – bij voorkeur uitstel, door welke rechtbank dan ook – of desnoods een hoorzitting. En zo niet, dan een snelle afwijzing, zodat hij naar de volgende rechter kon rennen.
Hij ijsbeerde om de tafel in zijn kantoor en wachtte op de telefoon. Hij baalde. Het kantoor lag bezaaid met dossiers. De tafel ging schuil onder stapels papier. Roze en gele memo's zaten tegen een van de boekenkasten geplakt.
Opeens had Adam genoeg van zijn omgeving. Hij had frisse lucht nodig. Hij zei tegen Darlene dat hij een eindje ging lopen en verliet het gebouw. Het was bijna vijf uur en nog steeds zonnig en warm. Hij liep naar het Peabody Hotel in Union Street en dronk een borrel in een hoekje van de lobby

bij de piano. Het was zijn eerste borrel sinds vrijdagavond in New Orleans. Hoewel hij ervan genoot, moest hij meteen aan Lee denken. Hij zocht haar gezicht in de menigte conventiegangers bij de balie van het hotel. Hij keek rond naar de tafeltjes met goed geklede mensen, in de hoop dat hij haar ergens zou zien. Waar kun je je verbergen als je vijftig bent en voor het leven op de vlucht?

Een man met een paardestaart en wandelschoenen bleef staan, keek zijn kant uit en kwam naar hem toe. 'Neemt u me niet kwalijk, maar bent u Adam Hall, de raadsman van Sam Cayhall?'

Adam knikte.

De man glimlachte, zichtbaar voldaan dat hij Adam had herkend, en zei: 'Ik ben Kirk Kleckner van *The New York Times*.' Hij legde een kaartje voor Adam neer. 'Ik ben hier voor de executie van Sam Cayhall. Ik kom net aan. Mag ik gaan zitten?'

Adam wuifde naar de lege stoel aan de andere kant van het ronde tafeltje. Kleckner ging zitten. 'Wat een geluk dat ik u hier tref,' zei hij overvriendelijk. Hij was voor in de veertig, met het imago van de ruige journalist: slecht geschoren, jeans, en een mouwloos katoenen vest over een spijkershirt. 'Ik herkende u van de foto's die ik onderweg in het vliegtuig heb bekeken.'

'Aangenaam,' zei Adam droog.

'Kunnen we praten?'

'Waarover?'

'O, van alles. Ik heb begrepen dat uw cliënt geen interviews geeft.'

'Dat klopt.'

'En u?'

'Ik ook niet. We kunnen wel praten, maar niet officieel.'

'Dat maakt het moeilijk.'

'Dat zal me een zorg zijn.'

'Natuurlijk.' Een welgevormde jonge dienster in een kort rokje bleef lang genoeg staan om zijn bestelling op te nemen. Zwarte koffie. 'Wanneer hebt u uw grootvader voor het laatst gesproken?'

'Dinsdag.'

'Wanneer ziet u hem weer?'

'Morgen.'
'Hoe houdt hij zich?'
'Hij leeft nog. De spanning wordt steeds groter, maar hij houdt zich redelijk goed.'
'En u?'
'Ik amuseer me kostelijk.'
'Serieus. Hebt u slapeloze nachten, dat soort dingen?'
'Ik ben moe en ik slaap slecht, dat is waar. Ik werk de hele dag en ik ren steeds heen en weer naar de gevangenis. Als het zo doorgaat, zullen de laatste paar dagen een heksenketel worden.'
'Ik heb de executie van Bundy in Florida verslagen. Dat was een compleet circus. Zijn advocaten sliepen soms dagen niet.'
'Het is heel moeilijk om je te ontspannen.'
'Zou u het nog eens doen? Ik weet dat dit uw specialiteit niet is, maar zou u opnieuw een ter dood veroordeelde vertegenwoordigen?'
'Alleen als ik nog een familielid in de dodencel blijk te hebben. Waarom houdt u zich juist met dit onderwerp bezig?'
'Ik schrijf al jaren over de doodstraf. Het is heel fascinerend. Ik zou Sam Cayhall graag interviewen.'
Adam schudde zijn hoofd en dronk zijn glas leeg. 'Nee. Uitgesloten. Hij praat met niemand.'
'Wilt u het hem voor me vragen?'
'Nee.'
De koffie kwam. Kleckner roerde in het kopje. Adam keek naar de menigte. 'Gisteren heb ik Benjamin Keyes geïnterviewd in Washington,' zei Kleckner. 'Het verbaasde hem niet dat u nu beweert dat hij fouten heeft gemaakt bij het proces. Dat had hij wel verwacht, zei hij.'
Op dat moment was Adam totaal niet geïnteresseerd in Benjamin Keyes en zijn mening. 'Dat is gebruikelijk. Ik moet nu weg. Leuk u gesproken te hebben.'
'Maar ik wilde nog met u praten over...'
'Hoor eens, u had geluk dat u me tegenkwam,' zei Adam. Hij stond abrupt op.
'Nog een paar vragen,' riep Kleckner toen hij wegliep.
Adam verliet The Peabody en slenterde naar Front Street bij de rivier. Onderweg kwam hij tientallen goed geklede jonge mensen tegen, net als hijzelf, die haastig op weg waren naar

huis. Hij was jaloers op hen. Wat hun beroep of roeping ook mocht zijn en onder welke spanningen ze ook verkeerden, ze konden onmogelijk zo'n zware last dragen als hij.
Hij at een sandwich bij een broodjeszaak en was om zeven uur weer terug op kantoor.

Het konijn was door twee bewaarders in de bossen bij Parchman gevangen en ze hadden het voor de gelegenheid Sam gedoopt. Het was een bruin Amerikaans konijn, het grootste van de vier die door de bewaarders waren verschalkt. De andere drie waren al opgegeten.
Donderdagavond laat kwamen Sam het konijn, zijn oppassers, kolonel Nugent en het executieteam met busjes en pick-up trucks bij de Maximaal Beveiligde Afdeling aan. Langzaam reden ze langs de voorkant en de luchtplaats. Aan de westkant parkeerden ze bij een vierkant gebouw van rode baksteen, dat tegen de zuidwesthoek van de dodengang leunde.
De witte metalen deuren hadden geen ramen. De zuidelijke deur gaf toegang tot een smalle kamer van vijf bij tweeënhalve meter, waar de getuigen de executie konden bijwonen. Aan één kant van de ruimte was een ruit met zwarte gordijnen ervoor. Als die werden weggetrokken, zagen de getuigen de achterkant van de gaskamer zelf, van heel dichtbij.
De andere deur kwam uit in de executieruimte, vijf bij vier meter groot, met een geverfde betonvloer. In het midden stond de achthoekige gaskamer, die pas van een verse zilveren laklaag was voorzien en nog naar verf rook. Nugent had de kamer een week eerder geïnspecteerd en opdracht gegeven hem te schilderen. Hij was nu smetteloos schoon. De zwarte gordijnen voor de ramen achter de kamer waren geopend.
Sam het konijn werd in de laadbak van een pick-up achtergelaten, terwijl een kleine bewaarder, met ongeveer hetzelfde postuur als Sam Cayhall, door twee van zijn grotere collega's naar de executieruimte werd gebracht. Nugent liep rond als generaal Patton, fronsend, wijzend en knikkend. De kleine bewaarder werd zachtjes de gaskamer in geduwd, waarna de twee andere bewaarders hem om zijn as draaiden en hem op de houten stoel zetten. Zonder een woord of een glimlach, en zeker geen grap, bonden ze eerst zijn polsen met leren riemen

aan de stoelleuningen vast. Daarna volgden zijn knieën en enkels. Een van de mannen tilde zijn hoofd op en hield het op zijn plaats terwijl de ander de leren hoofdriem bevestigde.
De twee bewaarders stapten voorzichtig de kamer uit en Nugent wees naar een ander lid van het team, dat naar voren stapte alsof hij iets tegen de veroordeelde wilde zeggen.
'Op dit punt leest Lucas Mann het doodvonnis nog eens voor aan de heer Cayhall,' verklaarde Nugent als een amateurfilmregisseur. 'Daarna vraag ik hem of hij nog iets te zeggen heeft.' Hij wees opnieuw. Een bewaarder deed de zware deur van de kamer dicht en sloot hem luchtdicht af.
'Doe maar weer open,' blafte Nugent en de bewaarder gehoorzaamde. Zijn kleine collega werd bevrijd.
'Haal het konijn,' beval Nugent. Een van de oppassers haalde Sam uit de pick-up truck. Het dier zat nietsvermoedend in een kooi van gaas. De twee bewaarders die juist uit de gaskamer waren gekomen pakten de kooi aan, zetten hem voorzichtig op de houten stoel en deden vervolgens alsof ze iemand vastbonden. Polsen, knieën, enkels en hoofd. Daarna was het konijn gereed voor het gas. De twee bewaarders verlieten de kamer.
De deur werd gesloten en verzegeld en Nugent wenkte de beul, die een container met zwavelzuur in een buis stak die onder in de gaskamer uitkwam. Hij haalde een hefboom over, er klonk een klik en de container gleed in de kom onder de stoel.
Nugent stond voor een van de ramen en keek gespannen toe, net als de andere leden van het team. Rond de ramen was vaseline gesmeerd om lekken te voorkomen.
Het giftige gas kwam langzaam vrij, in een nevel van zichtbare dampen die van onder de stoel omhoogzweefden. Het duurde even voordat het konijn reageerde op de stoom die zijn kleine cel binnendrong, maar niet lang. Het dier verstijfde, sprong een paar keer omhoog, vloog tegen het gaas op en begon toen heftig te stuiptrekken. Binnen een minuut lag het stil.
Nugent keek glimlachend op zijn horloge. 'Voer het gas maar af,' zei hij. Een schuif aan de bovenkant van de kamer werd geopend en het gas kon ontsnappen.
De buitendeur van de executieruimte ging open en de meeste

leden van het executieteam liepen naar buiten om frisse lucht te happen of een sigaret te roken. Het duurde minstens een kwartier voordat de gaskamer kon worden geopend en het konijn kon worden verwijderd. Daarna moesten ze de kamer en het dier schoonspoelen en reinigen. Nugent stond binnen nog te kijken. De mannen buiten rookten een sigaret en lachten met elkaar.

Nog geen twintig meter verderop stonden de ramen boven Gang A wijdopen. Sam kon hun stemmen horen. Het was na tienen en het licht was uit, maar uit alle cellen van de gang staken armen naar buiten. Zwijgend stonden de veertien gevangenen in het donker te luisteren.

Een ter dood veroordeelde leeft drieëntwintig uur per dag in een cel van nog geen twee bij drie meter. Hij hoort alles: het onbekende geluid van een nieuw paar schoenen op de gang, de vreemde klank en het accent van een andere stem, of het pruttelen van een maaimachine in de verte. En natuurlijk hoort hij het openen en sluiten van de deur naar de gaskamer, gevolgd door de zelfvoldane, gewichtige lach van het executieteam.

Sam leunde op zijn onderarmen en keek naar de ramen boven de gang. Ze waren daar aan het repeteren voor hèm.

40

Tussen de westelijke rand van Highway 49 en het grasveld voor het administratiegebouw van Parchman, een afstand van zo'n vijftig meter, lag een vlakke strook gras waar ooit een spoorlijn had gelopen. Daar werden bij iedere executie de demonstranten tegen de doodstraf bijeengedreven. Ze kwamen meestal in kleine groepen – toegewijde zielen die op klapstoeltjes zaten en met zelfgemaakte spandoeken zwaaiden. 's Nachts brandden ze kaarsen en tijdens de laatste uren zongen ze hymnen. Zodra het vonnis was voltrokken, begonnen ze te huilen en te bidden en hieven nieuwe liederen aan.
In de uren voorafgaand aan de executie van Teddy Doyle Meeks, een kinderverkrachter en moordenaar, had zich een nieuw incident voorgedaan. Het sombere, bijna vrome protest was verstoord door auto's met joelende studenten die zonder waarschuwing waren opgedoken en luidkeels om de dood van Meeks hadden geroepen. Ze dronken bier en draaiden harde muziek. Ze scandeerden leuzen en vielen de geschrokken tegenstanders van de doodstraf lastig. Het gevangenispersoneel had ten slotte ingegrepen en de orde hersteld.
Maynard Tole was de volgende geweest. Tijdens de voorbereidingen van zijn terechtstelling was er een strook grond aan de andere kant van de aanvoerweg gereserveerd voor de voorstanders van de doodstraf. Bovendien was voor extra bewaking gezorgd om de groepen rustig te houden.
Toen Adam op vrijdagochtend arriveerde, telde hij zeven leden van de Ku-Klux-Klan in witte pijen. Drie van hen deden een poging tot synchroon protest door met borden op hun rug langs de rand van het gras bij de autoweg te marcheren. De andere vier waren bezig een grote, felgekleurde zonnetent neer te zetten. Lijnen en metalen stokken lagen over de grond verspreid, tussen een paar ligstoelen en twee koelboxen. Het was duidelijk dat ze hier hun tenten wilden opslaan.
Adam zag hen bezig toen hij afremde bij de poort. Opeens was hij de tijd vergeten. Hij stopte en bleef een tijdlang naar

de Kluckers kijken. Dus dit was zijn erfenis, hier lagen zijn wortels. Dit waren de broeders van zijn grootvader en al die andere familieleden en voorouders. Zouden dezelfde figuren er nog bij zijn als op de videoband die hij over Sam Cayhall had samengesteld? Had hij hen ooit eerder gezien?
In een opwelling opende Adam het portier en stapte uit. Zijn jasje en koffertje lagen op de achterbank. Langzaam liep hij in de richting van de Klan-leden. Bij de twee koelboxen bleef hij staan. Hun spandoeken eisten vrijheid voor Sam Cayhall, een politieke gevangene. Vergas de echte misdadigers, maar laat Sam vrij! Om de een of andere reden voelde Adam zich niet gesterkt door hun eisen.
'Wat moet je?' vroeg een van de Kluckers die een bord voor zijn borst droeg. De andere zes stopten met hun werk en staarden hem aan.
'Dat weet ik niet,' zei Adam naar waarheid.
'Waar kijk je dan naar?'
'Dat weet ik niet.'
Drie anderen sloten zich bij de eerste aan en samen stapten ze op Adam af. Ze droegen identieke pijen van lichte witte stof, voorzien van rode kruisen en andere symbolen. Het was bijna negen uur en ze liepen al te zweten. 'Wie ben je, verdomme?'
'Sams kleinzoon.'
De andere drie drongen nu ook op en met hun zevenen bekeken ze Adam van een afstand van nog geen twee meter. 'Dan ben je dus een van ons,' zei een van hen opgelucht.
'Nee, ik ben niet een van jullie.'
'Hij hoort bij dat stelletje joden uit Chicago,' zei een van het stel tegen zijn makkers. Dat zorgde voor enige verwarring.
'Wat doen jullie hier?' vroeg Adam.
'We proberen Sam te redden. Jou schijnt het niet te lukken.'
'Jullie zijn de reden dat hij hier zit.'
Een jonge vent met een rood gezicht en dikke zweetdruppels op zijn voorhoofd nam de leiding en deed nog een stap in Adams richting. 'Nee. Hij is de reden dat wij hier zijn. Ik was nog niet eens geboren toen Sam die joden vermoordde, dus je kunt mij de schuld niet geven. We zijn hier om te protesteren tegen zijn executie. Hij wordt terechtgesteld uit politieke motieven.'

'Hij zou hier niet hebben gezeten als hij geen lid was geweest van de Klan. Waar zijn jullie maskers? Ik dacht dat jullie soort altijd zijn gezicht verborg.'
Ze hokten zenuwachtig bij elkaar, aarzelend wat ze moesten doen. Hij was immers de kleinzoon van Sam Cayhall, hun grote idool en voorvechter. Hij was de advocaat die hun boegbeeld verdedigde.
'Waarom gaan jullie niet naar huis?' vroeg Adam. 'Sam wil jullie hier niet.'
'Ach, sodemieter op,' sneerde de jongen.
'Heel subtiel. Ga nou maar, oké? Jullie hebben meer aan een dode Sam dan aan een levende. Als jullie hem in vrede laten sterven, kunnen jullie een martelaar van hem maken.'
'We gaan niet weg. We blijven tot het eind.'
'En als Sam vraagt of jullie willen verdwijnen, gaan jullie dan wel?'
'Nee,' sneerde hij weer, met een blik over zijn schouder naar de anderen, die allemaal hun hoofd schudden. 'En we zullen heel wat lawaai maken.'
'Geweldig. Dan komen jullie vast in de krant. Daar gaat het toch om? Circusclowns in rare pakken trekken altijd de aandacht.'
Ergens achter zich hoorde Adam autoportieren dichtslaan. Hij zag een televisieploeg uit een busje komen dat naast zijn Saab stond geparkeerd.
'Kijk eens aan,' zei hij tegen het groepje. 'Lach maar in de camera, jongens. Dit is jullie grote kans.'
'Val dood,' snauwde de jongen kwaad. Adam draaide hun zijn rug toe en liep terug naar zijn auto. Een verslaggeefster met een cameraman op sleeptouw kwam haastig naar hem toe.
'Bent u Adam Hall?' vroeg ze buiten adem. 'Cayhalls advocaat?'
'Ja,' zei hij zonder stil te blijven staan.
'Kunnen we even praten?'
'Nee. Maar die jongens daar staan al klaar,' zei hij, wijzend over zijn schouder. Ze liep met hem mee terwijl de cameraman met zijn apparatuur bezig was. Adam stapte in zijn auto, sloeg het portier dicht en startte.
Louise, de bewaarster bij de poort, gaf hem een genummerd

kaartje voor achter zijn ruit en wuifde hem door. Hij was nu echt een oude bekende.
Packer fouilleerde hem plichtmatig bij de voordeur van de dodengang. 'Wat zit daarin?' vroeg hij, met een knikje naar de kleine koelbox in Adams linkerhand.
'Eskimo Pies, brigadier. Lust u er een?'
'Laat eens kijken.'
Adam gaf de box aan Packer, die het deksel lang genoeg opende om zes Eskimo Pies te tellen, nog bevroren onder een laag ijs.
Hij gaf Adam de koelbox terug en wees naar de deur van het kantoortje achter hem. 'Van nu af aan praten jullie daar,' zei hij. Ze stapten naar binnen.
'Waarom?' vroeg Adam. Hij keek om zich heen. Er stonden een metalen bureau met een telefoon, drie stoelen en twee afgesloten archiefkasten.
'Zo gaat het hier nu eenmaal. Als de grote dag nadert, versoepelen we de regels. Sam mag zijn bezoek nu hier ontvangen. En u kunt blijven zolang als u wilt.'
'Wat aardig.' Adam legde zijn koffertje op het bureau en pakte de telefoon. Packer vertrok om Sam te halen.
De vriendelijke dame op de griffie in Jackson deelde Adam mee dat het Hooggerechtshof van Mississippi zojuist Adams eis had afgewezen dat zijn cliënt wegens ontoerekeningsvatbaarheid niet mocht worden terechtgesteld. Hij bedankte haar, mompelde dat hij dat al had verwacht en waarom het zo lang had moeten duren, en vroeg haar toen om kopieën van de uitspraak naar zijn kantoor in Memphis en naar Lucas Mann te faxen. Hij belde Darlene in Memphis en gaf haar opdracht de nieuwe petitie naar het federale arrondissement te faxen, met kopieën aan het Vijfde Circuit en het drukke kantoor van Richard Olander bij het Hooggerechtshof in Washington. Hij belde Olander om hem te waarschuwen dat de fax eraan kwam en kreeg te horen dat het federale Hooggerechtshof zojuist had geweigerd om Adams eis in behandeling te nemen dat de gaskamer tegen de grondwet indruiste.
Sam kwam zonder handboeien het kantoortje binnen terwijl Adam nog zat te bellen. Ze gaven elkaar snel een hand en Sam ging zitten. In plaats van een sigaret op te steken,

opende hij de koelbox en pakte een Eskimo Pie. Hij at het ijsje langzaam op terwijl Adam met Olander sprak. 'Het Hooggerechtshof wil de eis niet behandelen,' fluisterde Adam tegen Sam met zijn hand over de telefoon.
Sam lachte vreemd en bekeek een paar enveloppen die hij had meegebracht.
'Het Hooggerechtshof van Mississippi heeft ons ook laten zakken,' zei Adam tegen zijn cliënt. Hij toetste nog een nummer in. 'Maar dat hadden we wel verwacht. We zijn al naar het federale hof gegaan.' Hij belde het Vijfde Circuit om naar de eis wegens ingebrekestelling van Sams vorige advocaat te informeren. De griffier in New Orleans liet hem weten dat er die ochtend nog geen actie was ondernomen. Adam hing op en ging op de rand van het bureau zitten.
'Het Vijfde Circuit heeft nog niets gedaan met de eis wegens ingebrekestelling,' meldde hij aan zijn cliënt, die de wet en de procedures kende en luisterde als een volleerde advocaat. 'Geen gunstige ochtend, al met al.'
'Het tv-station in Jackson berichtte vanochtend dat ik een verzoek om clementie bij de gouverneur heb ingediend,' zei Sam tussen twee happen door. 'Dat kan toch niet waar zijn? Dat zou ik nooit goedvinden.'
'Rustig maar, Sam. Dat is een vaste gewoonte.'
'Vergeet het maar. We hadden toch een contract? Ik heb zelfs McAllister op de buis gezien met een verhaal dat hij het zo moeilijk had met zijn beslissing over een hoorzitting. Ik heb je gewaarschuwd.'
'McAllister is de minste van onze problemen, Sam. Dat verzoek was een formaliteit. We hoeven niet te gaan.'
Sam schudde gefrustreerd zijn hoofd. Adam nam hem scherp op. Hij was niet boos en het kon hem niet echt schelen wat Adam had gedaan. Hij maakte een gelaten, bijna verslagen indruk. Dat gekanker stelde niets voor. Een week eerder zou hij Adam nog de huid vol hebben gescholden.
'Ze hebben gisteravond gerepeteerd. Ze hebben de gaskamer uitgeprobeerd met een rat of zoiets. Alles werkte perfect en iedereen is dol enthousiast over mijn executie. Kun je het je voorstellen? Ze hebben een generale repetitie gehouden. Voor mij. De klootzakken.'
'Het spijt me, Sam.'

'Weet je hoe cyanidegas ruikt?'
'Nee.'
'Naar kaneel. En dat rook ik gisteravond. Die idioten hadden niet eens de moeite genomen om de ramen in onze gang te sluiten, en ik rook het gas.'
Adam vroeg zich af of dat waar was. Hij wist dat de gaskamer na de executie een paar minuten werd gelucht en dat het gas gewoon naar buiten ontsnapte. Maar het kon toch niet tot de gangen doordringen? Misschien had Sam verhalen gehoord van de bewaarders. Of misschien was het een onderdeel van de folklore. Adam ging op de rand van het bureau zitten, met zijn benen bungelend boven de vloer, en keek naar de meelijwekkende oude man met zijn magere armen en zijn vette haar. Het was een verderfelijke zonde om zo'n oude stakker als Sam Cayhall te doden. Hij had zijn misdrijf al een generatie geleden gepleegd. In zijn kleine cel had hij genoeg geleden en was hij al zo vaak gestorven. Wat had het voor nut hem nu nog te doden?
Adam had van alles aan zijn hoofd, waaronder hun laatste, misschien wel allerlaatste mogelijkheid. 'Het spijt me, Sam,' zei hij weer, met meegevoel in zijn stem, 'maar we moeten een paar dingen bespreken.'
'Stonden er vanochtend Klan-leden voor de poort? De televisie had er gisteren beelden van.'
'Ja. Ik heb er zeven geteld. Een paar minuten geleden. In vol ornaat, maar zonder masker.'
'Dat droeg ik vroeger ook,' zei hij, als een oudgediende die tegen de jonge jongens pocht.
'Dat weet ik Sam. En omdat je die kleren droeg, zit je nu in de dodencel met je advocaat en tellen we de uren af totdat je naar de gaskamer wordt gebracht. Je zou die malloten moeten haten.'
'Ik haat ze niet, maar ze hebben het recht niet daar te staan. Ze hebben me in de steek gelaten. Dogan heeft ervoor gezorgd dat ik hier nu zit en toen hij getuigde was hij nog Imperial Wizard van Mississippi. Ze hebben me niet één cent gegeven voor mijn verdediging. Ze zijn me gewoon vergeten.'
'Wat verwacht je dan van zo'n bende tuig? Loyaliteit?'
'Ik was wel loyaal.'
'En kijk waar het je heeft gebracht, Sam. Je moet de Klan af-

zweren en die lui vragen om te vertrekken. Ze horen niet bij je executie aanwezig te zijn.'
Sam speelde met de enveloppen en legde ze toen voorzichtig op een stoel.
'Ik heb gezegd dat ze weg moesten,' zei Adam.
'Wanneer?'
'Een paar minuten geleden. Ik heb even met ze gepraat. Ze zijn helemaal niet in jou geïnteresseerd, Sam. Ze gebruiken deze executie alleen om een martelaar van je te maken, een symbool waar ze zich omheen kunnen scharen en waar ze nog jaren over kunnen praten. Ze zullen je naam scanderen als ze hun kruisen verbranden en ze zullen bedevaarten maken naar je graf. Ze willen je dood, Sam. Dat is goede propaganda.'
'Heb je ze de waarheid gezegd?' vroeg Sam geamuseerd, met iets van trots.
'Ja. Geen punt. En Carmen? Heb je daar al over nagedacht? Als ze mag komen, moet ze het nu weten.'
Sam nam bedachtzaam een trek. 'Ik zou haar graag zien, maar je moet haar wel waarschuwen hoe ik eruitzie. Ik wil niet dat ze schrikt.'
'Je ziet er prima uit, Sam.'
'Goh, dank je. En Lee?'
'Wat is er met Lee?'
'Hoe gaat het met haar? Wij lezen hier ook kranten. Ik heb haar foto zaterdag in de krant uit Memphis gezien en op dinsdag las ik dat ze was aangehouden omdat ze dronken achter het stuur zat. Ze zit toch niet in de cel?'
'Nee, ze doet een ontwenningskuur,' zei Adam alsof hij precies wist waar ze zat.
'Kan ze nog op bezoek komen?'
'Wil je dat?'
'Ik geloof het wel. Misschien op maandag. Laten we maar even afwachten.'
'Geen probleem,' zei Adam, die zich afvroeg hoe hij haar in godsnaam moest vinden. 'Ik zal het in het weekend met haar bespreken.'
Sam gaf Adam een van de enveloppen, die nog open was. 'Geef deze maar aan de administratie. Het is een lijst met goedgekeurde bezoekers vanaf dit moment. Lees maar.'

Adam bekeek de lijst. Er stonden vier namen op: Adam, Lee, Carmen en Donnie Cayhall. 'Dat is niet veel.'
'Ik heb genoeg familie, maar die wil ik er niet bij hebben. Ze hebben me in negen jaar niet één keer opgezocht, dus ik wil ze hier niet om op het laatste moment nog even afscheid te nemen. Dat doen ze maar op de begrafenis.'
'Ik krijg allerlei verzoeken van journalisten om een interview.'
'Vergeet het maar.'
'Dat heb ik ook gezegd. Maar er is één interessant aanbod bij, van een zekere Wendall Sherman, een bekende schrijver die vier of vijf boeken heeft gepubliceerd en een paar prijzen heeft gewonnen. Ik ken zijn werk niet, maar hij is oké. Gisteren heeft hij me gebeld. Hij wil graag met je praten om je verhaal op de band vast te leggen. Hij maakte een eerlijke indruk en hij zei dat het wel uren kon gaan duren. Vandaag vliegt hij naar Memphis, voor het geval je erop in zou gaan.'
'Waarom wil hij mijn verhaal vastleggen?'
'Om een boek over je te schrijven.'
'Een roman?'
'Dat denk ik niet. Hij wil je vijftigduizend dollar vooruit betalen, met een percentage van de royalty's.'
'Geweldig. Een halve ton, vlak voordat ik sterf. Wat moet ik daarmee?'
'Ik geef het je alleen maar door.'
'Zeg maar dat hij kan doodvallen. Ik ben niet geïnteresseerd.'
'Goed.'
'Ik wil dat je een overeenkomst opstelt waarin ik alle rechten op mijn levensverhaal aan jou overdraag. Als ik dood ben, moet je zelf maar zien wat je ermee doet.'
'Het zou geen slecht idee zijn om je verhaal vast te leggen.'
'Je bedoelt...'
'Gewoon, met een bandrecorder. Ik kan je er wel een bezorgen. Dan kun je het in je cel inspreken.'
'Wat saai.' Sam at de Eskimo Pie op en gooide het stokje in de papiermand.
'Het ligt eraan hoe je het bekijkt. Het lijkt nu spannend genoeg.'
'Ja, je hebt gelijk. Een behoorlijk saai leven, maar het einde was sensationeel.'

'Het zou een bestseller kunnen worden.'
'Ik zal erover denken.'
Sam sprong plotseling overeind, zonder zijn rubberen badslippers aan te trekken, die onder zijn stoel stonden. Met lange passen beende hij het kantoortje door en telde zijn stappen. 'Ruim drie bij vier meter,' mompelde hij bij zichzelf, met een sigaret in zijn mondhoek. Daarna mat hij het kantoortje opnieuw.
Adam maakte aantekeningen op een schrijfblok en probeerde de rode gestalte te negeren die zich tegen de muren afzette. Ten slotte bleef Sam staan en leunde tegen een archiefkast. 'Wil je iets voor me doen?' vroeg hij, starend naar de muur tegenover hem. Zijn stem klonk opeens veel zachter. Hij ademde langzaam.
'Zeg het maar,' zei Adam.
Sam deed een stap naar de stoel en pakte een envelop. Hij gaf hem aan Adam en nam zijn positie bij de archiefkast weer in. De envelop was omgedraaid en Adam kon het adres niet zien.
'Zou je die willen afgeven?' vroeg Sam.
'Aan wie?'
'Quince Lincoln.'
Adam legde de brief aan zijn kant van het bureau en keek Sam onderzoekend aan. Maar Sam was met zijn gedachten heel ergens anders. De ogen in zijn gerimpelde gezicht staarden naar iets op de muur. 'Ik ben er een week mee bezig geweest,' zei hij bijna schor, 'maar ik denk er al veertig jaar over na.'
'Wat staat er in die brief?' vroeg Adam langzaam.
'Een spijtbetuiging. Ik draag die schuld al zoveel jaar mee, Adam. Joe Lincoln was een brave, fatsoenlijke vent en een goede vader. Ik ben mijn kop kwijtgeraakt en heb hem zomaar neergeschoten, zonder enige reden. En voordat ik de trekker overhaalde wist ik dat ze me niets konden maken. Ik heb me er altijd schuldig over gevoeld. Heel slecht. Ik kan nu niets anders doen dan zeggen dat het me spijt.'
'Ik weet zeker dat dat belangrijk zal zijn voor de Lincolns.'
'Misschien. In de brief vraag ik ze om vergiffenis. Dat is de christelijke manier, geloof ik. Als ik sterf, wil ik graag weten dat ik geprobeerd heb mijn berouw te tonen.'

'Enig idee waar ik hem kan vinden?'
'Dat is een probleem. Ik heb via familie gehoord dat de Lincolns nog steeds in Ford County wonen. Ruby, zijn weduwe, leeft vermoedelijk nog. Ik ben bang dat je gewoon naar Clanton moet om navraag te doen. Ze hebben daar nu een Afro-Amerikaanse sheriff, dus ik zou met hem beginnen. Hij zal alle Afro-Amerikanen in zijn district wel kennen.'
'En als ik Quince heb gevonden?'
'Zeg hem dan wie je bent. Geef hem de brief en zeg hem dat ik me nog altijd verschrikkelijk schuldig voelde toen ik stierf. Wil je dat doen?'
'Natuurlijk. Ik weet alleen niet wanneer.'
'Wacht maar tot ik dood ben. Als dit achter de rug is, heb je weer tijd genoeg.'
Sam liep naar de stoel en pakte nog twee enveloppen. Hij gaf ze aan Adam en begon weer langzaam door de kamer te ijsberen. Op de ene envelop stond de naam van Ruth Kramer, zonder adres, op de andere die van Elliot Kramer. 'Die zijn voor de Kramers. Wil je die na de executie bezorgen?'
'Waarom dan pas?'
'Omdat mijn motieven zuiver zijn. Ze moeten niet denken dat ik dit doe om op het laatste moment nog sympathie te wekken.'
Adam legde de twee enveloppen naast die voor Quince Lincoln. Drie brieven, drie doden. Hoeveel brieven zou Sam in het weekend nog schrijven? Hoeveel andere slachtoffers waren er nog?
'Je bent ervan overtuigd dat je zult sterven, nietwaar Sam?'
Hij bleef bij de deur staan en dacht even na. 'Daar ziet het wel naar uit. Ik wil me voorbereiden.'
'We hebben nog steeds een kans.'
'Natuurlijk, maar toch wil ik op alles voorbereid zijn. Ik heb veel mensen leed bezorgd, Adam, en dat heb ik me niet altijd gerealiseerd. Maar als je een afspraak hebt met magere Hein, besef je pas wat je hebt aangericht.'
Adam pakte de drie enveloppen op en bekeek ze. 'Komen er nog meer?'
Sam maakte een grimas en staarde naar de grond. 'Dit is alles. Voorlopig.'

Op de voorpagina van de krant uit Jackson stond vrijdagochtend een stuk over Sam Cayhalls verzoek om gratie. Het artikel ging vergezeld van een fraaie foto van gouverneur David McAllister, een slechte foto van Sam en een schijnheilig commentaar van Mona Stark, de stafchef van de gouverneur, die nog eens benadrukte hoeveel moeite McAllister met de beslissing had.
Omdat hij een echte man van het volk was, een dienaar van alle inwoners van Mississippi, had McAllister kort na zijn verkiezing een dure hotline geïnstalleerd. Het gratis nummer stond overal aangeplakt en zijn kiezers werden voortdurend aangespoord er gebruik van te maken. Bel de gouverneur, hij luistert naar u! De democratie op haar best. De telefoons werden permanent bemand.
En omdat zijn ambitie groter was dan zijn politieke standvastigheid volgden McAllister en zijn staf de telefoontjes nauwgezet. De gouverneur was een volger, geen leider. Hij gaf veel geld uit aan opiniepeilingen en hij wist intuïtief welke kwesties de kiezers bezighielden, zodat hij daarin het voortouw kon nemen.
Goodman en Adam vermoedden dat al. McAllister was meer geïnteresseerd in zijn eigen carrière dan in nieuwe initiatieven. De man was een schaamteloze opportunist, en daar besloten ze hun voordeel mee te doen.
Goodman las het verhaal vroeg in de ochtend, bij een kop koffie en wat fruit. Om half acht belde hij professor John Bryan Glass en Hez Kerry. Om acht uur zaten drie van Glass' studenten al met een papieren bekertje koffie in Goodmans groezelige tijdelijke kantoor. De 'marktanalyse' kon beginnen.
Goodman legde uit wat de bedoeling was en zei erbij dat het geheim moest blijven. Het was niet tegen de wet, stelde hij hen gerust. Het was manipulatie van de publieke opinie, meer niet. De mobiele telefoons lagen op de tafels, met de bladzijden uit de telefoongidsen die Goodman op woensdag had gekopieerd. De studenten waren een beetje nerveus, maar wilden toch graag beginnen. Ze werden er goed voor betaald en professor Glass had extra punten beloofd voor het project. Goodman demonstreerde zelf wat de beste methode was. Hij toetste een nummer.

'Met de hotline van het volk,' antwoordde een prettige stem.
'Ja, goedemorgen, ik bel over dat stuk in de krant van vanochtend, over Sam Cayhall,' zei Goodman langzaam, met zijn beste zuidelijke accent – dat niet zo heel goed was. De studenten grijnsden.
'En uw naam is?'
'Ik ben Ned Lancaster uit Biloxi in Mississippi,' antwoordde Goodman, die de naam van de lijst oplas. 'En ik heb op de gouverneur gestemd. Een goede vent,' voegde hij er voor alle zekerheid aan toe.
'En wat is uw mening over Sam Cayhall?'
'Ik vind niet dat hij moet worden geëxecuteerd. Hij is een oude man, hij heeft zijn straf nu wel gehad en hij moet gratie krijgen. Laat hem maar rustig sterven in zijn cel.'
'Goed, ik zal het doorgeven aan de gouverneur.'
'Dank u.'
Goodman legde neer en maakte een buiging voor zijn publiek. 'Fluitje van een cent. Laten we maar beginnen.'
Een van de studenten, een blanke jongen, toetste het volgende nummer. Het gesprek ging ongeveer als volgt: 'Hallo, u spreekt met Lester Crosby uit Bude, Mississippi. Ik bel over de terechtstelling van Sam Cayhall. Ja, mevrouw. Mijn nummer? Dat is 555-9084. Ja, in Bude, in Franklin County. Precies. Nou, ik vind niet dat Sam Cayhall naar de gaskamer moet worden gestuurd. Daar ben ik tegen. De gouverneur moet er iets aan doen. Ja, mevrouw, zo is het. Dank u.' Hij grijnsde tegen Goodman, die het volgende nummer koos.
De tweede studente was een vrouw van middelbare leeftijd uit een stadje op het platteland. Ze had het ideale accent. 'Hallo, met het kantoor van de gouverneur? Goed. Ik bel over dat verhaal over Sam Cayhall in de krant van vandaag. Susan Barnes, uit Decatur, Mississippi. Ja, dat klopt. Hoor eens, hij is een oude man die toch niet lang meer te leven heeft. Wat heeft het nou voor zin om hem te vergassen? Die man moet gratie krijgen. Wat? Ja, ik vind dat de gouverneur het moet tegenhouden. Ik heb op hem gestemd en hij doet het goed. Ja. U ook bedankt.'
De derde student was een zwarte man van tegen de dertig. Hij vertelde de telefoniste dat hij een zwarte inwoner van Mississippi was, dat hij een grote afkeer had van de ideeën

van Sam Cayhall en de Ku-Klux-Klan, maar dat hij toch tegen de executie was. 'De overheid heeft niet het recht over iemands leven te beschikken,' verklaarde hij. Hij was tegen de doodstraf, in welke omstandigheid dan ook.
En zo ging het door. De telefoontjes stroomden binnen uit alle delen van de staat, steeds van andere mensen met andere redenen om de executie tegen te houden. De studenten werden al gauw heel creatief in het bedenken van argumenten en het imiteren van accenten. Soms was het nummer in gesprek, en het was een amusante gedachte dat ze de hele hotline bezet hielden. Vanwege zijn noordelijke accent nam Goodman de rol op zich van de buitenstaander, iemand die de zaak op afstand had gevolgd en tegen de doodstraf was. Zijn personages belden vanuit het hele land, met allerlei etnische achtergronden en vreemde adressen.
Goodman was bang geweest dat McAllister paranoïde genoeg zou zijn om de gesprekken te laten traceren, maar die kans leek hem niet groot. Daarvoor zouden de telefonistes het te druk hebben.
En dat was ook zo. Aan de andere kant van de stad schrapte John Bryan Glass een college en deed de deur van zijn kantoor op slot. Hij amuseerde zich kostelijk door voortdurend op te bellen onder allerlei aangenomen namen. Niet ver bij hem vandaan waren Hez Kerry en een van zijn medewerkers ook bezig de hotline met commentaar te bombarderen.

Adam reed snel naar Memphis. Darlene zat in zijn kamer en probeerde tevergeefs wat orde te brengen in de papieren. Ze wees naar een stapeltje naast zijn computer. 'Bovenop ligt het besluit van het federale Hooggerechtshof om de zaak niet in behandeling te nemen, daaronder de uitspraak van het Hooggerechtshof van Mississippi. Daarnaast heb ik de petitie voor habeas corpus neergelegd die bij het federale arrondissement moet worden ingediend. Alles is al gefaxt.'
Adam trok zijn jasje uit en gooide het over een stoel. Hij bekeek een rij roze telefoonmemo's die aan een boekenplank hingen. 'Wie zijn die mensen allemaal?'
'Journalisten, schrijvers, malloten, en een paar advocaten die hun hulp aanbieden. Er is één boodschap bij van Garner Goodman uit Jackson. Hij zei dat de marktanalyse goed ver-

liep. Je hoeft niet te bellen. Wat is dat voor een marktanalyse?'
'Vraag dat maar niet. Hebben we al iets gehoord van het Vijfde Circuit?'
'Nee.'
Adam haalde diep adem en liet zich op zijn stoel vallen.
'Lunch?' vroeg ze.
'Een broodje is wel genoeg. Zou je morgen en zondag ook willen komen?'
'Natuurlijk.'
'Ik zou het prettig vinden als je het hele weekend bij de telefoon en de fax zou willen blijven. Sorry.'
'Ik vind het niet erg. Ik zal een broodje voor je halen.'
Ze vertrok en deed de deur achter zich dicht. Adam belde Lee's appartement, maar er werd niet opgenomen. Daarna probeerde hij het Auburn House, maar niemand had nog iets gehoord. Hij belde Phelps Booth, die in vergadering was. Ten slotte belde hij Carmen in Berkeley en zei dat ze zondag het vliegtuig naar Memphis kon nemen.
Hij bekeek de telefonische boodschappen nog eens. Er zat niets bij waarop hij wilde reageren.

Om één uur gaf Mona Stark een korte verklaring aan de pers die bij het kantoor van de gouverneur op het Capitool rondhing. Na rijp beraad, zei ze, had David McAllister besloten om maandagochtend om tien uur een hoorzitting te houden over het gratieverzoek. Dan zou hij naar alle argumenten luisteren en een objectieve uitspraak doen. Het was een geweldige verantwoordelijkheid om te beslissen over leven en dood, voegde ze eraan toe, maar de gouverneur zou ongetwijfeld een juist en rechtvaardig besluit nemen.

41

Packer liep op zaterdagochtend om half zes naar de cel, zonder zich om de handboeien te bekommeren. Sam stond al te wachten en ze liepen snel de gang uit, door de keuken waar de corveeërs bezig waren roereieren en spek te bakken. Sam had de keuken nog nooit gezien en liep er langzaam doorheen, terwijl hij zijn passen telde en de afstanden schatte. Packer was al bij de andere deur en gebaarde naar Sam dat hij moest voortmaken. Ze stapten naar buiten, waar het nog donker was. Sam bleef staan en keek naar het vierkante bakstenen gebouw rechts van hem, waar de gaskamer zich bevond. Packer nam hem bij zijn elleboog en samen liepen ze naar de oostkant van de afdeling, waar een andere bewaarder toezicht hield. Hij gaf Sam een grote kop koffie en bracht hem door een hek naar een binnenplaats die identiek was aan de luchtplaats aan de westkant van de dodengang. Er stond een hek omheen, met een basketbalbord en twee banken. Packer zei dat hij over een uurtje terug zou zijn en vertrok met de andere bewaarder.

Sam bleef een hele tijd staan, drinkend van de hete koffie. Hij liet de omgeving goed op zich inwerken. Zijn eerste cel had aan Gang D gelegen, aan de westkant. Toen was hij hier vaak geweest. Hij kende de afmetingen: zeventien bij twaalf meter. Hij zag de bewaker vanuit zijn toren op hem neerkijken. Door de hekken, boven de katoenplantages, zag hij de lichten van andere gebouwen. Langzaam liep hij naar een bankje en ging zitten.

Heel attent van die mensen om hem de kans te geven nog één zonsopgang te zien. Hij had er zelf om gevraagd. Hij had al in geen negen jaar de zon zien opkomen. Eerst had Nugent het verzoek geweigerd, maar Packer had hem verzekerd dat er geen enkel veiligheidsrisico was. En verdomme, de man zou over vijf dagen moeten sterven. Packer zou de verantwoording wel op zich nemen.

Sam tuurde naar de hemel in het oosten, waar de eerste

oranje gloed tussen de verspreide wolken zichtbaar werd. De eerste maanden in de dodencel, toen hij nog vertrouwen had in zijn beroepsprocedures, was hij soms urenlang weggedroomd in zijn herinneringen aan het gewone, dagelijkse leven, de kleine dingen zoals een warme douche iedere dag, het gezelschap van zijn hond en de honing op zijn beschuit. Toen had hij nog gedacht dat hij ooit weer de kans zou krijgen om op eekhoorns en kwartels te jagen, op baars en brasem te vissen en met zijn oude pick-up truck overal naartoe te rijden. Zijn droom was toen geweest om naar Californië te vliegen en zijn kleinkinderen te zoeken. Hij had nog nooit gevlogen.
Die dromen over vrijheid waren allang vervlogen, verdreven door de eentonigheid van het leven in een cel, vernietigd door de harde vonnissen van talloze rechters.
Dit zou zijn laatste zonsopgang zijn, daar was hij van overtuigd. Te veel mensen wilden zijn dood. De gaskamer werd niet vaak genoeg gebruikt. Het werd tijd voor een executie, verdomme, en hij was toevallig aan de beurt.
De hemel werd lichter en de bewolking loste op. Hoewel hij noodgedwongen dit prachtige natuurverschijnsel door een hek moest zien, was het toch een geweldige ervaring. Over een paar dagen zou het hek verdwenen zijn en zouden de tralies, het prikkeldraad en de cellen weer op een ander wachten.

Twee verslaggevers rookten een sigaret en dronken koffie uit een automaat toen ze die zaterdagochtend al vroeg bij de ingang van het Capitool stonden te wachten. Het gerucht deed de ronde dat de gouverneur een lange dag op kantoor zou blijven om zich voor te bereiden op de hoorzitting over Sam Cayhall.
Om half acht stopte zijn zwarte Lincoln voor de deur en stapte McAllister haastig uit. Twee goed geklede lijfwachten begeleidden hem naar de ingang, met Mona Stark in zijn kielzog.
'Gouverneur, bent u van plan de executie bij te wonen?' vroeg de eerste journalist snel. McAllister glimlachte en hief zijn handen op, alsof hij graag een praatje wilde maken maar de toestand helaas te kritiek was. Toen zag hij dat de andere journalist een camera in de aanslag had.

Heel even bleef hij staan. 'Dat heb ik nog niet besloten,' zei hij.
'Zal Ruth Kramer maandag tijdens de hoorzitting getuigen?'
De camera werd gericht. 'Dat kan ik nog niet zeggen,' antwoordde de gouverneur, glimlachend in de lens. 'Het spijt me, heren, maar ik kan u voorlopig niets wijzer maken.'
Hij verdween naar binnen en nam de lift naar zijn kantoor op de eerste verdieping. De lijfwachten namen in de hal hun positie in, verscholen achter de ochtendkrant.
Andy Larramore, de juridisch adviseur van de gouverneur, stond te wachten met de laatste berichten. Hij vertelde McAllister en Stark dat er sinds vijf uur gistermiddag niets was veranderd in de zaak Cayhall. De eisen en verzoeken van de verdediging werden steeds dringender, en de rechters zouden ze steeds sneller afwijzen, was zijn oordeel. Hij had al overlegd met Morris Henry op het kantoor van de procureur, en naar de deskundige mening van dr. Death was er tachtig procent kans dat het vonnis zou worden voltrokken.
'En die hoorzitting op maandag? Hebben we al iets gehoord van Cayhalls advocaten?' vroeg McAllister.
'Nee. Ik heb Garner Goodman gevraagd om vanochtend om negen uur langs te komen. Dan kunnen we even praten. Ik ben in mijn kantoor als u me nodig hebt.'
Larramore excuseerde zich. Mona Stark las alle kranten uit Mississippi door en legde ze op tafel, het vaste ochtendritueel. Van de negen kranten hadden er acht een artikel over Sam Cayhall op de voorpagina. Er werd vooral aandacht besteed aan de komende hoorzitting over het gratieverzoek. Drie van de kranten hadden dezelfde Associated Press-foto van de Klan-leden die loom in de hete julizon op het grasveld voor de gevangenispoort bivakkeerden.
McAllister trok zijn jasje uit, stroopte zijn mouwen op en boog zich over de kranten. 'Wat zijn de cijfers?' vroeg hij kortaf.
Mona verliet het kantoor en was binnen een minuut weer terug met een uitdraai die kennelijk slecht nieuws betekende.
'Ik luister,' zei hij.
'De telefoontjes stopten om een uur of negen gisteravond. Het laatste gesprek kwam om zeven over negen binnen. Het totaal van de dag was vierhonderdzesentachtig, waarvan

ruim negentig procent zich sterk tegen de executie verzette.'
'Negentig procent!' herhaalde McAllister ongelovig. Maar hij was al over de eerste schrik heen. Gistermiddag om twaalf uur hadden de telefonistes een ongebruikelijk aantal gesprekken gemeld, en een uur later had Mona de uitdraai al geanalyseerd. Een groot deel van de middag hadden ze naar de cijfers zitten staren en over hun volgende stap nagedacht. McAllister had die nacht slecht geslapen.
'Wie zijn die mensen?' vroeg hij, uit het raam starend.
'Uw kiezers. De telefoontjes komen uit de hele staat. De namen en nummers lijken te kloppen.'
'Wat was de oude score?'
'Dat weet ik niet. Ik geloof dat we ongeveer honderd reacties per dag kregen toen de afgevaardigden zichzelf een salarisverhoging hadden gegeven. Maar dit is echt uniek.'
'Negentig procent,' mompelde hij nog eens.
'En er is nog iets. Er is druk gebeld naar andere nummers van dit kantoor. Mijn secretaresse heeft ook zo'n twaalf telefoontjes gekregen.'
'Allemaal vóór Sam?'
'Ja, allemaal tegen een executie. Ik heb nog met een paar andere mensen gepraat, en iedereen is gisteren gebeld. Roxburgh belde me gisteravond thuis om te zeggen dat zijn kantoor ook was gebombardeerd met protesten tegen de executie.'
'Mooi zo. Laat hem ook maar zweten.'
'Zullen we de hotline sluiten?'
'Hoeveel telefonistes werken er op zaterdag en zondag?'
'Maar één.'
'Nee, houd de lijn maar open. Ik wil weten wat er vandaag en morgen gebeurt.' Hij liep naar een ander raam en trok zijn das los. 'Wanneer komt de volgende peiling?'
'Vanmiddag om drie uur.'
'Die cijfers wil ik zien.'
'Misschien zijn ze net zo onrustbarend.'
'Negentig procent,' zei hij weer, hoofdschuddend.
'Ruim negentig procent,' corrigeerde Mona hem.

Het actiecentrum lag bezaaid met pizzadozen en lege bierblikjes, de zichtbare restanten van een dag 'marktanalyse'.

Een blad met verse broodjes en een rij grote papieren koffiebekers stonden te wachten op de analisten, van wie er twee zojuist waren binnengekomen met de kranten. Garner Goodman stond bij het raam met zijn nieuwe verrekijker en tuurde naar het Capitool, vier straten verderop. Hij hield zijn aandacht vooral gericht op de ramen van de gouverneur. Toen hij zich de vorige dag een uurtje verveelde, was hij op zoek gegaan naar een boekwinkel. Onderweg had hij de verrekijker zien liggen in de etalage van een winkel in lederwaren, en de hele middag hadden ze zich kostelijk geamuseerd door te proberen een glimp op te vangen van de gouverneur, die zich ongetwijfeld afvroeg waar al die vervloekte telefoontjes vandaan kwamen.
De studenten vielen op de kranten en de broodjes aan. Er ontstond een korte maar ernstige discussie over enkele voor de hand liggende gebreken in de beroepsmogelijkheden tegen het doodvonnis zoals die in Mississippi werden gehanteerd. Het derde lid van de nieuwe groep, een eerstejaarsstudent uit New Orleans, kwam om acht uur binnen en daarna greep iedereen weer de telefoon.
Het was meteen duidelijk dat de hotline niet zo efficiënt werkte als de vorige dag. De lijn was steeds bezet. Geen probleem. Dan belden ze maar andere nummers: de centrale van de ambtswoning van de gouverneur en de lijnen van de plaatselijke kantoren die hij met veel tamtam had opgericht om te bewijzen dat hij als eenvoudig man zo dicht mogelijk bij het volk wilde staan.
Het volk belde nu op.
Goodman stapte naar buiten en liep door Congress Street naar het Capitool. Hij hoorde het geluid van een megafoon die werd getest en zag toen de Klan-leden. Ze waren bezig zich te organiseren, minstens twaalf man in vol ornaat, rondom het monument voor de vrouwen van het Zuiden bij het bordes van het Capitool. Goodman liep hen voorbij en zei zelfs hallo tegen een van hen, zodat hij bij zijn terugkomst in Chicago zou kunnen zeggen dat hij met een paar echte Kluckers had gesproken.
De twee verslaggevers die op de gouverneur hadden gewacht zaten nu op de stenen treden naar het schouwspel beneden hen te kijken. Er arriveerde juist een plaatselijke tv-ploeg

toen Goodman het Capitool binnenstapte.
De gouverneur had het te druk voor een gesprek, verklaarde Mona Stark ernstig, maar meneer Larramore had wel een paar minuten tijd. Ze maakte een gejaagde indruk, wat Goodman veel genoegen deed. Hij liep met haar mee naar Larramores kantoor. De advocaat zat te bellen. Goodman hoopte dat het een van zijn 'analisten' zou zijn. Hij ging gehoorzaam zitten en Mona vertrok.
'Goedemorgen,' zei Larramore toen hij had opgehangen.
Goodman knikte beleefd en zei: 'Bedankt voor de hoorzitting. We hadden niet verwacht dat de gouverneur ertoe bereid was, in het licht van wat hij woensdag zei.'
'Hij staat onder grote druk. Zoals wij allemaal. Is uw cliënt bereid om over zijn medeplichtige te praten?'
'Nee. Daarin is niets veranderd.'
Larramore streek met zijn vingers door zijn plakkerige haar en schudde gefrustreerd zijn hoofd. 'Wat is dan het nut van die zitting? De gouverneur zal niet wijken op dit punt, meneer Goodman.'
'We proberen Sam te overtuigen, oké? We praten met hem. Laten we maar aannemen dat die zitting maandag doorgaat. Misschien verandert Sam nog van gedachten.'
De telefoon ging en Larramore nam nijdig op. 'Nee, dit is niet het kantoor van de gouverneur. Met wie spreek ik?' Hij noteerde een naam en een telefoonnummer. 'Dit is de juridische afdeling.' Hij sloot zijn ogen en schudde zijn hoofd. 'Ja ja, ik geloof onmiddellijk dat u op de gouverneur hebt gestemd.' Hij luisterde nog even. 'Dank u, meneer Hurt, ik zal de gouverneur zeggen dat u hebt gebeld. Ja, bedankt.'
Hij legde neer. 'Dus meneer Gilbert Hurt uit Dumas, Mississippi, is tegen de executie,' zei hij, met een verwilderde blik op de telefoon. 'We worden de hele dag gebeld.'
'O ja, is het zo druk?' vroeg Goodman meelevend.
'U hebt geen idee.'
'Voor of tegen?'
'Ongeveer fifty-fifty, denk ik,' zei Larramore. Hij pakte de telefoon weer en toetste het nummer van Gilbert Hurt in Dumas, Mississippi. Er werd niet opgenomen. 'Vreemd,' zei hij toen hij neerlegde. 'De man heeft me zojuist gebeld en een bestaand telefoonnummer genoemd, maar nu neemt hij niet op.'

'Misschien is hij even weg. Probeer het later nog eens.' Goodman hoopte dat Larramore daar geen tijd voor zou hebben. Gisteren, tijdens het eerste uur van de 'marktanalyse', had Goodman een kleine wijziging in de procedure aangebracht. Hij had zijn studenten opdracht gegeven eerst de gekozen telefoonnummers te bellen om er zeker van te zijn dat er niemand thuis was. Dat voorkwam dat nieuwsgierige types zoals Larramore of een van de hotline-telefonistes de werkelijke persoon aan de lijn zou krijgen als hij of zij terugbelde. De kans was immers groot dat die persoon vóór de doodstraf zou zijn. Het kostte wat meer tijd, maar Goodman vond het toch veiliger.

'Ik ben bezig met de richtlijnen voor de hoorzitting,' zei Larramore. 'Voor alle zekerheid. Waarschijnlijk wordt die gehouden in een van de commissiekamers van het Huis, verderop in de gang.'

'Wordt het een besloten zitting?'

'Nee. Is dat een probleem?'

'We hebben nog maar vier dagen, meneer Larramore. Alles is een probleem. Maar de gouverneur kan het karakter van de zitting bepalen. Wij zijn allang blij dat hij ermee heeft ingestemd.'

'Ik heb uw telefoonnummer. We houden contact.'

'Ik blijf in Jackson tot alles achter de rug is.'

Ze gaven elkaar snel een hand en Goodman vertrok. Buiten bleef hij nog een half uurtje op het bordes zitten kijken hoe de Klan-leden zich organiseerden onder de ogen van nieuwsgierige voorbijgangers.

42

Hoewel hij in zijn jeugd wel een witte pij en een puntmuts had gedragen, bleef Donnie Cayhall uit de buurt van de Klan-leden op de strook gras voor de poort van Parchman. Er waren strenge veiligheidsmaatregelen getroffen. Gewapende bewakers hielden de demonstranten scherp in het oog. Naast de zonnetent waar de Klan zich had verzameld stond een groepje skinheads in bruine overhemden.
Ze hadden spandoeken bij zich waarop de vrijlating van Sam Cayhall werd geëist.
Donnie keek nog even naar het schouwspel, volgde toen de aanwijzingen van een bewaker op en parkeerde langs de weg. Bij het poortgebouw werd zijn naam vergeleken met een lijst en een paar minuten later kwam een busje hem halen. Zijn broer zat nu al negen jaar in Parchman en Donnie had zijn best gedaan om minstens één keer per jaar op bezoek te komen. Het laatste bezoek was al twee jaar geleden, bedacht hij beschaamd.
Donnie Cayhall was eenenzestig, de jongste van de vier gebroeders Cayhall. Ze waren allemaal in het voetspoor van hun vader getreden en al vroeg lid geworden van de Klan. Het was een simpel besluit waar niemand lang over had nagedacht. Iedereen in de familie had het van hen verwacht. Later was Donnie in het leger gegaan. Hij had in Korea gevochten en de wereld gezien. In de loop der jaren taande zijn belangstelling voor het dragen van witte pijen en het verbranden van kruisen. In 1961 vertrok hij uit Mississippi en trad in dienst van een meubelfabriek in North Carolina. Hij woonde nu in Durham. Al negen jaar lang stuurde hij Sam iedere maand een slof sigaretten en wat contant geld. Hij had een paar brieven geschreven, maar Sam noch hij had behoefte aan correspondentie. Maar weinig mensen in Durham wisten dat Donnie een broer in de dodencel had.
Hij werd bij de voordeur gefouilleerd en daarna naar het kantoortje gebracht. Sam verscheen een paar minuten later

en ze werden alleen gelaten. Donnie omhelsde hem langdurig en toen ze elkaar loslieten hadden ze allebei tranen in hun ogen. Ze hadden dezelfde lengte en hetzelfde postuur, maar Sam leek wel twintig jaar ouder. Hij ging op de rand van het bureau zitten en Donnie pakte een stoel.
Ze staken allebei een sigaret op en staarden voor zich uit.
'Is er nog goed nieuws?' vroeg Donnie ten slotte, hoewel hij het antwoord wel wist.
'Nee. Helemaal niets. De rechters wijzen alles af. Het gaat gebeuren, Donnie. Ze gaan me doden. Ze zullen me naar die kamer brengen en me vergassen als een beest.'
Donnie boog zijn hoofd. 'Het spijt me, Sam.'
'Mij ook, maar ik zal blij zijn als het voorbij is, verdomme.'
'Zeg dat nou niet.'
'Ik meen het. Ik heb er genoeg van om in een kooi te leven. Ik ben een oude man en mijn tijd is gekomen.'
'Maar je verdient de dood niet, Sam.'
'Dat is nog het moeilijkste, weet je. Het punt is niet dat ik moet sterven. Dat moeten we allemaal. Maar ik kan het niet verkroppen dat die klootzakken het van me winnen. En dat doen ze. Met als beloning dat ze me op die stoel mogen vastbinden en mogen kijken hoe ik stik. Het is ziek.'
'Kan je advocaat niets meer doen?'
'Hij doet zijn best, maar het ziet er hopeloos uit. Ik zou graag willen dat je hem ontmoette.'
'Ik heb zijn foto in de krant gezien. Hij lijkt niet op onze kant van de familie.'
'Hij heeft geluk gehad. Hij lijkt op zijn moeder.'
'Is hij slim?'
Sam lachte moeizaam. 'Ja, het is een geweldige knul. Hij heeft het hier echt moeilijk mee.'
'Komt hij vandaag nog?'
'Ik denk het wel. Ik heb nog niets van hem gehoord. Hij logeert bij Lee in Memphis,' zei Sam met iets van trots. Dankzij hem hadden zijn dochter en zijn kleinzoon nu contact en woonden ze zelfs tijdelijk onder één dak.
'Ik heb Albert vanochtend gesproken,' zei Donnie. 'Hij zegt dat hij te ziek is om op bezoek te komen.'
'Mooi zo. Ik wil hem hier niet. Evenmin als zijn kinderen en kleinkinderen.'

'Hij wilde graag zijn medeleven betuigen, maar hij kan niet.'
'Laat hij dat maar bewaren voor de begrafenis.'
'Toe nou, Sam.'
'Hoor eens, niemand zal een traan om me laten als ik dood ben. Ik heb geen zin in valse sentimenten voordat het zover is. O ja, Donnie, ik wilde je wat vragen, maar het kost wel geld.'
'Natuurlijk. Geeft niet.'
Sam plukte aan de taille van zijn rode trainingspak. 'Zie je dit ding? Mijn rode apepak. Dat draag ik al bijna tien jaar iedere dag. En daarin wil de overheid van Mississippi me ook laten sterven. Maar ik heb het recht om aan te trekken wat ik wil. Het zou me heel wat waard zijn als ik in fatsoenlijke kleren zou kunnen sterven.'
Opeens werd Donnie door emoties overmand. Hij wilde iets zeggen, maar de woorden bleven steken. Zijn ogen waren nat en zijn lip trilde. Hij knikte. 'Natuurlijk, Sam,' wist hij met moeite uit te brengen.
'Ken je die werkbroeken, die ze Dickies noemen? Die heb ik jaren gedragen. Een soort kaki.'
Donnie knikte nog steeds.
'Die zou ik graag hebben. Met een wit overhemd, geen pullover maar een met knoopjes. Een kleine maat broek en een kleine maat overhemd. Een paar witte sokken en goedkope schoenen. Ik hoef ze maar één keer te dragen, niet? Ga maar naar een Wal-Mart of zo'n soort winkel, dan ben je voor dertig dollar klaar. Vind je het niet erg?'
Donnie droogde zijn ogen en probeerde te glimlachen. 'Nee, Sam.'
'Dan zie ik er toch piekfijn uit?'
'Waar wil je begraven worden?'
'In Clanton, naast Anna. Dat zal haar rust wel verstoren. Adam regelt het allemaal.'
'Wat kan ik verder nog voor je doen?'
'Niets. Alleen die nieuwe kleren.'
'Ik zal ze vandaag nog kopen.'
'Jij bent de enige in de wereld die al die jaren nog iets om me heeft gegeven, weet je dat? Tante Barb heeft me jaren geschreven totdat ze stierf, maar haar brieven waren altijd zo stijf en droog. Volgens mij deed ze het alleen om het aan de buren te kunnen vertellen.'

'Wie was tante Barb in godsnaam?'
'De moeder van Hubert Cain. Ik weet niet eens of ze wel echt familie is. Ik kende haar nauwelijks tot ik hier kwam. Toen begon ze met die vreselijke brieven. Ze kon het niet verdragen dat iemand van haar eigen familie in Parchman zat.'
'Dat ze ruste in vrede.'
Sam grinnikte en moest opeens denken aan een verhaal uit zijn jeugd. Hij vertelde het enthousiast en een paar minuten later zaten de broers luid te lachen. Donnie herinnerde zich een andere anekdote en zo ging het nog een uurtje door.

Tegen de tijd dat Adam arriveerde, zaterdagmiddag laat, was Donnie alweer vertrokken. Hij werd naar het kantoortje gebracht, waar hij zijn papieren op het bureau uitspreidde. Sam kwam binnen, werd van zijn handboeien ontdaan, en de deur viel achter hem dicht. Hij had nog een paar enveloppen in zijn hand, zag Adam meteen.
'Nog meer brieven?' vroeg hij achterdochtig.
'Ja, maar die kunnen wachten tot het allemaal voorbij is.'
'Aan wie?'
'Een aan de familie Pinder op wie ik in Vicksburg die aanslag heb gepleegd. Een aan de joodse synagoge in Jackson, en de derde aan die joodse makelaar, ook in Jackson. Misschien schrijf ik er nog meer. Het heeft geen haast. Ik weet dat je het druk hebt. Maar ik zou het op prijs stellen als je ze wilde bezorgen als ik er niet meer ben.'
'Wat staat erin?'
'Wat denk je?'
'Ik weet het niet. Dat je spijt hebt, neem ik aan.'
'Goed geraden. Ik heb spijt van mijn daden, berouw van mijn zonden, en ik vraag om vergiffenis.'
'Waarom doe je dat?'
Sam bleef staan en leunde tegen een archiefkast. 'Omdat ik de hele dag in een kleine kooi zit. Omdat ik een schrijfmachine heb, en een hele stapel papier. Omdat ik me verveel, oké? Gewoon om wat te schrijven. Omdat ik een geweten heb misschien, al stelt het niet veel voor. Hoe dichter ik bij de dood kom, des te schuldiger ik me voel over alles wat ik heb gedaan.'
'Het spijt me. Ik zal ze bezorgen.' Adam omcirkelde iets op

zijn lijstje. 'We hebben nog twee verzoeken lopen. Het Vijfde Circuit heeft nog steeds niets gezegd over de ingebrekestelling van Keyes. Ik had nu wel een uitspraak verwacht, maar ze laten al twee dagen niets van zich horen. En de eis wegens ontoerekeningsvatbaarheid ligt nog bij het arrondissement.'
'Het heeft allemaal geen zin meer, Adam.'
'Dat kan zijn, maar ik geef het niet op. Als het moet, dien ik nog twaalf eisen en petities in.'
'Ik teken niets meer. En zonder mijn handtekening kun je niets doen.'
'O, jawel. Daar zijn methoden voor.'
'Dan ben je hierbij ontslagen.'
'Je kunt me niet ontslaan, Sam. Ik ben je kleinzoon.'
'We hebben een contract waarin staat dat ik je kan ontslaan wanneer ik wil. Dat hebben we op schrift gesteld.'
'Maar dat contract deugt niet. Het is opgesteld door een heel deskundige gevangene, maar juridisch klopt het niet.'
Sam stribbelde tegen en begon weer over de tegels te ijsberen. Hij keek naar Adam, zijn advocaat – nu, morgen en voor de rest van zijn leven. Hij wist dat hij hem niet kon ontslaan.
'Maandag hebben we een hoorzitting over het gratieverzoek,' zei Adam, met een blik op zijn notitieblok. Hij wachtte op de uitbarsting, maar Sam reageerde rustig en bleef heen en weer lopen.
'Wat is de zin daarvan?' vroeg hij.
'Een verzoek om clementie.'
'Aan wie?'
'De gouverneur.'
'En jij denkt dat de gouverneur me gratie zal verlenen?'
'Wat hebben we te verliezen?'
'Geef nou eens antwoord, slimme jongen. Jij, met je goede opleiding, al je ervaring en je juridische talent, denk je nu echt dat deze gouverneur mijn verzoek om gratie zal inwilligen?'
'Misschien.'
'Ach, klets toch niet. Je bent niet wijs.'
'Dank je, Sam.'
'Geen dank.' Hij bleef recht voor Adam staan en stak een kromme vinger naar hem uit. 'Ik heb je vanaf het eerste begin gezegd dat ik – jouw cliënt, die toch ook recht van spre-

ken heeft – niets te maken wil hebben met David McAllister. Ik wil geen gratie vragen aan die idioot. Ik hoef geen clementie van hem. Ik wil geen enkel contact met hem. Dat zijn mijn wensen en die heb ik je vanaf het eerste begin duidelijk laten weten, jongeman. Maar jij, mijn advocaat, hebt ze gewoon genegeerd en gedaan wat je zelf wilde. Jij bent mijn advocaat, niets meer en niets minder. Ik ben de cliënt. Ik weet niet wat ze je op die dure universiteit hebben geleerd, maar ìk neem de beslissingen.'

Sam liep naar een lege stoel en pakte nog een envelop, die hij aan Adam gaf. 'Dit is een brief aan de gouverneur, waarin ik hem verzoek die hoorzitting van maandag af te gelasten. Als jij je daartegen verzet, laat ik er kopieën van maken die ik aan de pers uitdeel. Dat zou heel pijnlijk zijn voor jou, Garner Goodman en de gouverneur. Is dat duidelijk?'

'Ja.'

Sam legde de envelop weer op de stoel en stak nog een sigaret op.

Adam omcirkelde een volgend punt op zijn lijst. 'Carmen komt maandag hiernaartoe. Lee is nog een vraagteken.'

Sam ging zitten. Hij keek Adam niet aan. 'Volgt ze nog steeds een kuur?'

'Ja, en ik weet niet wanneer ze terugkomt. Wil je haar graag zien?'

'Ik zal erover nadenken.'

'Maar wel snel, oké?'

'Heel leuk, heel geestig. Mijn broer Donnie is vandaag geweest. Mijn jongste broer. Hij wil je ontmoeten.'

'Zat hij ook bij de Klan?'

'Wat is dat nou voor een vraag?'

'Heel simpel: ja of nee?'

'Ja, hij zat bij de Klan.'

'Dan wil ik hem niet ontmoeten.'

'Hij is geen slechte vent.'

'Ik geloof je onmiddellijk.'

'Hij is mijn broer, Adam. Ik zou het prettig vinden als je mijn broer leerde kennen.'

'Ik heb geen behoefte aan contact met andere Cayhalls. Zeker niet als ze witte pijen en puntmutsen hebben gedragen.'

'O nee? Drie weken geleden wilde je nog alles over de familie

weten. Toen kon je er niet genoeg van krijgen.'
'Ik geef me over, oké? Ik heb voldoende gehoord.'
'O, je weet nog niet de helft.'
'Laat maar. Spaar me.'
Sam bromde wat en grijnsde zelfvoldaan. Adam keek op zijn schrijfblok en zei: 'Het zal je plezier doen dat de Kluckers buiten de poort gezelschap hebben gekregen van een stel neonazi's, ariërs, skinheads en nog meer van dat haatdragende tuig. Ze staan allemaal langs de hoofdweg en zwaaien met spandoeken naar passerende auto's. Die spandoeken eisen uiteraard de vrijlating van Sam Cayhall, hun grote held. Het is een compleet circus.'
'Ik heb het op de televisie gezien.'
'In Jackson marcheren ze nu rond het Capitool.'
'Kan ik het helpen?'
'Nee. Het is jouw executie. Jij bent hun symbool – en binnenkort hun martelaar.'
'Wat moet ik eraan doen?'
'Niets. Ga nou maar dood, dan zijn ze allemaal gelukkig.'
'Je bent wel gezellig vandaag.'
'Het spijt me, Sam. De spanning wordt me soms te veel.'
'Hou er dan mee op. Ik heb het zelf ook opgegeven. Ik kan het je aanraden.'
'Vergeet het maar. Ik heb die rechtbanken onder druk gezet, Sam. En het echte gevecht moet nog komen.'
'Ja, je hebt drie petities ingediend en zeven rechtbanken hebben ze afgewezen. Voorlopig staat het nul-zeven. Ik huiver al bij de gedachte aan wat er zal gebeuren als je je echt kwaad gaat maken.' Sam zei het met een boosaardig lachje en Adam zag er de humor wel van in. Hij moest lachen en de lucht klaarde op. 'Ik heb een geweldig idee voor een proces als jij er niet meer bent,' zei hij, met voorgewend enthousiasme.
'Als ik er niet meer ben?'
'Natuurlijk. Dan klagen we ze aan wegens dood door schuld – McAllister, Nugent, Roxburgh en de staat Mississippi. Het hele stel.'
'Dat is nog nooit eerder gebeurd,' zei Sam. Hij streek over zijn baard alsof hij er diep over nadacht.
'Ja, dat weet ik. Ik heb het helemaal zelf verzonnen. Misschien winnen we geen cent, maar ik zal me kostelijk amuse-

ren als ik die klootzakken vijf jaar lang op hun huid kan zitten.'
'Mijn zegen heb je. Klaag ze maar aan!'
De lach verdween langzaam van hun gezicht en de humor verdampte. Adam streepte het volgende punt op zijn lijstje aan. 'Nog een paar dingen. Lucas Mann vroeg me of je je getuigen wilt kiezen. Je mag twee mensen in de getuigenkamer uitnodigen, als het ooit zover komt.'
'Donnie voelt er niets voor. Jou wil ik er niet bij hebben, en ik kan niemand anders bedenken die het zou willen zien. Geef mijn twee plaatsen maar aan de pers. Ik weet dat die aasgieren al rondcirkelen.'
'Goed. En over de pers gesproken, ik heb minstens dertig verzoeken om interviews gekregen. Bijna alle grote kranten en tijdschriften willen een gesprek.'
'Nee.'
'Goed. Herinner je je die schrijver nog over wie ik je vertelde? Wendall Sherman? Die je verhaal op de band wil opnemen en...'
'Ja, voor vijftigduizend dollar.'
'Nu biedt hij honderdduizend. Zijn uitgever schiet het geld voor. Hij wil alles op de band zetten, getuige zijn van je executie, zelf wat onderzoek verrichten en er dan een groot boek over schrijven.'
'Nee.'
'Goed.'
'Ik wil de komende drie dagen niet verspillen aan een verhaal over mijn eigen leven. Ik voel er niets voor dat een totaal onbekende straks in Ford County gaat lopen rondneuzen. En aan honderdduizend dollar heb ik niet zoveel, op dit punt van mijn leven.'
'Ik vind het best. Je had het ooit over de kleren die je wilde dragen...'
'Dat regelt Donnie al.'
'Oké. Dan gaan we verder. Als er geen uitstel komt, mag je twee mensen permanent bij je hebben tot je naar de gaskamer wordt gebracht. Natuurlijk is er een formulier dat je moet tekenen, met de namen van die mensen.'
'Dat zijn toch altijd de advocaat en de dominee?'
'Dat klopt.'

'Nou, dan ben jij het dus, en Ralph Griffin.'
Adam vulde de namen in op het formulier. 'Wie is Ralph Griffin?'
'De nieuwe dominee hier. Hij is tegen de doodstraf, wat zeg je daarvan? Zijn voorganger vond dat we allemaal moesten worden vergast – in naam van Jezus, natuurlijk.'
Adam gaf Sam het formulier. 'Teken hier maar.'
Sam krabbelde zijn naam en gaf het terug.
'En je hebt recht op nog één echtelijk bezoek.'
Sam lachte luid. 'Toe nou, jongen. Ik ben een oude vent.'
'Het staat op het lijstje. Lucas Mann heeft me nog ingefluisterd dat ik het tegen je moest zeggen.'
'Goed, dat heb je nu gedaan.'
'Ik heb hier een formulier voor je persoonlijke bezittingen. Wie krijgt die?'
'Mijn erfenis, bedoel je?'
'Zoiets.'
'Dit wordt wel morbide, Adam. Waarom doen we dit?'
'Ik ben advocaat, Sam. Wij worden betaald om de details te regelen. Administratie, dat is alles.'
'Wil jij mijn spullen?'
Adam dacht even na. Hij wilde Sam niet kwetsen, maar wat moest hij met een paar oude kleren, beduimelde boeken, een draagbare televisie en twee rubberen badslippers? 'Ja hoor,' zei hij.
'Dan zijn ze van jou. Je mag ze ook verbranden.'
'Hier tekenen,' zei Adam en duwde Sam een formulier onder zijn neus. Sam zette zijn handtekening, sprong toen overeind en begon weer te ijsberen. 'Ik zou het echt fijn vinden als je Donnie zou ontmoeten.'
'Goed. Je zegt het maar,' zei Adam. Hij borg zijn notitieblok en de formulieren op. De onbenullige details waren in elk geval geregeld. Zijn koffertje leek opeens veel zwaarder.
'Morgenochtend kom ik terug,' zei hij tegen Sam.
'Breng eens een keer goed nieuws mee.'

Kolonel Nugent marcheerde langs de rand van de autoweg met een stuk of twaalf gewapende bewakers in zijn kielzog. Nijdig keek hij naar de Klan-leden – zesentwintig, volgens de laatste telling – en naar de tien neo-nazi's met hun bruine hemden. Hij bleef staan en staarde naar de groep skinheads naast de neo-nazi's. Hij liep om het terrein van de demonstranten heen en bleef even staan om met twee katholieke nonnen te praten die onder een parasol zaten, zo ver mogelijk bij de andere groepen vandaan. Het was veertig graden en de nonnen zaten te puffen in de schaduw. Ze dronken ijswater en hielden hun borden op hun knieën, met de tekst naar de weg gericht.

De nonnen vroegen hem wie hij was en wat hij wilde. Nugent legde uit dat hij de plaatsvervangend directeur van de gevangenis was en zich ervan wilde overtuigen dat de demonstratie ordelijk verliep.

Ze vroegen hem om weg te gaan.

43

Of het nu kwam doordat het zondag was, of doordat het regende: Adam voelde zich die ochtend opvallend rustig toen hij zijn koffie dronk. Het was nog donker buiten en het zachte gedruppel van een warme zomerbui op het terras was hypnotiserend. Hij ging in de deuropening staan en luisterde naar het spatten van de regendruppels. Het was nog te vroeg voor verkeer op de Riverside Drive beneden hem. Zelfs de geluiden van de sleepboten op de rivier waren verstomd. Alles was rustig en vredig.

Bovendien was er niet veel meer te doen deze dag, nog drie dagen voor de executie. Hij wilde naar kantoor gaan om nog een nieuw verzoek in te dienen. Het was zo'n onzinnig argument dat Adam zich bijna schaamde. Daarna zou hij naar Parchman rijden om een tijdje bij Sam te zitten.

De kans dat hij op zondag iets van de verschillende rechtbanken zou horen was niet groot. Onmogelijk was het niet, omdat alles op volle toeren draaide als er een executie naderde, maar vrijdag en zaterdag was er ook geen uitspraak gedaan en Adam verwachtte vandaag geen resultaten. Morgen zou dat wel anders zijn, vermoedde hij, hoewel hij er geen ervaring mee had.

Ja, morgen zou het een hectische dag worden. Net als dinsdag, natuurlijk, de laatste dag in Sams bestaan, zoals het er nu uitzag. Een dag van nachtmerries en spanningen.

Maar deze zondag was het opmerkelijk rustig. Adam had bijna zeven uur geslapen, een record voor de afgelopen weken. Zijn hoofd was helder, zijn polsslag weer normaal en zijn ademhaling rustig. Hij had zijn gedachten goed op een rij.

Op zijn gemak nam hij de zondagskrant door. Hij las alleen de koppen, verder niets. Er waren minstens twee verhalen over Sams executie, met nog een paar foto's van het groeiende circus bij de poort. Het hield op met regenen toen de zon opkwam. Adam zat een uurtje in een natte schommelstoel, bladerend in Lee's tijdschriften over architectuur. Maar na twee

uur van rust en ontspanning begon hij zich te vervelen en verlangde hij weer naar actie.
In Lee's slaapkamer wachtte nog een onopgehelderde kwestie, een zaak die Adam het liefst had willen vergeten, maar dat was hem niet gelukt. Al tien dagen lang voerde hij een innerlijke strijd over het fotoboek in haar ladenkast. Ze was dronken toen ze hem over de foto van de lynchpartij had verteld, maar het was geen dronkemanspraat geweest. Adam wist dat het boek bestond – een echt boek met een echte foto van een jonge zwarte aan een strop, met onder zijn voeten een groepje trotse blanken, grijnzend naar de camera, immuun voor strafvervolging. Adam had de foto in gedachten al helemaal ingevuld, met de gezichten, de boom, het touw en het onderschrift. Maar er waren dingen die hij nog niet wist, zich niet kon voorstellen. Was het gezicht van de dode man te zien? Droeg hij schoenen of was hij blootsvoets? Was de jonge Sam onmiddellijk herkenbaar? Hoeveel blanken stonden er op de foto? En hoe oud waren ze? Waren er ook vrouwen bij? Hadden ze geweren? Was er bloed te zien? Lee zei dat de jongen was afgeranseld. Stond de bullepees er ook op? Hij liep nu al dagen met die foto in zijn hoofd en het werd tijd om eindelijk eens in het boek te kijken. Hij kon het niet langer uitstellen. Als Lee genezen terugkwam, zou ze het boek ergens anders kunnen opbergen. En Adam was wel van plan de komende twee of drie nachten hier te slapen, maar één telefoontje kon daar verandering in brengen. Misschien zou hij spoorslags naar Jackson moeten vertrekken of misschien wel in zijn auto moeten slapen bij Parchman. Alledaagse zaken als eten en slapen werden opeens onvoorspelbaar als je cliënt geen week meer te leven had.
Dit was het ideale moment. Adam was eindelijk zover dat hij de lynchers in de ogen durfde te zien. Hij liep naar de voordeur en keek op het parkeerterrein om te zien of Lee niet toevallig net teruggekomen was. Daarna deed hij de deur van haar slaapkamer achter zich op slot en opende de bovenste la. Hij lag vol met lingerie en Adam schaamde zich voor zijn inbreuk op Lee's privacy.
Het boek lag in de derde la, op een verschoten T-shirt. Het was dik en in groene stof gebonden. De titel luidde: *De negers in het Zuiden tijdens de crisisjaren*. Het was in 1947 uitgege-

ven door Toffler Press in Pittsburgh. Adam haalde het uit de la en ging ermee op de rand van Lee's bed zitten. De bladzijden waren nog maagdelijk, alsof het boek nooit gelezen was. Maar wie in het zuiden zou zo'n boek ook lezen? En als het al tientallen jaren in het bezit van de Cayhalls was, dan zou het zeker niet gelezen zijn, wist Adam. Hij bekeek de band en vroeg zich af door welk toeval juist dit boek bij Sam en zijn familie was beland.

Het boek bevatte drie secties met foto's. De eerste was een reeks opnamen van de armoedige hutjes en schuren waar de zwarten op de plantages moesten wonen. Er waren familieportretten bij, voor de huisjes, met tientallen kinderen. En natuurlijk de bekende beelden van katoenplukkers die diep gebukt hun werk deden.

Het tweede katern zat in het midden van het boek en was twintig bladzijden lang. Er waren twee lynchfoto's bij. De eerste was een afschuwelijk tafereel met twee gemaskerde Kluckers in witte pijen, die met geweren voor de camera poseerden. Een zwaar mishandelde zwarte man bungelde aan een touw achter hen, met zijn ogen half open en zijn gezicht tot moes geslagen. 'KKK-lynchpartij in het hart van Mississippi, 1939', luidde het onderschrift, alsof deze rituelen met een tijds- en plaatsaanduiding voldoende waren beschreven.

Adam staarde vol ontzetting naar de gruwelijke foto en sloeg toen de bladzijde om. De tweede opname was bijna vredig vergeleken bij de eerste. Het levenloze lichaam aan het einde van het touw was maar gedeeltelijk te zien. Het hoofd stond niet op de foto. Het hemd van de zwarte man leek gescheurd, waarschijnlijk door de bullepees, als die inderdaad was gebruikt. Het slachtoffer was broodmager en had zijn wijde broek strak om zijn middel gebonden. Hij droeg geen schoenen. Er was geen bloed te zien.

Het touw waaraan hij bungelde was vastgebonden aan een lagere tak op de achtergrond. Hij hing aan een zware boom met stevige takken en een dikke stam.

Vlak onder zijn bungelende voeten had zich een vrolijk groepje verzameld. Mannen, vrouwen en kinderen trokken rare gezichten tegen de camera. Sommige jongens namen overdreven stoere houdingen aan – fronsend, met een priemende blik en samengeknepen lippen, alsof ze een bovennatuurlijke kracht bezaten om hun vrouwen tegen de agressie van de negers te beschermen. Anderen lachten of giechelden, vooral de vrouwen, van wie er twee heel knap waren. Een kleine jongen had een pistool in zijn hand dat hij dreigend op de camera richtte. Een jongeman hield een fles drank omhoog, met het etiket naar voren. Het grootste deel van de groep leek de gebeurtenis als een feest te beschouwen. Adam telde in totaal zeventien mensen, die allemaal zonder schaamte of angst in de lens keken – zonder het geringste besef dat hier iets verschrikkelijks was gebeurd. Niemand was bang voor vervolging. Ze hadden zojuist een medemens gedood, maar het was pijnlijk duidelijk dat ze geen moment voor de gevolgen hoefden te vrezen.

Dit was een uitstapje. Het was een warme zomeravond, met drank en mooie vrouwen. Ze hadden waarschijnlijk manden met eten meegenomen en stonden op het punt hun plaids op de grond uit te spreiden voor een gezellige picknick rond de boom.

'Lynchpartij op het platteland van Mississippi, 1936', luidde het bijschrift.

Sam zat op de voorgrond, op één been geknield tussen twee andere jongens, stoer poserend voor de camera. Hij was een jaar of vijftien, zestien, met een mager gezicht waarmee hij zo dreigend mogelijk probeerde te kijken: zijn lip omhooggekruld, zijn wenkbrauwen gefronst, zijn kin naar voren. De bravoure van een jochie dat de volwassen schurken om hem heen probeerde na te doen.

Adam vond hem meteen omdat iemand met verbleekte blauwe inkt een lijn vanaf de foto naar de kantlijn had getrokken, met aan het eind de naam Sam Cayhall in blokletters. De lijn kruiste de anderen en kwam uit bij Sams linkeroor. Eddie. Dat moest Eddie hebben gedaan. Lee had gezegd dat Eddie dit boek op zolder had gevonden. In gedachten zag Adam zijn vader op de donkere zolder zitten, huilend bij de foto, nadat hij Sam had geïdentificeerd door een beschuldigende pijl op zijn hoofd te richten.

Lee had ook gezegd dat Sams vader de leider was geweest van dit tuig, maar Adam kon hem niet ontdekken. Eddie misschien ook niet, want verder stonden er geen lijnen of namen bij. Adam telde minstens zeven mannen die oud genoeg waren om Sams vader te kunnen zijn. Hoeveel Cayhalls waren erbij? Volgens Lee hadden zijn broers ook meegedaan. Een van de jongere mannen leek wel wat op Sam, maar de gelijkenis was niet treffend.

Adam keek naar de heldere, mooie ogen van zijn grootvader en voelde een steek in zijn hart. Hij was nog maar een jongen, geboren en getogen in een omgeving waar haat tegen zwarten en anderen een manier van leven was geweest. Hoeveel kon je hem verwijten? Al die mensen om hem heen – zijn vader, zijn familie, zijn vrienden en zijn buren – waren vermoedelijk arme, hardwerkende, brave burgers geweest die waren gefotografeerd aan het eind van een wrede ceremonie die in hun samenleving heel gewoon was. Sam had geen enkele kans gehad. Dit was de enige wereld die hij kende.

Hoe zou Adam ooit het verleden met het heden kunnen verzoenen? Hoe zou hij over deze mensen en hun afschuwelijke misdrijf ooit eerlijk kunnen oordelen? Als het lot anders had beslist en hij veertig jaar eerder was geboren, had hij zelf tussen dat groepje kunnen zitten.

Toen hij naar hun gezichten staarde, voelde hij zich vreemd getroost. Hoewel Sam duidelijk een gewillige deelnemer was geweest, was hij maar een lid van de groep en droeg hij maar een deel van de schuld. De oudere mannen met hun strenge gezichten hadden de lynchpartij op touw gezet. De anderen waren meelopers. Het was ondenkbaar dat Sam en zijn jongere makkers deze wreedheid hadden beraamd. Goed, Sam had niets gedaan om het tegen te houden, maar misschien had hij het ook niet aangemoedigd.

Het tafereel riep talloze onbeantwoorde vragen op. Wie was de fotograaf geweest, en waarom was hij daar toevallig met zijn camera? Wie was het jonge zwarte slachtoffer? Waar was zijn familie, zijn moeder? Hoe hadden ze hem te pakken gekregen? Had hij in de gevangenis gezeten en was hij door de autoriteiten aan de lynchers uitgeleverd? Wat hadden ze met het lijk gedaan? Stond het meisje dat zogenaamd was verkracht ook op de foto, glimlachend naar de camera? Was haar vader een van de mannen? Waren haar broers erbij?

Als Sam al zo jong aan een lynchpartij had meegedaan, wat kon je dan van hem verwachten als volwassen man? Hoe vaak waren deze mensen bijeengekomen en hadden ze zulke

'feesten' gehouden op het platteland van Mississippi?
Hoe had Sam Cayhall in godsnaam iets anders kunnen worden dan wie hij was? Hij had nooit een kans gehad.

Sam zat geduldig in het kantoortje te wachten en dronk koffie uit een andere pot – sterk en pittig, heel anders dan het waterige brouwsel dat de gevangenen iedere morgen kregen. Packer had hem een grote papieren beker gegeven. Sam zat op het bureau met zijn voeten op een stoel.
De deur ging open en kolonel Nugent marcheerde naar binnen met Packer achter zich aan. De deur ging dicht. Sam rechtte zijn rug en salueerde.
'Goedemorgen, Sam,' zei Nugent somber. 'Hoe gaat het?'
'Geweldig. En met jou?'
'Redelijk.'
'Ja, ik weet dat je veel aan je hoofd hebt. Het is niet eenvoudig om zo'n executie te organiseren en ervoor te zorgen dat alles op rolletjes loopt. Niet eenvoudig. Ik neem mijn petje voor je af.'
Nugent negeerde het sarcasme. 'Ik moet een paar dingen met je bespreken. Je advocaten beweren opeens dat je krankzinnig bent, dus wilde ik dat even controleren.'
'Ik voel me echt fantastisch.'
'Je ziet er in elk geval goed uit.'
'Goh, dank je. Jij mag er ook wezen. Mooie schoenen.'
Nugents zwarte soldatenkistjes waren glanzend gepoetst, zoals gewoonlijk. Packer keek ernaar en grinnikte.
'Ja,' zei Nugent. Hij ging op een stoel zitten en bestudeerde een vel papier. 'De psychiater zei dat je niet wilde meewerken.'
'Wie? N?'
'Dokter Stegall.'
'Dat grote wijf met die dikke kont en geen voornaam? Die heb ik maar één keer gesproken.'
'Is het waar wat ze zei? Dat je niet wilde meewerken?'
'Dat mag je wel zeggen. Ik zit hier nu al negen jaar en nu ik met één been in het graf sta komt zij met haar dikke reet binnenstappen om te vragen hoe het met me gaat. Ze wilde me alleen een stel pillen geven, zodat ik me rustig zou laten meevoeren als jullie me komen halen. Die pillen waren voor jullie,

niet voor mij. Stelletje klootzakken.'
'Ze probeerde je te helpen.'
'Ach, wat aardig. Zeg maar dat het me spijt. Het zal nooit meer gebeuren. Zet maar een slechte aantekening in mijn dossier.'
'We moeten het hebben over je laatste maal.'
'Waarom blijft Packer erbij?'
Nugent keek snel naar Packer en toen weer naar Sam. 'Dat zijn de regels.'
'Hij is er om je te beschermen, geef het maar toe. Je bent bang voor me. Je durft niet alleen met me te zijn. Is het niet zo, Nugent? Ik ben zeventig jaar, een zwakke oude man, half-dood door de nicotine, maar jij bent bang voor me. Omdat ik een moordenaar ben.'
'Natuurlijk niet.'
'Ik kan je alle hoeken van de kamer laten zien, Nugent, als ik dat zou willen.'
'O, wat ben ik bang. Hoor eens, Sam, zo is het wel genoeg. Wat wil je als je laatste maaltijd?'
'Het is nu zondag. Mijn laatste maal is pas dinsdagavond. Waarom begin je daar nu al over?'
'Omdat we plannen moeten maken. Je kunt kiezen wat je wilt, binnen redelijke grenzen.'
'Wie maakt het klaar?'
'Onze eigen keuken.'
'O, geweldig! Dezelfde geniale koks die me al negen jaar die troep voorzetten? Nou, dat wordt een feest.'
'Wat wil je eten, Sam? Ik probeer redelijk te blijven.'
'Wat dacht je van toost met gekookte worteltjes? Ik wil het ze niet te lastig maken.'
'Goed, Sam. Als je het weet, zeg het dan maar tegen Packer. Die geeft het wel aan de keuken door.'
'Er komt geen laatste maal, Nugent. Morgen brengt mijn advocaat het zware geschut in stelling. Jullie zullen niet weten wat je overkomt.'
'Ik hoop dat je gelijkt hebt.'
'Je bent een verdomde leugenaar. Je staat te popelen om me op die stoel vast te binden. Je kunt niet wachten om me te vragen wat mijn laatste woorden zijn – om een van je loopjongens bevel te geven die deur dicht te gooien. En als het

voorbij is, zul je met een triest gezicht een verklaring uitgeven: "Vandaag, 8 augustus, een kwartier na middernacht, is Sam Cayhall terechtgesteld in de gaskamer van Parchman, volgens het vonnis dat is uitgesproken door het hof van Lakehead County, Mississippi." Dat wordt het mooiste moment van je leven, Nugent. Dus lieg nou niet.'
De kolonel keek niet op van zijn notities. 'We hebben een lijst met getuigen van je nodig.'
'Vraag het maar aan mijn advocaat.'
'En we willen weten wat we met je bezittingen moeten doen.'
'Vraag het maar aan mijn advocaat.'
'Goed. Er bellen allerlei journalisten die een interview met je willen.'
'Vraag het maar aan mijn advocaat.'
Nugent sprong overeind en stormde het kantoortje uit. Packer ving de deur op, wachtte even en zei: 'Blijf maar zitten, Sam. Er is nog iemand om je te spreken.'
Sam glimlachte en knipoogde tegen Packer. 'Haal dan nog wat koffie, wil je, Packer?'
Packer nam de beker mee en kwam even later terug met verse koffie. Hij had ook de zondagskrant van Jackson bij zich. Sam was verdiept in de verhalen over zijn executie toen de dominee, Ralph Griffin, aanklopte en binnenkwam.
Sam legde de krant op het bureau en nam de dominee van hoofd tot voeten op. Griffin droeg witte gymschoenen, een verschoten spijkerbroek en een zwart overhemd met een wit priesterboordje. 'Morgen, dominee,' zei Sam en nam nog een slok koffie.
'Hoe gaat het, Sam?' vroeg Griffin, terwijl hij een stoel bijtrok en ging zitten.
'Op dit moment is mijn hart vervuld van haat,' verklaarde Sam ernstig.
'Dat spijt me. Haat tegen wie?'
'Kolonel Nugent. Maar dat gaat wel over.'
'Heb je gebeden, Sam?'
'Niet echt.'
'Waarom niet?'
'Er is toch geen haast bij? Ik heb vandaag, morgen en dinsdag nog. Dinsdagavond hebben u en ik alle tijd om te bidden.'

'Als je dat wilt. Het is je eigen keuze. Ik zal er zijn.'
'Ik wil graag dat u tot het laatste moment bij me blijft, dominee. U en mijn advocaat. Ik mag twee mensen kiezen die me tot het eind gezelschap houden.'
'Ik zou het een eer vinden.'
'Dank u.'
'Waar wil je precies voor bidden, Sam?'
Sam nam een flinke slok koffie. 'Nou, om te beginnen zou ik graag sterven met de wetenschap dat al mijn zonden vergeven zijn.'
'Je zonden?'
'Ja.'
'God verwacht van ons dat wij onze zonden belijden en om vergiffenis vragen.'
'Allemaal? Eén voor één?'
'Ja. Alle zonden die we ons kunnen herinneren.'
'Dan moeten we maar meteen beginnen. Dat kan wel even duren.'
'Zoals je wilt. En waar wil je nog meer voor bidden?'
'Mijn familie, voor zover ik die heb. Dit zal heel moeilijk worden voor mijn kleinzoon, mijn broer en misschien mijn dochter. Niet veel mensen zullen mijn dood betreuren, maar ik zou willen dat zij ergens troost konden vinden. En ik wil een gebed zeggen voor mijn vrienden hier in de dodengang. Die zullen het er ook moeilijk mee hebben.'
'Verder nog iemand?'
'Ja. Ik wil bidden voor de Kramers, vooral voor Ruth.'
'De familie van de slachtoffers?'
'Ja. En voor de Lincolns.'
'Wie zijn de Lincolns?'
'Andere slachtoffers. Dat is een lang verhaal.'
'Goed, Sam. Je moet alles opbiechten om je ziel te reinigen.'
'Het zou jaren duren om mijn ziel te reinigen, dominee.'
'Zijn er nog meer slachtoffers?'
Sam zette zijn beker neer en wreef zachtjes in zijn handen. Toen zocht hij de warme, begripvolle blik van Ralph Griffin.
'Als die er zouden zijn...?' vroeg hij langzaam.
'Nog meer doden?'
Sam knikte langzaam.
'Mensen die jij hebt vermoord?'

Sam bleef knikken.
Griffin haalde diep adem en dacht even na. 'Eerlijk gezegd, Sam, zou ik niet graag sterven zonder dat ik die zonden had bekend en God om vergeving had gevraagd.'
Sam knikte nog steeds.
'Hoeveel?' vroeg Griffin.
Sam kwam van het bureau af en trok zijn geliefde badslippers aan. Langzaam stak hij een sigaret op en begon te ijsberen achter Griffins stoel. De dominee draaide zich om zodat hij Sam kon zien en horen.
'Om te beginnen Joe Lincoln, maar ik heb zijn familie al een brief geschreven om te zeggen dat ik berouw heb.'
'Heb je hem gedood?'
'Ja. Hij was een Afro-Amerikaan. Hij woonde op onze grond. Ik heb me daar altijd schuldig over gevoeld. Dat was rond 1950.'
Sam bleef staan en leunde tegen een archiefkast. Hij staarde naar de grond en sprak alsof hij in trance was. 'En dan waren er nog twee mannen, twee blanken die mijn vader hadden vermoord. Na een begrafenis, jaren geleden. Ze hebben een tijd gevangengezeten. Mijn broers en ik hebben rustig afgewacht, en toen ze vrijkwamen hebben we ze vermoord. Allebei. Maar daar heb ik me eigenlijk nooit zo schuldig over gevoeld. Het was tuig en ze hadden onze vader vermoord.'
'Doden is altijd verkeerd, Sam. Je vecht nu ook tegen de overheid die jou legaal wil doden.'
'Dat weet ik.'
'Zijn jij en je broers ooit aangehouden?'
'Nee. De oude sheriff verdacht ons wel, maar hij had geen bewijzen. We waren heel voorzichtig geweest. Bovendien waren het echte boeven, dus het kon niemand veel schelen.'
'Dat maakt het nog niet in orde.'
'Dat weet ik. Ik heb altijd gevonden dat ze hun verdiende loon hadden gekregen. Maar toen kwam ik hier terecht. Het leven krijgt een heel andere betekenis als je in de dodencel zit. Dan besef je pas hoe waardevol het is. Nu heb ik er spijt van dat ik die lui heb vermoord. Dat meen ik.'
'Wie verder nog?'
Sam liep de kamer door, telde de stappen en bleef weer staan

bij de archiefkast. De dominee wachtte. Tijd was nu van geen enkel belang.
'Jaren geleden zijn er een paar lynchpartijen geweest,' zei Sam, niet in staat om Griffin aan te kijken.
'Twee?'
'Ja, ik geloof het wel. Misschien drie. Ja, het waren er drie, maar bij de eerste was ik nog een kind en heb ik alleen toegekeken, tussen de struiken. Het was een lynchpartij van de Klan en mijn vader was erbij. Mijn broer Albert en ik hebben ons in het bos verborgen en toegekeken. Dus dat telt eigenlijk niet.'
'Nee.'
Sam zakte met zijn schouders tegen de muur. Hij sloot zijn ogen en boog zijn hoofd. 'De tweede was een echte lynchpartij. Ik was een jaar of vijftien en ik heb er zelf aan meegedaan. Er was een meisje verkracht door een Afro-Amerikaan. Ze beweerde tenminste dat ze was verkracht. Maar ze had een bedenkelijke reputatie en twee jaar later kreeg ze een halfbloed baby. Dus wie zal het zeggen? Maar in elk geval wees ze die jongen aan. Wij hebben hem meegenomen en gelyncht. Ik was net zo schuldig als de rest van het stel.'
'God zal je vergeven, Sam.'
'Weet u dat zeker?'
'Absoluut.'
'Hoeveel moorden kan Hij vergeven?'
'Allemaal. Als je oprecht berouw hebt, zal Hij de lei schoonvegen. Zo staat het in de Schrift.'
'Dat klinkt te mooi om waar te zijn.'
'En die andere lynchpartij?'
Sam zwaaide met zijn hoofd heen en weer. Zijn ogen waren gesloten. 'Nee, daar kan ik nog niet over praten, dominee,' zei hij ten slotte, zwaar ademend.
'Je hoeft ook niet met mij te praten, Sam, maar met God.'
'Ik weet niet of ik er wel met íemand over kan praten.'
'Natuurlijk. Doe 's nachts maar een keer je ogen dicht, tussen nu en dinsdag, alleen in je cel, en beken al je daden aan God. Hij zal je meteen vergeven.'
'Het lijkt gewoon niet eerlijk. Je vermoordt iemand en God vergeeft je onmiddellijk. Zomaar. Dat is te gemakkelijk.'
'Je moet oprecht berouw hebben.'

'Dat heb ik ook. Dat zweer ik.'
'God vergeeft het, Sam, maar de mensen niet. Wij zijn verantwoording schuldig aan Hem, maar ook aan de wetten van de mens. God zal je vergeven, maar je moet ook de gevolgen dragen die de overheid heeft bepaald.'
'De overheid kan m'n rug op. Ik ga hier toch weg.'
'Laten we in elk geval zorgen dat je er klaar voor bent. Goed?'
Sam liep naar het bureau en ging op de hoek zitten, naast Griffin. 'Blijf bij me in de buurt, dominee. Oké? Ik zal hulp nodig hebben. Er liggen een paar verschrikkelijke dingen begraven in mijn ziel. Het zal moeite kosten om ze naar boven te krijgen.'
'Het lukt wel, Sam, als je er echt klaar voor bent.'
Sam klopte hem op de knie. 'Blijf bij me, oké?'

44

Het kantoortje stond blauw van de rook toen Adam binnenkwam. Sam zat te roken op de hoek van het bureau en las over zichzelf in de zondagskrant, omringd door drie lege koffiebekers en een paar snoepwikkels. 'Je voelt je hier wel thuis, geloof ik,' zei Adam met een blik op de rommel.
'Ja, dat is een van de voordelen als je wordt geëxecuteerd. Je krijgt meteen een mooie suite om je laatste bezoekers te ontvangen. Ik zit hier al de hele dag.'
'En? Veel gasten?'
'Ach, gasten wil ik ze niet noemen. Het begon met Nugent, dus daarmee was de dag al bijna verziekt. Daarna kwam de dominee om te controleren of ik wel had gebeden. Hij was nogal gedeprimeerd toen hij vertrok. Toen kwam de dokter om te kijken of ik gezond genoeg ben om gedood te worden. En mijn broer Donnie is ook nog op bezoek geweest. Ik zou het echt fijn vinden als je hem ontmoette. Maar nu iets anders: heb je goed nieuws voor me?'
Adam schudde zijn hoofd en ging zitten. 'Nee. Er is niets gebeurd sinds gisteren. De rechtbanken hebben een vrij weekend.'
'Beseffen ze wel dat de zaterdag en zondag gewoon meetellen? Dat de klok in het weekend niet stilstaat?'
'Het kan ook een gunstig teken zijn. Misschien zijn ze volledig verdiept in mijn briljante argumenten.'
'Misschien, maar ik hou het erop dat onze edelachtbare broeders gewoon in hun buitenhuisje een biertje drinken en een biefstuk grillen. Denk je ook niet?'
'Je zult wel gelijk hebben. Wat staat er in de krant?'
'De bekende oude verhalen over mij en mijn afschuwelijke misdrijf, foto's van de demonstranten bij de poort, commentaar van McAllister. Niets nieuws. Ik heb nog nooit zo'n circus meegemaakt.'
'Alles draait nu om jou, Sam. Wendall Sherman en zijn uitgever bieden nu al honderdvijftigduizend dollar, maar dan

moet je vóór vanavond zes uur beslissen. Hij zit in Memphis met zijn bandrecorders, klaar om hiernaartoe te komen. Hij heeft minstens twee volle dagen nodig om je verhaal op te nemen, zegt hij.'

'Geweldig. En wat moet ik met dat geld?'

'Aan je lieve kleinkinderen nalaten.'

'Meen je dat serieus? Willen jullie het hebben? Dan doe ik het.'

'Nee, ik maak maar een geintje. Ik wil het geld niet, en Carmen heeft het niet nodig. Ik zou het nooit met een gerust geweten kunnen uitgeven.'

'Mooi zo. Want ik heb absoluut geen zin om tot dinsdagavond met een onbekende over het verleden te zitten praten. Hoeveel geld hij me ook biedt. Ik heb liever niet dat er een boek over mijn leven wordt geschreven.'

'Ik heb al gezegd dat het niet doorgaat.'

'Zo mag ik het horen.' Sam ging staan en liep heen en weer door het kantoortje. Adam ging op de rand van het bureau zitten en las het sportkatern van de krant uit Memphis.

'Ik zal blij zijn als het allemaal voorbij is, Adam,' zei Sam. Hij praatte met zijn handen terwijl hij ijsbeerde. 'Dat wachten is zenuwslopend. Ik word liever meteen naar de gaskamer gebracht, ik zweer het je.' Hij was opeens nerveus en prikkelbaar. Zijn stem klonk luid.

Adam legde de krant weg. 'We gaan het winnen, Sam. Geloof me nou maar.'

'Wàt gaan we winnen?' snauwde hij. 'Uitstel? Fantastisch! Wat winnen we daarmee? Zes maanden, een jaar? Weet je wat dat betekent? Dat we over een tijdje deze hele toestand nog eens krijgen. Dat hele vervloekte ritueel: de dagen tellen, slecht slapen, beroep aantekenen, naar Nugent of een andere idioot luisteren, met de psychiater praten, tegen de dominee fluisteren, een tik op mijn kont krijgen en naar dit hokje gebracht worden omdat ik een speciaal geval ben.' Hij bleef voor Adam staan en keek nijdig op hem neer. Zijn ogen waren vochtig en zijn blik was verbitterd. 'Ik heb er genoeg van, Adam! Dit is nog erger dan sterven.'

'We kunnen het niet opgeven, Sam.'

'We? Wie zijn "we", verdomme? Het is mijn nek, niet de jouwe. Als ik uitstel krijg, kun jij weer terug naar je mooie

kantoor in Chicago om verder te gaan met je leven. Dan ben je de held omdat je je cliënt hebt gered. Je foto komt dan in *Lawyer's Quarterly* of een ander vakblad: de veelbelovende jonge advocaat die ze in Mississippi een poepie heeft laten ruiken en zijn grootvader, die vervloekte Klucker, uit de gaskamer heeft gehouden. Maar je cliënt wordt teruggebracht naar zijn kleine kooi waar hij weer de dagen kan gaan tellen.'
Sam gooide zijn sigaret op de grond en greep Adam bij zijn schouders. 'Kijk me eens aan, jongen. Ik kan dit alles niet nog een keer doorstaan. Ik wil dat je ermee stopt. Zet er maar een streep onder. Bel de rechtbanken en zeg dat we al onze eisen en verzoeken intrekken. Ik ben een oude man. Laat me in godsnaam met enige waardigheid sterven.'
Zijn handen trilden. Zijn ademhaling ging moeizaam. Adam keek in zijn stralend blauwe ogen, omgeven door een netwerk van donkere rimpels, en zag een verdwaalde traan opwellen die langzaam over zijn wang rolde en in zijn grijze baard verdween.
Voor het eerst kon Adam zijn grootvader ruiken. De sterke tabakslucht, vermengd met de geur van opgedroogd zweet, was niet echt prettig maar ook niet weerzinwekkend, zoals bij iemand die over genoeg zeep, heet water, deodorant en frisse lucht kon beschikken. Eigenlijk stoorde het Adam nauwelijks.
'Ik wil niet dat je sterft, Sam.'
Sam greep zijn schouders nog steviger vast. 'Waarom niet?' wilde hij weten.
'Omdat ik je net gevonden heb. Je bent mijn grootvader.'
Sam keek hem nog even doordringend aan, liet hem toen los en deed een stap achteruit. 'Het spijt me dat je me op deze manier gevonden hebt,' zei hij, terwijl hij zijn ogen droogde.
'Je hoeft je niet te verontschuldigen.'
'Dat moet ik wel. Het spijt me dat ik geen betere grootvader ben geweest. Moet je me zien,' vervolgde hij, met een blik omlaag. 'Een verwaarloosde oude man in een rood apepakkie. Een veroordeelde moordenaar die straks als een beest wordt vergast. En kijk eens naar jezelf. Een knappe jonge kerel met een uitstekende opleiding en een stralende toekomst. Waar is het in godsnaam verkeerd gegaan met mij? Wat is er met me gebeurd? Mijn hele leven heb ik mensen gehaat, en wat ben ik

ermee opgeschoten? Jij haat niemand. En jij hebt nog alle kansen. Toch zijn we van hetzelfde bloed. Waarom zit ik dan hier?'
Sam ging langzaam zitten, steunde met zijn ellebogen op zijn knieën en legde een hand over zijn ogen. Een tijdlang bleven ze roerloos en zwijgend zitten. Zo nu en dan hoorden ze de stem van een bewaarder in de gang, maar verder was het stil.
'Weet je, Adam, ik zou liever niet op zo'n vreselijke manier hoeven sterven,' zei Sam hees, met zijn vuisten tegen zijn slapen gedrukt. Hij staarde nog steeds naar de grond. 'Maar voor de dood ben ik niet meer bang. Ik weet al zo lang dat ik hier zal sterven, maar mijn grootste angst was dat het niemand iets zou kunnen schelen als ik doodging. Dat is een vreselijke gedachte. Te moeten sterven zonder dat iemand om je geeft. Zonder dat er mensen naar je begrafenis komen en verdriet om je hebben. Ik heb wel gedroomd dat ik mezelf in een goedkope houten kist in een rouwcentrum in Clanton zag liggen, zonder dat er iemand kwam kijken. Zelfs Donnie niet. In dezelfde droom stond de dominee te giechelen bij de rouwdienst, omdat we helemaal alleen waren in de kapel, met al die lege stoelen. Maar dat is nu anders. Ik weet dat er iemand om me geeft. Ik weet dat jij verdriet zult hebben als ik dood ben en dat je mijn begrafenis zult regelen zoals het hoort. Ik ben nu echt gereed om te gaan, Adam. Ik ben er klaar voor.'
'Goed, Sam. Dat respecteer ik. En ik beloof je dat ik bij je zal blijven tot het bittere eind, dat ik om je zal treuren en je een goede begrafenis zal geven. Niemand zal jou belazeren zolang ik er nog ben. Maar bekijk het ook eens van mijn kant. Ik moet mijn uiterste best doen, omdat ik nog jong ben en een heel leven voor me heb. Ik kan hier niet vertrekken in de wetenschap dat ik niet genoeg heb gedaan. Dwing me daar alsjeblieft niet toe. Dat zou niet eerlijk zijn.'
Sam sloeg zijn armen over elkaar en keek Adam aan. Zijn gezicht was bleek en kalm, zijn ogen waren nog nat. 'Laten we het zo doen,' zei hij, zacht en moeizaam. 'Ik ben bereid om te gaan. Morgen en dinsdag zal ik mijn laatste voorbereidingen treffen. Ik neem aan dat het dinsdagavond kort na middernacht zal gebeuren. En ik ben er klaar voor. Maar voor jou is het een wedstrijd. Als je die wint, is het mij best. Als je verliest, zal ik de gevolgen dragen.'

'Dus je bent bereid om mee te werken?'
'Nee. Ik wil geen verzoek om gratie. Geen eisen of andere verzoeken meer. De rechtbanken hebben het al druk genoeg met al je petities. Twee zaken lopen nog. Ik teken geen nieuwe eisen meer.'
Sam stond op. Zijn oude knieën trilden en kraakten. Hij liep naar de deur en leunde ertegenaan. 'En Lee?' vroeg hij zacht, zoekend naar zijn sigaretten.
'Die is nog bezig met een ontwenningskuur,' loog Adam. Hij kwam in de verleiding de waarheid te vertellen. Het leek kinderachtig om de laatste dagen van Sams leven nog tegen hem te liegen, maar Adam verwachtte nog steeds dat Lee voor dinsdag wel zou opduiken. 'Wil je haar zien?'
'Ik denk het wel. Kan ze daar weg?'
'Dat zal niet meevallen, maar ik doe mijn best. Ze is zieker dan ik eerst dacht.'
'Is ze aan de drank?'
'Ja.'
'Is dat alles? Geen drugs?'
'Alleen alcohol. Ze zei dat ze al jaren alcoholiste is. Een ontwenningskuur is niets nieuws voor haar.'
'De arme meid. Mijn kinderen hebben nooit een kans gehad.'
'Ze is een fijne vrouw. Ze heeft geen gemakkelijk huwelijk. Haar zoon is al jong het huis uit gegaan en nooit teruggekomen.'
'Walt, heet hij toch?'
'Ja,' antwoordde Adam. Wat triest, eigenlijk. Sam, de grootvader, die niet eens zeker wist hoe zijn derde kleinkind heette.
'Hoe oud is hij?'
'Dat weet ik niet. Zoiets als ik, denk ik.'
'Weet hij iets over me?'
'Geen idee. Hij is al jaren weg. Hij woont in Amsterdam.'
Sam pakte een beker van het bureau en nam een slok koude koffie. 'En Carmen?' vroeg hij.
Adam keek onwillekeurig op zijn horloge. 'Over drie uur haal ik haar in Memphis van het vliegveld. Morgen komt ze op bezoek.'
'Ik vind het doodeng.'
'Maak je geen zorgen, Sam. Ze is een leuke meid, intelligent, ambitieus en knap. Ik heb haar alles over je verteld.'

'Waarom?'
'Omdat ze het wilde weten.'
'Het arme kind. Heb je ook gezegd hoe ik eruitzie?'
'Dat is geen punt, Sam. Het kan haar helemaal niet schelen hoe je eruitziet.'
'Heb je wel gezegd dat ik geen afschuwelijk monster ben?'
'Ik heb haar verteld dat je een schat bent, een echte lieverd, zo'n fijngevoelig kereltje met een oorring, een staartje, een polsband en van die enige rubberen badslippers waar je zo soepel op kunt lopen.'
'Ach, lazer op!'
'En dat de jongens hier allemaal dol op je zijn.'
'Je liegt het! Dat heb je niet gezegd!' Sam grijnsde, maar hij meende het half serieus en zijn bezorgdheid was wel grappig. Adam lachte, een beetje te lang en een beetje te luid, maar de humor brak de spanning. Ze grinnikten allebei en deden hun best om die vrolijkheid vast te houden. Maar al gauw werden ze weer ernstig en zaten ze samen op de rand van het bureau, naast elkaar, met hun voeten op verschillende stoelen. Ze staarden naar de grond terwijl boven hun hoofd de dichte rook in de roerloze lucht bleef hangen.
Er was zoveel om over te praten, maar tegelijk viel er zo weinig te zeggen. Alle juridische mogelijkheden waren tot op het bot toe afgekloven. De familie bleef een gevaarlijk onderwerp. Over het weer waren ze ook snel uitgepraat. En ze wisten allebei dat ze een groot deel van de komende tweeënhalve dag samen zouden doorbrengen. Ernstige zaken konden wel wachten. Onplezierige onderwerpen konden nog even worden vermeden. Twee keer keek Adam op zijn horloge en zei dat hij eigenlijk weg moest, maar twee keer vroeg Sam hem te blijven. Want als Adam vertrok, zouden ze hem weer naar zijn cel brengen, zijn kleine kooi waar het nu meer dan veertig graden was. Blijf alsjeblieft nog even, smeekte hij.

Die avond laat, ver na middernacht, lang nadat Adam met Carmen had gesproken over Lee's problemen, over Phelps en Walt, over McAllister en Wyn Lettner en het vermoeden van een medeplichtige, uren nadat ze een pizza hadden gegeten en een lang gesprek hadden gehad over hun moeder en hun vader, hun grootvader en de rest van dat zielige stel, zei Adam dat er één moment was dat hij nooit zou vergeten: toen ze samen op dat bureau hadden gezeten, zwijgend naast elkaar, terwijl een onzichtbare klok de minuten wegtikte en Sam hem op zijn knie klopte. Het was alsof hij me wilde aanraken om zijn affectie te tonen, zei hij tegen Carmen, als een liefhebbende opa tegenover een kleinkind.

Carmen had voor één nacht wel genoeg gehoord. Ze had vier uur op het terras gezeten, zwetend in de vochtige hitte, luisterend naar de troosteloze geschiedenis van de familie van haar vader.

Adam had haar zoveel mogelijk bespaard. Hij had de hoogtepunten aangedikt en de dieptepunten vermeden. Hij had niets gezegd over Joe Lincoln, de lynchpartijen en het vermoeden van nog andere misdaden. Hij had Sam afgeschilderd als een gewelddadig man die gruwelijke fouten had gemaakt en daar nu oprecht berouw over had. Hij had overwogen haar zijn video over Sams processen te laten zien, maar had het niet gedaan. Dat kwam later nog wel eens. Hij mocht haar in één avond niet te veel belasten. Soms kon hij zelf nog niet geloven wat hij de afgelopen vier weken allemaal had gehoord. Het zou wreed zijn om alles in één keer over haar uit te storten. Hij hield zielsveel van zijn zusje. Ze hadden nog jaren de tijd voor de rest van het verhaal.

45

Maandag 6 augustus, zes uur 's ochtends. Nog tweeënveertig uur te gaan. Adam stapte zijn kantoor binnen en deed de deur op slot.

Hij wachtte tot zeven uur en belde toen Slattery's kantoor in Jackson. Er werd natuurlijk niet opgenomen, maar hij hoopte dat er een bandje zou zijn met een telefoonnummer van iemand die hem verder zou kunnen helpen. Slattery deed niets met de eis wegens ontoerekeningsvatbaarheid en negeerde die alsof het om zomaar een rechtszaak ging.

Hij belde inlichtingen en kreeg het privé-nummer van F. Flynn Slattery, maar besloot toen om hem niet te storen. Hij kon wel tot negen uur wachten.

Adam had minder dan drie uur geslapen. Hij had een verhoogde polsslag en de adrenaline vloeide door zijn aderen. Zijn cliënt had nog maar tweeënveertig uur en die vervloekte Slattery moest nu eindelijk een uitspraak doen – hoe dan ook. Het was niet eerlijk om zo lang te wachten, zodat Adam de zaak niet bij het volgende hof aanhangig kon maken.

De telefoon ging en Adam nam hem op. De Death Clerk van het Vijfde Circuit deelde hem mee dat het hof de eis wegens ingebrekestelling van Sams vorige advocaat had verworpen. Naar de mening van het hof was er sprake van een procedurefout. De eis had al jaren geleden moeten worden ingediend. Over de kwestie zelf werd geen uitspraak gedaan.

'Waarom heeft dat een week moeten duren?' vroeg Adam nijdig. 'Zo'n lullige beslissing hadden ze tien dagen geleden ook wel kunnen nemen.'

'Ik zal u meteen een fax sturen,' zei de griffier.

'Bedankt. Sorry voor de uitbarsting.'

'Houd contact, meneer Hall. We zitten voor u klaar.'

Adam legde neer en ging op zoek naar koffie. Darlene was al om half acht op kantoor, doodmoe. Ze bracht hem de fax van het Vijfde Circuit en een rozijnenbroodje. Adam vroeg haar de eis wegens ingebrekestelling aan het federale Hoog-

gerechtshof te faxen met een verzoek tot behandeling. Die lag al drie dagen klaar en Richard Olander in Washington verzekerde Darlene dat het hof er al naar had gekeken.
Darlene kwam met twee aspirientjes en een glas water. Hij had barstende koppijn toen hij het grootste deel van Sams dossier in een grote tas en een kartonnen doos inpakte. Hij liet een lijst met instructies achter voor Darlene.
Daarna verliet hij het kantoor van Kravitz & Bane in Memphis, om er nooit meer terug te komen.

Kolonel Nugent wachtte ongeduldig tot de deur van de gang openging en marcheerde toen met acht leden van zijn executieteam naar binnen, alsof het de Gestapo was. De rust in de gang was meteen verstoord. Nugent liep voorop, als een trotse haan, met acht forse kerels – de helft in uniform, de andere helft in burger – in zijn kielzog. Bij cel nummer 6 bleef hij staan. Sam lag op bed en bemoeide zich met zijn eigen zaken. De andere gevangenen kwamen meteen naar voren om te kijken en te luisteren, hun armen door de tralies gestoken.
'Sam, het is tijd om naar de Observatiecel te gaan,' zei Nugent, alsof hij dat heel vervelend vond. Zijn mannen stelden zich op langs de muur, onder de ramen.
Sam kwam langzaam van het bed en liep naar de tralies. Hij keek Nugent nijdig aan en vroeg: 'Waarom?'
'Omdat ik het zeg.'
'Maar waarom zou je me acht deuren verder plaatsen? Dat heeft toch geen enkele zin?'
'Dat is de procedure, Sam. Zo staat het in het handboek.'
'Dus eigenlijk heb je geen goede reden?'
'Die heb ik ook niet nodig. Draai je om.'
Sam liep naar zijn wastafel en poetste rustig zijn tanden. Daarna ging hij voor het toilet staan en urineerde met zijn handen op zijn heupen. Toen waste hij uitgebreid zijn handen, terwijl Nugent en zijn jongens toekeken, kokend van woede. Ten slotte stak hij een sigaret op, klemde die tussen zijn tanden, draaide zich om en stak zijn handen door de smalle opening in de deur. Nugent legde hem de handboeien om en knikte naar het eind van de gang, als teken dat de deur kon worden geopend. Sam stapte naar buiten. Hij knikte tegen J.B. Gullitt, die vol afschuw toekeek en op het punt stond

in huilen uit te barsten. Sam knipoogde naar Hank Henshaw. Nugent pakte hem bij de arm en nam hem mee naar het eind van de gang, langs Gullitt en Lloyd Eaton en Stock Turner en Harry Ross Scott en Buddy Lee Harris en ten slotte langs Preacher Boy, die voorover op zijn bed lag te huilen. De gang eindigde in een traliewand, net als de celdeuren, met een zware deur in het midden. Aan de andere kant stond nog een groepje van Nugents krachtpatsers, die zwijgend toekeken en genoten. Achter hen was een korte, smalle gang die naar de Isolatiekamer leidde. Daarachter lag de gaskamer.

Sam was weer 15 meter dichter bij de dood. Hij leunde tegen de muur, trok aan zijn sigaret en keek met stoïcijnse kalmte toe. Dit was niets persoonlijks, gewoon een onderdeel van de normale gang van zaken.

Nugent liep terug naar cel nummer 6 en blafte een paar orders. Vier van de bewaarders stapten Sams cel binnen om zijn bezittingen te verzamelen: de boeken, de schrijfmachine, de ventilator, de tv, zijn toiletspullen en zijn kleren. Ze gingen ermee om alsof ze besmet waren en brachten ze voorzichtig naar de Observatiecel. De matras en het beddegoed werden opgerold en meegenomen door een zware bewaarder in burger, die per ongeluk op een punt van het laken stapte, waardoor het scheurde.

De andere gevangenen volgden deze onverwachte uitbarsting van activiteit met droevige interesse. Hun kleine cel was als een tweede huid voor hen, en het was pijnlijk om te zien hoe die meedogenloos werd weggerukt. Dat zou hun ook kunnen gebeuren. De realiteit van de executie begon door te dringen. Ze hoorden het aan het geluid van de zware schoenen in de executiegang en aan de strenge, gedempte stemmen van het executieteam. Het dichtslaan van een deur in de verte zou een week geleden nog nauwelijks zijn opgemerkt. Nu was het een schok die iedereen op de zenuwen werkte.

De bewaarders liepen heen en weer met Sams spullen tot cel 6 helemaal leeg was. Het was snel gebeurd. Nonchalant lieten ze alles in zijn nieuwe onderkomen achter.

Geen van de acht bewaarders werkte in de dodengang. Ergens in Naifehs onoverzichtelijke aantekeningen had Nugent gelezen dat de leden van het executieteam volslagen onbekenden moesten zijn voor de veroordeelde. Ze hoorden van andere afdelingen te komen. Eenendertig bewaarders van hogere en lagere rang hadden zich vrijwillig opgegeven. Nugent had alleen de besten uitgekozen.

'Is alles overgebracht?' snauwde hij tegen een van zijn mannen.

'Ja, meneer.'

'Goed. Je kunt naar binnen, Sam.'

'O, dank u wel, meneer,' sneerde Sam toen hij de cel binnenstapte. Nugent knikte naar het eind van de gang en de deur ging dicht. Hij liep naar de celdeur en greep de tralies met twee handen vast. 'Hoor eens, Sam,' zei hij ernstig. Sam stond met zijn rug tegen de muur geleund en keek hem niet aan. 'We staan altijd voor je klaar als je iets nodig hebt, oké? We hebben je hierheen gebracht om een oogje op je te houden. Goed? Kan ik nog iets voor je doen?'

Sam bleef hem negeren.

'Goed dan.' Nugent deed een stap terug en keek naar zijn mannen. 'Kom maar mee,' zei hij. De deur van de gang ging open, nog geen drie meter bij Sam vandaan, en het executieteam verdween. Sam wachtte. Nugent keek de gang door en wilde vertrekken.

'Hé, Nugent!' brulde Sam opeens. 'Zou je me de handboeien niet afdoen?'

Nugent verstijfde en het executieteam hield halt.

'Stomme klootzak!' brulde Sam weer, toen Nugent terugkwam, zoekend naar zijn sleuteltjes, en een paar orders blafte. Overal in de gang werd luid gelachen en gefloten. 'Ik kan die handboeien toch niet omhouden?' riep Sam de gang in.

Nugent verscheen knarsetandend voor de celdeur en zocht vloekend naar de juiste sleutel. 'Draai je om,' commandeerde hij.

'Stomme lul!' riep Sam door de tralies naar het rood aangelopen gezicht van de kolonel, vlak voor hem. Om hem heen werd steeds harder gelachen.

'En jij moet mijn executie organiseren!' zei Sam nijdig, zo luid dat de anderen het goed konden horen. 'Je mag wel uitkijken dat je jezelf niet vergast!'

'Reken daar maar niet op,' zei Nugent met opeengeklemde kaken. 'Draai je om.'

Iemand, Hank Henshaw of Harry Ross Scott, riep: 'Zakkenwasser!'
Onmiddellijk werd die kreet door iedereen overgenomen: 'Zakkenwasser! Zakkenwasser! Zakkenwasser!'
'Koppen dicht!' brulde Nugent terug.
'Zakkenwasser! Zakkenwasser!'
'Hou jullie smoel!'
Sam draaide zich langzaam om en stak zijn handen door de deur, zodat Nugent erbij kon. De handboeien gingen af en de kolonel liep haastig de gang uit.
'Zakkenwasser! Zakkenwasser! Zakkenwasser!' scandeerde het hele stel tot de deur dichtviel en de gang weer verlaten was. Opeens was iedereen stil en de vrolijkheid verdwenen. Langzaam trokken ze hun armen door de tralies terug.
Sam keek de gang in en wierp een nijdige blik naar de twee bewaarders die hem vanaf de andere kant van de gangdeur in de gaten hielden. Het kostte hem een paar minuten om zijn spullen te organiseren: de ventilator en de televisie aansluiten, zijn boeken netjes neerzetten – alsof ze nog ooit gebruikt zouden worden – en controleren of het toilet doorspoelde en de kraan goed werkte. Toen ging hij op het bed zitten en bekeek hij het gescheurde laken.
Dit was zijn derde verhuizing in de dodengang en het was ontegetwijfeld de cel waar hij het kortst in zou zitten. Hij dacht terug aan de eerste twee, en vooral de tweede, in Gang D, naast zijn goede vriend Buster Moac. Op een dag kwamen ze Buster halen om hem hiernaartoe te brengen, naar de Observatiecel, waar ze hem vierentwintig uur per etmaal in het oog hielden om te voorkomen dat hij zelfmoord zou plegen. Sam had gehuild toen ze Buster meenamen.
Bijna alle veroordeelden die zo ver kwamen, zetten ook de laatste stap. En daarna de allerlaatste.

Garner Goodman was de eerste bezoeker van die dag in de prachtige foyer van het kantoor van de gouverneur. Hij tekende zelfs het gastenboek, praatte vrolijk met de aantrekkelijke receptioniste en vroeg haar om de gouverneur te melden dat hij beschikbaar was. Ze wilde juist iets zeggen toen de telefoon van haar centrale zoemde. Ze drukte een knop in, luisterde even, fronste naar Goodman die de andere

kant op keek, en bedankte de beller. 'Al die mensen,' zei ze zuchtend.
'Pardon?' vroeg Goodman, alsof hij van de prins geen kwaad wist.
'We worden overstelpt met telefoontjes over de executie van uw cliënt.'
'Ja, dat ligt heel emotioneel. Maar de meeste mensen hier zijn toch voor de doodstraf?'
'Deze niet,' zei ze, terwijl ze het gesprek noteerde op een roze formulier. 'Bijna iedereen die opbelt is juist tegen.'
'O ja? Hé, dat verbaast me.'
'Ik zal mevrouw Stark waarschuwen dat u er bent.'
'Dank u.' Goodman ging op zijn vaste plekje in de foyer zitten en keek de ochtendkranten door. Op zaterdag had de krant uit Tupelo de fout gemaakt een telefonische enquête te beginnen. Op de voorpagina was een gratis telefoonnummer afgedrukt met instructies, en natuurlijk hadden Goodman en zijn 'marktanalisten' in het weekend druk gebeld. In de maandageditie stonden de eerste resultaten vermeld en die waren verbazingwekkend. Van de driehonderdtwintig bellers hadden er driehonderdtwee zich tegen de executie verzet. Goodman glimlachte bij zichzelf toen hij de krant doorlas.
Niet ver bij hem vandaan zat de gouverneur aan de lange tafel in zijn kantoor met dezelfde kranten voor zich. Zijn gezicht stond zorgelijk. Hij staarde somber en triest voor zich uit.
Mona Stark kwam over de marmeren vloer naar hem toe met een kop koffie in haar hand. 'Garner Goodman is er. Hij zit te wachten in de foyer.'
'Laat hem maar wachten.'
'De hotline staat alweer roodgloeiend.'
McAllister keek rustig op zijn horloge. Elf minuten voor negen. Hij wreef met zijn knokkels over zijn kin. Vanaf zaterdagmiddag drie uur tot zondagavond acht uur had zijn enquêtebureau tweehonderd kiezers gebeld. Achtenzeventig procent was voor de doodstraf, zoals verwacht. Maar van die tweehonderd kiezers vond eenenvijftig procent dat Sam Cayhall niet moest worden geëxecuteerd. Hun redenen varieerden. De meesten vonden hem gewoon te oud. Zijn misdaad was al drieëntwintig jaar geleden gepleegd: in de maatschappij golden toen andere normen dan tegenwoordig. En hij zou

binnenkort wel een natuurlijke dood sterven in de gevangenis. De doodstraf had geen zin meer. Hij werd vervolgd om politieke redenen. Bovendien was hij blank. Dat speelde een belangrijke rol; McAllister en zijn enquêtebureau wisten dat heel goed, al werd het niet hardop gezegd.
Dat was het goede nieuws. Het slechte nieuws was de uitdraai die naast de twee kranten lag. De hotline, in het weekend slechts door één telefoniste bemand, had op zaterdag tweehonderdeenendertig en op zondag honderdtachtig telefoontjes gekregen, in totaal dus vierhonderdelf. Meer dan vijfennegentig procent was tegen de executie geweest. Sinds vrijdagochtend had de hotline officieel achthonderdzevenennegentig gesprekken over Sam Cayhall geregistreerd, waarvan ruim negentig procent tegen de executie. En dat ging nog steeds zo door.
Maar er was meer. De regionale kantoren meldden ook een lawine van telefoontjes, bijna allemaal tegen de voltrekking van het vonnis. Medewerkers kwamen op hun werk met het verhaal dat ze in het weekend voortdurend waren gebeld. Ook Roxburghs kantoor was belegerd.
De gouverneur was nu al moe. 'We hadden toch iets voor vanochtend tien uur?' vroeg hij aan Mona zonder haar aan te kijken.
'Ja, een ontmoeting met een groep padvinders.'
'Zeg dat maar af. Breng mijn verontschuldigingen over en spreek een andere datum af. Ik ben vanochtend niet in de stemming voor foto's. Ik blijf liever hier. En de lunch?'
'U luncht met senator Pressgrove, om de aanklacht tegen de universiteiten te bespreken.'
'Ik kan Pressgrove niet uitstaan. Zeg die lunchafspraak maar af en bestel wat kip. O ja, en laat Goodman toch maar binnenkomen.'
Ze liep naar de deur en kwam even later terug met Garner Goodman. McAllister stond bij het raam en keek neer op de gebouwen van de stad. Hij draaide zich om en lachte vermoeid. 'Goedemorgen, meneer Goodman.'
Ze gaven elkaar een hand en gingen zitten. Zondagmiddag laat had Goodman een briefje aan Larramore gestuurd om de hoorzitting te schrappen, op uitdrukkelijk verzoek van hun cliënt.

'U wilt dus geen zitting?' vroeg de gouverneur met nog een vermoeid lachje.
'Onze cliënt niet, nee. Hij heeft geen nieuwe feiten te melden. We hebben alles geprobeerd.' Mona gaf Goodman een kop zwarte koffie.
'Hij blijft dus koppig. Altijd al geweest. Hoe staat het met de procedures?' vroeg McAllister zeer oprecht.
'Zoals we hadden verwacht.'
'U hebt dit al eerder meegemaakt, meneer Goodman. Ik niet. Wat denkt u over de afloop?'
Goodman roerde in zijn koffie en dacht even na. Het kon geen kwaad om eerlijk te zijn tegenover de gouverneur. Niet in dit stadium. 'Ik ben een van zijn advocaten, dus ben ik geneigd tot optimisme. Ik zou zeggen dat er zeventig procent kans is dat de executie doorgang vindt.'
De gouverneur zweeg. Hij kon de telefoons bijna horen bellen. Zelfs zijn eigen mensen begonnen nerveus te worden. 'Weet u wat ik zou willen, meneer Goodman?' vroeg hij oprecht.
Ja, je wilt dat die vervloekte telefoons eindelijk zwijgen, dacht Goodman. 'Wat dan?'
'Ik zou graag met Adam Hall spreken. Waar is hij?'
'In Parchman, denk ik. Ik heb hem een uur geleden nog gesproken.'
'Kan hij vandaag hier zijn?'
'Ja. Hij was van plan vanmiddag nog naar Jackson te komen.'
'Goed. Dan wacht ik op hem.'
Goodman onderdrukte een grijns. Misschien hadden ze toch een bres geslagen in de verdediging.
Vreemd genoeg was het op een heel ander front dat ze de eerste doorbraak forceerden.

Zes straten verderop, in het federale gerechtshof, stapte Breck Jefferson het kantoor van zijn baas, de edelachtbare F. Flynn Slattery, binnen. Slattery zat te telefoneren en veegde een advocaat de mantel uit. Breck had een uitgebreid habeas-verzoek en een blocnote vol met aantekeningen bij zich.
'Ja?' zei Slattery, toen hij de hoorn op de haak had gesmeten.
'We moeten het over Cayhall hebben,' zei Breck somber. 'U

weet dat er een eis ligt wegens ontoerekeningsvatbaarheid.'
'Wijs hem maar af en stuur hem zo snel mogelijk door. Cayhall mag ermee naar het Vijfde Circuit gaan. Ik heb er geen zin in.'
Breck keek bezorgd en zei aarzelend: 'Maar er is wel een punt waar u naar moet kijken.'
'Toe nou, Breck. Wat dan?'
'Misschien heeft hij een geldig argument.'
Slattery zuchtte en zakte onderuit in zijn stoel. 'Nee toch? Dat meen je niet. Over dertig minuten hebben we de volgende zaak. De jury zit al te wachten.'
Breck Jefferson had aan Emory gestudeerd en was op één na de beste student van zijn jaar geweest. Slattery had een blind vertrouwen in hem. 'Ze beweren dat Sam geestelijk niet voldoende in staat zou zijn de executie te bevatten, zoals de wet dat eist.'
'Iedereen weet dat hij gek is.'
'Ze hebben een getuige-deskundige. Dit kunnen we niet zomaar negeren.'
'Ik geloof er niets van.'
'Lees het maar.'
Zijne Edelachtbare masseerde zijn voorhoofd met zijn vingertoppen. 'Ga zitten. Laat eens zien.'

'Nog een paar kilometer,' zei Adam toen ze in hoog tempo naar de gevangenis reden. 'Hoe voel je je?'
Carmen had niet veel gezegd sinds ze uit Memphis waren vertrokken. Het was de eerste keer dat ze in Mississippi was. Ze had zich verbaasd over de uitgestrekte delta, de vruchtbare akkers met bonen en katoen en de machines aan de rand van de velden. Ze had haar hoofd geschud over de armoedige hutjes.
'Zenuwachtig,' gaf ze toe, en niet voor het eerst. Ze hadden heel kort over Berkeley en Chicago gepraat, en over de nabije toekomst. Over hun vader en moeder hadden ze met geen woord gesproken, evenmin als over Sam en zijn familie.
'Hij is ook nerveus.'
'Dit is bizar, Adam, zoals we hier rijden, op weg naar een grootvader die op het punt staat te worden geëxecuteerd.'
Hij klopte haar ferm op haar knie. 'Je hebt een goede beslis-

sing genomen.' Ze droeg een wijde katoenen broek, sportieve schoenen en een verschoten rood denim shirt – de psychologiestudente ten voeten uit.
'Daar is het.' Opeens wees hij voor zich uit. Aan beide kanten van de weg stonden auto's bumper aan bumper in de berm geparkeerd. Het verkeer reed langzaam en mensen liepen in de richting van de gevangenis.
'Wat is hier allemaal aan de hand?' vroeg ze.
'Het is een circus.'
Ze passeerden drie Klan-leden die langs de weg liepen. Carmen keek naar hen en schudde ongelovig haar hoofd. De Saab kroop vooruit, nauwelijks sneller dan de voetgangers op weg naar de demonstraties. Midden op de weg, voor de poort, regelden twee politiemannen het verkeer. Ze gebaarden naar Adam dat hij rechtsaf moest slaan. Dat deed hij. Een bewaarder van Parchman wees naar een plek langs een ondiepe greppel.
Hij pakte Carmens hand en ze liepen naar de ingang. Heel even bleven ze staan kijken naar de tientallen in witte pijen gehulde Klan-leden die voor de poort heen en weer liepen. Een van hen hield een vurige toespraak via een megafoon die steeds haperde. Een groepje bruinhemden stond schouder aan schouder met spandoeken naar de weg gekeerd. Aan de andere kant van de weg stonden niet minder dan vijf reportagewagens geparkeerd. Overal waren camera's te zien. Een helikopter van de pers cirkelde boven de weg.
Bij de poort stelde Adam Carmen voor aan zijn goede vriendin Louise, de bewaarster die de formulieren invulde. Ze maakte een nerveuze en gejaagde indruk. Er waren wat conflicten geweest tussen de Kluckers, de pers en de bewaarders. Het was een gespannen situatie, die volgens haar voorlopig niet zou verbeteren.
Een bewaarder in uniform bracht hen naar een gevangenisbusje dat haastig wegreed.
'Ongelooflijk,' zei Carmen.
'Het wordt iedere dag erger. Wacht maar tot morgen.'
Het busje minderde vaart toen ze over de hoofdweg onder de grote, schaduwrijke bomen langs de keurige witte huizen reden. Carmen keek geïnteresseerd om zich heen. 'Het lijkt helemaal geen gevangenis,' zei ze.

'Het is een farm van bijna zevenduizend hectare. In die huizen woont het gevangenispersoneel.'
'Met hun kinderen,' zei ze, met een blik op de fietsen en autopeds in de voortuintjes. 'Het is zo vredig allemaal. Waar zijn de gevangenen?'
'Wacht maar.'
Het busje sloeg linksaf. De geplaveide straat ging over in een zandweg. In de verte lag de dodengang.
'Zie je die torens daar?' Adam wees. 'Met die hekken en dat prikkeldraad?'
Carmen knikte.
'Dat is de Maximaal Beveiligde Afdeling, Sams thuis van de afgelopen negen jaar.'
'En waar is de gaskamer?'
'In hetzelfde gebouw.'
Twee bewaarders wierpen een blik in het busje en wuifden het verder, naar het dubbele hek. Het stopte bij de voordeur, waar Packer stond te wachten. Adam stelde hem voor aan Carmen, die nauwelijks een woord kon uitbrengen. Ze stapten naar binnen, waar ze voorzichtig door Packer werden gefouilleerd. Drie andere bewaarders keken toe. 'Sam is er al,' zei Packer, met een knikje naar het kantoor. 'Ga maar naar binnen.'
Adam pakte haar stevig bij de hand. Ze knikte en samen liepen ze naar het kantoortje. Hij opende de deur.
Sam zat op de rand van het bureau, zijn vaste plek. Zijn voeten bungelden boven de grond en hij rookte niet. De atmosfeer was fris en schoon. Hij keek eerst naar Adam en toen naar Carmen. Packer deed de deur achter hen dicht.
Carmen liet Adams hand los, liep naar het bureau en keek Sam recht aan. 'Ik ben Carmen,' zei ze zacht. Sam liet zich van het bureau zakken. 'Ik ben Sam, Carmen. Je verdorven grootvader.' Hij stak zijn armen uit en ze omhelsden elkaar. Het duurde even voordat Adam zag dat Sam zijn baard had afgeschoren. Zijn haar was korter en veel netter. Hij had zijn trainingspak tot aan zijn hals dichtgeritst en hij droeg een paar schone sokken met andere sandalen.
Sam hield haar bij de schouders vast en nam haar gezicht aandachtig op. 'Je bent net zo knap als je moeder,' zei hij schor. Zijn ogen waren vochtig en ook Carmen had moeite haar tranen te bedwingen.

Ze beet op haar lip en probeerde te glimlachen.
'Bedankt dat je gekomen bent,' zei hij met een poging tot een grijns. 'Het spijt me dat je me zo moet aantreffen.'
'Je ziet er goed uit,' zei ze.
'Niet liegen, Carmen,' zei Adam om het ijs te breken. 'En hou alsjeblieft op met huilen, voordat het uit de hand loopt.'
'Ga zitten,' zei Sam tegen haar. Hij wees naar een stoel en ging naast haar zitten, met haar hand in de zijne.
'Eerst het zakelijke gedeelte, Sam,' zei Adam, die tegen het bureau leunde. 'Vanochtend vroeg heeft het Vijfde Circuit onze eis afgewezen. Dus hebben we het hogerop gezocht.'
'Een mooie advocaat, die broer van jou,' zei Sam tegen Carmen. 'Hij komt elke dag met hetzelfde bericht.'
'Ik heb ook een cliënt van niks,' zei Adam.
'Hoe gaat het met je moeder?' vroeg Sam.
'Heel goed.'
'Zeg haar dat ik naar haar heb gevraagd. Ik herinner me haar als een fijne vrouw.'
'Dat zal ik doen.'
'Is er al nieuws over Lee?' vroeg Sam aan Adam.
'Nee. Wil je haar zien?'
'Ik geloof het wel. Maar ik kan het begrijpen als ze er niet toe in staat is.'
'Ik zal zien wat ik kan doen,' zei Adam vol vertrouwen. Phelps had niet op zijn laatste twee telefoontjes gereageerd. Eerlijk gezegd had hij nu niet de tijd om Lee te zoeken.
Sam boog zich naar Carmen toe. 'Adam zei dat je psychologie studeert.'
'Dat klopt. Ik studeer aan Berkeley. Ik...'
Een luide klop op de deur onderbrak hen. Adam deed open en zag het bezorgde gezicht van Lucas Mann. 'Neem me niet kwalijk,' zei Adam tegen Sam en Carmen en hij stapte de gang in. 'Wat is er?' vroeg hij.
'Garner Goodman zoekt je,' zei Mann, bijna fluisterend. 'Hij vraagt of je onmiddellijk naar Jackson komt.'
'Waarom? Wat is er dan?'
'Blijkbaar heeft een van je argumenten toch doel getroffen.'
Adams hart sloeg een slag over. 'Welk argument?'
'Rechter Slattery wil met je praten over Sams ontoerekeningsvatbaarheid. Hij heeft een zitting uitgeschreven voor

vanmiddag om vijf uur. Zeg maar niets tegen mij, want misschien word ik als getuige voor de staat opgeroepen.'
Adam sloot zijn ogen en beukte zachtjes met zijn hoofd tegen de muur. Duizend gedachten tolden door zijn hoofd. 'Vanmiddag om vijf uur. Slattery?'
'Ja, ik kon het ook niet geloven. Hoor eens, je moet opschieten.'
'Waar kan ik bellen?'
'Hier,' zei Mann, met een knikje naar de deur achter Adam. 'Hoor eens, Adam, het gaat mij niet aan, maar ik zou het niet tegen Sam zeggen. Het is maar een kleine kans en waarom zou je hem valse hoop geven? Als ik in jouw schoenen stond, zou ik wachten tot na de zitting.'
'Je hebt gelijk. Bedankt, Lucas.'
'Geen punt. Ik zie je in Jackson.'
Adam liep terug naar het kantoortje, waar Sam en Carmen over het leven in San Francisco zaten te praten. 'Niets bijzonders,' zei Adam met een frons en hij liep nonchalant naar de telefoon. Hij sloot zich af voor hun rustige gesprek toen hij het nummer intoetste.
'Garner, met Adam. Ik zit hier bij Sam. Wat is er aan de hand?'
'Kom als de bliksem hiernaartoe, kerel,' zei Goodman kalm. 'Er zit schot in de zaak.'
'Ik luister.' Sam vertelde over zijn eerste en enige bezoek aan San Francisco, lang geleden.
'Om te beginnen wil de gouverneur je spreken. Onder vier ogen. Hij schijnt het moeilijk te hebben. We hebben hem behoorlijk onder druk gezet met die telefoontjes en hij begint zich zorgen te maken. Maar nog belangrijker is dat Slattery – Slattery, nota bene! – het argument van Sams ontoerekeningsvatbaarheid wil toetsen. Ik heb hem een half uur geleden gesproken en hij is flink in de war. Ik heb er nog een schepje bovenop gedaan. Hij heeft een zitting uitgeschreven voor vijf uur vanmiddag. Ik heb dokter Swinn al gebeld. Die houdt zich gereed, voor honderd dollar per uur. Om half vier landt hij in Jackson om te getuigen.'
'Ik kom eraan,' zei Adam, met zijn rug naar Sam en Carmen toe.
'Dan zien we elkaar bij het kantoor van de gouverneur.'

Adam legde neer. 'Ik wil de eis persoonlijk indienen,' zei hij tegen Sam, die totaal niet geïnteresseerd leek. 'Ik ga naar Jackson.'
'Waarom heb je zo'n haast?' vroeg Sam, als een man met nog jaren te leven en niets te doen.
'Haast? Zei je haast? Het is maandagochtend tien uur, Sam. We hebben nog precies achtendertig uur om een wonder te verrichten.'
'Er komt geen wonder meer, Adam.' Hij draaide zich om naar Carmen, nog steeds met haar hand in de zijne. 'Haal je maar niets in je hoofd, kind.'
'Misschien...'
'Nee. Mijn tijd is gekomen en ik ben er klaar voor. Wees maar niet verdrietig als het achter de rug is.'
'We moeten weg, Sam,' zei Adam. Hij legde zijn hand op Sams schouder. 'Vanavond laat of morgenochtend vroeg ben ik weer terug.'
Carmen boog zich opzij en kuste Sam op zijn wang. 'Mijn hart is bij je, Sam,' fluisterde ze.
Hij hield haar even in zijn armen en bleef bij het bureau staan. 'Pas goed op jezelf, kind. Doe je best met je studie en zo. En denk niet te slecht over mij, oké? Ik zit hier niet voor niets. Het is mijn eigen schuld. Er wacht me een beter leven buiten deze plek.'
Carmen stond op en omhelsde hem nog eens. Ze huilde toen ze het kantoortje verlieten.

46

Tegen een uur of twaalf was rechter Slattery volledig doordrongen van de ernst van het moment. Hoewel hij het probeerde te verbergen, genoot hij met volle teugen van deze adluwte te midden van de storm. Eerst had hij de jury en de advocaten naar huis gestuurd die al gereed zaten voor een civiel geding. Twee keer had hij gebeld met de griffier van het Vijfde Circuit in New Orleans en daarna met rechter McNeely zelf. Zijn grote moment kwam een paar minuten over elf, toen hij een telefoontje kreeg van opperrechter Edward F. Allbright van het Hooggerechtshof in Washington, die naar de stand van zaken informeerde. Allbright volgde de zaak op de voet. Ze spraken over de theoretische en praktische kanten van de procedure. Geen van beiden waren ze tegen de doodstraf en allebei hadden ze problemen met de wet zoals die in Mississippi gold. Ze waren bang dat iedere ter dood veroordeelde er misbruik van kon maken door zich als krankzinnig voor te doen en een of andere kwakzalver te vinden die dat wilde bevestigen.
De pers wist al snel dat er een zitting zou worden gehouden. Journalisten overstelpten Slattery's kantoor met telefoontjes en sloegen hun tenten op bij de receptie. De politie moest komen om de hal te ontruimen.
De secretaresse bracht iedere minuut nieuwe berichten. Breck Jefferson verdiepte zich in de jurisprudentie en werkte stapels handboeken door die op de lange vergadertafel lagen verspreid. Slattery sprak met de gouverneur, de procureur, Garner Goodman en tientallen anderen. Zijn schoenen stonden onder zijn zware bureau en hij liep op kousevoeten rond met de telefoon aan een lang snoer, genietend van alle consternatie.

Als het in Slattery's kantoor al een heksenketel was, dan was het bij de procureur een gekkenhuis. Toen hij hoorde dat een van Cayhalls wanhoopspogingen doel had getroffen, ging

Roxburgh bijna door het plafond. Je voert tien jaar lang een juridisch gevecht in het ene hof van appèl na het andere, je levert strijd met de beste advocaten van al die linkse organisaties, je produceert genoeg papier om een heel regenwoud te vernietigen, en juist als je denkt dat je alles onder controle hebt, wordt een van die wanhoopspogingen opeens beloond door een rechter die toevallig in een inschikkelijke bui is.
Hij stormde de gang door naar het kantoor van Morris Henry, Dr. Death zelf, om een team van hun beste mensen op de been te brengen. Die commissie vergaderde even later in een grote bibliotheek die vol stond met de nieuwste boeken. Ze bestudeerden Cayhalls verzoek en het relevante wetsartikel en stippelden hun strategie uit. Ze hadden getuigen nodig. Wie had Cayhall de afgelopen maand nog gezien? Wie kon iets zinnigs zeggen over zijn beweringen? Het was te laat om de man nog door een van hun eigen psychiaters te laten onderzoeken. De verdediging had een arts, zij niet. Dat was een groot probleem. Als ze een psychiatrisch onderzoek wilden, zouden ze uitstel moeten vragen. En dat betekende onherroepelijk ook uitstel van de executie. Dat ging dus niet.
De bewaarders zagen hem natuurlijk iedere dag. Wie verder nog? Roxburgh belde Lucas Mann, die vond dat hij maar met kolonel Nugent moest praten. Nugent zei dat hij Sam een paar uur geleden nog had gesproken en dat hij graag zou getuigen. Natuurlijk was Cayhall niet gek. Een klootzak was het, anders niet. Ook brigadier Packer zag hem iedere dag. En de psychiater van de gevangenis, dr. N. Stegall, had Sam gesproken en zou een verklaring kunnen afleggen. Nugent wilde graag helpen. Hij noemde de naam van de gevangenisdominee en hij zou proberen nog een paar andere mensen te vinden.
Morris Henry organiseerde een team van vier advocaten die niets anders hoefden te doen dan belastende informatie over dr. Anson Swinn verzamelen. Ze moesten alle zaken onderzoeken waarbij hij betrokken was geweest, met andere advocaten in het land overleggen en transcripties van zijn verklaringen bestuderen. De man was een beroepsgetuige, iemand die voor geld alles wilde zeggen. Dus moesten ze proberen hem in diskrediet te brengen.
Zodra Roxburgh zijn strategie had voorbereid en de anderen

aan het werk had gezet, nam hij de lift naar beneden om met de pers te praten.

Adam parkeerde op een vrij plekje bij het Nieuwe Capitool. Goodman zat te wachten in de schaduw van een boom. Hij had zijn jasje uitgetrokken, zijn mouwen opgerold en zijn strikje zat perfect. Adam stelde zijn zusje aan Goodman voor.

'De gouverneur wil je om twee uur spreken. Ik kom juist bij hem vandaan. Dat was al de derde keer vanochtend. Laten we naar ons kantoor gaan,' zei Goodman met een knikje naar het centrum. 'Het is een paar minuten lopen.

Heb je Sam gezien?' vroeg hij aan Carmen.

'Ja. Vanochtend.'

'Daar ben ik blij om.'

'Wat is de gouverneur van plan?' vroeg Adam. Ze liepen veel te langzaam naar zijn zin. Rustig aan, vermaande hij zichzelf. Geen paniek.

'Wie zal het zeggen? Hij wil je onder vier ogen spreken. Misschien speelt die marktanalyse hem toch parten. Misschien heeft hij een propagandastunt in gedachten. Misschien twijfelt hij oprecht. Ik zou het niet weten. Maar hij maakt een vermoeide indruk.'

'Dus die telefoontjes zijn een succes?'

'Reken maar.'

'En niemand vermoedt iets?'

'Nog niet. We bellen zo vaak dat ze de tijd niet hebben om die telefoontjes te traceren.'

Carmen keek haar broer vragend aan, maar Adam zag het niet.

'Wat is het laatste nieuws van Slattery?' vroeg Adam toen ze een straat overstaken en even bleven staan om naar de demonstratie op de trappen van het Capitool te kijken.

'Sinds tien uur heb ik niets meer van hem gehoord. Zijn griffier had je in Memphis gebeld en je secretaresse heeft hem mijn nummer gegeven. Zo kwamen ze bij mij terecht. Hij zei dat hij een zitting wilde houden en dat hij alle advocaten om drie uur in zijn kamer verwacht om de zaak voor te bereiden.'

'Wat betekent dat?' vroeg Adam. Hij hoopte dat zijn mentor

zou zeggen dat ze op het punt stonden een beslissende overwinning te behalen.
Goodman merkte dat. 'Ik weet het echt niet, Adam. Het is goed nieuws, maar ik heb geen idee waar het toe leidt. Er worden wel vaker zittingen gehouden in dit stadium van de procedure.'
Ze staken nog een straat over en stapten het gebouw binnen. In het kantoortje boven was het een drukte van belang. Vier studenten zaten te bellen met hun mobiele telefoons. Twee van hen zaten met hun voeten op tafel. Een derde stond voor het raam en hield een serieus verhaal. De vierde ijsbeerde langs de tegenoverliggende muur, met de telefoon tegen haar oor gedrukt. Adam bleef bij de deur staan en probeerde alles in zich op te nemen. Carmen begreep er niets van.
Goodman legde het uit op luide fluistertoon. 'We halen een gemiddelde van ongeveer zestig telefoontjes per uur. We bellen wel vaker, maar de lijn is regelmatig bezet. Dat doen we zelf, zodat andere mensen er niet doorheen kunnen komen. In het weekend was het een stuk rustiger. Toen zat er maar één telefoniste bij de hotline.' Hij zei het op de toon van een trotse bedrijfsleider die de modernste apparatuur demonstreerde.
'Wie bellen ze dan?' vroeg Carmen.
Een van de studenten kwam naar hen toe en stelde zich aan Adam en Carmen voor. Hij amuseerde zich kostelijk, zei hij.
'Willen jullie wat eten?' vroeg Goodman. 'Er zijn nog broodjes.' Adam bedankte.
'Wie bellen ze?' herhaalde Carmen.
'De hotline van de gouverneur,' antwoordde Adam zonder nadere toelichting. Ze luisterden naar de dichtstbijzijnde student, die zijn stem veranderde en een naam van de lijst oplas. Hij was nu Benny Chase uit Hickory Flat, Mississippi. Hij had op de gouverneur gestemd en hij vond niet dat Sam Cayhall geëxecuteerd moest worden. Het werd tijd dat de gouverneur tussenbeide kwam.
Carmen keek haar broer scherp aan, maar Adam lette niet op haar.
'Dit zijn rechtenstudenten van de universiteit van Mississippi,' vervolgde Goodman. 'Sinds vrijdag hebben we twaalf studenten gebruikt, van verschillende leeftijden, blank en zwart, mannen en vrouwen. Professor Glass heeft ons goed

geholpen bij het vinden van die mensen. Hij heeft zelf ook gebeld, net als Hez Kerry en zijn jongens van de bijstandsgroep voor ter dood veroordeelden. In totaal hebben we minstens twintig mensen ingeschakeld.'
Ze trokken drie stoelen naar het eind van de tafel en gingen zitten. Goodman haalde wat frisdrank uit een plastic koelbox en zette de flesjes op tafel, terwijl hij verderging: 'John Bryan Glass is al bezig met een onderzoek. Tegen vier uur heeft hij een dossier opgesteld. Hez Kerry is ook aan het werk. Hij overlegt met collega's uit andere staten om te zien of dit argument de laatste tijd ook ergens anders is gebruikt.'
'Kerry? Is dat die zwarte advocaat?'
'Ja. Hij is voorzitter van de Southern Capital Defense Group. Een heel intelligente vent.'
'Een zwarte advocaat die zijn best doet om Sam te redden?'
'Voor Hez maakt dat geen verschil. Hij verzet zich tegen iedere executie.'
'Ik zou hem graag ontmoeten.'
'Vanmiddag. Iedereen komt naar de zitting.'
'En ze werken allemaal gratis?' vroeg Carmen.
'Min of meer. Kerry krijgt een salaris. Het hoort bij zijn werk om alle doodvonnissen in deze staat te volgen, maar omdat Sam een eigen advocaat heeft, hoeft hij hem niet rechtstreeks bij te staan. Hij geeft zijn tijd, maar dat is vrijwillig. Professor Glass werkt op de juridische faculteit, maar dit heeft niets te maken met zijn werk. En zijn studenten betalen we vijf dollar per uur.'
'Van wie komt dat geld?' vroeg ze.
'Van Kravitz & Bane.'
Adam pakte een Gouden Gids. 'Carmen moet vanmiddag weer met het vliegtuig mee,' zei hij, terwijl hij de gids doorbladerde.
'Ik zal ervoor zorgen,' zei Goodman. Hij nam de gids van hem over. 'Waarheen?'
'San Francisco.'
'Ik zal zien wat ik kan doen. Hoor eens, om de hoek is een broodjeszaak. Waarom gaan jullie niet wat eten? Dan lopen we om twee uur naar het kantoor van de gouverneur.'
'Ik zoek een bibliotheek,' zei Adam, met een blik op zijn horloge. Het was bijna één uur.

'Ga eerst maar eten, Adam, en maak je niet zo druk. Later hebben we nog wel tijd om onze strategie te bepalen. Nu moet je eerst tot rust komen en wat eten.'
'Ja, ik heb honger,' zei Carmen, die haar broer graag alleen wilde spreken. Ze verdwenen uit het kantoortje en trokken de deur achter zich dicht.
Nog voordat ze bij de trap waren hield ze hem staande in de haveloze gang. 'Wil je me dit even uitleggen?' drong ze aan, met haar hand om zijn arm.
'Wat?'
'Dat kantoortje daar.'
'Je hebt het toch wel begrepen?'
'Is dat legaal?'
'Het is niet verboden.'
'Maar is het ethisch?'
Adam haalde diep adem en staarde naar de muur. 'Wat willen ze met Sam?'
'Hem executeren.'
'Executeren, elimineren, vergassen, doden – noem het zoals je wilt. Maar het is moord, Carmen. Een legale moord. Het deugt niet, en ik probeer er iets tegen te doen. Het is een smerige zaak en dus moet ik soms wat schipperen. Dat maakt me niet uit.'
'Het stinkt.'
'De gaskamer ook.'
Ze schudde haar hoofd en slikte een opmerking in. Vierentwintig uur geleden had ze nog met haar vriend zitten lunchen op een terrasje in San Francisco. Nu had ze opeens geen idee meer waar ze was.
'Je moet me hierom niet veroordelen, Carmen. Dit is een wanhopig gevecht.'
'Goed,' zei ze, en ze liep de trap af.

De gouverneur en de jonge advocaat waren alleen in het grote kantoor. Ze zaten in comfortabele leren stoelen, met hun benen gekruist en hun voeten bijna tegen elkaar aan. Goodman was haastig vertrokken om Carmen op het vliegtuig te zetten. Mona Stark was nergens te bekennen.
'Vreemd eigenlijk, dat jij zijn kleinzoon bent terwijl je hem nog geen maand kent.' McAllisters stem klonk rustig, bijna

vermoeid. 'Ik ken hem al jaren. Hij is al zo lang een deel van mijn leven. En ik heb altijd gedacht dat ik me op deze dag zou verheugen. Ik wilde dat hij zou sterven, dat hij zou boeten voor de dood van die kleine jongens.' Hij veegde zijn haar van zijn voorhoofd en wreef zachtjes in zijn ogen. Zijn woorden klonken oprecht, alsof ze twee goede vrienden waren die de laatste nieuwtjes uitwisselden. 'Maar nu weet ik het niet meer zo zeker. Ik moet je eerlijk zeggen, Adam, dat de druk wel heel zwaar begint te worden.'

Als hij niet honderd procent eerlijk was, moest hij een voortreffelijk acteur zijn. Adam wist het niet. 'Wat wil de overheid bewijzen door Sam te doden?' vroeg Adam. 'Is de aarde een betere plaats om te leven als woensdag de zon opkomt en er geen Sam meer is?'

'Nee. Maar jij gelooft niet in de doodstraf. Ik wel.'

'Waarom?'

'Omdat moord de zwaarste straf verdient. Denk je eens in de positie van Ruth Kramer in, dan zul je het anders zien. Jouw probleem, Adam, en dat van jouw medestanders, is dat jullie de slachtoffers vergeten.'

'We zouden nog uren over de doodstraf kunnen discussiëren.'

'Dat is zo. Laten we daar maar over ophouden. Heeft Sam je nog iets nieuws over de aanslag verteld?'

'Ik mag eigenlijk niet zeggen wat Sam me heeft verteld, maar het antwoord is nee.'

'Misschien heeft hij het dan toch in zijn eentje gedaan. Ik weet het niet.'

'Wat maakt dat nu nog voor verschil, één dag voor de terechtstelling?'

'Dat vraag ik me ook af, eerlijk gezegd. Maar als ik zeker wist dat Sam een medeplichtige had gehad, dat iemand anders die moorden op zijn geweten had, zou ik hem niet laten executeren. Ik heb het recht om in te grijpen, zoals je weet. Het zou me niet in dank worden afgenomen en het zou mijn politieke carrière ernstig kunnen schaden, maar dat geeft niet. Ik heb genoeg van de politiek. En ik bevind me liever niet in deze positie, waar ik over leven en dood moet oordelen. Maar als ik de waarheid kende, zou ik Sam gratie kunnen verlenen.'

'U denkt dat hij hulp had. Dat hebt u me al gezegd. De FBI-agent die met de zaak belast was denkt dat ook. Waarom gaat u niet op die overtuiging af en geeft u hem gratie?'
'Omdat we het niet zeker weten.'
'Dus één woord van Sam, één naam op het laatste nippertje, en u grijpt uw pen om zijn leven te redden?'
'Nee, maar ik zou tot uitstel kunnen besluiten om een nader onderzoek in te stellen.'
'Het heeft geen zin, gouverneur. Ik heb het geprobeerd. Ik heb het hem al zo vaak gevraagd, maar hij blijft het ontkennen. We praten er niet meer over.'
'Wie beschermt hij dan?'
'Ik zou het echt niet weten.'
'Misschien vergissen we ons. Heeft hij ooit over de details van de aanslag gesproken?'
'Zoals gezegd, dat is vertrouwelijk. Maar hij neemt alle schuld op zich.'
'Waarom zou ik dan gratie overwegen? Als de man zelf beweert dat hij schuldig is en geen hulp heeft gehad, waarom moet ik hem dan helpen?'
'Omdat hij een oude man is die gauw genoeg een natuurlijke dood zal sterven. Omdat het de juiste beslissing is en omdat u het diep in uw hart zelf wilt. Maar er is moed voor nodig.'
'Hij haat me, is het niet?'
'Ja, maar dat kan veranderen. Als u hem gratie verleent, wordt hij uw grootste fan.'
McAllister glimlachte en haalde een pepermuntje uit een papiertje. 'Is hij echt ontoerekeningsvatbaar?'
'Volgens onze deskundige wel. En we zullen ons best doen rechter Slattery daarvan te overtuigen.'
'Dat weet ik, maar serieus? Jij hebt uren met hem gepraat. Beseft hij wat er gebeurt?'
Op dat moment koos Adam niet voor eerlijkheid. McAllister was geen vriend en zeker niet betrouwbaar. 'Hij is heel triest,' gaf Adam toe. 'Eerlijk gezegd ben ik verbaasd dat iemand niet volledig zijn verstand verliest na een paar maanden in de dodencel. Sam was al een oude man toen hij er kwam, en hij is langzaam weggekwijnd. Dat is één reden waarom hij alle interviews weigert. Hij is heel zielig.'

Adam wist niet of McAllister hem geloofde, maar de gouverneur luisterde aandachtig.
'Wat is je agenda voor morgen?' vroeg McAllister.
'Geen idee. Het hangt ervan af wat er bij Slattery gebeurt. Ik had het grootste deel van de dag met Sam willen doorbrengen, maar misschien moet ik nog allerlei verzoeken indienen.'
'Ik heb je mijn privé-nummer gegeven. Laten we morgen contact houden.'

Sam nam drie happen pintobonen en wat maïsbrood en zette het blad aan het voeteneind van zijn bed. Dezelfde stompzinnige bewaarder keek hem door de tralies van de gangdeur uitdrukkingsloos aan. Het leven was al ellendig genoeg in zo'n kleine cel, maar om als een beest in het oog te worden gehouden was onverdraaglijk.
Het was zes uur, tijd voor het avondnieuws. Hij wilde weten wat de wereld over hem zei. Het station in Jackson begon met het nieuws dat rechter Flynn Slattery op het laatste moment nog een zitting wilde houden. Er werd overgeschakeld naar de federale rechtbank in Jackson, waar een ongeduldige jongeman met een microfoon uitlegde dat de zitting even was uitgesteld omdat de advocaten nog zaten te discussiëren in Slattery's kantoor. Hij deed zijn best de zaak zo kort mogelijk uit te leggen. De verdediging beweerde nu dat Sam Cayhall niet voldoende toerekeningsvatbaar was om de reden te beseffen waarom hij werd terechtgesteld. Hij zou seniel zijn, en zijn advocaten hadden een psychiater die als getuige-deskundige moest optreden om Sam op het laatste moment te redden. De zitting kon ieder moment beginnen en niemand wist wanneer rechter Slattery een besluit zou nemen. Terug naar de nieuwslezeres, die meldde dat in Parchman inmiddels alle voorbereidingen waren getroffen voor de executie. Opeens verscheen een andere jongeman met een microfoon op het scherm, die ergens bij de poort van de gevangenis stond en verslag deed over de verscherpte veiligheidsmaatregelen. Hij wees naar rechts en de camera volgde zijn wijzende arm naar een terrein langs de autoweg waar een compleet circus werd opgevoerd. De politie was druk bezig met het regelen van het verkeer en hield tegelijk een oogje op een groep van enkele tientallen Klan-leden. Maar er waren ook andere demon-

stranten, zoals fascistische blanke groeperingen en natuurlijk de tegenstanders van de doodstraf, aldus de verslaggever.
De reporter kwam weer in beeld, nu in het gezelschap van kolonel b.d. George Nugent, de plaatsvervangend directeur van Parchman, belast met de organisatie van de executie. Nugent beantwoordde grimmig een paar vragen en verklaarde dat alles onder controle was. Als Justitie groen licht gaf, zou de terechtstelling geheel volgens de wet kunnen plaatsvinden.
Sam zette de televisie uit. Adam had twee uur geleden gebeld en hem uitgelegd wat er ging gebeuren, dus Sam was erop voorbereid dat hij als een seniele, krankzinnige oude man zou worden afgeschilderd. Dat beviel hem niet. Het was al erg genoeg om te worden geëxecuteerd, maar dat er zo luchthartig met zijn verstandelijke vermogens werd omgesprongen vond hij een onaanvaardbare inbreuk op zijn privacy.
Het was warm en stil in de gang. De tv's en radio's stonden zacht. Naast hem hoorde hij Preacher Boy zachtjes *The Old Rugged Cross* zingen. Het klonk wel prettig.
In een keurig stapeltje tegen de muur lagen zijn nieuwe kleren: een effen wit overhemd, een werkbroek, witte sokken, een glimmende leren riem en een paar bruine instappers. Donnie was die middag een uur bij hem geweest.
Hij deed het licht uit en strekte zich op zijn bed uit. Nog dertig uur te leven.

De grootste rechtszaal van de federale rechtbank zat stampvol toen Slattery voor de derde keer de advocaten liet gaan. Het was het laatste gesprek geweest in een reeks verhitte discussies die bijna de hele middag hadden geduurd. Inmiddels was het bijna zeven uur.
Ze stapten de rechtszaal binnen en liepen naar hun plaats. Adam ging naast Garner Goodman zitten. Op een rij stoelen achter hen zaten Hez Kerry, John Bryan Glass en drie van zijn studenten. Roxburgh, Morris Henry en een stuk of zes medewerkers hadden zich achter de tafel van het OM verzameld. Twee rijen achter hen, voorbij de balie, zat de gouverneur met Mona Stark aan zijn ene en Andy Larramore aan zijn andere kant.
De rest van de aanwezigen bestond voornamelijk uit journalisten van de schrijvende pers. Camera's waren niet toege-

staan. Verder waren er nog wat nieuwsgierige toeschouwers: rechtenstudenten en andere juristen. De zitting was openbaar. Op de achterste rij, in een gemakkelijk sportjasje met een stropdas, zat Rollie Wedge.

Iedereen stond op toen Slattery binnenkwam. 'Gaat u zitten,' zei hij in de microfoon. 'U kunt beginnen,' instrueerde hij de stenografe. Vervolgens gaf hij een beknopte samenvatting van de eis en het betreffende wetsartikel en schetste hij het kader van de zitting. Hij was niet in de stemming voor uitvoerige argumenten en zinloze vragen. Opschieten dus, maande hij de advocaten.

'Is de eiser gereed?' vroeg hij in Adams richting.

Adam stond zenuwachtig op en zei: 'Jawel, Edelachtbare. De eiser roep dokter Anson Swinn op als getuige.'

Swinn kwam van de eerste rij en liep naar de getuigenbank, waar hij de eed aflegde. Adam stapte met zijn aantekeningen naar het podium in het midden van de rechtszaal en nam zich voor zijn huid duur te verkopen. Zijn aantekeningen waren keurig uitgetypt en zeer gedetailleerd – goed voorbereid en gedocumenteerd door Hez Kerry en John Bryan Glass. Zij hadden, samen met Kerry's medewerkers, de hele dag aan Sam Cayhall en deze zitting besteed. En ze waren bereid desnoods de hele nacht en de volgende dag door te werken.

Adam stelde Swinn eerst enkele inleidende vragen over zijn opleiding en achtergrond. Swinn had het accent van het Midden-Westen en dat kwam goed uit. Deskundigen moesten van verre komen en een andere tongval hebben, anders werden ze niet serieus genomen. Met zijn zwarte haar, zijn zwarte baard, zijn zwarte bril en zijn zwarte pak maakte hij inderdaad de indruk van een briljant expert op zijn gebied. De eerste vragen waren kort en zakelijk, maar alleen omdat de rechter Swinns antecedenten al had gecontroleerd en hem als getuige-deskundige had geaccepteerd. De tegenpartij kon Swinns antecedenten nog bij het kruisverhoor aanvallen, maar zijn verklaring zou in ieder geval worden genoteerd.

Ondervraagd door Adam gaf Swinn een verslag van het twee uur durende gesprek dat hij vorige week dinsdag met Sam Cayhall had gevoerd. Hij beschreef Sams fysieke conditie zo beeldend, dat Sam er als een levend lijk uit naar voren kwam. Vermoedelijk was Sam ontoerekeningsvatbaar, hoewel dat een juridische en geen medische term was. Sam had zelfs moeite met eenvoudige vragen als: Wat heb je bij het ontbijt gegeten? Wie zit er in de cel naast je? Wanneer is je vrouw gestorven? Wie was je advocaat bij het eerste proces? Enzovoort.

Swinn dekte zich handig in door het hof herhaaldelijk te verzekeren dat twee uur niet lang genoeg was voor een grondige diagnose. Daar had hij meer tijd voor nodig.

Naar zijn mening besefte Sam Cayhall niet dat hij op het punt stond te sterven of waarom. En het drong zeker niet tot hem door dat hij voor een misdrijf werd gestraft. Het ging Adam soms veel te ver, maar Swinn was bijzonder overtuigend. Sam Cayhall was rustig, op zijn gemak, en sleet zijn dagen in een kleine cel zonder enig besef van wat hem te wachten stond. Heel triest. Een van de ergste gevallen die hij ooit had meegemaakt.

In andere omstandigheden zou Adam zich hebben geschaamd om zich van zo'n onbetrouwbare getuige te bedienen, maar op dit moment was hij heel blij met dit bizarre mannetje. Er stond immers een mensenleven op het spel.

Slattery greep niet in en liet dr. Swinn zijn hele verhaal vertellen. Deze zaak zou onmiddellijk naar het Vijfde Circuit en misschien wel naar het Hooggerechtshof worden verwezen, en hij wilde zorgvuldig te werk gaan. Goodman vermoedde dat al en had Swinn daarom opdracht gegeven zo lang mogelijk aan het woord te blijven. Met toestemming van het hof verdiepte Swinn zich in de mogelijke oorzaken van Sams problemen. Hij beschreef de zware opgave om drieëntwintig uur per dag in een cel te moeten zitten, het besef dat de gaskamer maar op een steenworp afstand lag, het ontbreken van menselijk gezelschap, goed eten, seks, lichaamsbeweging, frisse lucht. Hij had genoeg ervaring met ter dood veroordeelden in het hele land en kende hun problemen goed. Sam was natuurlijk een apart geval vanwege zijn leeftijd. De gemiddelde bewoner van de dodengang was eenendertig jaar oud en wachtte vier jaar op zijn dood. Sam was zestig toen hij in Parchman aankwam. Fysiek en psychisch was hij er niet tegen bestand geweest. Natuurlijk was het snel bergafwaarts met hem gegaan.

Swinn werd drie kwartier door Adam ondervraagd. Toen hij

geen vragen meer had, ging hij zitten. Steve Roxburgh marcheerde naar het podium en keek Swinn doordringend aan. Swinn wist wat er komen ging, maar hij was totaal niet onder de indruk. Roxburgh vroeg hem eerst wie hem voor zijn deskundige mening betaalde en hoeveel dat kostte. De rekening werd voldaan door Kravitz & Bane, antwoordde Swinn, en zij betaalden hem tweehonderd dollar per uur. Geen punt. Er zat geen jury om een oordeel uit te spreken en Slattery wist dat alle deskundigen werden betaald, anders kwamen ze niet. Roxburgh probeerde Swinns professionele antecedenten aan te vallen, maar daar kwam hij niet verder mee. De man was een goed opgeleide, ervaren psychiater. Wat maakte het uit of hij een paar jaar geleden had besloten dat hij meer geld kon verdienen als getuige-deskundige? Dat deed aan zijn kwalificaties niets af. En Roxburgh kon geen medische discussie van hem winnen.
Het werd nog vreemder toen Roxburgh informeerde naar andere processen waarin Swinn had getuigd, zoals het geval van een jongen die bij een verkeersongeluk in Ohio ernstig was verbrand. Swinn had verklaard dat het kind psychisch gestoord was geraakt. Bepaald geen extreme diagnose.
'Waar wilt u eigenlijk naartoe?' onderbrak Slattery hem luid.
Roxburgh keek op zijn aantekeningen en zei: 'Edelachtbare, we proberen de geloofwaardigheid van deze getuige in twijfel te trekken.'
'Ja, dat weet ik. Maar dat lukt niet, meneer Roxburgh. Dit hof weet al dat deze deskundige bij processen overal in het land heeft getuigd. Wat wilt u nou eigenlijk?'
'Wij willen aantonen dat hij voor geld bereid is de vreemdste verklaringen af te leggen.'
'Dat doen advocaten iedere dag, meneer Roxburgh.'
Op de publieke tribune werd gedempt gelachen.
'Ik ben hier niet in geïnteresseerd,' snauwde Slattery. 'Gaat u door, alstublieft.'
Roxburgh had beter kunnen gaan zitten, maar daar voelde hij zich te belangrijk voor. Hij waagde zich in het volgende mijnenveld en begon vragen te stellen over Swinns onderzoek van Sam. Daar kwam hij ook niet verder mee. Swinn pareerde iedere vraag met een handig antwoord dat zijn verklaring ondersteunde. Hij herhaalde nog eens zijn trieste beschrijving

van Sam. Roxburgh scoorde geen punten en liep ten slotte verslagen naar zijn stoel terug. Swinn mocht weer gaan zitten.
De volgende en laatste getuige van de eiser was een verrassing, hoewel Slattery hem al had toegelaten. Adam riep de heer E. Garner Goodman als getuige op.
Goodman legde de eed af en ging zitten. Adam vroeg hem naar de wijze waarop zijn kantoor Sam Cayhall had verdedigd en Goodman gaf een beknopte samenvatting van de zaak. Slattery wist het meeste al. Goodman glimlachte toen hij Sams pogingen beschreef om Kravitz & Bane te ontslaan.
'Wordt Sam Cayhall nog steeds bijgestaan door Kravitz & Bane?' vroeg Adam.
'Inderdaad.'
'En u bent in Jackson om aan deze zaak te werken?'
'Dat klopt.'
'Bent u van mening, meneer Goodman, dat Sam Cayhall zijn advocaten alles over de bomaanslag heeft verteld?'
'Nee, dat denk ik niet.'
Rollie Wedge ging rechtop zitten en luisterde gespannen.
'Kunt u dat toelichten?'
'Zeker. Er zijn altijd sterke aanwijzingen geweest dat Sam Cayhall bij de aanslag op Marvin Kramer en ook bij eerdere aanslagen hulp heeft gehad. Hij wilde daar nooit iets over zeggen tegen mij, zijn advocaat, en nog steeds wil hij er geen woord over kwijt. In dit stadium van de zaak is het van het grootste belang dat hij iets zegt, maar dat kan hij blijkbaar niet. Er zijn feiten die wij, als zijn advocaten, moeten weten maar die hij ons niet wil vertellen.'
Wedge was nerveus en opgelucht tegelijk. Sam hield voet bij stuk, maar zijn advocaten stelden alles in het werk.
Adam vroeg nog een paar dingen en ging toen zitten. Roxburgh had maar één vraag: 'Wanneer hebt u voor het laatst met Sam Cayhall gesproken?'
Goodman aarzelde en dacht even na. Hij kon het zich echt niet herinneren. 'Ik weet het niet precies. Twee of drie jaar geleden.'
'Twee of drie jaar? U bent toch zijn advocaat?'
'Ik ben een van zijn advocaten. Zijn belangrijkste raadsman is Adam Hall en hij heeft de afgelopen maand veel tijd met onze cliënt doorgebracht.'

Roxburgh had geen vragen meer en Goodman ging weer achter de tafel zitten.
'Roep uw eerste getuige maar, meneer Roxburgh,' zei Slattery.
'Wij roepen als getuige kolonel b.d. George Nugent,' verklaarde Roxburgh. Nugent werd uit de gang gehaald en naar de getuigenbank gebracht. Zijn olijfgroene broek en overhemd waren onberispelijk gestreken. Zijn schoenen glommen. Hij noemde zijn naam en functie. 'Een uur geleden was ik nog in Parchman,' zei hij met een blik op zijn horloge. 'Ik ben per helikopter hierheen gebracht.'
'Wanneer hebt u Sam Cayhall voor het laatst gezien?' vroeg Roxburgh.
'Om negen uur vanochtend is hij naar de Observatiecel gebracht. Daar heb ik hem gesproken.'
'Was hij geestelijk normaal, of zat hij in de hoek te kwijlen als een idioot?'
Adam wilde al protesteren, maar Goodman hield hem tegen.
'Hij was bijzonder alert,' zei Nugent gretig. 'Bij zijn volle verstand. Hij vroeg me waarom hij van de ene cel naar de andere werd overgeplaatst. Hij begreep wat er gebeurde. Hij vond het niet prettig, maar Sam vindt tegenwoordig nooit iets prettig.'
'Hebt u hem gisteren nog gezien?'
'Ja.'
'Kon hij toen met u praten of lag hij apathisch in zijn cel?'
'O, hij was heel spraakzaam.'
'Waar hebt u over gesproken?'
'Ik had een lijst van zaken die ik met Sam moest doornemen. Hij gedroeg zich erg vijandig en dreigde zelfs met lichamelijk geweld. Hij is een heel agressieve man met een scherpe tong. Toen hij wat rustiger was, hebben we gesproken over zijn laatste maaltijd, over zijn getuigen en wat we met zijn persoonlijke bezittingen moesten doen. Dat soort dingen. En over de executie.'
'Beseft hij dat hij zal worden terechtgesteld?'
Nugent barstte in lachen uit. 'Wat is dat nou voor een vraag?'
'Geef antwoord, alstublieft,' zei Slattery zonder een spoor van een glimlach.
'Natuurlijk weet hij dat. Hij weet precies wat er aan de hand is. Hij is niet gek. Hij beweerde dat de executie niet zou door-

gaan omdat zijn advocaten het zware geschut in stelling zouden brengen, zoals hij het noemde. Ze hebben dit allemaal in scène gezet.' Nugent maakte een handgebaar dat de hele rechtszaal omvatte.
Roxburgh vroeg naar Nugents eerdere gesprekken met Sam en de kolonel gaf uitvoerig antwoord. Hij scheen zich ieder woord te herinneren dat Sam de afgelopen weken had gesproken, vooral zijn snerende opmerkingen en zijn bijtende sarcasme.
Adam wist dat hij de waarheid sprak. Hij overlegde snel met Garner Goodman, maar ze besloten van een kruisverhoor af te zien. Daar zouden ze weinig mee bereiken.
Nugent marcheerde de rechtszaal uit. De man had een missie. Hij kon niet worden gemist in Parchman.
Roxburghs tweede getuige was dr. N. Stegall, de psychiater van het gevangeniswezen. Ze liep naar de getuigenbank terwijl Roxburgh nog met Morris Henry overlegde.
'Wat is uw naam?' vroeg Slattery.
'Dokter N. Stegall.'
'Ann?' vroeg Zijne Edelachtbare.
'Nee, N. Het is een voorletter.'
Slattery keek op haar neer en toen naar Roxburgh, die zijn schouders ophaalde alsof hij het ook niet wist.
De rechter boog zich nog verder naar voren en tuurde met half toegeknepen ogen naar de getuigenbank. 'Dokter, ik vroeg niet naar uw voorletter maar naar uw naam. Wilt u die nu noemen, en snel?'
Ze sloeg haar ogen neer, schraapte haar keel en zei met tegenzin: 'Neldeen.'
Geen wonder, dacht Adam. Waarom had ze die niet laten veranderen?
Roxburgh maakte van dat moment gebruik om haar een serie snelle vragen over haar kwalificaties en haar opleiding te stellen. Slattery had haar al als getuige toegelaten.
'Goed, dokter Stegall,' begon Roxburgh, zonder toespelingen op Neldeen. 'Wanneer hebt u Sam Cayhall ontmoet?'
Ze raadpleegde een vel papier. 'Op donderdag 26 juli.'
'En wat was het doel van dat gesprek?'
'Als onderdeel van mijn werk ga ik ook bij de ter dood veroordeelden op bezoek, zeker als er een executie nadert. Als

zij daarom vragen, zorg ik voor een behandeling en medicijnen.'
'Kunt u de psychische toestand van Sam Cayhall voor ons beschrijven?'
'Hij was bijzonder alert, heel intelligent en sarcastisch, bijna op het onbeschofte af. Hij bejegende mij zeer onheus en vroeg me niet meer terug te komen.'
'Sprak hij ook over zijn executie?'
'Ja. Hij wist dat hij nog dertien dagen te leven had en hij beschuldigde mij ervan dat ik hem medicijnen wilde geven om hem rustig te houden als het zover was. Hij was ook ongerust over een andere ter dood veroordeelde, Randy Dupree, met wie het volgens hem psychisch steeds slechter ging. Hij maakte zich daar grote zorgen over en veegde mij de mantel uit omdat ik hem niet had onderzocht.'
'Lijdt Sam Cayhall volgens u aan psychische stoornissen?'
'Absoluut niet. Hij is bij zijn volle verstand.'
'Geen vragen meer.' Roxburgh ging zitten.
Adam liep met vaste tred naar het podium. 'Vertel ons eens, dokter Stegall, hoe het nu met Randy Dupree gaat,' vroeg hij met luide stem.
'Ik... ik heb nog geen tijd gehad om hem te onderzoeken.'
'Sam heeft het u dertien dagen geleden gevraagd en u hebt nog geen tijd gehad?'
'Het was erg druk.'
'Hoe lang hebt u deze functie al?'
'Vier jaar.'
'En hoe vaak hebt u in die vier jaar met Sam Cayhall gesproken?'
'Eén keer.'
'U hebt niet veel belangstelling voor de mensen in de dodencellen, is het wel, dokter Stegall?'
'Dat is niet waar.'
'Hoeveel mensen zitten er op dit moment in de dodencellen?'
'Eh, dat weet ik niet precies. Een stuk of veertig, dacht ik.'
'En met hoeveel van hen hebt u gesproken? Noemt u eens een paar namen.'
Of het nu angst, woede of onwetendheid was, niemand wist het, maar Neldeen verstijfde. Ze maakte een grimas en hield haar hoofd schuin, wanhopig zoekend naar een naam, maar

tevergeefs. Adam liet haar even bungelen en zei toen: 'Dank u, dokter Stegall.' Hij draaide zich om en liep langzaam naar zijn stoel.

'Uw volgende getuige, graag,' zei Slattery.

'Wij roepen als getuige brigadier Clyde Packer.'

Packer werd uit de gang gehaald. Hij was nog in uniform, maar zonder wapen. Hij zwoer de waarheid te spreken en nam zijn plaats in de getuigenbank in.

Adam was niet verbaasd over het effect van Packers getuigenverklaring. Hij was een eerlijk man die gewoon vertelde wat hij had gezien. Hij kende Sam al negen jaar, zei hij, en Sam was geen steek veranderd sinds hij in Parchman was aangekomen. De hele dag zat hij brieven en juridische stukken te typen of boeken te lezen, vooral op juridisch gebied. Hij stelde verzoeken op voor zijn makkers in de dodengang en schreef brieven aan vrouwen en vriendinnen voor sommige gedetineerden die niet konden lezen en schrijven. Hij was een kettingroker omdat hij wilde sterven voordat de overheid hem kon doden. Hij leende geld aan vrienden. Naar Packers bescheiden mening was Sam geestelijk prima in orde, net als negen jaar geleden. Hij had een goed verstand en was vlug van begrip.

Slattery leunde wat dichter naar de rand van zijn tafel toen Packer Sams dagelijkse partijtjes dammen met Henshaw en Gullitt beschreef.

'En wint hij?' onderbrak Zijne Edelachtbare hem.

'Bijna altijd.'

Het keerpunt van de zitting was misschien wel het moment waarop Packer vertelde dat Sam nog één keer een zonsopgang had willen zien. Hij had het eind vorige week gevraagd, toen Packer zijn ochtendronde maakte. Het was een rustig verzoek. Sam wist dat hij ging sterven en zei dat hij bereid was, maar dat hij nog graag een keer 's ochtends vroeg naar de luchtplaats aan de oostkant zou gaan om de zon te zien opkomen. Packer had het voor hem geregeld en afgelopen zaterdag had Sam daar een uurtje koffie zitten drinken, wachtend op de zon. Hij was Packer erg dankbaar geweest.

Adam had geen vragen aan Packer. De brigader mocht gaan en verliet de zaal.

Als volgende getuige riep Roxburgh de gevangenisdominee,

Ralph Griffin. De dominee werd naar de getuigenbank gebracht en keek ongelukkig om zich heen. Hij noemde zijn naam en functie en wierp een wantrouwende blik op Roxburgh.
'Kent u Sam Cayhall?' vroeg Roxburgh.
'Ja.'
'Hebt u recent met hem gesproken?'
'Ja.'
'Wanneer voor het laatst?'
'Gisteren. Zondag.'
'En hoe zou u zijn psychische toestand omschrijven?'
'Dat kan ik niet.'
'Pardon?'
'U vroeg of ik zijn psychische toestand wilde beschrijven. Dat kan ik niet, zei ik.'
'Waarom niet?'
'Omdat ik op dit moment zijn geestelijk leidsman ben en alles wat hij in mijn aanwezigheid doet of zegt dus vertrouwelijk is. Ik kan niet getuigen tegen Sam Cayhall.'
Roxburgh aarzelde even en dacht na over zijn volgende stap. Het was wel duidelijk dat hij en zijn geleerde adviseurs hier niet aan hadden gedacht. Misschien gingen ze ervan uit dat de dominee wel zou meewerken omdat hij in dienst was van de overheid.
Griffin wachtte op de aanval van Roxburgh, maar Slattery greep in. 'Een zeer goed punt, meneer Roxburgh. Deze getuige hoort hier niet te zijn. Wie volgt?'
'Ik heb geen getuigen meer,' antwoordde de procureur, blij dat hij het podium kon verlaten en naar zijn plaats terug mocht.
Zijne Edelachtbare maakte uitvoerig aantekeningen en liet zijn blik toen door de uitpuilende rechtszaal dwalen. 'Ik zal deze zaak in overweging nemen en een uitspraak doen, waarschijnlijk morgenochtend vroeg. Zodra ik mijn besluit genomen heb, zal ik de advocaten en de procureur daarvan in kennis stellen. U hoeft hier niet te blijven. U hoort nog van ons. De zitting is geschorst.'
Iedereen stond op en de zaal stroomde leeg. Adam hield dominee Ralph Griffin staande en bedankte hem. Toen liep hij terug naar zijn tafel, waar Goodman, Hez Kerry, professor

Glass en de studenten zaten te wachten. Ze overlegden tot iedereen verdwenen was en vertrokken toen zelf ook. Iemand stelde een borrel en een hapje eten voor. Het was bijna negen uur.
Buiten de rechtszaal stonden verslaggevers te wachten. Adam gaf een paar beleefde, nietszeggende antwoorden en liep toen door. Rollie Wedge sloot zich bij Adam en Goodman aan toen ze zich door de menigte in de gang wrongen en verdween op het moment dat ze het gebouw verlieten.
De camera's stonden al klaar. Op de trappen van de rechtbank sprak Roxburgh een stel reporters toe. Even verderop, op de stoep, deed de gouverneur hetzelfde. Toen Adam voorbijliep, hoorde hij McAllister zeggen dat gratie tot de mogelijkheden behoorde en dat het een lange nacht zou worden – en morgen een nog zwaardere dag. Zou hij bij de executie aanwezig zijn, wilde iemand weten. Adam hoorde het antwoord niet meer.

Ze gingen naar Hal and Mal's, een populair restaurant en café in het centrum. Hez vond een grote tafel in een hoek aan de voorkant en bestelde een rondje bier. Achterin speelde een bluesband. Het was druk in de eetzaal en de bar.
Adam ging in de hoek zitten, naast Hez, en kon zich voor het eerst in uren wat ontspannen. Hij sloeg het bier snel achterover. Het maakte hem wat rustiger. Ze bestelden rode bonen met rijst en praatten over de zitting. Hez vond dat Adam het uitstekend had gedaan en de rechtenstudenten waren onder de indruk. De stemming was optimistisch. Adam bedankte hen voor hun hulp. Goodman en Glass zaten aan de andere kant van de tafel, druk in gesprek over een ander doodvonnis. De tijd verstreek langzaam en Adam at met smaak.
'Dit is misschien niet het geschikte moment,' zei Hez zachtjes tegen Adam. Hij wilde niet dat de anderen het zouden horen. De band speelde nog luider.
'Ik neem aan dat je naar Chicago teruggaat als dit achter de rug is,' vervolgde hij, met een blik naar Goodman om zich ervan te overtuigen dat hij nog met Glass in gesprek was.
'Ik denk het wel,' zei Adam zonder overtuiging. Hij dacht niet veel verder dan morgen.
'Als je geïnteresseerd bent... wij hebben een vacature. Een van

mijn medewerkers begint een eigen praktijk en we zoeken een nieuwe advocaat. We houden ons alleen met ter dood veroordeelden bezig, dat weet je.'
'Je hebt gelijk,' zei Adam zacht. 'Dit is niet het geschikte moment.'
'Het is geen eenvoudig werk, maar het geeft wel voldoening. Het is vaak heel verdrietig, maar het is wel noodzakelijk.' Hij kauwde op een worstje en spoelde het weg met bier. 'Het verdient niet veel, vergeleken bij het salaris dat je nu krijgt. Een krappe begroting, lange dagen en veel cliënten.'
'Hoeveel?'
'Je kunt beginnen met dertigduizend dollar.'
'Ik verdien nu tweeënzestig en dat zal wel meer worden.'
'Ik weet het. Ik verdiende zeventigduizend bij een groot kantoor in Washington toen ik besloot dit werk te gaan doen. Ik stond op de nominatie om vennoot te worden, maar toch had ik er geen moeite mee. Geld is niet alles.'
'Heb je plezier in dit werk?'
'Je komt er niet meer van los. Er is een sterke morele overtuiging voor nodig om op deze manier tegen het systeem te vechten. Denk er maar eens over na.'
Goodman keek hun kant op. 'Rijd je vanavond nog naar Parchman?' vroeg hij boven de muziek uit.
Adam dronk zijn tweede glas leeg. Hij lustte nog wel een biertje, maar meer ook niet. Hij voelde zich moe. 'Nee, ik wacht wel tot we morgenochtend iets horen.'
Hij at en dronk en luisterde naar de verhalen van Goodman, Glass en Kerry over andere executies. De glazen werden nog eens bijgevuld en de stemming werd steeds optimistischer. Ze hadden er alle vertrouwen in.

Sam lag in het donker op middernacht te wachten. Hij had het late nieuws gezien en gehoord dat de zitting voorbij was en dat de klok gewoon verdertikte. Hij had geen uitstel gekregen. Zijn leven lag nog steeds in de handen van een federale rechter.
Eén minuut na middernacht sloot hij zijn ogen en zei een gebed. Hij vroeg God om Lee te helpen met haar problemen, om Carmen te steunen en om Adam de kracht te geven het onvermijdelijke te dragen.

Hij had nog vierentwintig uur te leven. Hij vouwde zijn handen over zijn borst en viel in slaap.

47

Nugent wachtte tot exact half acht voordat hij de deur dichtdeed en de vergadering opende. Hij liep naar de voorkant van het zaaltje en inspecteerde de troepen. 'Ik kom zojuist van de Maximaal Beveiligde Afdeling,' zei hij somber. 'De veroordeelde is wakker en volledig bij zijn positieven – geen seniele zombie, zoals we vanochtend in de krant konden lezen.' Hij zweeg en glimlachte om zijn eigen geestigheid. Hij was de enige.

'Hij heeft al ontbeten en zit zelfs te kankeren dat hij langer naar buiten wil. Dus één ding is hier tenminste normaal. We hebben nog niets gehoord van het federale hof in Jackson, en zolang we geen andere berichten krijgen, gaat alles gewoon door. Zo is het toch, meneer Mann?'

Lucas zat aan de lange tafel aan de voorkant. Hij las de krant en probeerde de kolonel te negeren. 'Klopt.'

'Er zijn twee punten van zorg. Om te beginnen de pers. Ik heb brigadier Moreland hier aangewezen om de journalisten onder de duim te houden. We zullen ze overbrengen naar het Bezoekerscentrum binnen de poort en proberen ze daar te houden. We zetten er bewaking omheen, zodat niemand op eigen houtje kan gaan zwerven. Om vier uur vanmiddag zal ik door loting de verslaggevers aanwijzen die bij de executie aanwezig mogen zijn. Gisteren stonden er al meer dan honderd namen op de lijst. Er zijn vijf plaatsen te vergeven.

Het tweede probleem is de situatie buiten de poort. De gouverneur heeft ons nog eens drie dozijn politiemensen beloofd voor vandaag en morgen. Ze kunnen ieder moment hier zijn. We moeten afstand houden van de demonstranten, met name van idioten zoals die skinheads. Maar we moeten tegelijkertijd de orde handhaven. Gisteren zijn er al twee vechtpartijen uitgebroken. Als we niet hadden ingegrepen, had de toestand uit de hand kunnen lopen. Als de terechtstelling doorgaat, kunnen we nog meer spanningen verwachten. Zijn er nog vragen?'

Geen vragen.
'Goed. Ik verwacht dat iedereen zich vandaag professioneel zal gedragen en deze zaak op ordelijke wijze zal laten verlopen. Ingerukt.' Hij salueerde en keek zijn mensen trots na toen ze de zaal verlieten.

Sam zat schrijlings op het bankje en nam een slok van zijn koude koffie. Het dambord stond voor hem en hij wachtte op J.B. Gullitt.
Even later stapte Gullitt de luchtplaats op en bleef staan tot hij van zijn handboeien was bevrijd. Hij masseerde zijn polsen, beschutte zijn ogen tegen de zon en keek naar zijn vriend die in zijn eentje zat te wachten. Toen liep hij naar het bankje en ging aan de andere kant van het dambord zitten.
Sam keek niet op.
'Is er nog goed nieuws, Sam?' vroeg Gullitt zenuwachtig. 'Zeg me dat het niet gaat gebeuren.'
'Doe maar een zet,' zei Sam, die strak naar de damschijven keek.
'Het kan toch niet ècht gebeuren, Sam?' drong Gullitt aan.
'Jij mag beginnen. Schiet nou maar op.'
Langzaam liet Gullitt zijn blik zakken naar het bord.

Hoe langer het duurde, des te groter was de kans dat Slattery tot uitstel zou besluiten. Dat was de algemene opinie die ochtend. Maar de wens was de vader van de gedachte. Het werd negen uur, toen half tien, en nog steeds had Slattery geen uitspraak gedaan.
Adam wachtte in het kantoor van Hez Kerry, dat de afgelopen vierentwintig uur tot actiecentrum was gebombardeerd. Goodman zat aan de andere kant van de stad bij zijn studenten, die nog steeds de hotline van de gouverneur bestookten. Goodman had er veel plezier in, dat was duidelijk. John Bryan Glass had zich bij Slattery's kantoor geposteerd.
Als Slattery geen uitstel zou verlenen, zouden ze onmiddellijk beroep aantekenen bij het Vijfde Circuit. Om negen uur lagen de stukken al klaar. Kerry had zelfs een petitie opgesteld aan het federale Hooggerechtshof, voor het geval het Vijfde Circuit ook negatief zou beslissen. De papieren wachtten. Iedereen wachtte.

Om de tijd te doden begon Adam maar te bellen. Hij belde Carmen in Berkeley. Ze lag nog te slapen en alles was in orde. Hij belde Lee's appartement, maar kreeg geen gehoor. Hij belde het kantoor van Phelps en sprak met een secretaresse. Hij belde Darlene om te zeggen dat hij geen idee had wanneer hij terug zou zijn. Hij belde McAllisters privé-nummer, maar dat was in gesprek. Goodman en zijn studenten?
Hij belde Sam en deed verslag over de zitting van de vorige avond, met veel nadruk op de rol van dominee Ralph Griffin. Packer had ook getuigd, vertelde hij, en de zuivere waarheid gesproken. Nugent had zich natuurlijk weer als een klootzak gedragen. Hij zei tegen Sam dat hij om een uur of twaalf naar Parchman zou komen. Sam vroeg of hij haast wilde maken.
Tegen elf uur werd de naam Slattery door iedereen hartgrondig vervloekt. Adam had er genoeg van. Hij belde Goodman en zei dat hij naar Parchman zou vertrekken. Hij nam afscheid van Hez Kerry en bedankte hem nog eens.
Toen reed hij haastig weg, de stad uit, in noordelijke richting over Highway 49. Parchman was twee uur rijden als hij zich aan de maximumsnelheid hield. Op de radio vond hij een actualiteitenzender die twee keer per uur het laatste nieuws beloofde, en luisterde naar een eindeloze discussie over casino's in Mississippi. Om half twaalf was er nog steeds niets te melden over de zaak Cayhall.
Hij reed ruim honderdtwintig en haalde overal in waar het niet mocht. Hij racete door kleine stadjes en dorpen, hoewel hij zelf niet wist waarom hij zo'n haast had. Wat kon hij in Parchman nog doen? Het juridische gevecht speelde zich af in Jackson. Hij kon alleen bij Sam zitten en de uren aftellen. Of misschien een feestje vieren als het federale hof met een mooie verrassing kwam.
In het dorpje Flora stopte hij om te tanken en een flesje vruchtesap te kopen. Hij reed juist weer weg toen hij het nieuws op de radio hoorde. De verveelde, lusteloze presentator van het praatprogramma leefde helemaal op toen hij de laatste ontwikkelingen voorlas. Rechter Flynn Slattery van het federale arrondissementshof had zojuist de laatste twee eisen van Sam Cayhall – waaronder het argument van ontoerekeningsvatbaarheid – verworpen. Binnen het uur zouden

Cayhalls advocaten in beroep gaan bij het Vijfde Circuit. Sam Cayhall had zojuist een reusachtige stap in de richting van de gaskamer gezet, besloot de presentator dramatisch.
In plaats van gas te geven, remde Adam af tot een redelijke snelheid en dronk uit zijn flesje. Hij zette de radio uit en draaide zijn raampje open, zodat de warme lucht door de auto kon circuleren. Een paar kilometer lang zat hij op Slattery te vloeken en slingerde hij de grofste scheldwoorden naar de voorruit. Het was al over twaalven. Slattery had die beslissing ook vijf uur geleden kunnen nemen. Sterker nog, met een beetje lef had hij gisteravond al uitspraak kunnen doen. Dan hadden ze nu al voor het Vijfde Circuit kunnen staan. Voor de goede orde schold hij Breck Jefferson ook nog uit.
Sam had hem vanaf het eerste begin gezegd dat Mississippi een executie wilde omdat het een achterstand had op Louisiana, Texas en Florida – zelfs op Alabama, Georgia en Virginia, waar veel meer veroordeelden naar de gaskamer of de elektrische stoel werden gestuurd. Dus moest er iets gebeuren. De criminaliteit rees de pan uit. Het werd tijd om iemand te executeren om de rest van het land te laten zien dat Mississippi de strijd tegen de misdaad serieus nam.
Eindelijk geloofde Adam hem.
Na een tijdje hield hij op met vloeken. Hij dronk zijn flesje leeg en gooide het uit het raampje in een greppel, zonder zich te storen aan de wetten tegen straatvervuiling. Op dit moment had hij grote moeite met de wet van Mississippi.
In gedachten zag hij Sam in zijn cel voor de televisie zitten toen het nieuws bekend werd gemaakt.
Adam had innig medelijden met de oude man. Hij had als advocaat gefaald. Zijn cliënt zou door de staat worden terechtgesteld zonder dat hij nog iets kon doen.

Het nieuws veroorzaakte grote activiteit onder de reporters en cameramensen die zich nu hadden verzameld in het Bezoekerscentrum achter de poort. Ze stonden om draagbare televisies heen en keken naar de uitzendingen van hun stations in Jackson en Memphis. Minstens vier cameraploegen waren bezig met rechtstreekse verslagen vanuit Parchman, terwijl de rest haastig heen en weer liep. Hun terrein was af-

gezet met touwen en versperringen en werd door Nugents troepen scherp bewaakt.
Ook langs de aanvoerweg nam de drukte toe zodra het nieuws bekend werd. De Klan-leden, inmiddels honderd man sterk, begonnen leuzen te roepen in de richting van het administratiegebouw. De skinheads, de neo-nazi's en de ariërs brulden obsceniteiten tegen iedereen die maar wilde luisteren. De nonnen en andere rustige demonstranten bleven zwijgend onder hun parasols zitten en probeerden hun luidruchtige buren te negeren.
Sam hoorde het nieuws toen hij een bord groene rapen zat te eten, zijn laatste gewone maaltijd voor zijn allerlaatste maal. Hij staarde naar het scherm en zag de beelden uit Jackson en Parchman. Een jonge zwarte advocaat die hij niet kende sprak met een journalist en vertelde wat hij en Cayhalls andere advocaten van plan waren.
Zijn vriend Buster Moac had ooit geklaagd dat er tegen het eind zoveel advocaten hadden rondgelopen dat hij niet meer wist wie er vóór of tegen hem was. Maar Sam was ervan overtuigd dat Adam de touwtjes nog steeds in handen had.
Hij at zijn bord leeg en zette het op het blad aan het voeteneind van zijn bed. Toen liep hij naar de tralies en trok zijn lip op tegen de zwarte bewaarder die hem van achter de gangdeur in het oog hield. Het was stil op de gang. In alle cellen stond de televisie aan, heel zacht. De andere gevangenen volgden het nieuws met morbide belangstelling. Niemand zei iets, en dat was op zich al heel bijzonder.
Voor het laatst trok hij zijn rode trainingspak uit en smeet het in een prop naar de hoek. Hij schopte zijn rubberen badslippers onder het bed om ze nooit meer terug te zien. Toen legde hij netjes zijn nieuwe kleren op het bed, knoopte langzaam het overhemd met korte mouwen los en trok het aan. Het paste goed. Hij stak zijn benen in de stugge werkbroek, ritste de gulp omhoog en knoopte de broeksband dicht. De pijpen waren vijf centimeter te lang. Sam ging op bed zitten en sloeg ze keurig om. De katoenen sokken waren dik en comfortabel. De schoenen waren wat te groot, maar hij kon er goed op lopen. De riem was nogal lang en stijf, maar wat maakte het uit? De sensatie om weer echte kleren te dragen bracht opeens allerlei pijnlijke herinneringen aan de vrije wereld bij hem bo-

ven. Dit soort broeken had hij veertig jaar gedragen, tot hij in de gevangenis was beland. Hij kocht ze altijd bij de oude kledingzaak op het plein in Clanton. Meestal had hij er vier of vijf in reserve, die hij bewaarde in de onderste la van zijn grote klerenkast. Zijn vrouw waste ze zonder stijfsel, en na zes keer wassen voelden ze net als een oude pyjama. Hij droeg ze bij zijn werk en hij droeg ze naar de stad. Hij droeg ze als hij met Eddie ging vissen en als hij op de veranda met de kleine Lee op schoot zat. Hij droeg ze naar de koffieshop en naar bijeenkomsten van de Klan. Hij had ze zelfs gedragen bij die noodlottige rit naar Greenville om een aanslag te plegen op het kantoor van die radicale jood.

Hij ging op bed zitten en kneep in de scherpe vouwen onder zijn knie. Het was negen jaar en vijf maanden geleden dat hij zo'n broek en overhemd voor het laatst had gedragen. De juiste kleren voor de gaskamer, vond hij zelf.

Ze zouden van zijn lichaam worden gesneden, in een zak gepropt en verbrand.

Adam liep eerst langs het kantoor van Lucas Mann. Louise bij de poort had hem een briefje gegeven met de mededeling dat het dringend was. Mann deed de deur achter hem dicht en bood hem een stoel aan. Adam bedankte. Hij wilde zo snel mogelijk naar Sam.

'Het Vijfde Circuit heeft het appèl een half uur geleden ontvangen,' zei Mann. 'Ik dacht dat je misschien hier wilde bellen.'

'Bedankt. Ik bel wel bij Sam.'

'Goed. Ik heb ieder half uur contact met het kantoor van de procureur. Als ik nog iets hoor, bel ik je wel.'

'Bedankt.' Adam wilde weg.

'Wil Sam nog een laatste maal?'

'Ik zal het hem vragen.'

'Goed. Bel mij maar, of zeg het tegen Packer. En de getuigen?'

'Sam wil geen getuigen.'

'Jou ook niet?'

'Nee. Hij vindt het niet goed. We hebben het al een tijd geleden besproken.'

'Goed. Verder weet ik niets te bedenken. Ik heb een fax en

een telefoon. Misschien wordt het nu wat rustiger. Je kunt altijd mijn kantoor gebruiken als je wilt.'
'Bedankt,' zei Adam en hij vertrok. Langzaam reed hij naar de dodengang en parkeerde voor de laatste keer op het kale veldje bij het hek. Rustig liep hij naar de wachttoren en legde zijn sleuteltjes in de emmer.
Nog maar vier weken geleden had hij hier voor het eerst gestaan, die rode emmer omlaag zien komen en bedacht hoe primitief maar effectief dat systeem was. Vier weken maar! Het leken wel jaren.
Hij wachtte bij het dubbele hek. Tiny liet hem binnen.
Sam zat al in het kantoortje, op de rand van het bureau, en bewonderde zijn schoenen. 'Moet je die kleren zien!' zei hij trots toen Adam binnenkwam.
Adam stapte op hem af en nam hem van hoofd tot voeten op. Sam straalde. Hij was gladgeschoren. 'Netjes. Heel netjes.'
'Pico bello, waar of niet?'
'Je ziet er heel goed uit, Sam. Heeft Donnie ze voor je gekocht?'
'Ja. Bij een goedkope zaak. Eerst wilde ik echte mode uit New York bestellen, maar ach, wat geeft het? Het is maar een executie. Ik zei je toch dat ik ze niet de lol zou gunnen om me in dat rode apepakkie te vergassen? Een uurtje geleden heb ik het uitgetrokken en ik trek het nooit meer aan. Dat was wel een lekker gevoel, Adam, dat moet ik toegeven.'
'Heb je het laatste nieuws al gehoord?'
'Ja. Het was op de televisie. Jammer van die zitting.'
'We zijn meteen naar het Vijfde Circuit gegaan. Daar hebben we veel meer kans. Ik zie het wel zitten.'
Sam glimlachte en keek hem niet aan, alsof de kleine jongen zijn grootvader een onschuldig leugentje vertelde. 'Vanmiddag was er een zwarte advocaat op de tv die zei dat hij voor mij werkte. Wat gebeurt er allemaal?'
'Dat zal Hez Kerry zijn geweest.' Adam legde zijn koffertje op het bureau en ging zitten.
'Betaal ik die ook?'
'Ja, Sam, hetzelfde tarief als mij.'
'Ik vraag het maar. Die geflipte dokter, hoe heet hij ook alweer, Swinn... die heeft zeker een mooi verhaal over me opgehangen?'

'Het was heel triest, Sam. Toen hij uitgesproken was, dacht de hele zaal dat je kwijlend door je cel kroop en op de vloer plaste.'
'Nou, het duurt niet lang meer voordat ze me uit mijn lijden zullen verlossen.' Sams woorden klonken krachtig en luid, bijna uitdagend, zonder een spoor van angst. 'Hoor eens, ik wil je nog wat vragen,' zei hij, terwijl hij een envelop pakte.
'Wat nu weer?'
Sam gaf hem de envelop. 'Ga hiermee naar de ingang en zoek de leider van dat stel Kluckers bij de poort. Lees hem deze brief voor en probeer de televisie erbij te halen, want ik wil dat de mensen dit horen.'
Adam pakte de brief wantrouwend aan. 'Wat staat erin?'
'Het is kort en zakelijk. Ik vraag of ze allemaal naar huis willen gaan en me met rust willen laten, zodat ik in vrede kan sterven. Van sommige van die groepen heb ik nog nooit gehoord en ze gebruiken mijn dood alleen om publiciteit te krijgen.'
'Je kunt ze niet dwingen om weg te gaan.'
'Dat weet ik. Ik denk ook niet dat ze zullen vertrekken. Maar op de televisie lijkt het net of het mijn vrienden zijn, terwijl ik helemaal niemand van dat zootje ken.'
'Ik weet niet of dat nu wel een goed idee is.' Adam dacht hardop.
'Waarom niet?'
'Omdat we op dit moment het Vijfde Circuit proberen te overtuigen dat jij niet toerekeningsvatbaar bent en dus onmogelijk zo'n brief kan hebben geschreven.'
Sam werd plotseling kwaad. 'Vervloekte advocaten!' snauwde hij. 'Geven jullie het dan nooit op? Hou toch op met die spelletjes, Adam! Het is voorbij.'
'Dat is het niet.'
'Wat mij betreft wel. Neem die klotebrief nou maar mee en doe wat ik je vraag.'
'Nu meteen?' vroeg Adam, met een blik op zijn horloge. Het was half twee.
'Ja, nu meteen. Ik wacht op je.'

Adam parkeerde naast het wachthokje bij de poort en vertelde Louise wat de bedoeling was. Hij was doodzenuwach-

tig. Louise keek sceptisch naar de witte envelop in zijn hand en riep twee bewaarders in uniform. Ze escorteerden Adam door de poort en brachten hem naar de demonstranten. Een paar reporters herkenden Adam en dromden onmiddellijk om hem heen. Maar hij liep snel langs het hek en negeerde hun vragen. Adam was bang maar vastbesloten, en de aanwezigheid van de bewaarders stelde hem gerust.
Hij liep rechtstreeks naar de blauw-witte zonnetent die het hoofdkwartier vormde van de Klan. Toen hij daar aankwam stond een delegatie in witte pijen hem al op te wachten. De pers omringde hen – Adam, zijn beschermers en de Kluckers.
'Wie heeft hier de leiding?' vroeg Adam. Hij hield zijn adem in.
'En wie ben jij?' vroeg een forse jongeman met een zwarte baard en een roodverbrand gezicht. Het zweet droop van zijn wenkbrauwen toen hij naar voren stapte.
'Ik heb hier een verklaring van Sam Cayhall,' zei Adam luid. De omstanders drongen nog verder op. Camera's klikten en verslaggevers hielden microfoons en recorders onder zijn neus.
'Stil!' riep iemand.
'Acheruit!' snauwde een van de bewaarders.
Een fanatiek groepje Klan-leden in witte pijen maar grotendeels zonder masker verzamelde zich voor Adam. Hij herkende niemand van zijn confrontatie van afgelopen vrijdag. Deze knapen maakten bepaald geen vriendelijke indruk.
Het tumult op het grasveld verstomde enigszins toen de menigte om Sams advocaat heen dromde om zijn verklaring te horen.
Adam haalde het briefje uit de envelop en hield het in twee handen. 'Mijn naam is Adam Hall en ik ben de raadsman van Sam Cayhall. Dit is een bericht van Sam,' herhaalde hij. 'Het draagt de datum van vandaag en is gericht aan alle leden van de Ku-Klux-Klan en andere groepen die hier uit zijn naam demonstreren. De tekst luidt als volgt: "Wilt u alstublieft vertrekken. Uw aanwezigheid hier biedt mij geen enkele troost. U gebruikt mijn executie als een middel om uw eigen doel te dienen. Ik ken niemand van u en ik wil u ook niet ontmoeten. Vertrek zo snel mogelijk. Ik sterf liever

zonder uw capriolen aan de poort.'"
Adam keek naar de norse gezichten van de Klan-leden, die allemaal stonden te zweten van de hitte. 'De laatste alinea luidt: "Ik ben niet langer lid van de Ku-Klux-Klan. Ik verwerp die organisatie en alles waar zij voor staat. Ik zou vandaag nog een vrij man zijn als ik nooit van de Ku-Klux-Klan had gehoord." Het is ondertekend door Sam Cayhall.' Adam hield de brief omhoog. De Kluckers staarden hem stomverbaasd en sprakeloos aan.
De man met de zwarte baard en het roodverbrande gezicht deed een uitval naar Adam om de brief te grijpen. 'Geef hier!' riep hij, maar Adam griste de brief weg. De bewaarder rechts van hem stapte snel naar voren om de Klucker de weg te versperren en er ontstond een schermutseling tussen Adams lijfwachten en enkele Klan-leden. Andere bewaarders hadden de zaak in het oog gehouden en grepen onmiddellijk in om de orde te herstellen. De menigte droop af.
Adam grijnsde smalend naar de Kluckers. 'Wegwezen, jullie!' riep hij. 'Je hebt gehoord wat hij zei. Hij schaamt zich voor jullie!'
'Val dood, man!' riep de leider terug.
De twee bewaarders grepen Adam bij zijn arm en namen hem mee voordat hij hen nog verder kon provoceren. Snel liepen ze terug naar de poort en duwden de reporters en cameramensen opzij. Ze renden zowat de poort binnen, langs een kordon van andere bewaarders en nog meer verslaggevers, tot ze Adams auto hadden bereikt.
'Wilt u hier niet meer terugkomen?' vroeg een van de bewaarders dringend.

Van McAllisters kantoor was bekend dat het meer lekken vertoonde dan een oud toilet. Dinsdag aan het begin van de middag deed in heel Jackson het gerucht de ronde dat de gouverneur serieus aan gratie voor Sam Cayhall dacht. Dat verhaal drong snel vanuit het Capitool tot de verzamelde journalisten door, waarna het door andere verslaggevers en omstanders voor waar werd aangenomen. Binnen een uur was het al bijna een vaststaand feit.
Mona Stark ontving de journalisten in de perskamer en beloofde dat de gouverneur later met een verklaring zou ko-

men. De rechters waren nog niet klaar met de zaak, zei ze erbij. En inderdaad, de gouverneur stond onder grote druk.

48

Het Vijfde Circuit had er nog geen drie uur voor nodig om de laatste eisen van Sams advocaten te verwerpen en naar het federale Hooggerechtshof te verwijzen. Om drie uur vond er een korte telefonische bespreking plaats. Hez Kerry en Garner Goodman reden snel naar Roxburghs kantoor tegenover het Capitool. De procureur had een moderne centrale waarmee hij zichzelf, Goodman, Kerry, Adam en Lucas Mann in Parchman, rechter Robichaux in Lake Charles, rechter Judy in New Orleans en rechter McNeely in Amarillo, Texas, met elkaar kon verbinden. De commissie van drie rechters vroeg Adam en Roxburgh naar hun argumenten en schorste de bespreking toen voor onderling overleg. Om vier uur belde de griffier alle partijen met de afwijzing, die even later per fax werd verstuurd. Kerry en Goodman faxten onmiddellijk hun appèl aan het Hooggerechtshof in Washington.
Sam onderging juist zijn laatste medische onderzoek toen Adam met de griffier overlegde. Hij legde de telefoon neer en draaide zich langzaam om. Sam staarde nijdig naar de jonge, angstige dokter die zijn bloeddruk opnam. Packer en Tiny waren op verzoek van de arts in de buurt gebleven. Het kantoortje was eigenlijk te klein voor vijf mensen.
'Het Vijfde Circuit heeft de eis verworpen,' zei Adam plechtig. 'We gaan nu naar het Hooggerechtshof.'
'Niet bepaald het beloofde land,' zei Sam, die nog steeds de arts aankeek.
'Ik blijf optimistisch,' zei Adam, voornamelijk omdat Packer erbij stond. Maar het klonk niet overtuigend.
De dokter borg snel zijn instrumenten in zijn tas. 'Dat was het,' zei hij, op weg naar de deur.
'Dus ik ben gezond genoeg om te kunnen sterven?' vroeg Sam.
Zonder nog een woord te zeggen stapte de arts het kantoortje uit, gevolgd door Packer en Tiny. Sam stond op, rekte zich uit en begon langzaam door de kamer te ijsberen. Zijn voeten

schoven heen en weer in zijn te grote schoenen. 'Ben je zenuwachtig?' vroeg hij met een gemene grijns.
'Natuurlijk. Jij zeker niet?'
'Het sterven kan niet erger zijn dan het wachten. Verdomme, ik ben er klaar voor. Ik wou dat ze opschoten.'
Bijna zei Adam nog iets banaals over hun redelijke kansen bij het Hooggerechtshof, maar hij had geen zin in een sarcastisch commentaar van Sam. Sam rookte een sigaret en ijsbeerde door het kantoortje. Hij was niet in een spraakzame bui. Adam wist niets anders te verzinnen dan de telefoon te pakken. Hij belde Goodman en Kerry. Het waren korte gesprekken. Er viel weinig te zeggen en van optimisme was geen sprake meer.

Kolonel Nugent stond op de veranda van het Bezoekerscentrum en verzocht om stilte. Voor hem op het grasveld wachtte een legertje journalisten op de loting. Naast hem op een tafeltje stond een zinken emmer. Alle verslaggevers droegen een genummerde oranje button die ze van de administratie van Parchman hadden gekregen. Het was ongewoon stil op het grasveldje.
'Volgens de voorschriften zijn er acht plaatsen beschikbaar voor leden van de pers,' verklaarde Nugent langzaam en luid. Zijn woorden waren tot aan de poort verstaanbaar. Hij genoot van de schijnwerpers. 'Eén plaats gaat naar AP, één naar UPI en één naar Mississippi Network. Er blijven dus nog vijf plaatsen over, die door het lot zullen worden toegewezen. Ik zal vijf nummers uit deze emmer trekken. Als een van die nummers overeenkomt met uw button, valt u in de prijzen. Zijn er nog vragen?'
De paar dozijn reporters hadden opeens geen vragen meer. De meesten pakten hun oranje button om hun nummer te controleren. De spanning was om te snijden. Met een dramatisch gebaar stak Nugent zijn hand in de emmer en haalde er een papiertje uit. 'Nummer vier-acht-vier-drie,' verklaarde hij als een volleerde bingopresentator.
'Ja, hier!' riep een opgewonden jongeman achterin. Hij hield zijn button omhoog.
'Uw naam?' vroeg Nugent.
'Edwin King, van de *Arkansas Gazette*.'

Een van Nugents medewerkers noteerde zijn naam en die van de krant. Edwin King was het voorwerp van jaloerse blikken. Snel trok Nugent de andere vier nummers en voltooide de loting. Een zucht van teleurstelling ging door de groep toen het laatste nummer werd afgeroepen. De verliezers waren ontroostbaar.
'Om exact elf uur zullen daar twee busjes stoppen.' Nugent wees naar het begin van de hoofdweg. 'De acht getuigen moeten klaarstaan. Dan wordt u naar de Maximaal Beveiligde Afdeling gereden om de executie bij te wonen. Camera's of recorders zijn verboden. U wordt bij binnenkomst gefouilleerd. Omstreeks kwart over twaalf wordt u door de busjes weer teruggebracht naar dit punt. Daarna wordt een persconferentie gehouden in de hal van het administratiegebouw, die al om negen uur opengaat. Zijn er nog vragen?'
'Hoeveel mensen zullen de terechtstelling bijwonen?' vroeg iemand.
'Er zijn waarschijnlijk twaalf of dertien mensen in de getuigenkamer. Ikzelf, de dominee, de dokter, de beul, de gevangenisadvocaat en twee bewaarders blijven in de executieruimte.'
'Is de familie van de slachtoffers ook bij de executie aanwezig?'
'Ja. De heer Elliot Kramer, de grootvader van de twee jongetjes, zal getuige zijn.'
'En de gouverneur?'
'Volgens de wet beschikt de gouverneur over twee plaatsen in de getuigenkamer. Een van die plaatsen gaat naar de heer Kramer. Ik heb nog niet gehoord of de gouverneur zelf aanwezig zal zijn.'
'En de familie van Sam Cayhall?'
'Nee. Geen van zijn familieleden zal de terechtstelling bijwonen.'
Nugent wist niet waar hij aan begonnen was. Van alle kanten werden nu vragen op hem afgevuurd, maar hij had het veel te druk. 'Geen vragen meer. Dank u,' zei hij en hij verdween van de veranda.

Donnie Cayhall kwam een paar minuten voor zes bij de gevangenis aan voor zijn laatste bezoek. Hij werd meteen naar het kantoortje gebracht, waar zijn goedgeklede broer met

Adam Hall zat te lachen. Sam stelde hen aan elkaar voor. Adam had Sams broer met opzet gemeden, maar Donnie bleek een goedverzorgde, keurige man te zijn, die enigszins op Sam leek – nu Sam zich had geschoren, zijn haar had laten knippen en het rode trainingspak voor iets anders had verwisseld. Ze waren even lang, maar Sam was magerder, hoewel Donnie bepaald niet dik was.
Donnie was geen boerenkinkel, zoals Adam had gevreesd. Hij was oprecht blij om met Adam kennis te maken en trots dat zijn achterneef advocaat was. Hij was een aardige man met een vriendelijke glimlach en een goed gebit. Alleen zijn ogen stonden erg triest op dit moment. 'Hoe staat het ervoor?' vroeg hij na een paar minuten, doelend op de beroepsprocedures.
'Alles ligt nu bij het Hooggerechtshof.'
'Dus er is nog hoop?'
Sam snoof bij die suggestie.
'Een beetje,' zei Adam gelaten.
Er viel een lange stilte toen Adam en Donnie naar een minder gevoelig onderwerp zochten. Sam kon het weinig schelen. Hij zat rustig op een stoel, met zijn benen over elkaar en een sigaret in zijn hand. Er speelden dingen door zijn hoofd waar de anderen geen besef van hadden.
'Ik ben vandaag nog bij Albert geweest,' zei Donnie.
Sam bleef naar de grond staren. 'Hoe is het met zijn prostaat?'
'Dat weet ik niet. Hij dacht dat je al dood was.'
'Zo ken ik mijn broer.'
'En ik heb tante Finnie gezien.'
'Ik dacht dat zíj al dood was,' zei Sam met een lachje.
'Bijna. Ze is eenennegentig, en helemaal van streek over wat er met jou is gebeurd. Ze zei dat je altijd haar favoriete neef was geweest.'
'Ze kon me niet uitstaan, en dat was wederzijds. Verdomme, ik had haar al vijf jaar niet gezien toen ik hier kwam.'
'In elk geval vindt ze het heel erg.'
'Ze komt er wel overheen.'
Opeens gleed er een brede grijns over Sams gezicht en hij begon te grinniken. 'Weet je nog die keer dat we haar naar het stilletje achter oma's huis zagen gaan en het met stenen heb-

ben bekogeld? Ze stormde huilend en gillend naar buiten.'
Donnie herinnerde het zich ook en zat te schudden van het lachen. 'Ja, het had een ijzeren dak,' zei hij, happend naar lucht. 'Iedere steen leek wel een bom die insloeg.'
'Jij, ik en Albert. Jij kan niet ouder zijn geweest dan een jaar of vier.'
'Toch kan ik het me goed herinneren.'
Het verhaal ging nog even door en het gelach werkte aanstekelijk. Adam merkte dat hij moest grinniken om die twee oude mannen die als jongens plezier maakten. De anekdote over tante Finnie en het stilletje leidde tot een verhaal over haar man, oom Garland, een gemene, kreupele vent. Donnie en Sam zaten te schateren.

Sams laatste maal was een steek onder water aan het adres van de fantasieloze koks in de keuken en de ongeïnspireerde maaltijden waarmee ze hem negen jaar hadden gepest. Hij wilde iets lichts, dat uit een pakje kwam en makkelijk te krijgen was. Hij had zich vaak verbaasd over zijn voorgangers die maaltijden van zeven gangen hadden besteld, met biefstuk, kreeft en kwarktaart. Buster Moac had twee dozijn rauwe oesters naar binnen gewerkt, daarna een Griekse salade, een flinke karbonade en nog wat andere gerechten. Sam had nooit begrepen waar ze zo'n eetlust vandaan hadden gehaald, een paar uur voor hun dood.
Hij had absoluut geen honger toen Nugent om half acht aanklopte. Achter hem stond Packer, met een corveeër die een blad bij zich had. Op het blad stond een grote schaal met drie Eskimo Pies en daarnaast een kleine thermosfles met Franse koffie, waar Sam erg van hield. De corveeër zette het blad op het bureau.
'Geen groots diner, Sam,' zei Nugent.
'Kan ik er rustig van genieten of wil jij mijn eetlust bederven met je stomme opmerkingen?'
Nugent verstijfde en keek nijdig naar Adam. 'Over een uur komen we terug. Dan moet je gast vertrokken zijn en brengen we je naar de Observatiecel terug. Oké?'
'Ga nou maar,' zei Sam en hij ging aan het bureau zitten.
Zodra ze weg waren, vroeg Donnie: 'Verdomme, Sam, waarom heb je niet iets besteld dat wij ook lekker vinden?

'Wat is dit nou voor een laatste maaltijd?'
'Mijn laatste maaltijd. Als jij aan de beurt bent, mag je zelf kiezen.' Hij pakte een vork en schraapte zorgvuldig het vanilleijs en de chocola van het stokje. Toen nam hij een flinke hap en schonk langzaam de koffie in – donker, sterk en geurig.
Donnie en Adam zaten op stoelen langs de muur en staarden naar Sams rug toen hij langzaam zijn laatste maal verorberde.

Vanaf vijf uur stroomden ze binnen. Ze kwamen uit alle hoeken van Mississippi en ze reden allemaal in hun eentje in grote vierdeurs auto's met verschillende kleuren en ingewikkelde emblemen op de portieren en de spatborden. Sommigen hadden een zwaailicht op het dak, anderen een geweer aan een rek boven de voorstoelen. En allemaal hadden ze lange antennes die heen en weer zwiepten in de wind.
Het waren de sheriffs, die door hun eigen districten waren gekozen om de burgers tegen de wetteloosheid te beschermen. De meesten waren al jaren in functie en hadden al eerder deelgenomen aan het officieuze ritueel van het executiediner. De kokkin, Miss Mazola, maakte het eten klaar. Het menu was altijd hetzelfde. Ze braadde grote kippen in dierlijk vet. Ze kookte zwarte bonen in hamknokkels en ze bakte roomboterkoeken zo groot als borden. Haar keuken bevond zich achter in de kleine kantine bij het administratiegebouw. Het eten werd altijd opgediend om zeven uur, hoeveel sheriffs er op dat moment ook waren.
Het was de grootste opkomst sinds de dood van Teddy Doyle Meeks in 1983. Miss Mazola had dat al verwacht omdat ze de kranten had bijgehouden en wist dat iedereen Sam Cayhall kende. Ze rekende op minstens vijftig sheriffs.
Bij de poort werden ze als VIP's ontvangen. Ze parkeerden hun auto's schots en scheef rondom de kantine. De meesten waren grote kerels met een stevige buik en een reusachtige eetlust. De lange rit had hen hongerig gemaakt.
Onder het eten voerden ze luchtige gesprekken. Ze werkten alles in hoog tempo naar binnen en stapten toen weer naar buiten, waar ze op de motorkap van hun auto's gingen zitten en wachtten tot het donker werd. Ze peuterden de restjes kip tussen hun tanden vandaan en gaven hoog op van Miss Ma-

zola's kookkunst. Ze luisterden naar hun radio's, alsof de terechtstelling van Sam Cayhall ieder moment kon worden gemeld. Ze praatten over andere executies, over gruwelijke misdrijven in hun eigen district en over plaatselijke jongens in de dodencel. Die vervloekte gaskamer werd niet vaak genoeg gebruikt.

Verbaasd staarden ze naar de honderden demonstranten langs de weg. Ze peuterden nog eens tussen hun tanden en stapten weer naar binnen voor de chocoladetaart.

Het was een mooie nacht voor de handhavers van de wet.

49

Toen het donker werd daalde er een onheilspellende stilte neer over de autoweg voor de poort van Parchman. De Klan-leden, van wie er niet één was vertrokken, ondanks Sams verzoek, zaten op klapstoeltjes in het vertrapte gras te wachten. De skinheads en soortgelijke broeders, verbrand door de julizon, zaten in kleine groepjes ijswater te drinken. De nonnen en andere activisten hadden gezelschap gekregen van een afvaardiging van Amnesty International. Ze brandden kaarsen, zeiden gebeden en neurieden liederen. Ze hielden zoveel mogelijk afstand van de fascisten. Iedere andere dag, bij de executie van een willekeurige andere gevangene, hadden dezelfde figuren bloed willen zien.
De rust werd even verstoord toen een pick-up truck met tieners afremde bij de poort. Opeens begonnen ze in koor te zingen: 'Vergas die lul! Vergas die lul! Vergas die lul!' Toen stoof de truck met piepende banden weer weg. Een paar Klan-leden sprongen overeind, hun vuisten gebald, maar de jongelui waren al verdwenen en kwamen niet meer terug.
De dreigende aanwezigheid van de politie zorgde voor de nodige rust. De agenten stonden in groepjes bijeen, regelden het verkeer en hielden de Klan-leden en de skinheads in de gaten. Een helikopter cirkelde boven het terrein.

Ten slotte maakte Goodman een eind aan de 'marktanalyse'. In vier lange dagen hadden ze meer dan tweeduizend keer gebeld. Hij betaalde de studenten, nam de mobiele telefoons in ontvangst en bedankte hen uitvoerig. Ze vonden het jammer dat het afgelopen was en liepen met hem mee naar het Capitool, waar op de stenen trappen een wake werd gehouden en kaarsen werden gebrand. De gouverneur zat nog steeds in zijn kantoor op de eerste verdieping.
Een van de studenten bood aan een telefoon naar John Bryan Glass te brengen, die aan de overkant zat, bij het Hooggerechtshof van Mississippi. Goodman belde hem, en daarna

Hez Kerry en Joshua Caldwell, een oude vriend die de wacht had gehouden bij het kantoor van de Death Clerk in Washington. Iedereen was nog op zijn plaats en de telefoons werkten. Ten slotte belde hij Adam. Sam zat aan zijn laatste maaltijd, zei Adam, en hij wilde niet met Goodman spreken. Maar hij liet hem wel bedanken voor alles wat hij had gedaan.

Toen de koffie en het ijs op waren, kwam Sam overeind en strekte zijn benen. Donnie had al een tijd niets gezegd. Hij had het moeilijk en hij wilde weg. Nugent kon ieder moment terugkomen en het werd tijd om afscheid te nemen.

Op Sams nieuwe overhemd zat een roze vlek waar hij ijs had gemorst. Donnie probeerde het met een servetje schoon te maken. 'Het geeft niet,' zei Sam, die toekeek.

Donnie bleef poetsen. 'Nee, je hebt gelijk. Ik kan beter gaan, Sam. Over een paar minuten komen ze.'

De twee mannen omhelsden elkaar langdurig en klopten elkaar zachtjes op de rug. 'Ik vind het zo vreselijk, Sam,' zei Donnie met trillende stem. 'Zo vreselijk.'

Ze maakten zich van elkaar los, nog steeds met hun handen op elkaars schouders. Hun ogen waren vochtig maar ze huilden niet. Dat durfden ze niet voor elkaar. 'Hou je goed,' zei Sam.

'Jij ook. Zeg maar een gebed, Sam. Oké?'

'Dat zal ik doen. Bedankt voor alles. Jij was de enige die wat om me gaf.'

Donnie beet op zijn lip en wendde zich af. Hij gaf Adam een hand maar kon niets zeggen. Achter Sam langs liep hij naar de deur en vertrok.

'Nog geen nieuws van het Hooggerechtshof?' vroeg Sam vanuit het niets, alsof hij opeens weer geloofde in zijn kansen.

'Nee,' zei Adam zacht.

Sam ging op het bureau zitten, met bungelende voeten. 'Ik wou echt dat het voorbij was, Adam,' zei hij afgemeten. 'Dit is wreed.'

Adam wist niets te zeggen.

'In China besluipen ze je van achteren en schieten je een kogel door je kop. Geen laatste kommetje rijst. Geen afscheid.

Geen jaren wachten. Eigenlijk geen slecht idee.'
Adam keek op zijn horloge, voor de duizendste keer het afgelopen uur. Sinds die middag waren er gaten geweest waarin de uren zoekraakten, en dan weer leek de tijd stil te staan. Het ging met horten en stoten. Iemand klopte op de deur.
'Binnen,' zei Sam zacht.
Dominee Ralph Griffin kwam binnen en deed de deur achter zich dicht. Hij was die dag al twee keer eerder geweest en hij zag er slecht uit. Het was zijn eerste executie en hij had al besloten dat het zijn laatste zou zijn. Zijn neef in de senaat moest maar een ander baantje voor hem regelen. Hij knikte naar Adam en ging naast Sam op het bureau zitten. Het was bijna negen uur.
'Kolonel Nugent staat te wachten, Sam.'
'Dan moeten we maar niet naar buiten gaan. Ik blijf liever hier.'
'Ik vind het best.'
'Weet u, dominee, de afgelopen dagen ben ik veel milder geworden. Ik sta er zelf verbaasd over. Maar die klootzak daar in de gang haat ik nog steeds. Daar kan ik niets aan doen.'
'Haat is iets verschrikkelijks, Sam.'
'Ik weet het, maar ik kan het niet helpen.'
'Eerlijk gezegd mag ik hem ook niet erg.'
Sam grijnsde tegen de dominee en legde een arm om zijn schouder. De stemmen op de gang werden luider en Nugent kwam het kantoortje binnen. 'Sam, het is tijd om terug te gaan naar de Observatiecel,' zei hij.
Adam stond op. Zijn knieën trilden van angst, zijn maag kwam in opstand en zijn hart bonsde in zijn keel. Maar Sam leek de rust zelf. Hij sprong van het bureau en zei: 'Goed. Kom mee.'
Ze volgden Nugent uit het kantoortje door de smalle gang, waar de sterkste bewaarders van Parchman stonden te wachten. Sam nam Adams hand en ze liepen langzaam de gang door, met de dominee achter hen aan.
Adam gaf zijn grootvader een kneepje in zijn hand en negeerde de blikken van de omstanders. Ze liepen door het midden van het gebouw, passeerden twee deuren en kwamen ten slotte bij de tralies van Gang A. De laatste deur viel achter hen dicht en ze liepen met Nugent langs de cellen.

Sam keek naar de gezichten van de mannen die hij zo goed had gekend. Hij knipoogde tegen Hank Henshaw, knikte dapper naar J.B. Gullitt, die tranen in zijn ogen had, en glimlachte tegen Stock Turner. Ze leunden allemaal tegen de tralies, met gebogen hoofd en doodsangst op hun gezicht. Sam keek moedig terug.
Nugent bleef staan bij de laatste cel en wachtte tot de deur vanaf het eind van de gang werd geopend. Met een luide klik schoof hij opzij. Sam, Adam en Ralph stapten naar binnen en Nugent gaf het teken om de deur weer te sluiten.
De cel was donker. Het enige lampje was gedoofd en de televisie stond niet aan. Sam ging op het bed zitten tussen Adam en de dominee. Hij steunde op zijn armen, met zijn hoofd gebogen.
Nugent keek nog even, maar wist niets te zeggen. Over twee uur, tegen elven, zou hij Sam naar de Isoleerkamer brengen. Ze wisten allemaal dat hij terug zou komen. Het leek hem wreed om dat tegen Sam te zeggen en dus draaide hij zich zwijgend om en vertrok door de gangdeur. Zijn bewaarders stonden in het halfdonker te wachten en keken toe. Nugent liep naar de Isoleerkamer, waar een vouwbed was neergezet voor het laatste uur van de veroordeelde. Hij liep de kleine cel door naar de executieruimte, waar de laatste voorbereidingen werden getroffen.
De officiële beul, Bill Monday, was druk bezig en had alles onder controle. Hij was een kleine, pezige man met maar negen vingers, en hij zou vijfhonderd dollar voor zijn diensten krijgen als de executie doorging. Volgens de wet werd hij door de gouverneur benoemd. Hij stond in een klein kamertje dat het scheikundehok werd genoemd, nog geen anderhalve meter van de gaskamer, en raadpleegde een checklist op een klembord. Voor hem op tafel stond een pondsblik met natriumcyanidetabletten, een negen-pondsfles zwavelzuur, een pondsblik natriumhydroxide, een stalen vijftig-pondsfles watervrije ammonia en een twintig-literfles gedestilleerd water. Op een kleinere tafel lagen drie gasmaskers, drie paar rubberen handschoenen, een trechter, een stuk zeep, een paar handdoeken en een dweil. Tussen de twee tafels stond een mengvat voor het zuur, met een buis van vijf centimeter dik, die onder de muur in de vloer verdween en in de gaskamer

weer bovenkwam. De installatie werd met hefbomen bediend.
Monday had drie lijsten met instructies. Eén ervan bevatte de aanwijzingen voor het mengen van de chemicaliën. Het zwavelzuur en het gedestilleerde water moesten tot een concentratie van ongeveer eenenveertig procent worden gemengd. Het natronloog werd gemengd door één pond natriumhydroxide op te lossen in tien liter water; en dan waren er nog wat andere brouwsels nodig om de gaskamer na de executie schoon te maken. Op de tweede lijst stonden alle benodigde chemicaliën en hulpmiddelen. De derde lijst beschreef de juiste procedure bij het voltrekken van het vonnis.
Nugent overlegde met Monday. Alles verliep volgens plan. Een van Mondays assistenten was bezig de randen van de ramen van de kamer met vaseline dicht te smeren. Iemand in burger, een lid van het executieteam, controleerde de riemen van de houten stoel. De arts prutste aan zijn ECG-monitor. De deur naar buiten stond open. Voor de gaskamer stond al een ambulance klaar.
Nugent bekeek de drie lijsten nog eens, hoewel hij ze uit zijn hoofd kende. Sterker nog, hij had zelfs een nieuwe geschreven waarop alle stappen van de executie moesten worden vastgelegd. Die lijst zou door Nugent, Monday en Mondays assistent worden bijgehouden. De belangrijkste momenten waren van een nummer voorzien: het water en het zuur worden gemengd, de veroordeelde gaat de gaskamer binnen, de deur wordt gesloten, het natriumcyanide wordt aan het zuur toegevoegd, de veroordeelde ademt het gas in, hij raakt bewusteloos, hij beweegt niet meer, zijn hart staat stil, zijn ademhaling stopt, de afvoerkleppen worden geopend, de deur gaat weer open, de veroordeelde wordt uit de kamer gehaald, de dood wordt officieel vastgesteld. Naast alle stappen was een blanco regel waarop de tijdsduur moest worden genoteerd.
En dan was er nog de executielijst, met de negenentwintig punten die noodzakelijk waren voor de voltrekking van het vonnis. Natuurlijk had die lijst een aanhangsel, met de vijftien stappen van de afwerking. De laatste handeling was het overbrengen van het lichaam naar de ambulance.
Nugent kende alle punten op iedere lijst. Hij wist hoe de che-

micaliën moesten worden gemengd en de kleppen geopend, hoe lang ze open moesten blijven en hoe ze weer dichtgingen. Hij kende alle bijzonderheden.
Hij stapte even naar buiten om met de chauffeur van de ambulance te overleggen en een frisse neus te halen. Daarna liep hij door Gang A terug naar de Isoleerkamer. Net als iedereen wachtte hij tot dat vervloekte Hooggerechtshof eindelijk uitspraak zou doen.
Hij stuurde de langste twee bewaarders de gang in om de ramen in de buitenmuur te sluiten. Net als de rest van het gebouw waren de ramen vijfentwintig jaar oud, en ze gingen niet geruisloos dicht. Ieder raam viel in het slot met een klap die door de hele gang weergalmde. Vijfendertig ramen – alle veroordeelden wisten precies hoeveel – en met iedere klap werd het donkerder en stiller in de gang.
De bewaarders vertrokken weer. De dodengang was nu volledig afgesloten: alle gevangenen in hun cel, alle deuren op slot, alle ramen dicht.
Toen de ramen werden gesloten, begon Sam te beven. Hij boog zijn hoofd nog dieper. Adam legde een arm om zijn tengere schouders.
'Ik hield van die ramen,' zei Sam zacht en schor. Een groepje bewaarders stond op minder dan vijf meter afstand, turend door de tralies als kinderen in een dierentuin, en Sam wilde niet dat ze hem zouden horen. Adam kon zich nauwelijks voorstellen dat Sam èrgens van had gehouden in deze gang. 'Als het hard regende, kletterde het water tegen de ramen en vielen er wat druppels naar binnen, op de grond. Ik hield van de regen. En van de maan. Soms, bij een onbewolkte hemel, kon ik uit mijn cel een glimp van de maan opvangen door die ramen. Ik heb me altijd afgevraagd waarom ze niet meer ramen hadden. Ik bedoel, verdomme... sorry, dominee... als ze je de hele dag in een cel opsluiten, mag je toch wel naar buiten kijken? Dat heb ik nooit begrepen. Maar er was wel meer wat ik niet begreep. Nou ja...' Hij maakte zijn zin niet af en zweeg een hele tijd.
In de duisternis hoorden ze de welluidende tenor van Preacher Boy. Hij zong *Just a closer walk with Thee*. Het klonk heel mooi:

'Just a closer walk with Thee,
Precious Jesus, is my plea
Daily walking hand in hand...'

'Stilte!' riep een bewaarder.
'Laat hem met rust!' brulde Sam terug. Adam en Ralph schrokken. 'Zing maar door, Randy,' zei Sam, luid genoeg voor Preacher Boy, die in de cel naast hen zat. Randy was gekwetst, maar na een tijdje zong hij weer verder.
Ergens sloeg een deur dicht. Sam schrok. Adam sloeg zijn arm nog steviger om zijn schouder en Sam ontspande zich. Hij staarde nog steeds naar de donkere vloer.
'Lee wilde zeker niet komen?' vroeg hij desolaat.
Adam dacht even na en besloot de waarheid te vertellen. 'Ik weet niet waar ze is. Ik heb haar al in tien dagen niet gesproken.'
'Ik dacht dat ze een ontwenningskuur deed.'
'Dat denk ik ook, maar ik weet niet waar. Het spijt me. Ik heb alles geprobeerd om haar te vinden.'
'Ik heb de laatste dagen veel aan haar gedacht. Wil je dat alsjeblieft tegen haar zeggen?'
'Dat zal ik doen.' Als Adam haar weer zag, zou hij moeite hebben haar niet te wurgen.
'En ook aan Eddie.'
'We hebben niet veel tijd meer, Sam. Zullen we over prettiger dingen praten?'
'Ik wil dat je me vergeeft wat ik Eddie heb aangedaan.'
'Ik heb je al vergeven, Sam. Zit daar maar niet over in. Carmen en ik hebben je allebei vergeven.'
Ralph boog zich naar Sam toe en zei: 'Misschien zijn er nog anderen aan wie we moeten denken, Sam.'
'Later misschien,' zei Sam.
De deur aan het eind van de gang ging open en haastige voetstappen kwamen hun kant op. Lucas Mann, met een bewaarder op zijn hielen, bleef staan bij de laatste cel en keek naar de drie schimmige figuren die dicht bijeen op het bed zaten.
'Adam, er is telefoon voor je,' zei hij zenuwachtig. 'In het kantoortje.'
De drie gestalten verstijfden. Adam sprong overeind en stapte zwijgend de cel uit. Hij voelde zijn maag samenknijpen

toen hij de gang door rende. 'Laat je niet kisten, Adam!' zei J.B. Gullitt toen hij voorbijkwam.
'Wie is het?' vroeg Adam aan Lucas Mann, die met hem meeliep.
'Garner Goodman.'
Ze renden door de hal van de Maximaal Beveiligde Afdeling en stapten het kantoortje binnen. De telefoon lag op het bureau. Adam pakte hem op en ging op het bureaublad zitten.
'Garner? Met Adam.'
'Ik ben nog op het Capitool, Adam, in de perskamer bij het kantoor van de gouverneur. Het Hooggerechtshof heeft zojuist al onze eisen afgewezen. Ik geloof dat we er nog vier hadden lopen, in verschillende stadia. Ze hebben ze allemaal verworpen – een, twee, drie, vier. We hebben niets meer over.'
Adam sloot zijn ogen en zweeg. 'Nou, dat was het dan,' zei hij ten slotte en keek naar Lucas Mann. Lucas fronste en boog zijn hoofd.
'Blijf in de buurt. De gouverneur zal een verklaring afleggen. Ik bel je over vijf minuten terug.' En Goodman hing op.
Adam legde neer en staarde naar de telefoon. 'Het Hooggerechtshof heeft alles afgewezen,' zei hij tegen Mann. 'De gouverneur komt met een verklaring. Goodman belt zo terug.'
Mann ging zitten. 'Het spijt me, Adam. Heel erg. Hoe houdt Sam zich?'
'Veel beter dan ik, geloof ik.'
'Vreemd, eigenlijk. Dit is mijn vijfde executie en ik ben altijd verbaasd hoe kalm ze eronder blijven. Ze geven de moed op als het donker wordt. Ze krijgen hun laatste maaltijd, nemen afscheid van hun familie en gedragen zich opeens heel rustig. Ik zou schoppen en schreeuwen. Er zouden twintig man nodig zijn om me uit die Observatiecel te slepen.'
Adam lachte heel even en zag toen een open schoenendoos op het bureau staan. Hij was bekleed met aluminiumfolie en er lagen een paar verkruimelde koekjes onderin. Die doos had er niet gestaan toen ze een uur geleden waren vertrokken. 'Wat is dat?' vroeg hij, niet echt geïnteresseerd.
'De executiekoekjes.'
'Executiekoekjes?'
'Ja. Een lieve dame verderop langs de weg bakt ze iedere keer als er een vonnis wordt voltrokken.'

'Waarom?'
'Dat weet ik niet. Geen idee.'
'En wie eet ze op?' vroeg Adam met een blik op de kruimels en restanten alsof ze giftig waren.
'De bewaarders en corveeërs.'
Adam schudde zijn hoofd. Hij had te veel aan zijn hoofd om zich in de bedoeling van een doos executiekoekjes te verdiepen.

David McAllister had voor de gelegenheid een donkerblauw pak aangetrokken, met een gesteven wit overhemd en een donkerrode das. Hij kamde zijn haar, spoot er wat lak op, poetste zijn tanden en kwam door een zijdeur zijn kantoor binnen. Mona Stark zat een berekening te maken.
'Die telefoontjes zijn eindelijk opgehouden,' zei ze enigszins opgelucht.
'Ik wil het niet horen,' zei McAllister. Hij controleerde zijn das en zijn tanden in een spiegel. 'Kom mee.'
Hij opende de deur en stapte de hal binnen, waar hij door twee lijfwachten werd opgewacht. Ze escorteerden hem toen hij naar de perskamer liep, waar felle schijnwerpers al op hem wachtten. Een menigte journalisten en cameramensen drong naar voren om zijn verklaring te horen. Hij beklom een geïmproviseerd podium waar een stuk of tien microfoons stonden opgesteld en kneep zijn ogen halfdicht tegen de felle lichten. Toen wachtte hij tot het stil was.
'Het federale Hooggerechtshof in Washington heeft zojuist de laatste eisen van Sam Cayhall en zijn advocaten afgewezen,' verklaarde hij dramatisch, alsof de pers dat nog niet wist. Weer een pauze terwijl de camera's klikten en de microfoons wachtten. 'En zo, na drie juryprocessen, na negen jaar van beroepsprocedures bij alle gerechtshoven die in de grondwet worden genoemd, nadat maar liefst zevenenveertig rechters zich over de zaak hebben gebogen, zal eindelijk gerechtigheid geschieden aan Sam Cayhall. Zijn misdrijf werd drieëntwintig jaar geleden gepleegd. Het recht werkt misschien langzaam, maar het werkt. Veel mensen hebben mij gevraagd om Sam Cayhall gratie te verlenen, maar dat kan ik niet doen. Ik mag mij niet verzetten tegen de wijsheid van de jury die hem heeft veroordeeld of tegen de beslissingen van

onze deskundige rechters. Ook mag ik niet de gevoelens negeren van mijn vrienden, de Kramers.' Weer een pauze. McAllister sprak zonder aantekeningen en het was duidelijk dat hij deze speech al lang van tevoren uit zijn hoofd had geleerd. 'Het is mijn vurige wens dat de executie van Sam Cayhall een eind zal maken aan een pijnlijk hoofdstuk uit de gekwelde geschiedenis van Mississippi. Ik roep al onze burgers op om vanaf deze avond samen te werken aan een maatschappij van gelijke kansen. Moge God zijn ziel genadig zijn.'

Hij stapte achteruit, onder een spervuur van vragen. De lijfwachten openden een zijdeur en hij was verdwenen. Haastig daalden ze een trap af en renden naar de noordelijke ingang, waar een auto wachtte. Anderhalve kilometer verderop stond een helikopter gereed.

Goodman stapte naar buiten en bleef staan naast een oud kanon, dat om de een of andere reden op de hoge gebouwen van het centrum stond gericht. Beneden hem, onder aan de stenen trappen, had zich een grote groep demonstranten verzameld, met brandende kaarsen in hun hand. Hij belde Adam met het nieuws, liep toen tussen de mensen met de kaarsen door en verliet het Capitool. Er klonk een hymne toen hij de straat overstak. Langzaam verstierf het gezang. Hij zwierf nog een tijdje door de stad en zocht toen het kantoor van Hez Kerry op.

50

De wandeling terug naar de Observatiecel leek veel langer te duren. Adam was nu alleen. Hij kende de weg. Lucas Mann verdween ergens in het labyrint van de dodengang.
Toen Adam stond te wachten voor een zware traliedeur, midden in het gebouw, vielen hem twee dingen op. Om te beginnen liepen er veel meer mensen rond: meer bewaarders, meer onbekenden met plastic badges en pistolen op hun heup, meer norse kerels in overhemden met korte mouwen en polyester stropdassen. Dit was een grote gebeurtenis, een sensatie die niemand wilde missen. Adam vermoedde dat iedereen met een beetje invloed naar de dodengang was gekomen om in de buurt te zijn als Sams vonnis werd voltrokken.
En in de tweede plaats merkte hij dat zijn overhemd kletsnat was. Zijn kraag plakte tegen zijn nek. Hij trok zijn das wat losser toen de deur met een luide klik opzij schoof, bediend door een zoemende elektromotor. Een bewaarder ergens in het netwerk van betonnen muren, tralies en ramen hield hem in het oog en drukte op de juiste knoppen. Hij stapte naar binnen, prutsend aan zijn boordeknoopje en zijn das, en liep naar het volgende obstakel, de traliedeur van Gang A. Hij streek over zijn voorhoofd maar voelde geen zweet. Hij zoog zijn longen vol met muffe, vochtige lucht.
Nu alle ramen dichtzaten, was het om te stikken in de gang. Nog een klik, het zoemen van een motor, en Adam stond in de smalle gang die volgens Sam precies twee meter vijfentwintig breed was. Drie zwakke tl-lampen wierpen vage schaduwen over de zoldering en de vloer. Met lood in zijn schoenen liep Adam langs de donkere cellen, langs al die moordenaars die nu zaten te bidden of te mediteren. Sommigen huilden zelfs.
'Goed nieuws, Adam?' vroeg J.B. Gullitt smekend vanuit het donker.
Adam gaf geen antwoord. Hij keek omhoog naar de ramen met de veelkleurige verfspatten op het oude glas, en vroeg

zich af hoeveel advocaten deze wandeling al hadden gemaakt, van het kantoortje naar de Observatiecel, om een stervend mens te vertellen dat zijn laatse hoop vervlogen was. Deze plek had een rijke geschiedenis van executies. Adam wist dat hij bij lange na niet de eerste was. Ook Garner Goodman had hier gelopen toen hij Maynard Tole het slechte nieuws had moeten brengen. Die gedachte gaf Adam kracht.

Hij negeerde de nieuwsgierige blikken van het groepje bewaarders dat vanaf de andere kant van de gang naar hem stond te loeren. Hij bleef bij de laatste cel staan en wachtte tot de deur openging.

Sam en de dominee zaten nog steeds op het lage bed, fluisterend in het donker, met hun hoofden bijna tegen elkaar. Ze keken op naar Adam, die naast Sam ging zitten en een arm om zijn schouders legde – schouders die opeens nog breekbaarder leken. 'Het Hooggerechtshof heeft zojuist alle eisen afgewezen,' zei hij heel zacht, bang dat zijn stem zou breken.

De dominee slaakte een wanhopige zucht. 'En de gouverneur heeft bekendgemaakt dat hij geen gratie zal verlenen.'

Sam probeerde moedig zijn rug te rechten, maar hij had er de kracht niet voor en zakte nog verder ineen.

'God hebbe genade,' zei Ralph Griffin.

'Dan is het dus allemaal voorbij,' zei Sam.

'We kunnen niets meer doen,' fluisterde Adam.

Er klonk opgewonden gefluister vanaf het einde van de gang, waar het executieteam zich had verzameld. Het zou dus werkelijk gaan gebeuren. Ergens achter hen, in de richting van de gaskamer, werd een deur dichtgeslagen. Sams knieën klapten tegen elkaar.

Hij zweeg een tijdje, een minuut of een kwartier, dat wist Adam niet. De tijd verstreek nog steeds met horten en stoten.

'Dan moeten we nu maar met onze gebeden beginnen, dominee,' zei Sam.

'Ja. We hebben lang genoeg gewacht.'

'Hoe wilt u het doen?'

'Waar wil je precies voor bidden, Sam?'

Sam dacht even na en zei toen: 'Ik wil dat God niet meer boos op me is als ik sterf.'

'Goed idee. En waarom denk je dat God boos op je zou zijn?'

'Dat is toch duidelijk?'
Ralph wreef zijn handen tegen elkaar. 'Het lijkt me het beste dat je je zonden belijdt en God om vergiffenis vraagt.'
'Al mijn zonden?'
'Je hoeft ze niet allemaal te noemen, maar je moet God om vergeving vragen.'
'Een soort blanco volmacht.'
'Ja, zoiets. En dat werkt, als je oprecht berouw hebt.'
'Ik ben zo oprecht als de hel.'
'Geloof je in de hel, Sam?'
'Ja.'
'En in de hemel?'
'Ja.'
'Geloof je dat alle christenen naar de hemel gaan?'
Sam dacht daar lang over na en knikte toen kort. 'U ook?' vroeg hij.
'Ja, Sam.'
'Dan zal ik u op uw woord geloven.'
'Goed. Vertrouw maar op mij.'
'Toch lijkt het me veel te makkelijk. Je zegt een snel gebed en alles is vergeven.'
'Waarom heb je daar moeite mee?'
'Omdat ik heel erge dingen heb gedaan, dominee.'
'Dat hebben we allemaal. Maar onze God is een god van oneindige liefde.'
'U hebt niet gedaan wat ik heb gedaan.'
'Zou je je beter voelen als je erover praatte?'
'Ja. Ik zal het nooit kwijtraken als ik er niet over praat.'
'Ik luister, Sam.'
'Zal ik even weggaan?' vroeg Adam. Sam greep zijn knie vast. 'Nee.'
'We hebben niet veel tijd meer, Sam,' zei Ralph met een blik door de tralies.
Sam haalde diep adem en zei met toonloze stem, zo zacht dat alleen Ralph en Adam het konden horen: 'Ik heb Joe Lincoln in koelen bloede vermoord. Ik heb al gezegd dat ik daar berouw van heb.'
Ralph prevelde iets terwijl hij luisterde. Hij zat al te bidden.
'En ik heb mijn broers geholpen de twee mannen te vermoorden die onze vader hadden gedood. Eerlijk gezegd voelde ik

me daar nooit zo schuldig over. Dat was fout. Tegenwoordig vind ik een mensenleven heel wat kostbaarder dan vroeger. En ik heb meegedaan aan een lynchpartij toen ik vijftien of zestien was. Ik was maar een meeloper en ik had het waarschijnlijk niet kunnen tegenhouden als ik dat had gewild. Maar ik heb het niet geprobeerd en daar voel ik me schuldig over.'

Sam zweeg. Adam hield zijn adem in en hoopte dat de biecht voorbij was. Ralph wachtte en wachtte. Ten slotte vroeg hij: 'Is dat alles, Sam?'

'Nee, er is meer.'

Adam sloot zijn ogen en zette zich schrap. Hij voelde zich duizelig en wilde braken.

'Er was nog een lynchpartij. Een jongen die Cletus heette. Zijn achternaam weet ik niet meer. De Klan zat erachter. Ik was toen achttien. Meer kan ik niet zeggen.'

Houdt deze nachtmerrie dan nooit op, vroeg Adam zich af.

Sam haalde diep adem en zweeg een paar minuten. Ralph zat druk te bidden. Adam wachtte.

'Maar die jongetjes van Kramer heb ik niet vermoord,' zei Sam met trillende stem. 'Ik had daar nooit mogen zijn. Ik had me er nooit mee mogen inlaten. Ik heb er jaren spijt van gehad – van alles. Het was fout om lid te worden van de Klan, om iedereen te haten en die bommen te plaatsen. Maar ik heb die jochies niet vermoord. Het was niet mijn bedoeling dat er slachtoffers zouden vallen. Die bom had midden in de nacht moeten ontploffen, toen er niemand in het gebouw was. Daar ging ik van uit. Maar iemand anders heeft hem ingesteld, ik niet. Ik was niets anders dan de uitkijk, de chauffeur, de medeplichtige. Die andere vent heeft de bom veel later ingesteld dan ik dacht. Ik heb nooit geweten of hij bewust iemand wilde doden, maar ik vermoed van wel.'

Adam hoorde de woorden en begreep wat Sam zei. Hij zat als verstijfd.

'Maar ik had iets kunnen doen. En dat maakt me schuldig. Die jongetjes zouden nu nog hebben geleefd als ik me anders zou hebben gedragen nadat we die bom hadden geplaatst. Hun bloed kleeft aan mijn handen en daar heb ik veel verdriet van gehad.'

Ralph legde voorzichtig zijn hand op Sams hoofd. 'Bid maar

met me, Sam.' Sam drukte beide handen tegen zijn ogen en steunde met zijn ellebogen op zijn knieën.
'Geloof je dat Jezus Christus de Zoon was van God? Dat Hij op aarde is gekomen, geboren uit een maagd, dat Hij een zondeloos leven heeft geleid, dat Hij is vervolgd en aan het kruis is gestorven om ons te verlossen? Geloof je dat allemaal, Sam?'
'Ja,' fluisterde hij.
'En dat Hij uit het graf is herrezen en naar de hemel is opgestegen?'
'Ja.'
'En dat door Hem al jouw zonden zijn vergeven? Dat je vergiffenis krijgt voor al die vreselijke dingen die je hart bezwaren? Geloof je dat, Sam?'
'Ja. Ja.'
Ralph liet Sams hoofd los en veegde de tranen uit zijn ogen. Sam zat doodstil, maar zijn schouders schokten. Adam trok hem wat steviger tegen zich aan.
Randy Dupree begon nog een couplet van *Just a closer walk with Thee* te fluiten. Hij floot heel helder en zuiver en de tonen weergalmden welluidend door de gang.
'Dominee,' vroeg Sam en zijn rug verstijfde. 'Zijn die jochies van Kramer ook in de hemel?'
'Ja.'
'Maar ze waren joods.'
'Alle kinderen gaan naar de hemel, Sam.'
'Zal ik ze daar ook zien?'
'Dat weet ik niet. Er is zoveel dat wij niet weten van de hemel. Maar de bijbel belooft dat er geen verdriet meer zal zijn als we daar komen.'
'Goed. Dan hoop ik dat ik ze zal zien.'
De onmiskenbare stem van kolonel Nugent verstoorde de rust. De gangdeur ging rammelend open en dicht. Nugent marcheerde anderhalve meter naar de deur van de Observatiecel, met zes bewaarders achter zich aan. 'Sam, het is tijd om naar de Isoleerkamer te gaan,' zei hij. 'Het is elf uur.'
De drie mannen stonden op, naast elkaar. De celdeur ging open en Sam stapte naar buiten. Hij glimlachte tegen Nugent, draaide zich toen om en omhelsde de dominee. 'Bedankt,' zei hij.

'Ik hou van je, broeder!' riep Randy Dupree uit zijn cel, nog geen drie meter verderop.
Sam keek Nugent aan en vroeg: 'Mag ik afscheid nemen van mijn vrienden?'
Een afwijking van de regels. Het handboek verklaarde duidelijk dat de veroordeelde rechtstreeks van de Observatiecel naar de Isoleerkamer moest worden gebracht. Over een laatste wandeling door de gang werd niets gezegd. Nugent was even van zijn stuk gebracht, maar herstelde zich goed. 'Natuurlijk, als je maar voortmaakt.'
Sam deed een paar stappen en pakte Randy's handen door de tralies. Toen liep hij naar de volgende cel en schudde de hand van Harry Ross Scott.
Ralph Griffin wrong zich langs de bewaarders heen en verliet de gang. Hij vond een donker hoekje waar hij ging zitten huilen als een kind. Hij zou Sam niet meer terugzien. Adam bleef in de deuropening van de cel staan, naast Nugent, en samen zagen ze hoe Sam de gang door liep, bij iedere cel bleef staan en fluisterend een paar woorden met de bewoner wisselde. Hij bleef het langst bij J.B. Gullitt, die stond te snikken. Ten slotte draaide hij zich om en liep dapper terug, terwijl hij zijn stappen telde en tegen zijn makkers grijnsde. Hij nam Adam bij de hand en zei tegen Nugent: 'We kunnen gaan.'
Er stonden zoveel bewaarders aan het eind van de gang dat ze moeite hadden zich langs hen heen te wringen. Nugent liep voorop, met Sam en Adam achter zich aan. Al die mensen deden de temperatuur nog stijgen. Het was warm en benauwd. Dat machtsvertoon was nodig om onwillige gevangenen te intimideren of in bedwang te houden, maar het leek nogal overdreven voor een kleine oude man als Sam Cayhall.
De wandeling naar de Isoleerkamer duurde maar enkele seconden. Het was een afstand van zes meter, maar iedere stap deed Adam pijn. Via de menselijke tunnel van gewapende bewaarders kwamen ze bij de zware stalen deur van de kleine ruimte. De deur in de tegenoverliggende muur zat dicht. Daarachter lag de gaskamer.
Voor de gelegenheid was er een gammel bed in de kamer gezet. Adam en Sam gingen erop zitten. Nugent sloot de deur en hurkte voor hen neer. Ze waren nu met hun drieën. Adam sloeg zijn arm om Sams schouders.

Nugent had een gepijnigde uitdrukking op zijn gezicht. Hij legde een hand op Sams knie en zei: 'Sam, we zullen dit samen doorstaan. Als...'
'Vervloekte idioot!' beet Adam hem toe, verbaasd over zijn eigen uitbarsting.
'Hij kan het niet helpen,' zei Sam behulpzaam tegen Adam. 'Hij is gewoon stom. Hij beseft het niet eens.'
Nugent voelde het scherpe verwijt en probeerde iets te zeggen. 'Ik wil hier goed doorheen komen, oké?' zei hij tegen Adam.
'Waarom ga je niet weg?' vroeg Adam.
'Zal ik je wat zeggen, Nugent?' zei Sam. 'Ik heb honderden juridische boeken gelezen, en allerlei gevangenisvoorschriften. Maar nergens staat dat ik mijn laatste uur met jou moet doorbrengen. Er is geen enkele wet die me daartoe verplicht.'
'Lazer alsjeblieft op,' zei Adam, die desnoods bereid was tot geweld.
Nugent sprong overeind. 'Om tien over half twaalf komt de dokter door die deur. Hij zal een stethoscoop op je borst bevestigen en weer weggaan. Om kwart voor twaalf kom ik binnen, ook door die deur. Dan gaan we naar de executieruimte. Hebben jullie nog vragen?'
'Nee. Verdwijn maar,' zei Adam, wijzend naar de deur. Nugent ging er schielijk vandoor.
Opeens waren ze alleen, met nog een uur te gaan.

Twee identieke gevangenisbusjes stopten voor het Bezoekerscentrum. Acht fortuinlijke journalisten en een eenzame sheriff stapten in.
De sheriff van het district waar het misdrijf was gepleegd, mocht de executie bijwonen, hoewel dat niet verplicht was. De man die in 1967 sheriff van Washington County was geweest was al vijftien jaar dood, maar de huidige sheriff liet zich deze kans niet ontgaan. Hij had Lucas Mann 's ochtends laten weten dat hij gebruik wenste te maken van zijn rechten. Dat was hij de bevolking van Greenville en Washington County wel verschuldigd, vond hij.
Elliot Kramer was niet naar Parchman gekomen. Hij had jaren naar dit moment toegeleefd maar zijn dokter had op het laatste moment ingegrepen. Hij had een zwak hart en het ri-

sico was te groot. Ruth Kramer had nooit serieus overwogen om bij de executie aanwezig te zijn. Ze zat thuis in Memphis, met vrienden, wachtend op het einde.
Er zouden dus geen familieleden van de slachtoffers getuige zijn van de terechtstelling van Sam Cayhall.
De busjes werden van alle kanten gefotografeerd en gefilmd toen ze over de hoofdweg vertrokken. Vijf minuten later stopten ze bij de poort van de Maximaal Beveiligde Afdeling. Iedereen moest uitstappen en werd gefouilleerd op camera's en recorders. Daarna stapten ze weer in en de busjes passeerden het hek. Ze reden over het gras bij de ingang, langs de luchtplaatsen aan de westkant, en stopten naast de ambulance.
Nugent stond al te wachten. De journalisten stapten uit en keken meteen om zich heen om alles zo goed mogelijk in hun geheugen te prenten. Ze stonden voor een vierkant, bakstenen gebouw dat tegen de lage, platte gevangenis aan was gebouwd. Het gebouwtje had twee deuren, waarvan er een gesloten was. De andere stond open.
Nugent was niet in de stemming voor nieuwsgierige reporters. Haastig bracht hij hen naar de deur. Ze stapten een kleine ruimte binnen, met twee rijen klapstoelen tegenover een paar onheilspellende zwarte gordijnen.
'Gaat u zitten,' zei hij kortaf. Hij telde acht journalisten en één sheriff. Drie stoelen waren nog leeg. 'Het is nu tien over elf,' zei hij dramatisch. 'De veroordeelde bevindt zich in de Isoleerkamer. Hier voor u, aan de andere kant van de gordijnen, is de executieruimte. Om vijf voor twaalf wordt hij binnengebracht en op de stoel vastgebonden. Daarna gaat de deur dicht. De gordijnen worden precies om middernacht geopend. Op dat moment ziet u de gaskamer, met de veroordeelde al op de stoel, nog geen halve meter van de ramen. U ziet alleen zijn achterhoofd. Ik heb deze opstelling niet bedacht, oké? Het duurt ongeveer tien minuten voordat de dood definitief is ingetreden. Op dat moment gaan de gordijnen weer dicht en keert u naar de busjes terug. U zult lang moeten wachten en het spijt me dat deze ruimte geen airconditioning heeft. Als de gordijnen worden geopend, gaat het allemaal heel snel. Heeft iemand nog vragen?'
'Hebt u met de veroordeelde gesproken?'

'Ja.'
'Hoe houdt hij zich?'
'Geen commentaar. Om één uur is er een persconferentie en zal ik uw vragen beantwoorden. Daar heb ik het nu te druk voor.' Nugent verliet de getuigenkamer en smeet de deur achter zich dicht. Haastig liep hij de hoek om, terug naar de executieruimte.

'We hebben nog minder dan een uur. Waar wil je over praten?' vroeg Sam.
'Over van alles. Maar het meeste is onprettig.'
'Het is niet zo makkelijk om op dit moment een prettig gesprek te voeren, Adam.'
'Wat denk je nu, Sam? Wat gaat er door je heen?'
'Alles.'
'Waar ben je bang voor?'
'De lucht van het gas. Of het pijnlijk is of niet. Ik hoop niet dat ik hoef te lijden, Adam. Hopelijk gaat het snel. Jumbo Parris hield twee minuten zijn adem in. Daar heb ik geen zin in. Ik neem liever een flinke teug. Misschien zweef ik dan weg. Ik ben niet bang voor de dood, Adam, maar wel voor het sterven. Ik wou dat het voorbij was. Dit wachten is onmenselijk.'
'Ben je er klaar voor?'
'Mijn hardvochtige hart heeft eindelijk rust. Ik heb verschrikkelijke dingen gedaan, jongen, maar ik geloof toch dat God me een kans zal geven, hoewel ik die niet verdien.'
'Waarom heb je me nooit verteld over je medeplichtige?'
'Dat is een lang verhaal en we hebben niet veel tijd.'
'Het had je leven kunnen redden.'
'Nee. Niemand zou me hebben geloofd. Denk eens na. Drieëntwintig jaar later kom ik opeens met een nieuw verhaal en geef ik alle schuld aan een geheimzinnige onbekende. Dat is belachelijk.'
'Maar waarom heb je tegen me gelogen?'
'Daar had ik mijn redenen voor.'
'Om me te beschermen?'
'Dat is er een van.'
'Hij ligt nog op de loer, bedoel je?'
'Ja. Hij is dicht in de buurt. Waarschijnlijk staat hij ergens bij

de poort, tussen die andere idioten. Om me in de gaten te houden. Maar jij zou hem nooit hebben gevonden.'
'Hij heeft Dogan en zijn vrouw vermoord?'
'Ja.'
'En Dogans zoon?'
'Ja.'
'En Louis Brazelton?'
'Ik denk het wel. Hij is een slimme moordenaar, Adam. Dodelijk effectief. Tijdens het eerste proces heeft hij Dogan en mij al bedreigd.'
'Heeft hij ook een naam?'
'Niet echt. Die zou ik je toch niet vertellen. Je mag hier nooit met iemand over spreken.'
'Dus jij sterft voor de misdaad van een ander?'
'Nee. Ik had die jochies kunnen redden. En God weet dat ik genoeg andere mensen heb vermoord. Ik krijg mijn verdiende straf, Adam.'
'Niemand verdient dit.'
'Het is beter dan verder te leven. Als ze me nu naar mijn cel terugbrachten en zouden zeggen dat ik daar tot mijn dood mocht blijven... weet je wat ik dan zou doen?'
'Wat dan?'
'Dan zou ik zelfmoord plegen.'
Na het laatste uur in deze cel kon Adam hem geen ongelijk geven. Hij kon er zich geen voorstelling van maken hoe het was om drieëntwintig uur per etmaal in zo'n kleine kooi te moeten leven.
Sam klopte op zijn borstzakje. 'Ik ben mijn sigaretten vergeten,' zei hij. 'Nou ja, dit is een goed moment om te stoppen.'
'Is dat geestig bedoeld?'
'Ja.'
'Ik kan er niet om lachen.'
'Heeft Lee je ooit dat boek laten zien met die foto van een lynchpartij waar ik ook op sta?'
'Ze heeft het me niet laten zien, maar ze zei wel waar het lag en ik heb het gevonden.'
'Dus je hebt de foto gezien?'
'Ja.'
'Een leuk feestje, vond je niet?'
'Heel triest.'

'Heb je ook die andere foto van een lynchpartij gezien, één bladzijde eerder?'
'Ja. Twee Kluckers.'
'Met witte pijen, puntmutsen en maskers.'
'Ja, die heb ik gezien.'
'Dat waren Albert en ik. Ik zat achter een van die maskers.'
Adam raakte half verdoofd door de schok. Hij zag de gruwelijke foto weer en probeerde hem uit zijn gedachten te bannen. 'Waarom vertel je me dat, Sam?'
'Omdat het een opluchting is. Ik heb het nooit eerder toegegeven, maar het geeft voldoening om de waarheid onder ogen te zien. Ik voel me nu al beter.'
'Ik wil niets meer horen.'
'Eddie heeft het nooit geweten. Hij vond dat boek op zolder en ontdekte dat ik op die andere foto stond. Maar hij wist niet dat ik een van de Kluckers was.'
'Laten we het niet over Eddie hebben, oké?'
'Goed idee. Over Lee dan?'
'Ik ben kwaad op Lee. Ze heeft ons in de steek gelaten.'
'Ik had haar graag nog willen zien. Dat doet pijn. Maar ik ben heel blij dat Carmen is geweest.'
Eindelijk een prettig onderwerp. 'Ze is een fijne meid,' zei Adam.
'Ja, ik vond haar heel leuk. Ik ben erg trots op jou, Adam, en op Carmen. Jullie hebben de goede eigenschappen van je moeder geërfd. Ik ben heel gelukkig dat ik twee zulke fantastische kleinkinderen heb.'
Adam reageerde niet. Ze hoorden geluiden in de aangrenzende kamer en ze schoten allebei overeind.
'Nugent speelt zeker met zijn apparaatjes,' zei Sam. Zijn schouders trilden weer. 'Weet je wat zo erg is?'
'Nou?'
'Ik heb hier veel over nagedacht. Ik heb mezelf de laatste dagen echt zitten kwellen. Als ik naar jou en Carmen kijk, zie ik twee intelligente jonge mensen met een warme, open instelling. Jullie haten niemand. Jullie zijn tolerant, ruimdenkend, goed opgeleid en ambitieus. Jullie komen er wel. Jullie hebben niet de bagage waarmee ik geboren ben. En als ik jou zo zie, mijn kleinzoon, mijn eigen vlees en bloed, vraag ik me af waarom ik niet iemand anders ben geworden. Iemand zoals

jij en Carmen. Ik kan nauwelijks geloven dat we familie zijn.'
'Alsjeblieft, Sam, hou op.'
'Ik kan er niets aan doen.'
'Toe nou.'
'Goed, goed. Iets prettigs dan.' Hij zweeg en boog zich voorover. Zijn hoofd zakte bijna tussen zijn knieën.
Adam wilde meer weten over de geheimzinnige medeplichtige. Hij was nieuwsgierig naar het echte verhaal – de werkelijke toedracht van de bomaanslag, de verdwijning, en hoe en waarom Sam was gearresteerd. En hij wilde ook weten wat er van die vent was geworden, vooral omdat hij daar nog ergens op de loer lag. Maar op die vragen zou hij nooit een antwoord krijgen, dus zette hij ze uit zijn hoofd. Sam zou veel geheimen met zich meenemen in het graf.

De aankomst van de helikopter van de gouverneur zorgde voor enige beroering bij de poort van Parchman. Het toestel landde aan de andere kant van de autoweg, waar een gevangenisbusje stond te wachten. Ingesloten tussen twee lijfwachten en met Mona Stark op zijn hielen rende McAllister naar het busje. 'Daar heb je de gouverneur!' riep iemand. De hymnen en gebeden verstomden. Camera's filmden het busje, dat met hoge snelheid de poort door reed en uit het gezicht verdween.
Een paar minuten later stopte het bij de ambulance achter de Maximaal Beveiligde Afdeling. De lijfwachten en Mona Stark bleven in het busje. Nugent begroette de gouverneur en bracht hem naar de getuigenkamer, waar hij hem een plaats op de eerste rij wees. McAllister knikte naar de andere getuigen, die inmiddels flink zaten te zweten. De kamer was een oven. Zwarte muggen vlogen tegen de muren. Nugent vroeg of hij iets kon halen voor de gouverneur.
'Popcorn,' grapte McAllister, maar niemand lachte. Nugent fronste en vertrok.
'Waarom bent u hier?' vroeg een van de journalisten meteen.
'Geen commentaar,' antwoordde de gouverneur voldaan.
Ze bleven met hun tienen zwijgend zitten, starend naar de zwarte gordijnen. Regelmatig keken ze op hun horloge. De zenuwachtige gesprekken waren verstomd. Ze meden ieder oogcontact, alsof ze zich schaamden dat ze deelnemers wa-

ren aan zo'n macabere gebeurtenis.
Nugent bleef bij de deur van de gaskamer staan en controleerde een lijst. Het was tien over half twaalf. Hij gaf de dokter opdracht om naar de Isoleerkamer te gaan, stapte toen zelf naar buiten en gaf een teken dat de bewakers de vier wachttorens rond de Maximaal Beveiligde Afdeling moesten verlaten. De kans dat het ontsnappende gas na de executie tot een van de torens zou doordringen was klein, maar Nugent hield van details.

Er werd zachtjes op de deur geklopt, maar het klonk als een mokerslag. Adam en Sam schrokken op. De deur ging open. De jonge arts kwam binnen, probeerde te glimlachen, liet zich op een knie zakken en vroeg Sam zijn overhemd los te knopen. Er werd een ronde stethoscoop op zijn borst geplakt, met een korte draad tot aan zijn riem.
De handen van de dokter trilden. Hij zei geen woord.

51

Om half twaalf maakten Hez Kerry, Garner Goodman, John Bryan Glass en twee van zijn studenten een eind aan hun oppervlakkige gesprek en hielden elkaars hand vast rond de rommelige tafel in Kerry's kantoor. Allemaal zeiden ze een stil gebed voor Sam Cayhall en daarna bad Hez hardop voor de hele groep. In gedachten verzonken bleven ze zo zitten en zeiden nog een kort gebed voor Adam.

Het einde kwam snel. De tijd, die het afgelopen etmaal met horten en stoten was verstreken, ging opeens met sprongen. Toen de dokter was vertrokken, bleven ze nog een paar minuten zenuwachtig praten, terwijl Sam twee keer door de kleine ruimte liep en zijn passen telde. Daarna leunde hij tegen de muur aan de andere kant van het bed. Ze hadden het over Chicago en over Kravitz & Bane. Sam kon zich niet voorstellen dat ruim driehonderd advocaten zo dicht opeen onder één dak konden leven. Ze lachten nerveus en wachtten op de gevreesde klop op de deur.
Die kwam om precies vijf voor twaalf. Drie harde tikken, toen een lange stilte. Nugent wachtte voordat hij binnenkwam.
Adam sprong bijna meteen overeind. Sam haalde diep adem en klemde zijn kaken op elkaar. Hij wees met een vinger naar Adam. 'Hoor eens,' zei hij ferm. 'Je kunt wel met me naar binnen gaan, maar je mag niet blijven.'
'Dat weet ik. Ik wil er niet bij zijn, Sam.'
'Goed.' Sam liet zijn vinger zakken. Hij ontspande zijn kaken en zijn gezicht verslapte. Toen deed hij een stap naar voren en pakte Adam bij zijn schouders. Adam drukte hem tegen zich aan en omhelsde hem voorzichtig.
'Zeg tegen Lee dat ik van haar houd,' zei Sam. Zijn stem brak. Hij trok zich half los en keek Adam recht in de ogen. 'Zeg dat ik tot het laatste moment aan haar heb gedacht. En ik ben niet boos dat ze niet gekomen is. Ik zou hier ook niet

willen zijn als ik niet hoefde.'
Adam knikte snel. Hij vocht tegen zijn tranen. Alles wat je wilt, Sam. Alles.
'Zeg je moeder gedag. Ik heb haar altijd graag gemogen. En doe de groeten aan Carmen. Ze is een lieve meid. Het spijt me allemaal vreselijk, Adam. Het is een afschuwelijke erfenis die jullie met je mee moeten dragen.'
'We redden ons wel, Sam.'
'Dat weet ik. Dankzij jullie kan ik als een trots man sterven.'
'Ik zal je missen,' zei Adam. De tranen stroomden nu over zijn wangen.
De deur ging open en de kolonel kwam binnen. 'Het is tijd, Sam,' zei hij droevig.
Sam grijnsde moedig. 'Dan moet het maar gebeuren!' zei hij met krachtige stem. Nugent ging het eerst, gevolgd door Sam en daarna Adam. Ze stapten de executieruimte binnen, waar het stampvol was. Iedereen keek naar Sam, maar meteen sloegen ze hun ogen neer. Ze schaamden zich, dacht Adam. Ze schaamden zich om deel te nemen aan dit smerige gedoe. Ze durfden Adam ook niet aan te kijken.
Monday, de beul, en zijn assistent stonden bij de muur naast het scheikundehok. Ze werden geflankeerd door twee bewaarders in uniform, die nauwelijks ruimte hadden om te staan. Lucas Mann en een assistent-opzichter stonden bij de deur. Rechts was de dokter bezig met zijn ECG-apparatuur en probeerde kalm te lijken.
In het midden van de ruimte, omringd door alle aanwezigen, was de gaskamer, een achthoekige buis met een nieuwe laag zilverkleurige verf. De deur stond open, met daarachter de onheilspellende houten stoel en de ramen met de zwarte gordijnen ervoor.
De deur naar buiten stond open, maar het tochtte niet. Het leek wel een sauna. Iedereen baadde in het zweet. De twee bewaarders namen Sam bij de arm en brachten hem naar de gaskamer. Hij telde zijn passen – niet meer dan vijf, vanaf de deur tot aan de kamer – en het volgende moment zat hij op de stoel. Hij keek langs de mannen heen, zoekend naar Adam. De bewaarders deden snel hun werk.
Adam was achter de deur blijven staan. Hij leunde tegen de muur om steun te zoeken. Zijn knieën knikten. Hij keek naar

de mensen in de executieruimte, naar de vloer, naar de ECG-apparatuur. Het leek allemaal zo klinisch. De pas geschilderde wanden, de glimmende betonvloer, de dokter met zijn apparaten, de kleine, steriele kamer met zijn glanzende leidingen, de antiseptische geur uit het scheikundehok. Smetteloos en hygiënisch, als in een ziekenhuis waar mensen kwamen om genezing te vinden.

Als ik hier nu eens op de grond zou braken, Nugent, vlak voor de voeten van die brave dokter, wat bleef er dan nog over van je gedesinfecteerde kamertje? Wat zegt het handboek daarover, Nugent, als ik voor de deur van de gaskamer mijn maag zou omkeren? Adam drukte zijn handen tegen zijn buik.

De riemen werden om Sams armen gesnoerd, twee om iedere arm, daarna twee om zijn benen, strak om zijn nieuwe broek, en ten slotte de afschuwelijke hoofdband, om te voorkomen dat hij zichzelf zou bezeren als het gas in zijn longen drong. Zo, dat was gebeurd. Alles was klaar voor de giftige dampen. Keurig netjes, schoon en steriel, zonder dat er een druppel bloed hoefde te vloeien. Geen enkele smet op deze onberispelijke, ethisch verantwoorde moord.

De bewaarders stapten door de smalle deur naar buiten, trots op hun werk.

Adam keek hoe Sam daar zat. Hun blikken kruisten elkaar en heel even sloot Sam zijn ogen.

Nu was de dokter aan de beurt. Nugent zei iets tegen hem, maar Adam kon het niet verstaan. Hij ging naar binnen en bevestigde haastig het snoer van de stethoscoop.

Lucas Mann stapte naar voren met een vel papier. Hij bleef in de deuropening van de gaskamer staan. 'Sam, dit is het doodvonnis. Volgens de wet moet ik het je voorlezen.'

'Als je maar opschiet,' gromde Sam zonder zijn lippen te bewegen.

Lucas hield het vel papier omhoog en las: 'In overeenstemming met de uitspraak van de jury en het doodvonnis dat op 14 februari 1981 tegen u is uitgesproken door het gerechtshof van Lakehead County, bent u hierbij veroordeeld te sterven door middel van dodelijk gas in de gaskamer van de strafgevangenis van Mississippi in Parchman. Moge God uw ziel genadig zijn.' Lucas stapte terug en stak zijn hand uit naar de

eerste van de twee telefoons aan de muur. Hij belde zijn kantoor om te horen of er door wonderbaarlijke tussenkomst nog uitstel was gekomen. Dat was niet zo. De andere telefoon was een beveiligde lijn met het kantoor van de procureur in Jackson. Ook daar geen verandering. Het was dertig seconden na middernacht, woensdag 8 augustus. 'Geen uitstel,' zei hij tegen Nugent.
De woorden galmden door de vochtige ruimte en werden door alle wanden teruggekaatst. Adam keek voor het laatst naar zijn grootvader. Sam had zijn vuisten gebald en zijn ogen gesloten, alsof hij Adam niet meer kon aankijken. Zijn lippen bewogen zich. Misschien zei hij nog een laatste gebed.
'Is er enige reden waarom deze terechtstelling geen doorgang kan vinden?' vroeg Nugent formeel. Opeens zocht hij juridische rugdekking.
'Nee,' antwoordde Lucas met oprechte spijt.
Nugent bleef in de deuropening van de gaskamer staan. 'Heb je nog iets te zeggen, Sam?' vroeg hij.
'Niet tegen jou. Het is tijd voor Adam om te gaan.'
'Goed.' Nugent sloot langzaam de deur. De dikke rubberen rand dempte ieder geluid. Sam zat nu opgesloten, vastgebonden op zijn stoel. Hij kneep zijn ogen stijf dicht. Schiet op dan. Alsjeblieft.
Adam wrong zich achter Nugent langs, die nog steeds met zijn gezicht naar de gaskamer stond. Lucas Mann opende de deur naar buiten en de twee mannen verdwenen snel. Adam wierp nog een laatste blik over zijn schouder. De beul stak zijn hand uit naar een hefboom. Zijn assistent schoof opzij om een glimp te kunnen opvangen. De twee bewaarders zochten een goede positie om die oude klootzak te zien sterven. Nugent, de assistent-opzichter en de arts stonden langs de andere wand. Ze schuifelden langzaam dichterbij en rekten hun halzen, bang dat ze iets zouden missen.
Buiten was het vijfendertig graden, maar toch leek het veel koeler. Adam liep naar de achterkant van de ambulance en leunde ertegenaan.
'Gaat het?' vroeg Lucas.
'Nee.'
'Rustig aan.'
'Blijf jij niet kijken?'

'Nee. Ik heb er al vier gezien, dat vind ik wel genoeg. En deze is nog moeilijker dan de vorige.'
Adam staarde naar de witte deur in het midden van de gemetselde muur. De busjes stonden vlakbij, met een groepje fluisterende en rokende bewaarders ernaast. 'Ik wil weg,' zei hij, bang dat hij misselijk zou worden.
'Kom mee.' Lucas pakte hem bij zijn elleboog en bracht hem naar het voorste busje. Hij zei iets tegen een bewaarder, die voorin sprong. Adam en Lucas gingen op een bank in het midden zitten.
Adam wist dat zijn grootvader nu, op dit moment, in de gaskamer naar adem zat te snakken, dat zijn longen werden verscheurd door het brandende gif. Daar, in dat bakstenen gebouwtje, zoog hij het gas naar binnen, zoveel mogelijk in één keer, in de hoop dat hij weg zou zweven naar een betere wereld.
Hij begon te huilen. Het busje reed langs de luchtplaatsen, over het gras aan de voorkant van de dodengang. Adam sloeg zijn handen voor zijn ogen en huilde om Sam – Sam, die nu moest lijden, die een afschuwelijke dood moest sterven. Hij had er zo meelijwekkend uitgezien, in het enige stel kleren dat hij bezat, vastgebonden als een dier. Hij huilde om Sam en om de negen jaar dat hij door die tralies had zitten staren, in de hoop een glimp van de maan op te vangen, terwijl hij zich afvroeg of íemand daarbuiten nog iets om hem gaf. Hij huilde om al die zielige Cayhalls en hun ellendige geschiedenis. En hij huilde om zichzelf, om zijn pijn van dit moment, om het verlies van een dierbare en zijn onmacht om iets tegen deze waanzin te ondernemen.
Lucas klopte hem zachtjes op zijn schouder toen het busje stopte en weer doorreed, afremde en weer optrok. 'Het spijt me,' zei hij meer dan eens.
'Is dit jouw auto?' vroeg Lucas toen het busje buiten het hek was gekomen. Het veldje stond vol met auto's. Adam rukte het portier open en stapte uit zonder nog een woord te zeggen. Hij zou Lucas later wel bedanken.
In hoog tempo reed hij het grindpad af, tussen de katoenplantages door, tot hij bij de hoofdweg kwam. Bij de poort remde hij af om de twee wegversperringen te ontwijken en hij stopte bij het wachthuisje om zijn kofferbak te laten controle-

ren. Links zag hij een zwerm journalisten die gespannen op nieuws uit de dodengang stonden te wachten, met hun camera's in de aanslag.

Er zat niemand in zijn kofferbak en hij mocht doorrijden. Bijna raakte hij een bewaker die niet snel genoeg opzij sprong. Hij stopte bij de autoweg en keek naar de demonstranten met hun honderden kaarsen. Ergens werd een hymne gezongen.

Met piepende banden scheurde hij weg, langs de politiemensen die van hun tijdelijke rust genoten, langs de auto's die over een afstand van drie kilometer in de berm van de weg stonden geparkeerd. Al gauw had hij Parchman achter zich gelaten. De turbo trok op tot honderdveertig.

Om de een of andere reden sloeg hij af naar het noorden, hoewel hij niet naar Memphis wilde. Stadjes als Tutwiler, Lambert, Marks, Sledge en Crenshaw vlogen voorbij. Hij draaide de raampjes omlaag en de warme lucht golfde om de stoelen. De voorruit zat vol met grote insekten, de plaag van de delta, zoals hij had gemerkt.

Hij had geen doel, geen plan. Hij had er niet over nagedacht waar hij naartoe wilde na Sams executie, omdat hij nooit echt had geloofd dat het zover zou komen. Hij had verwacht dat hij nu in Jackson zou zitten, om het succes te vieren met Garner Goodman en Hez Kerry, dat hij zich een stuk in zijn kraag zou drinken omdat ze op het laatste moment nog een briljante vondst hadden bedacht. Of misschien had hij nog in de dodengang gezeten om de details te regelen van een tijdelijk uitstel dat al gauw definitief zou zijn geworden. Hij had van alles verwacht, maar dit niet.

Hij durfde niet terug te gaan naar Lee's appartement, omdat ze misschien thuis zou zijn. Hun volgende ontmoeting zou bepaald niet prettig worden en daarom wachtte hij er liever mee. Hij besloot een behoorlijk motel te zoeken om te proberen wat te slapen. Morgen, als het licht was, zou hij wel plannen maken. Hij reed door tientallen dorpen en stadjes, maar nergens was een kamer vrij. Hij remde af. De ene snelweg na de andere. Hij was verdwaald, maar het kon hem niet schelen. Hoe kun je verdwalen als je niet weet waar je heen wilt? Soms herkende hij een naam op een wegwijzer en sloeg die richting in. Aan de rand van Hernando, niet ver van Memphis, zag hij een winkel die de hele nacht open was. Er stonden geen auto's geparkeerd. Een vrouw van middelbare leeftijd met gitzwart haar stond achter de toonbank te telefoneren. Ze had kauwgom in haar mond en rookte een sigaret. Adam liep naar de koelkast en haalde er een kartonnetje met zes blikjes bier uit.

'Sorry, schat, maar ik mag na twaalven geen bier meer verkopen.'

'Wat?' vroeg Adam. Hij tastte in zijn zak.

Zijn toon beviel haar niet. Voorzichtig legde ze de telefoon naast de kassa. 'Na middernacht mogen we geen bier verkopen. Dat is de wet.'

'De wet?'

'Ja, de wet.'

'Van Mississippi?'

'Precies,' zei ze voldaan.

'Weet je wat ik op dit moment van de wet van Mississippi vind?'

'Nee, schat, en het kan me ook niet schelen.'

Adam smeet een briefje van tien dollar op de toonbank en liep met het bier naar zijn auto terug. Ze keek hem na, stak het geld in haar zak en pakte de telefoon weer op. Waarom zou je de politie bellen voor een paar blikjes bier?

Adam reed weer verder, naar het zuiden over een tweebaansweg. Hij hield zich nu keurig aan de maximumsnelheid en dronk zijn eerste biertje. Hij was nog steeds op zoek naar een schone kamer met een gratis continentaal ontbijt, een zwembad, een bar en kabeltelevisie, kinderen gratis.

Vijftien minuten om te sterven, vijftien minuten om de gaskamer te ontluchten, tien minuten om hem met ammonia schoon te spoelen. Daarna moest het levenloze lichaam – morsdood, volgens het ECG van de jonge dokter – worden ontsmet. Nugent zou zijn orders geven: pak de gasmaskers en de handschoenen, breng die vervloekte journalisten naar de busjes en voer ze af.

In gedachten zag hij Sam, met zijn hoofd opzij gezakt, nog steeds vastgebonden met die zware leren riemen. Wat voor kleur had zijn huid nu? Toch niet die wasbleke tint van de laatste negen jaar? Het gas zou zijn lippen paars en zijn vlees roze hebben gekleurd. Zodra de gaskamer was ontsmet en er

geen gevaar meer was, stuurde Nugent zijn mensen naar binnen. Maak hem los. Snij zijn kleren weg. Heeft hij zijn ontlasting laten lopen? Zijn urine? Natuurlijk. Zo gaat het altijd. Voorzichtig. Hier heb je een plastic zak voor zijn kleren. Spuit het naakte lichaam schoon.
Adam zag de nieuwe kleren: de stugge kakibroek, de te grote schoenen, de smetteloos witte sokken. Sam was er zo trots op geweest. Nu waren het nog slechts vodden in een groene vuilniszak, die als vergif aan een corveeër werden meegegeven om te worden verbrand.
Waar zijn die blauwe gevangenisbroek en dat witte T-shirt? Haal ze maar. Ga de kamer binnen en kleed het lichaam aan. Schoenen en sokken zijn niet nodig. Hij gaat alleen maar naar het rouwcentrum. Laat de familie hem maar aankleden voor een fatsoenlijke begrafenis. Pak de brancard en breng hem weg. De ambulance in.
Adam reed ergens bij een meer. Hij stak een brug over en reed door een dal. De lucht was opeens vochtig en koel. Hij was weer verdwaald.

52

Het eerste ochtendlicht was een roze schijnsel boven een heuvel bij Clanton. Het viel door de bomen en verkleurde snel tot geel en oranje. De zon kwam schitterend op tegen een donkere, onbewolkte hemel.
In het gras stonden twee ongeopende blikjes bier. Drie lege blikjes waren tegen een naburige grafsteen geworpen. Het eerste lege blikje lag nog in de auto.
De ochtend brak aan. De rijen grafstenen wierpen hun schaduwen over hem heen. Al spoedig knipoogde de zon over de toppen van de bomen.
Hij zat er al een paar uur, hoewel hij ieder besef van tijd had verloren. Jackson, rechter Slattery en de hoorzitting van maandag waren al jaren geleden. Sam was een paar minuten geleden gestorven. Wàs hij wel dood? Hadden ze hun smerige daad al gepleegd? De tijd speelde nog steeds spelletjes.
Hij was geen motel tegengekomen – niet dat hij erg goed had gezocht. Ten slotte was hij naar Clanton gereden en als vanzelf bij de begraafplaats terechtgekomen, waar hij de grafsteen van Anna Gates Cayhall had gevonden. Daar zat hij nu tegenaan. Hij had het warme bier opgedronken en de blikjes naar het grootste grafmonument in de buurt gesmeten. Als de politie hem hier zou vinden en hem in de cel zou gooien, vond hij het best. Hij had al eerder in een cel gezeten. 'Ik kom uit Parchman,' zou hij tegen zijn celgenoten zeggen. 'Ik kom uit de dodencel.' Dan zouden ze hem wel met rust laten.
Maar de politie had wel wat anders te doen. De begraafplaats was veilig. Naast het graf van zijn grootmoeder stonden vier rode vlaggetjes. Adam zag ze toen de zon in het oosten opkwam. Er moest een nieuw graf worden gegraven.
Ergens achter hem sloeg een autoportier dicht, maar hij hoorde het niet. Iemand liep zijn richting uit, maar hij zag het niet. De gestalte liep langzaam, zoekend over de begraafplaats en keek speurend om zich heen.
Adam schrok toen hij een takje hoorde breken. Lee stond

naast hem, met haar hand op de grafsteen van haar moeder. Hij keek haar aan, maar sloeg meteen zijn ogen neer.
'Wat doe jij hier?' vroeg hij, te apathisch om nog verbaasd te zijn.
Ze liet zich voorzichtig op haar knieën zakken en kwam naast hem zitten, met haar rug tegen de gebeitelde naam van haar moeder. Ze stak haar arm door de zijne.
'Waar heb je verdomme gezeten, Lee?'
'Ik heb me laten behandelen.'
'Je had toch wel kunnen bellen?'
'Adam, wees alsjeblieft niet boos. Ik heb een vriend nodig.' Ze legde haar hoofd tegen zijn schouder.
'Ik weet niet of ik je vriend nog ben, Lee. Wat je gedaan hebt is heel erg.'
'Hij wilde me nog zien, zeker?'
'Ja. Maar jij was weer verdiept in je eigen kleine wereldje, je eigen problemen, zonder aan iemand anders te denken.'
'Adam, ik heb een kuur gevolgd. Je weet hoe zwak ik ben. Ik heb hulp nodig.'
'Zorg dan dat je die krijgt.'
Ze zag de twee blikjes bier en Adam smeet ze haastig weg. 'Ik drink niet meer,' zei ze zielig. Haar stem klonk triest en hol. Haar knappe gezicht was moe en gegroefd.
'Ik heb nog geprobeerd hem te bezoeken,' zei ze.
'Wanneer?'
'Gisteravond. Ik ben naar Parchman gereden, maar ze wilden me niet binnenlaten. Het was te laat, zeiden ze.'
Adam boog zijn hoofd en zijn woede verdween. Wat had hij eraan om haar verwijten te maken? Ze was alcoholiste. Ze vocht tegen demonen die hij hopelijk nooit zou tegenkomen. En ze was zijn tante, zijn Lee, van wie hij hield. 'Tot aan het eind heeft hij naar je gevraagd. Ik moest je zeggen dat hij van je hield en dat hij niet boos was dat je niet gekomen bent.'
Ze begon heel zachtjes te huilen. Ze veegde met de rug van haar hand haar wangen droog, maar de tranen bleven stromen.
'Hij is heel dapper en waardig gestorven,' zei Adam. 'Hij was erg moedig. Hij zei dat zijn hart vrede had met God en dat hij niemand meer haatte. Hij had oprecht berouw van alles wat hij had gedaan. Hij was een goede vent, Lee, een taaie rakker

die klaar was voor de volgende stap.'
'Weet je waar ik ben geweest?' vroeg ze tussen haar tranen door, alsof ze niets gehoord had van wat hij zei.
'Nee. Waar dan?'
'Naar het oude huis. Ik ben er gisteravond naartoe gereden toen ik van Parchman kwam.'
'Waarom?'
'Om het in brand te steken. En dat heb ik gedaan. Het brandde fantastisch – het huis en het droge gras eromheen. Een geweldige fik. Alles is in rook opgegaan.'
'Kom nou, Lee.'
'Ik zweer het je. Ik ben nog bijna betrapt. Toen ik terugreed, kwam ik een andere auto tegen. Maar ik maak me geen zorgen. Ik heb het terrein vorige week gekocht. Ik heb de bank dertienduizend dollar betaald. Als eigenaar mag je de zaak toch in brand steken? Jij bent advocaat, jij moet dat weten.'
'Meen je het serieus?'
'Ga zelf maar kijken. Ik heb bij een kerkje staan wachten, anderhalve kilometer verderop, om te zien of de brandweer zou komen. Maar die kwam niet. Het dichtstbijzijnde huis staat drie kilometer verderop. Niemand heeft die brand gezien. Rij er maar heen. Er is niets meer van over dan de schoorsteen en een hoop as.'
'Hoe...'
'Benzine. Hier, ruik mijn handen maar.' Ze hield ze onder zijn neus. Ze stonken onmiskenbaar naar benzine.
'Maar waarom?"
'Ik had het al jaren eerder moeten doen.'
'Dat is geen antwoord op mijn vraag. Waarom?'
'Omdat er verschrikkelijke dingen zijn gebeurd. Het wemelde er van de geesten en demonen. Die zijn nu verdwenen.'
'Gestorven met Sam.'
'Nee, ze zijn niet dood. Ze kwellen nu iemand anders.'
Het had geen zin hierop door te gaan, besloot Adam. Ze moesten hier weg, terug naar Memphis of naar de kliniek waar ze was behandeld. Misschien kon ze in therapie. Hij zou bij haar blijven om ervoor te zorgen dat ze hulp kreeg.
Een stoffige pick-up truck reed de begraafplaats op door het ijzeren hek van het oude gedeelte, en kroop langzaam over het betonnen pad langs de oude monumenten. Hij bleef

staan bij een gereedschapsschuurtje in een hoek van het terrein. Drie zwarte mannen stapten rustig uit de truck en rekten zich uit.
'Dat is Herman,' zei ze.
'Wie?'
'Herman. Zijn achternaam weet ik niet. Hij is hier al veertig jaar grafdelver.'
Ze keken naar Herman en de andere twee, aan de overkant van de vallei van grafstenen. Vaag waren hun stemmen te horen toen ze geroutineerd met hun voorbereidingen begonnen.
Lee hield eindelijk op met huilen. De zon stond al een eind boven de bomen en scheen recht in hun gezicht. Het werd snel warmer. 'Ik ben blij dat je gekomen bent,' zei ze. 'Ik weet dat het veel voor hem heeft betekend.'
'Ik heb verloren, Lee. Ik heb mijn cliënt laten zakken en nu is hij dood.'
'Je hebt je best gedaan. Niemand had hem kunnen redden.'
'Misschien niet.'
'Kwel jezelf niet. Die eerste avond in Memphis zei je al dat de kans maar klein was. Je bent een heel eind gekomen. Je hebt je tot het uiterste verzet. Nu is het tijd om naar Chicago terug te gaan en de draad van je leven weer op te pakken.'
'Ik ga niet naar Chicago terug.'
'Wat?'
'Ik neem een andere baan.'
'Maar je bent pas een jaar advocaat!'
'Ik blijf wel advocaat, maar ik sla een andere richting in.'
'Wat dan?'
'Processen tegen de doodstraf.'
'Dat klinkt heel akelig.'
'Dat is zo. Zeker op dit punt van mijn leven. Maar ik zal er wel aan wennen. Ik ben niet geschikt voor een groot kantoor.'
'Waar ga je dan werken?'
'In Jackson. Ik zal nu wel vaker in Parchman komen.'
Ze wreef over haar gezicht en trok haar haar naar achteren.
'Je zult het zelf wel het beste weten,' zei ze met duidelijke twijfels.
'Dat vraag ik me af.'
Herman liep om een aftandse gele graafmachine heen die on-

der een boom bij het schuurtje stond geparkeerd. Hij bekeek hem aandachtig terwijl een collega twee spaden in de laadschop legde. Ze rekten zich nog eens uit, lachten ergens om en gaven een schop tegen de banden.
'Ik heb een idee,' zei ze. 'Er is een klein eethuisje ten noorden van de stad. Het heet Ralph's. Sam heeft...'
'Ralph's?'
'Ja.'
'Sams dominee heette ook Ralph. Hij is gisteravond bij ons gebleven.'
'Had Sam een dominee?'
'Ja. En een goede.'
'In elk geval, op onze verjaardagen nam hij Eddie en mij altijd mee naar dat eethuisje. Het staat er geloof ik al honderd jaar. Dan kregen we grote koeken en warme chocola. Zullen we kijken of het open is?'
'Nu?'
'Ja.' Ze sprong enthousiast op. 'Kom mee. Ik heb honger.'
Adam trok zich aan de grafsteen omhoog. Hij had sinds maandag niet meer geslapen en zijn benen voelden zwaar en stijf. Het bier maakte hem duizelig.
In de verte startte een motor. Het geluid weergalmde over de begraafplaats. Adam verstijfde. Lee draaide zich om. Herman zat achter het stuur van de graafmachine, die dikke blauwe rook uitbraakte. Zijn twee collega's zaten in de laadschop, met hun benen over de rand. Langzaam, in een lage versnelling, reed de machine het pad af langs de graven. Toen stopte hij en keerde.
Hij kwam hun kant op.